Русский язык в упражнениях

Russian in Exercises

S.A. Khavronina, A.I. Shirochenskaya

Russian in Exercises

17 th edition, stereotype

Moscow
2008

С.А. Хавронина, А.И. Широченская

Русский язык в упражнениях

17-е издание, стереотипное

Москва
2008

УДК 808.2 (075.8)-054.6
ББК 81.2 Рус-923
Х12

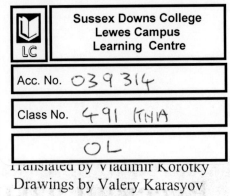

Translated by Vladimir Korotky
Drawings by Valery Karasyov

Х12 **Хавронина С.А.** Русский язык в упражнениях. Учебное пособие (для говорящих на английском языке). – 17-е изд., стереотип. /С.А. Хавронина, А.И. Широченская. – М.: Рус. яз. Курсы, 2008. – 384 с.
ISBN 978-5-88337-155-3

Книга является практическим пособием по русскому языку и может быть использована как дополнительный материал к любому начальному курсу русского языка.

Пособие содержит разнообразные упражнения, направленные на выработку правильных и прочных грамматических навыков, необходимых для овладения речью на русском языке. Грамматический материал представляется в речевых образцах, в таблицах, в кратких комментариях. Ко многим упражнениям даны ключи.

ISBN 978-5-88337-155-3

PREFACE

Russian in Exercises is intended for beginners. It contains exercises designed to consolidate and activise basic Russian grammar and vocabulary. *Russian in Exercises* falls into two parts: 1. An Introductory Lexical and Grammatical Course, and 2. The Main Course.

1. An Introductory Lexical and Grammatical Course

The exercises given in this part are based on a limited vocabulary (approximately 350 words) and will enable the student to master the main types of the Russian simple sentence and also a number of points of Russian grammar, such as personal verb forms and tenses, and the plural of nouns. At the same time they will acquaint him with the main ways of expressing the agent, place and time of an action, possession, an attribute of an object, and affirmation and negation. The exercises will teach the student, how to ask various types of questions containing the question words *кто*? 'who?', *когда́?* 'when?', *где?* 'where?', *чей?* 'whose?' and *како́й?* 'what (kind of)?', and to understand and make simple statements. The Introductory Course lays the foundation for further study of the language.

2. The Main Course

The Main Course falls into three large sections: The Use of the Cases; The Verb; and Complex Sentences.

One of the principal peculiarities of Russian grammar is the category of case, the essence of which is the fact that every Russian noun, adjective, pronoun, ordinal numeral and participle has a whole system of forms expressing different meanings, e. g. Это *студе́нт*. 'This is a student.' Нет *студе́нта*. 'There is no student.' Пишу́ *студе́нту*. 'I am writing to a student.' Ви́жу *студе́нта*. 'I see a student.' Знако́м со *студе́нтом*. 'I know a student.' Говори́м о *студе́нте*. 'We are talking about a student.'

This often presents difficulty to non-Russian students of the language. It is impossible to speak Russian correctly without a thorough knowledge of the case forms and without learning to use these forms automatically in speech. This has determined the structure of the Main Course, the arrangement of its contents and the number of exercises in each section.

The authors introduce the cases and their meanings in the order generally followed in practical teaching of the language to non-Russians. First of all the student is introduced to grammatical features most essential for everyday communication. Thus, he should first be able to name objects (Это *уче́бник*. 'This is a textbook.'), then to name the place of an action (Я живу́ в *Ло́ндоне*. 'I live in London.'), then to name an object acted upon (Я чита́ю *кни́гу*. 'I am reading a book.'), etc.

The case is a unity of form, meaning and function. Each case is therefore introduced and practised in a sentence (which is the smallest speech unit) and also in very short texts. The numerous exercises will help the student assimilate not only the case forms, but also the constructions in which they are used. Thus, having mastered the cases, the student will have mastered the structure of the Russian simple sentence as well.

The verb also presents difficulty to non-Russian students of the language. A peculiarity of the verb is the fact that it has two stems: the infinitive stem (рисова́-ть 'to draw') and the present tense stem (рису́-ю 'I am drawing'). Other categories of the Russian verb – aspect and transitiveness/intransitiveness – are also unusual for most foreigners. The group of prefixed and unprefixed verbs of motion also warrants close attention.

Since the verb fulfils the function of the predicate in a sentence, it forms its nucleus. Therefore the ability to use verbs properly is an indispensable condition for understanding and speaking Russian.

The exercises in the Complex Sentences section aim to help the student master the structure of complex sentences and the most frequent conjunctions and conjunctive words. In this section the student is introduced to complex sentences with clauses of reason, condition, purpose, etc. Special attention is given to clauses introduced by the conjunctive word *кото́рый* and the conjunction *что́бы*, since their misuse accounts for the greater part of mistakes made by forcing speakers of Russian.

The book should be studied in a cyclic pattern and not straight through from beginning to end. This should prevent the student from learning the accusative of direction in isolation from verbs of motion, or the instrumental in isolation from the short form of passive participles; it is useful to study the accusative of the object of action in conjunction with the section devoted to verbal aspects, etc.

Russian in Exercises is based on a limited number of the commonest Russian words, a feature which makes it possible to use it to supplement any comprehensive Russian course.

The authors would be grateful for any remarks and suggestions which would help improve this work in future editions. They should be forwarded to 125047, Москва, 1-я Тверская-Ямская ул., д. 18. Издательство «Русский язык. Курсы». Тел./факс: (495) 251 0845; e-mail: kursy@online.ru; www.rus-lang.ru/eng/contents.

CONTENTS

PART ONE. AN INTRODUCTORY LEXICAL AND GRAMMATICAL COURSE

PART TWO. THE MAIN COURSE

The Uses of the Cases

Русский алфавит

А а	*А а*	**К к**	*К к*	**Х х**	*Х х*
Б б	*Б б*	**Л л**	*Л л*	**Ц ц**	*Ц ц*
В в	*В в*	**М м**	*М м*	**Ч ч**	*Ч ч*
Г г	*Г г*	**Н н**	*Н н*	**Ш ш**	*Ш ш*
Д д	*Д д*	**О о**	*О о*	**Щ щ**	*Щ щ*
Е е	*Е е*	**П п**	*П п*	**ъ**	*ъ*
Ё ё	*Ё ё*	**Р р**	*Р р*	**ы**	*ы*
Ж ж	*Ж ж*	**С с**	*С с*	**ь**	*ь*
З з	*З з*	**Т т**	*Т т*	**Э э**	*Э э*
И и	*И и*	**У у**	*У у*	**Ю ю**	*Ю ю*
Й й	*Й й*	**Ф ф**	*Ф ф*	**Я я**	*Я я*

Part One AN INTRODUCTORY LEXICAL AND GRAMMATICAL COURSE

Nouns in the Singular
Questions: *Кто э́то? Что э́то?*

– Это студе́нт?
– Да, э́то студе́нт.

– Это дом?
– Да, э́то дом.

Exercise 1. Read the questions and answer them. Write down the questions and the answers.

1. Это стол?

Это стол?

2. Это стул?

Это стул?

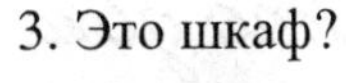

3. Это шкаф?

Это шкаф?

4. Это ла́мпа?

Это ла́мпа?

5. Это кни́га?

Это кни́га?

6. Это ру́чка?

Это ру́чка?

7. Это каранда́ш?

Это каранда́ш?

8. Это письмо́?

Это письмо́?

9. Это дом? 10. Это окнó? 11. Это мáльчик? 12. Это дéвочка?

Это дом? Это окнó? Это мáльчик? Это дéвочка?

13. Это собáка?

Это собáка?

14. Это кóшка?

Это кóшка?

Exercise 2. Read the sentences and write them out.

1. Это ýлица. Это дом. Это магази́н, а э́то шкóла. Это автóбус, а э́то трамвáй.

Это ýлица. Это дом. Это магази́н, а э́то шкóла. Это автóбус, а э́то трамвáй.

2. Это стол. Это газéта, а э́то кни́га. Это рýчка, а э́то карандáш.

Это стол. Это газéта, а э́то кни́га. Это рýчка, а э́то карандáш.

3. Это мáльчик, а э́то дéвочка. Это врач, а э́то преподавáтель. Это студéнт, а э́то студéнтка.

Это мáльчик, а э́то дéвочка. Это врач, а э́то преподавáтель. Это студéнт, а э́то студéнтка.

– Это ру́чка?
– **Нет,** э́то **не** ру́чка. Это каранда́ш.

Exercise 3. Read the questions and answer them. Write down the questions and the answers.

1. Это кни́га? 2. Это журна́л? 3. Это де́вочка? 4. Это стол?

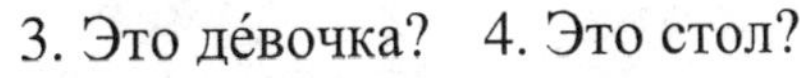

5. Это доска́? 6. Это преподава́тель? 7. Это шко́ла? 8. Это дверь?

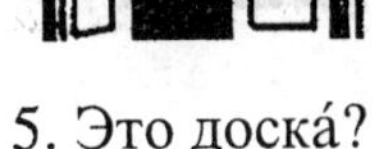

Exercise 4. Read the questions and answer them. Write down the questions and the answers.

Model: – Это каранда́ш? (ру́чка)
– Нет, э́то не каранда́ш. Это ру́чка.

1. Это студе́нт? (студе́нтка) 2. Это тетра́дь? (кни́га) 3. Это газе́та? (журна́л) 4. Это стол? (стул) 5. Это окно́? (дверь) 6. Это ва́за? (ла́мпа) 7. Это шкаф? (стол) 8. Это преподава́тель? (студе́нт) 9. Это ма́льчик? (де́вочка)

– **Кто** э́то?
– Это студе́нт.

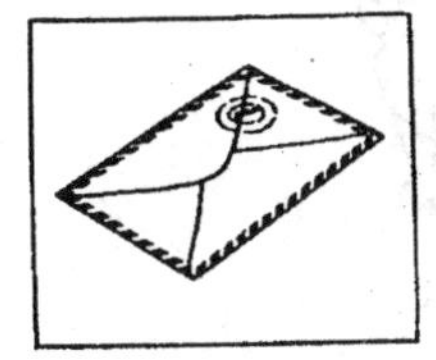

– **Что** э́то?
– Это **письмо́**.

Exercise 5. Ask questions about the drawings and answer them. Write down the questions and the answers.

Model: – *Что* э́то?
– Это *газе́та*.

– *Кто* э́то?
– Это *врач*.

1 2 3 4

5 6 7 8

9 10 11 12

13 14

Exercise 6. Ask the question *Кто э́то?* or *Что э́то?* about the italicised words. Arrange the sentences in two columns.

Model:

Кто э́то?	– **Что** э́то?
Это *врач*.	Это *телеви́зор*.

1. Это *стол*. Это *стул*. Это *студе́нтка*. Это *письмо́*. Это *преподава́тель*. Это *ру́чка*. Это *студе́нт*. Это *кни́га*. Это *каранда́ш*. Это *авто́бус*.

2. Это *слова́рь*. Это *упражне́ние*. Это *сло́во*. Это *шко́ла*. Это *сестра́*. Это *брат*. Это *университе́т*. Это *маши́на*. Это *де́вочка*. Это *ма́льчик*. Это *соба́ка*.

The Present Tense of the Verb
Ist Conjugation

чита́ть

Я чита́**ю**.	Мы чита́**ем**.
Ты чита́**ешь**.	Вы чита́**ете**.
Он чита́**ет**.	Они́ чита́**ют**.
Она́ чита́**ет**.	

Exercise 7. Write out the sentences, using the required forms of the verb *чита́ть*.

Model: Я ... текст.
Я *чита́ю* текст.

1. Ты ... рома́н. 2. Мы ... текст. 3. Она́ ... журна́л. 4. Он ... письмо́. 5. Они́ ... упражне́ние. 6. Я ... расска́з. 7. Она́ ... предложе́ние. 8. Вы ... упражне́ние. 9. Они́ ... пра́вило.

Exercise 8. Read the sentences, using the required pronouns.

Model: ... чита́ем текст.
Мы чита́ем текст.

1. ... чита́ет рома́н. 2. ... чита́ю журна́л. 3. ... чита́ете текст. 4. ... чита́ешь письмо́. 5. ... чита́ют упражне́ние. 6. ... чита́ет предложе́ние. 7. ... чита́ем пра́вило. 8. ... чита́ют расска́з.

Exercise 9. Write out the sentences, using the required forms of the verb *повторя́ть*.

Model: Он ... уро́к.
Он *повторя́ет* уро́к.

1. Мы ... пра́вило. 2. Я ... текст. 3. Он ... сло́во. 4. Она́ ... глаго́л. 5. Вы ... предложе́ние. 6. Они́ ... уро́к.

Exercise 10. Conjugate the following verbs on the pattern of the verb *чита́ть*.

Рабо́тать, отдыха́ть, гуля́ть, знать.

Exercise 11. Conjugate the verbs *слу́шать*, *понима́ть*, *отвеча́ть* and *изуча́ть* in the' following sentences. Write out the conjugation of the fourth sentence.

Model: Я *чита́ю* письмо́. Мы *чита́ем* письмо́.
Ты *чита́ешь* письмо́. Вы *чита́ете* письмо́.
Он *чита́ет* письмо́. Они́ *чита́ют* письмо́.

1. Я слу́шаю ра́дио. 2. Я понима́ю вопро́с. 3. Я отвеча́ю уро́к. 4. Я изуча́ю ру́сский язы́к.

– Он **чита́ет**?
– **Да**, он **чита́ет**.
– **Нет**, он **не чита́ет**.

Exercise 12. Answer the questions. Write out the questions and the answers.

Model: – Па́вел рабо́тает? (отдыха́ть)
– Нет, он не рабо́тает. Он отдыха́ет.

1. Анна чита́ет? (обе́дать) 2. Она́ рабо́тает? (гуля́ть) 3. Бори́с обе́дает? (отдыха́ть) 4. Он гуля́ет? (рабо́тать) 5. Они́ отдыха́ют? (у́жинать)

– Он **зна́ет** ру́сский язы́к?
– **Да**, он **зна́ет** ру́сский язы́к.
– **Нет**, он **не зна́ет** ру́сский язы́к.

Exercise 13. Answer the questions in the affirmative or the negative.

1. Ма́льчик слу́шает ра́дио? 2. Де́вочка чита́ет письмо́? 3. Студе́нты повторя́ют

текст? 4. Анна читáет журнáл? 5. Джон знáет алфавúт? 6. Он понимáет текст? 7. Анна и Джон изучáют рýсский язы́к?

Exercise 14. Answer the questions in the affirmative and the negative.

1. Вы понимáете вопрóс? 2. Вы слýшаете рáдио? 3. Вы читáете журнáл? 4. Ты знáешь прáвило? 5. Ты повторя́ешь текст? 6. Вы повторя́ете диалóг? 7. Ты понимáешь предложéние?

Exercise 15. Answer the questions and write down the answers.

Model: – Вéра читáет письмó?
– Нет, Вéра слýшает рáдио.

1. Марúя слýшает рáдио?

4. Онú слýшают рáдио?

2. Джон читáет журнал?

5. Андрéй рабóтает?

3. Джон и Марúя читáют?

– Кто э́то?
– Это Игорь.
– Кто он?
– Он врач.

– Кто э́то?
– Это Лúдия.
– Кто онá?
– Онá медсестрá.

Exercise 16. A. Read the dialogues.

1. – Это Бори́с?
   – Да, э́то Бори́с.
   – Он студе́нт?
   – Нет, он инжене́р.
   – Он чита́ет журна́л?
   – Да, он чита́ет журна́л.

2. – Кто э́то?
   – Это Ви́ктор.
   – Кто он?
   – Он студе́нт.
   – Он слу́шает ра́дио?
   – Нет, он чита́ет письмо́.

B. Complete the dialogues.

1. – Это Анна?
   – … .
   – Она́ студе́нтка?
   – … .
   – Она́ чита́ет журна́л?
   – … .

2. – Кто э́то?
   – … .
   – Кто она́?
   – … .
   – Она́ слу́шает ра́дио?
   – … .

C. Compose similar dialogues based on the drawings.

Это Сергéй.

Это Нúна.

2nd Conjugation

говорúть

Я говор**ю́**.	Мы говор**и́м**.
Ты говор**и́шь**.	Вы говор**и́те**.
Он говор**и́т**.	Они́ говор**я́т**.
Она́ говор**и́т**.	

All Russian verbs can be divided into two groups: *1st conjugation* verbs and *2nd conjugation* verbs.

1st conjugation verbs take the endings **–ю/-у; -ешь; -ет; -ем; -ете** and **-ют/-ут**.

2nd conjugation verbs take the endings **-ю/-у; -ишь; -ит; -им; -ите** and **-ят/-ат**.

Я **говорю́ по-ру́сски.**
Джон **говори́т по-англи́йски.**
Жан и Мари́ **говоря́т по-францу́зски.**

Exercise 17. Answer the questions in the affirmative or the negative. Write out questions 1, 2, 4 and 5, and the answers to them.

1. Ве́ра говори́т по-францу́зски? 2. Жан говори́т по-англи́йски? 3. Джим говори́т по-ру́сски? 4. Он говори́т по-англи́йски? 5. Вы говори́те по-ру́сски? 6. Ни́на и Бори́с говоря́т по-англи́йски? 7. Ты говори́шь по-францу́зски? 8. Они́ говоря́т по-ру́сски?

Compare the conjugation of the verbs:

1st Conjugation		2nd Conjugation	
знать		**учи́ть**	
Я зна́**ю**.	Мы зна́**ем**.	Я уч**у́**.	Мы у́ч**им**.
Ты зна́**ешь**.	Вы зна́**ете**.	Ты у́ч**ишь**.	Вы у́ч**ите**.
Он (она́) зна́**ет**.	Они́ зна́**ют**.	Он (она́) у́ч**ит**.	Они́ у́ч**ат**.
гуля́ть		**смотре́ть**	
Я гуля́**ю**.	Мы гуля́**ем**.	Я смотр**ю́**.	Мы смо́тр**им**.
Ты гуля́**ешь**.	Вы гуля́**ете**.	Ты смо́тр**ишь**.	Вы смо́тр**ите**.
Он (она́) гуля́**ет**.	Они́ гуля́**ют**.	Он (она́) смо́тр**ит**.	Они́ смо́тр**ят**.

Я чита́ю журна́л. **Студе́нт чита́ет** журна́л. **Студе́нтка чита́ет** журна́л. **Студе́нты**[1] **чита́ют** журна́л	**Кто чита́ет** журна́л?

Exercise 18. Read the questions and answer them.

Model: – Кто повторя́ет диало́г? (я)
– Я повторя́ю диало́г[2].

1. Кто чита́ет текст? (Анна) 2. Кто хорошо́ чита́ет текст? (Анна и Джон) 3. Кто зна́ет диало́г? (я) 4. Кто хорошо́ зна́ет диало́г? (студе́нт и студе́нтка) 5. Кто хорошо́ говори́т по-ру́сски? (они́) 6. Кто изуча́ет ру́сский язы́к? (мы)

[1] *студе́нты*, the plural of the noun *студе́нт*.
[2] If the words containing the answer to a question stand at the beginning of the sentence, they are emphasised by a stronger stress: *Кто* чита́ет журна́л? – Журна́л чита́ет *Бори́с*. and – ***Бори́с*** чита́ет журна́л.

Exercise 19. Ask questions about the italicised words and write them down.

Model: *Джон и Анна* говоря́т по-ру́сски.
Кто говори́т по-ру́сски?

1. *Па́вел* слу́шает ра́дио. 2. *Анна* чита́ет журна́л. 3. *Мы* говори́м по-ру́сски. 4. *Они́* говоря́т по-английйски. 5. *Поль и Мари́я* рабо́тают. 6. *Они́* изуча́ют ру́сский язы́к. 7. *Я* чита́ю письмо́.

Exercise 20. Answer the questions, as in the model. Write out questions 1, 2 and 5, and the answers to them.

Model: – Анна студе́нтка?
– Я не зна́ю, *кто она́*.

1. Бори́с инжене́р? 2. Ни́на врач? 3. Серге́й лабора́нт? 4. Та́ня студе́нтка? 5. Игорь и Ле́на студе́нты? 6. Никола́й Петро́вич и Па́вел Ильи́ч преподава́тели?[1]

Question: *Как?*

– **Как** Джон чита́ет?
– Джон чита́ет **бы́стро**.

Exercise 21. Read the questions and answers. Write out the words which answer the question *Как?*

1. – *Как* студе́нтка отвеча́ет уро́к?
– Студе́нтка отвеча́ет уро́к *пра́вильно*.
2. – *Как* Ви́ктор чита́ет?
– Ви́ктор чита́ет *гро́мко*.
3. – *Как* студе́нты слу́шают?
– Студе́нты слу́шают *внима́тельно*.
4. – *Как* Анна рабо́тает?
– Анна рабо́тает *хорошо́*.

хорошо́ – пло́хо
бы́стро – ме́дленно
гро́мко – ти́хо
пра́вильно – непра́вильно
внима́тельно – невнима́тельно

[1] *преподава́тели*, the plural of the noun *преподава́тель*.

Exercise 22. Answer the questions.

Model: – *Как* он рабо́тает, *хорошо́* и́ли *пло́хо*?
– Он рабо́тает *хорошо́*.

1. Как Анна отвеча́ет уро́к, пра́вильно и́ли непра́вильно? 2. Как говори́т Мари́я, гро́мко и́ли ти́хо? 3. Как вы говори́те по-ру́сски, хорошо́ и́ли пло́хо? 4. Как вы понима́ете текст, пло́хо и́ли хорошо́? 5. Как вы говори́те по-ру́сски, бы́стро и́ли ме́дленно? 6. Как они́ слу́шают уро́к, внима́тельно и́ли невнима́тельно? 7. Как чита́ет преподава́тель, ме́дленно и́ли бы́стро?

Exercise 23. Complete the sentences, using the antonyms of the adverbs used in them.

Model: Он чита́ет *бы́стро*, а я ... .
Он чита́ет *бы́стро*, а я чита́ю *ме́дленно*.

1. Студе́нт отвеча́ет *гро́мко*, а студе́нтка ... . 2. Сестра́ говори́т *бы́стро*, а брат ... . 3. Ни́на чита́ет *ти́хо*, а Па́вел ... . 4. Мари́я говори́т по-ру́сски *пло́хо*, а Анна ... . 5. Студе́нтка слу́шает уро́к *внима́тельно*, а студе́нт ... . 6. Я зна́ю уро́к *хорошо́*, а ты ... . 7. Вы расска́зываете текст *пра́вильно*, а они́ ... . 8. Он говори́т по-ру́сски *ме́дленно*, а она́ ... .

Exercise 24. Make up questions to which the following sentences are the answers.

Model: – ... ?
– Анна чита́ет *ти́хо*.

– *Как* Анна чита́ет?
– Анна чита́ет *ти́хо*.

1. – … ?
– Студе́нты чита́ют *бы́стро* и *пра́вильно*.
2. – ...?
– Ви́ктор чита́ет *ме́дленно*.
3. – … ?
– Ли́да и Па́вел говоря́т по-англи́йски *хорошо́*.
4. – ...?
– Па́вел говори́т по-францу́зски *пло́хо*.
5. – ...?
– Джон говори́т по-ру́сски *пра́вильно*.
6. – ...?
– Ни́на расска́зывает *интере́сно*.
7. – ...?
– Бори́с рабо́тает *хорошо́*.

Exercise 25. Answer the questions, using the words *хорошо́ – пло́хо, бы́стро – ме́дленно, гро́мко – ти́хо, пра́вильно – непра́вильно, внима́тельно – невнима́тельно.* Write down the answers.

Model: – Как он слу́шает?
– Он слу́шает *внима́тельно*.

1. Как студе́нт чита́ет? 2. Как он зна́ет текст? 3. Как студе́нтка отвеча́ет уро́к? 4. Как она́ говори́т по-ру́сски? 5. Как преподава́тель чита́ет? 6. Как студе́нты слу́шают? 7. Как вы зна́ете уро́к? 8. Как вы говори́те по-ру́сски? 9. Как вы понима́ете по-ру́сски?

– **Вы зна́ете**, как Никола́й говори́т по-англи́йски?
– **Да, я зна́ю** (как он говори́т по-англи́йски).
Он говори́т по-англи́йски хорошо́.
– **Нет, я не зна́ю,** как он говори́т по-англи́йски.

Exercise 26. Answer the questions.

1. Вы зна́ете, как он говори́т по-ру́сски? 2. Вы зна́ете, как Бори́с говори́т по-англи́йски? 3. Вы зна́ете, как студе́нты слу́шают уро́к? 4. Вы зна́ете, как они́ расска́зывают текст? 5. Вы зна́ете, как они́ говоря́т по-ру́сски?

Exercise 27. Read the text and retell it.

Это Анна. Она́ студе́нтка. Это Джон. Он студе́нт. Анна и Джон изуча́ют ру́сский язы́к. Сейча́с уро́к. Преподава́тель чита́ет текст. Он чита́ет текст гро́мко и ме́дленно. Анна и Джон слу́шают. Они́ слу́шают внима́тельно. Пото́м чита́ет Анна. Как она́ чита́ет? Она́ чита́ет ме́дленно, но пра́вильно. Преподава́тель слу́шает, как чита́ет студе́нтка. Пото́м он говори́т: «Вы чита́ете по-ру́сски хорошо́».

Exercise 28. Translate into Russian. Write down your translation.

A lesson is in progress now. This is the teacher. This is the boy student and the girl student. The teacher is reading, and the boy student and the girl student are listening. They are listening carefully. Jim and Mary understand the text well. Then Jim reads. He reads quickly and correctly. The teacher says, “Jim, you read well”. Then they speak Russian.

Question: *Когда́?*

– **Когда́** вы слу́шаете ра́дио?
– Я слу́шаю ра́дио **ве́чером**.

Exercise 29. Read the text and write it out.

Это Па́вел. Он студе́нт. *Утром* Па́вел за́втракает. Пото́м он идёт в университе́т[1]. Там он занима́ется[2]. *Днём* он обе́дает, пото́м немно́го отдыха́ет. *Ве́чером* Па́вел у́жинает, гото́вит[3] дома́шнее зада́ние. Пото́м он отдыха́ет, чита́ет газе́ты[4] и журна́лы[5], слу́шает ра́дио, смо́трит телеви́зо́р.

занима́ться

Я занима́**юсь**.	Мы занима́**емся**.
Ты занима́**ешься**.	Вы занима́**етесь**.
Он (она́) занима́**ется**.	Они́ занима́**ются**.

гото́вить

Я гото́**влю**.	Мы гото́**вим**.
Ты гото́**вишь**.	Вы гото́**вите**.
Он (она́) гото́**вит**.	Они́ гото́**вят**.

Exercise 30. Answer the questions.

Model: – Па́вел чита́ет газе́ты *ве́чером*?
– Да, Па́вел чита́ет газе́ты ве́чером.

а) 1. Па́вел за́втракает *у́тром*? 2. Он занима́ется *днём*? 3. Он обе́дает *днём*? 4. Он у́жинает *ве́чером*?

---

[1] *он идёт в университе́т*, he goes to the University
[2] *занима́ться,* to study
[3] *гото́вить*, to prepare
[4] *газе́ты*, the plural of the noun *газе́та*.
[5] *журна́лы*, the plural of the noun *журна́л*.

b) 5. Па́вел слу́шает ра́дио *днём* и́ли *ве́чером*? 6. Он смо́трит телеви́зор *у́тром* и́ли *ве́чером*? 7. Он чита́ет газе́ты *у́тром* и́ли *ве́чером*? 8. Он гото́вит дома́шнее зада́ние *днём* и́ли *ве́чером*?

Exercise 31. Answer the questions. Write out questions 4, 5 and 6, and the answer to them.

Model: – Когда́ вы за́втракаете, *у́тром* и́ли *днём*?
– Я за́втракаю *у́тром*.

1. Когда́ вы обе́даете, *днём* и́ли *ве́чером*?
2. Когда́ вы у́жинаете, *ве́чером* и́ли *днём*?
3. Когда́ вы слу́шаете ра́дио, *у́тром* и́ли *ве́чером*?
4. Когда́ ты рабо́таешь, *днём* и́ли *у́тром*?
5. Когда́ ты отдыха́ешь, *днём* и́ли *ве́чером*?
6. Когда́ ты занима́ешься, *днём* и́ли *ве́чером*?

Exercise 32. Answer the questions, using the words *у́тром, днём, ве́чером, ра́но у́тром, по́здно ве́чером*. Write out questions 7, 8, 9 and 10, and the answers to them.

Model: – *Когда́* вы слу́шаете ра́дио?
– Я слу́шаю ра́дио *у́тром*.

1. *Когда́* Па́вел занима́ется? 2. *Когда́* он обе́дает? 3. *Когда́* он слу́шает ра́дио? 4. *Когда́* он чита́ет газе́ты? 5. *Когда́* он у́жинает? 6. *Когда́* он гото́вит дома́шнее зада́ние? 7. *Когда́* вы за́втракаете? 8. *Когда́* вы занима́етесь? 9. *Когда́* вы обе́даете? 10. *Когда́* вы смо́трите телеви́зор?

Exercise 33. Make up questions to which the following sentences are the answers. Write down the questions.

Model: – … ?	– *Когда́* вы за́втракаете?
– Я за́втракаю *ра́но у́тром*.	– Я за́втракаю *ра́но у́тром*.

1. – … ?
– Я занима́юсь *у́тром*.
2. – ...?
– Мы обе́даем *днём*.
3. – ...?
– Па́вел слу́шает ра́дио *у́тром* и *ве́чером*.
4. – ...?
– Анна рабо́тает *днём*.

5. – ...?
   – Я читáю газéты *ýтром* и *вéчером*.
6. – ...?
   – Мы ýжинаем *вéчером*.
7. – ...?
   – Они́ готóвят домáшнее задáние *вéчером*.

Exercise 34. Answer the questions, as in the model. Write down the answers to questions 2, 3 and 5.

Model: – Анна занимáется *ýтром*?
– Я не знáю, когдá онá занимáется.

1. Бори́с рабóтает *днём*? 2. Мари́я отдыхáет *вéчером*? 3. Пáвел занимáется *ýтром*? 4. Он смóтрит телеви́зор *вéчером*? 5. Сергéй и Анна рабóтают *ýтром*?

Exercise 35. Answer the questions, as in the model.

Model: – Вы знáете, когдá он занимáется?
– Он занимáется вéчером.
(– Я не знáю, когдá он занимáется.)

1. Вы знáете, когдá Бори́с рабóтает? 2. Вы знáете, когдá он отдыхáет? 3. Вы знáете, когдá он обéдает? 4. Вы знáете, когдá Пáвел слýшает рáдио? 5. Вы знáете, когдá он ýжинает? 6. Вы знáете, когдá они́ обéдают?

– **Когдá** вы зáвтракаете?
– Обы́чно я зáвтракаю **в 8 часóв**.

Когдá?	**в час** **в 2, 3, 4 часá** **в 5, 6... 10, 11... 20 часóв**

Exercise 36. Answer the questions.

1. Когдá вы зáвтракаете? 2. Когдá вы обéдаете? 3. Когдá вы ýжинаете? 4. Когдá вы занимáетесь? 5. Когдá вы слýшаете рáдио? 6. Когдá вы отдыхáете?

Question: *Что де́лает?*

– **Что де́лает** студе́нт?
– Студе́нт чита́ет.
– **Что** он **де́лает**?
– Он чита́ет.

Exercise 37. Read the questions and answers, and write them out. Note the position of the subject in the questions when it is a noun and when it is a pronoun.

1. – Что де́лает *преподава́тель*?
   – Преподава́тель чита́ет.
2. – Что де́лают *студе́нты*?
   – Студе́нты слу́шают.
3. – Что *они́* де́лают днём?
   – Днём они́ занима́ются.
4. – Что де́лает *Андре́й*?
   – Андре́й отвеча́ет уро́к.
5. – Что *вы* де́лаете ве́чером?
   – Ве́чером мы отдыха́ем.
6. – Что *вы* де́лаете сейча́с?
   – Сейча́с я пишу́ письмо́.
7. – Что *ты* де́лаешь сейча́с?
   – Сейча́с я чита́ю газе́ты.

писа́ть[1]

Я пиш**у́.**	Мы пи́ш**ем.**
Ты пи́ш**ешь.**	Вы пи́ш**ете.**
Он (она́) пи́ш**ет.**	Они́ пи́ш**ут.**

Exercise 38. Answer the questions, using the words in brackets. Place the words denoting time at the beginning of the sentences.

Model: – Что вы де́лаете *сейча́с*? (отдыха́ть)
– *Сейча́с* мы отдыха́ем.

[1] *писа́ть*, to write

1. Что вы де́лаете *ве́чером*? (у́жинать и отдыха́ть) 2. А что де́лает *ве́чером* Андре́й? (занима́ться) 3. Что он де́лает *у́тром*? (рабо́тать) 4. Что вы де́лаете *у́тром*? (за́втракать и слу́шать ра́дио) 5. Что вы де́лаете *сейча́с*? (писа́ть письмо́) 6. Что студе́нты де́лают *сейча́с*? (чита́ть текст и писа́ть упражне́ния) 7. Что они́ де́лают *ве́чером*? (гуля́ть, чита́ть и смотре́ть телеви́зор)

по́сле обе́да, after dinner
по́сле уро́ка, after the lesson
по́сле у́жина, after supper
по́сле за́втрака, after breakfast

Exercise 39. Answer the questions. Write out questions 5, 6 and 7, and the answers to them.

I. 1. Что де́лает Андре́й *у́тром*?
2. Что он де́лает *днём*?
3. Что де́лают студе́нты *сейча́с*?
4. Что они́ де́лают *ве́чером*?
5. Что вы де́лаете *сейча́с*?
6. Что вы де́лаете *у́тром*?
7. Что вы де́лаете *ве́чером*?

II. 1. Что де́лает Андре́й *по́сле обе́да*?
2. Что вы де́лаете *по́сле уро́ка*?
3. Что де́лают студе́нты *по́сле у́жина*?
4. Что де́лает Андре́й *по́сле за́втрака*?
5. Что де́лает Ни́на *по́сле уро́ка*?

Exercise 40. Make up questions to which the following sentences are the answers.

Model: – ...? — *Что де́лает* Па́вел у́тром?
– Утром Па́вел *рабо́тает*. — Утром Па́вел *рабо́тает*.

1. – ...?
– Утром Бори́с *чита́ет газе́ты*.
2. – … ?
– Ве́чером мы *смо́трим* телеви́зор.
3. – ...?
– Сейча́с Анна *отдыха́ет*.

4. – ...?
   – Сейча́с они́ *обе́дают*.
5. – ...?
   – Ве́чером я *чита́ю*.
6. – ...?
   – Днём я *рабо́таю*.
7. – ...?
   – Сейча́с мы *занима́емся*.
8. – ...?
   – Сейча́с Ни́на *пи́шет письмо́*.

Exercise 41. Read the sentences and write them out. Note the position of the words denoting time in sentences which answer the questions *что де́лает?* and *когда́?* Remember that the words containing the answer to a question are placed at the end of the sentence.

1. – *Когда́* Па́вел рабо́тает?
   – Па́вел рабо́тает *днём*.
   – *Что* он *де́лает* днём?
   – Днём он *рабо́тает*.
2. – *Когда́* он отдыха́ет?
   – Он отдыха́ет *ве́чером*.
   – *Что де́лает* Па́вел ве́чером?
   – Ве́чером он *отдыха́ет*.
3. – *Когда́* вы чита́ете?
   – Я чита́ю *ве́чером*.
   – *Что* вы *де́лаете* ве́чером?
   – Ве́чером я *чита́ю*.

Exercise 42. Answer the questions, as in the model.

Model: – Ве́чером Па́вел занима́ется?
– Я не зна́ю, что он де́лает ве́чером.

1. Днём Андре́й рабо́тает? 2. Ве́чером Па́вел отдыха́ет? 3. Утром Анна занима́ется? 4. Сейча́с студе́нты чита́ют текст? 5. Ве́чером они́ смо́трят телеви́зор?

Я не зна́ю,	**кто** он. **как** он говори́т по-ру́сски. **когда́** он рабо́тает. **что** он де́лает сейча́с.

Exercise 43. A. Read the dialogue.

– Это Бори́с.
– Кто он?
– Он студе́нт.
– Что он де́лает сейча́с?
– Сейча́с он отдыха́ет.
– А когда́ он занима́ется?
– Он занима́ется у́тром.
– А что он де́лает ве́чером?
– Ве́чером он гуля́ет.

B. Complete the dialogues, supplying responses.

1. – Кто э́то?
   – ... .
   – Кто он?
   – … .
   – Что он де́лает сейча́с?
   – … .
   – А когда́ он занима́ется?
   – … .
   – А что он де́лает по́сле у́жина?
   – ... .
2. Это Ни́на.
   – … ?
   – Она́ студе́нтка. Она́ изуча́ет англи́йский язы́к.
   – … ?
   – Она́ говори́т по-англи́йски хорошо́.
   – … ?
   – Сейча́с она́ занима́ется.
   – …?
   – По́сле обе́да она́ отдыха́ет.
   – … ?

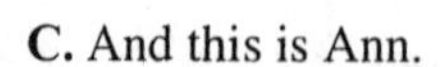

C. And this is Ann.

Ask as many questions as possible about her.

Revision Exercises

Exercise 44. Use the required forms of the verbs given on the right.

1. Мы ... ра́но у́тром.	за́втракать
2. Я ... днём.	рабо́тать
3. Вы ... телеви́зор ве́чером?	смотре́ть
4. Вы ... газе́ты по́сле за́втрака?	чита́ть
5. Они́ ... ру́сский язы́к.	изуча́ть
6. Джон и Мэ́ри хорошо́ ... по-ру́сски.	говори́ть
7. Он хорошо́ ... ру́сский язы́к.	знать

Excrcise 45. Use the required forms of the verbs *знать, чита́ть, слу́шать, де́лать, писа́ть, говори́ть, учи́ть.*

1. Ве́чером я ... газе́ты и журна́лы, ... ра́дио. А что вы ... ве́чером? 2. Анна хорошо́ ... по-ру́сски. Вы то́же хорошо́ ... по-ру́сски? 3. Преподава́тель ... текст. А что ... студе́нты? Они́ ..., как преподава́тель чита́ет текст. 4. Сейча́с Та́ня ... письмо́. А что ... Анна? Она́ ... уро́к. 5. Сего́дня Мари́я хорошо́ ... уро́к. Вы то́же хорошо́ ... уро́к?

Exercise 46. Answer the questions.

I. 1. Как вы говори́те по-ру́сски? 2. Как Анна чита́ет по-ру́сски? 3. Как она́ зна́ет сего́дня уро́к? 4. Как она́ пи́шет?

II. 1. Когда́ вы за́втракаете? 2. Когда́ Андре́й рабо́тает? 3. Когда́ он отдыха́ет? 4. Когда́ вы обе́даете? 5. Когда́ вы слу́шаете ра́дио? 6. Когда́ вы занима́етесь?

III. 1. Что де́лают студе́нты днём? 2. Что они́ де́лают ве́чером? 3. Что вы де́лаете сейча́с? 4. Что вы де́лаете ве́чером? 5. Вы говори́те по-ру́сски? 6. Анна хорошо́ зна́ет уро́к? 7. Она́ чита́ет по-ру́сски бы́стро? 8. Вы чита́ете газе́ты у́тром? 9. Вы рабо́таете днём?

Exercise 47. Ask questions about the italicised words and write them down.

1. Это *Анна*. Она́ *студе́нтка*. Она́ изуча́ет *ру́сский язы́к*. Анна говори́т по-ру́сски *хорошо́*. Сейча́с она́ *занима́ется*.

2. Это *студе́нты*. Сейча́с они́ *обе́дают*.

3. Это *Бори́с*. Он *врач*. Утром он *рабо́тает*. Он отдыха́ет *ве́чером*. Сейча́с он *чита́ет газе́ты*.

Exercise 48. Answer the questions, as in the model.

Model: – Вы зна́ете, что он де́лает?
– Да, (я) зна́ю, (что он де́лает). Он пи́шет письмо́.
– Нет, я не зна́ю, что он де́лает.

1. Вы зна́ете, когда́ Па́вел рабо́тает? 2. Вы зна́ете, что он де́лает ве́чером? 3. Вы зна́ете, когда́ он отдыха́ет? 4. Вы зна́ете, что Анна де́лает сейча́с? 5. Вы зна́ете, когда́ она́ у́чит уро́ки?[1] 6. Вы зна́ете, как она́ говори́т по-ру́сски? 7. Вы зна́ете, когда́ они́ обе́дают? 8. Вы зна́ете, что они́ де́лают по́сле обе́да?

Exercise 49. Answer the questions, as in the model.

Model: – Ни́на *врач*?
– Я не зна́ю, *кто* она́.

– Она́ работает *у́тром*?
– Я не зна́ю, *когда́* она́ рабо́тает.

1. Ве́ра *студе́нтка*? 2. Она́ говори́т по-ру́сски *пра́вильно*? 3. Па́вел рабо́тает *у́тром*? 4. Он *инжене́р*? 5. Сейча́с он *отдыха́ет*? 6. Ви́ктор и Ни́на занима́ются *днём*? 7. Они́ *студе́нты*?

Exercise 50. Write a brief story about yourself: who you are; what you are studying; what you do in the morning, in the afternoon, in the evening; when you work and relax; how well you speak Russian.

The Gender of Nouns

> **!**
>
> Russian nouns are divided into three groups: nouns of the *masculine, feminine* and *neuter* genders.
>
> Masculine nouns are nouns ending in a consonant: студе́н**т**, сто**л**, трамва́**й**.
>
> Feminine nouns are nouns ending in the vowel **-а** or **-я**: кни́г**а**, пе́сн**я**, ле́кци**я**.
>
> Neuter nouns are nouns ending in the vowel **-о** or **-е**: письм**о́**, пла́тье, зда́ни**е**.

[1] *уро́ки*, the plural of the noun *уро́к*.

Masculine	Ending	Feminine	Ending	Neuter	Ending
студе́нт стол трамва́й	a consonant	студе́нтк**а** пе́сн**я** ле́кци**я**	**-а** **-я**	письм**о́** мо́р**е** зда́ни**е**	**-о** **-е**

The Possessive Pronouns *мой, твой, наш, ваш*

Masculine	**мой** брат,	**мой** журна́л
Feminine	**моя́** сестра́,	**моя́** кни́га
Neuter	**моё** пальто́,	**моё** письмо́

! Possessive pronouns agree with their head word (noun) in gender.

Exercise 51. Use the required pronoun.

Model: Это ... ко́мната.
Это *моя́* ко́мната.

Это ... соба́ка.
Это *на́ша* соба́ка.

(a) *мой, моя́, моё*

1. Это ... стол. 2. Это ... ру́чка. 3. Это ... каранда́ш. 4. Это ... пальто́. 5. Это ... газе́та. 6. Это ... друг. 7. Это ... оте́ц.

(b) *наш, на́ша, на́ше*

1. Это ... шко́ла. 2. Это ... дом. 3. Это ... окно́. 4. Это ... библиоте́ка. 5. Это ... университе́т. 6. Это ... клуб. 7. Это ... кафе́. 8. Это … ку́хня.

Exercise 52. Answer the questions, using the required pronouns.

Model: – Это ... каранда́ш?
– Это *твой* каранда́ш?
– *Нет*, э́то не *мой* каранда́ш.

– Это ... магнитофо́н?
– Это *ваш* магнитофо́н?
– Да, э́то *мой* магнитофо́н.

(a) *твой, твоя́, твоё*

1. Это ... журна́л? 2. Это ... ко́мната? 3. Это ... письмо́? 4. Это ... кни́га? 5. Это ... уче́бник? 6. Это ... брат? 7. Это ... сестра́?

(b) *ваш, ва́ша, ва́ше*

1. Это ... письмо́? 2. Это ... газе́та? 3. Это ... ру́чка? 4. Это ... журна́л? 5. Это ... ра́дио? 6. Это ... оте́ц? 7. Это ... преподава́тель?

MEMORISE!

Masculine	Feminine
мой преподава́тель мой слова́рь мой портфе́ль мой день	моя́ мать моя́ дочь моя́ тетра́дь моя́ крова́ть

! Nouns ending in **-ь** are either masculine or feminine.

Exercise 53. Arrange the following words in three columns, as in the model.

Model:

Masculine	Feminine	Neuter
Это *мой* стол.	Это *моя́* ко́мната.	Это *моё* письмо́.
...	...	...

Ла́мпа, каранда́ш, ра́дио, газе́та, учёбник, день, стул, шкаф, ка́рта, портфе́ль, тетра́дь, пальто́, костю́м, па́пка, слова́рь, дом, общежи́тие, крова́ть, окно́, журна́л, карти́на, сло́во, упражне́ние, кни́га, ме́сто, маши́на, магнитофо́н, телеви́зор, плéер, компью́тер, брат, оте́ц, мать, друг, сестра́, това́рищ, дочь, преподава́тель, ко́шка.

Exercise 54. Use the pronouns *он, она́, оно́*.

Model: Это моё письмо́. ... лежи́т здесь.
Это моё письмо́. *Оно́* лежи́т здесь.

1. Это мой слова́рь. ... лежи́т здесь. 2. Это ва́ша кни́га. ... лежи́т там. 3. Это твоя́ тетра́дь. ... лежи́т спра́ва. 4. Это наш шкаф. ... стои́т сле́ва. 5. Это мой стол. ... стои́т спра́ва. 6. Это твоё кре́сло. ... стои́т там. 7. Это на́ша маши́на. ... стои́т здесь. 8. Это наш преподава́тель. ... рабо́тает здесь. 9. Это моя́ сестра́. ... изуча́ет ру́сский язы́к. 10. Это мой брат. ... слу́шает магнитофо́н. 11. Это моя́ мать. ... смо́трит телеви́зор.

The Past Tense of the Verb

говори́ть

Студе́нт говори́**л**.	Он говори́**л**.
Студе́нтк**а** говори́л**а**.	Он**а́** говори́л**а**.
Студе́нт**ы** говори́л**и**.	Он**и́** говори́л**и**.
Ра́ди**о** говори́л**о**.	Он**о́** говори́л**о**.

Exercise 55. Answer the questions. Write down the answers to questions 3, 7, 8 and 9.

Model: – Вы *чита́ли* сего́дня газе́ты?
– Да, я *чита́л* сего́дня газе́ты.
– *Нет*, я *не чита́л* сего́дня газе́ты.

1. Студе́нт *чита́л* текст? 2. Студе́нтка *чита́ла* журна́л? 3. Вы *чита́ли* сего́дня газе́ты? 4. Студе́нты *писа́ли* сего́дня дикта́нт? 5. Ваш друг *писа́л* вчера́ письмо́? 6. Ты *слу́шала* сего́дня ра́дио? 7. Ты *рабо́тал* вчера́? 8. Ты *обе́дал* сего́дня? 9. Вы *смотре́ли* вчера́ телеви́зор? 10. Вы *игра́ли* вчера́ в футбо́л?[1]

Exercise 56. Make up questions to which the following sentences are the answers.

Model: – … ?
– Утром я *рабо́тал*.

– *Что* вы *де́лали* у́тром?
– Утром я *рабо́тал*.

1. – ... ?
– Днём мы *занима́лись*.
2. – ... ?
– Ве́чером мы *гуля́ли*.
3. – ... ?
– Утром она́ *писа́ла письмо́*.
4. – ... ?
– По́сле обе́да она́ *чита́ла газе́ты*.
5. – ...?
– На уро́ке[2] они́ *слу́шали магнитофо́н*.
6. – ... ?
– Днём я *занима́лся*.
7. – ...?
– По́сле у́жина они́ *смотре́ли телеви́зор*.

---

[1] *игра́ть в футбо́л* – to play football
[2] *на уро́ке,* at the lesson.

Past tense verbs are formed from the infinitive stem by means of the suffix **-л**.

читáть – читá + **л** – читáл
говори́ть – говори́ + **л** – говори́л
смотрéть – смотрé + **л** – смотрéл

Past tense verbs have masculine, feminine, neuter and plural endings.

	Singular	Plural	
Masculine	(я, ты) он говори́л	мы	
Feminine	(я, ты) онá говори́л**а**	вы	говори́л**и**
Neuter	онó (рáдио) говори́л**о**	они́	

	Singular	Plural
Masculine	он занима-л-ся	
Feminine	онá занимá-л-**а**-сь	они́ занимá-л-**и**-сь
Neuter	онó занимá-л-**о**-сь	

Exercise 57. Form past tense verbs, as in the model.

Model: дéлать – он *дéлал*, онá *дéлала*, они́ *дéлали*

1. рабóтать, знать, слýшать, дýмать, спрáшивать, отвечáть, зáвтракать, обéдать, ýжинать, повторя́ть
2. говори́ть, учи́ть, готóвить
3. писáть
4. смотрéть
5. занимáться

Exercise 58. Answer the questions, using the words and phrases *рабо́тать, гуля́ть, де́лать дома́шнее зада́ние, занима́ться, писа́ть письмо́, слу́шать магнитофо́н, смотре́ть телеви́зор, игра́ть в ша́хматы, игра́ть в фу́тбол.*

1. Что де́лал ваш друг вчера́ ве́чером? 2. Что де́лали студе́нты сего́дня у́тром? 3. Что они́ де́лали по́сле обе́да? 4. Что вы де́лали вчера́ по́сле у́жина? 5. Что вы де́лали сего́дня у́тром? 6. Что вы де́лали сего́дня днём?

Exercise 59. Replace the present tense by the past.

Model: он *рабо́тает* – он *рабо́тал*

1. она́ отвеча́ет –
2. я за́втракаю –
3. они́ гуля́ют –
4. мы чита́ем –
5. она́ спра́шивает –
6. он обе́дает –
7. мы рабо́таем –
8. они́ слу́шают –
9. вы расска́зываете –
10. она́ у́жинает –

Exercise 60. Replace the present tense by the past. Remember that the past tense is formed from the infinitive stem.

Model: я *гото́влю* (гото́вить) – я *гото́вил*

1. он пи́шет –
2. она́ смо́трит –
3. он говори́т –
4. вы у́чите –
5. я сижу́ –
6. они́ занима́ются –

Exercise 61. Replace the present tense by the past.

Model: Я *изуча́ю* ру́сский язы́к.
Я *изуча́л* ру́сский язы́к.

1. Наш преподава́тель *объясня́ет* уро́к. 2. Он *говори́т* по-ру́сски. 3. Преподава́тель *спра́шивает*, а студе́нты *отвеча́ют*. 4. Студе́нты хорошо́ *зна́ют* текст. 5. Днём мы *занима́емся*, а ве́чером *отдыха́ем*. 6. Я *гото́влю* дома́шнее зада́ние. 7. Она́ *слу́шает* ра́дио. 8. Он *чита́ет* журна́л. 9. По́сле у́жина я *смотрю́* телеви́зор, *слу́шаю* магнитофо́н.

Exercise 62. Write out the text, replacing the present tense by the past.

Что мы де́лаем на уро́ке? Мы чита́ем текст. Пото́м преподава́тель спра́шивает, а мы отвеча́ем. Майкл расска́зывает текст бы́стро и пра́вильно, он хорошо́ зна́ет слова́. Когда́ он отвеча́ет, мы слу́шаем внима́тельно. Пото́м преподава́тель объясня́ет уро́к. Мы понима́ем, что говори́т преподава́тель. Мы повторя́ем глаго́лы, пи́шем дикта́нт, говори́м по-ру́сски. Все студе́нты занима́ются хорошо́.

Exercise 63. Write out the text, replacing the present tense by the past.

Что я де́лаю ве́чером? По́сле уро́ков я обе́даю, отдыха́ю, чита́ю газе́ты и журна́лы. Пото́м я занима́юсь, гото́влю дома́шнее зада́ние: учу́ слова́, повторя́ю глаго́лы, пишу́ те́ксты. Мой брат то́же гото́вит дома́шнее зада́ние. Пото́м мы у́жинаем, игра́ем в ша́хматы, смо́трим телеви́зор, слу́шаем ра́дио.

Exercise 64. Translate into Russian.

1. In the morning I had breakfast, read the newspapers and listened to the radio. 2. In the afternoon we worked and now we are relaxing. I am reading a magazine and Mary is writing a letter. 3. Yesterday evening we watched TV.

Студе́нт чита́л журна́л. **Студе́нтка чита́ла** журна́л. **Студе́нты чита́ли** журна́л.	**Кто чита́л** журна́л?

Exercise 65. Ask questions about the italicised words.

Model: *Мы* смотре́ли фильм.
Кто смотре́л фильм?

1. *Я* слу́шал ра́дио. 2. *Оте́ц* чита́л газе́ты. 3. *Сестра́* писа́ла письмо́. 4. *Брат* слу́шал магнитофо́н. 5. *Мы* смотре́ли фильм. 6. *Они́* смотре́ли телеви́зор.

Exercise 66. Ask questions about the italicised words.

1. Утром *студе́нты* занима́лись. 2. *Они́* писа́ли дикта́нт. 3. *Преподава́тель* чита́л текст. 4. *Студе́нтка* хорошо́ зна́ла уро́к. 5. *Она́* отвеча́ла отли́чно. 6. *Преподава́тель* и *студе́нты* говори́ли по-ру́сски. 7. *Мы* изуча́ли ру́сский язы́к.

The Future Tense of the Verb

Я **бу́ду** Ты **бу́дешь** Он **бу́дет** Она́ **бу́дет**	**чита́ть** журна́л.	Мы **бу́дем** Вы **бу́дете** Они́ **бу́дут**	**чита́ть** журна́л.

Exercise 67. Answer the questions.

Model: – Вы *бу́дете слу́шать* ра́дио?
– Да, я *бу́ду слу́шать* ра́дио.
(– Нет, я *не бу́ду слу́шать* ра́дио.)

1. Ты *бу́дешь за́втракать*? 2. Вы *бу́дете обе́дать*? 3. Вы *бу́дете отдыха́ть* по́сле обе́да? 4. Они́ *бу́дут у́жинать*? 5. Вы *бу́дете смотре́ть* телеви́зор? 6. Сего́дня мы *бу́дем писа́ть* дикта́нт? 7. Преподава́тель *бу́дет объясня́ть* уро́к? 8. Мы *бу́дем чита́ть* текст? 9. Они́ *бу́дут изуча́ть* ру́сский язы́к?

Exercise 68. Use the verbs in the future tense.

Model: – Ты ... газе́ты? (чита́ть)
– Ты *бу́дешь чита́ть* газе́ты?

1. Преподава́тель ... уро́к. (объясня́ть) 2. Студе́нты ... . (слу́шать) 3. За́втра мы ... дикта́нт. (писа́ть) 4. Ве́чером они́ ... телеви́зор. (смотре́ть) 5. Ты ... ру́сский язы́к? (изуча́ть) 6. Анна то́же ... ру́сский язы́к? (изуча́ть) 7. Вы … ? (занима́ться)

Exercise 69. Put the verbs in the future tense.

Model: Мы *обе́даем*.
Мы *бу́дем обе́дать*.

1. Я за́втракаю. 2. Он отдыха́ет. 3. Мы рабо́таем. 4. Они́ гуля́ют. 5. Ты чита́ешь. 6. Она́ гото́вит. 7. Мы игра́ем. 8. Он рабо́тает. 9. Они́ у́жинают. 10. Я занима́юсь.

Exercise 70. Replace the present tense by the future.

Model: Я *пишу́* письмо́.
Я *бу́ду писа́ть* письмо́.

1. Преподава́тель *объясня́ет* уро́к. 2. Студе́нты внима́тельно *слу́шают*.

3. Студе́нт *расска́зывает* текст. 4. Мы *говори́м* по-ру́сски хорошо́. 5. Ве́чером мы *смо́трим* телеви́зор. 6. По́сле у́жина я *гото́влю* дома́шнее зада́ние. 7. Пото́м я *слу́шаю* ра́дио.

Exercise 71. Answer the questions, using the words *за́втра, сего́дня, сейча́с, ве́чером, по́сле уро́ков, по́сле обе́да, по́сле у́жина.* Write out the questions and the answers.

Model: – *Когда́* вы бу́дете смотре́ть телеви́зор?
– Мы бу́дем смотре́ть телеви́зор *по́сле у́жина.*

1. Когда́ она́ бу́дет гото́вить обе́д? 2. Когда́ мы бу́дем обе́дать? 3. Когда́ вы бу́дете игра́ть в ша́хматы? 4. Когда́ ты бу́дешь чита́ть журна́л? 5. Когда́ они́ бу́дут занима́ться? 6. Когда́ вы бу́дете отдыха́ть? 7. Когда́ мы бу́дем гуля́ть?

Exercise 72. Change the sentences, as in the model, and write them down.

Model: Ра́ньше я не *говори́л* по-ру́сски.
Сейча́с я немно́го *говорю́* по-ру́сски.
Я *бу́ду* хорошо́ *говори́ть* по-ру́сски.

1. Ра́ньше я не чита́л по-ру́сски. 2. Сейча́с я немно́го понима́ю по-ру́сски. 3. Ра́ньше я не писа́л по-ру́сски.

Days of the Week	**Когда́?**
понеде́льник	в понеде́льник
вто́рник	во вто́рник
среда́	в сре́ду
четве́рг	в четве́рг
пя́тница	в пя́тницу
суббо́та	в суббо́ту
воскресе́нье	в воскресе́нье

Exercise 73. Answer the questions, using the words and phrases *отдыха́ть, слу́шать ра́дио, чита́ть журна́лы и газе́ты, смотре́ть телеви́зор, учи́ть уро́к, писа́ть письмо́, занима́ться, игра́ть в те́ннис, игра́ть в футбо́л.*

1. Что бу́дет де́лать Анна в воскресе́нье? 2. Что она́ бу́дет де́лать в суббо́ту? 3. Что бу́дет де́лать Бори́с в понеде́льник? 4. Что он бу́дет де́лать за́втра ве́чером? 5. Что вы бу́дете де́лать в четве́рг? 6. Что вы бу́дете де́лать сего́дня ве́чером? 7. Что бу́дут де́лать студе́нты в сре́ду у́тром? 8. Что они́ бу́дут де́лать во вто́рник ве́чером? 9. Что они́ бу́дут де́лать в пя́тницу?

Exercise 74. Rend the text, replacing the present tense by the future.

По́сле обе́да я отдыха́ю, чита́ю газе́ты и журна́лы. Пото́м я занима́юсь: я чита́ю текст, пишу́ упражне́ния, учу́ слова́, повторя́ю глаго́лы. Ве́чером я у́жинаю. По́сле у́жина я смотрю́ телеви́зор, игра́ю в ша́хматы и́ли слу́шаю магнитофо́н.

Exercise 75. Write out the text, replacing the present tense by the future.

На уро́ке мы проверя́ем дома́шнее зада́ние. Студе́нты чита́ют упражне́ние и расска́зывают текст. Преподава́тель спра́шивает, а мы отвеча́ем. Пото́м мы чита́ем и пи́шем вопро́сы и отве́ты, у́чим глаго́лы. Преподава́тель объясня́ет уро́к. Мы слу́шаем внима́тельно.

Nouns in the Plural

Masculine			Feminine		
Singular	Plural	Ending	Singular	Plural	Ending
стол	стол**ы́**	**-ы**	газе́та	газе́т**ы**	**-ы**
студе́нт	студе́нт**ы**		сестра́	сёстр**ы**	
уро́к	уро́к**и**	**-и**	кни́га	кни́г**и**	**-и**
това́рищ	това́рищ**и**		ру́чка	ру́чк**и**	
портфе́ль	портфе́л**и**		пе́сня	пе́сн**и**	
музе́й	музе́**и**		тетра́дь	тетра́д**и**	

Exercise 76. Form the plural of the following nouns and write down the plurals in the table, as in the model.

Masculine		Feminine	
Ending		Ending	
-ы	**-и**	**-ы**	**-и**
фи́льм**ы**	това́рищ**и**	ко́мнат**ы**	ма́рк**и**

Класс, заво́д, уро́к, шко́ла, маши́на, кни́га, учёбник, журна́л, вопро́с, газе́та, глаго́л, оши́бка, ру́чка, тетра́дь, де́вочка, ма́льчик, преподава́тель, студе́нт, студе́нтка, портфе́ль, фильм, магази́н, магнитофо́н, костю́м, фа́брика, парк, бу́ква, ключ, апте́ка, у́лица, компью́тер.

! Note that the masculine nouns which take the ending **-а́** in the plural:

дом – дом**а́**	ве́чер – вечер**а́**
лес – лес**а́**	по́езд – поезд**а́**
го́род – город**а́**	па́спорт – паспорт**а́**

Neuter		
Singular	Plural	Ending
письмо́ окно́ ме́сто	пи́сьм**а** о́кн**а** мест**а́**	**-а**
по́ле мо́ре зда́ние упражне́ние	пол**я́** мор**я́** зда́ни**я** упражне́ни**я**	**-я**

MEMORISE!

ябл**о**к**о** – ябл**о**к**и**

Note that in the formation of the plural the position of the stress may change:

стол – стол**ы́**	письмо́ – пи́сьм**а**
язы́к – язык**и́**	ме́сто – мест**а́**
страна́ – стра́н**ы**	де́ло – дел**а́**

Exercise 77. Replace the plural by the singular. Memorise the plural forms.

1. столы́, мосты́, шкафы́, сады́
2. сёстры, стра́ны
3. языки́, ученики́, словари́, врачи́, карандаши́

4. домá, лесá, городá, поездá, вечерá, паспортá
5. словá, местá, пи́сьма, óкна

Singular	Plural	Singular	Plural
	Ending **-и**		Ending **-я**
лéкци**я**	лéкци**и**	здáни**е**	здáни**я**

Exercise 78. Replace the singular by the plural.

Аудитóрия, лаборатóрия, экскýрсия, стáнция, упражнéние, предложéние, общежи́тие, фотогрáфия, здáние, лéкция, исключéние.

MEMORISE!

Singular	Plural
друг брат сын стул	друзья́ брáтья сыновья́ стýлья

! Note the words, which exists only in the plural:

дéньги очки́ часы́	нóжницы брю́ки джи́нсы

Exercise 79. Replace the singular by the plural.

Шкаф, стол и стул; товáрищ и друг; сестрá, брат и сын; студéнт, студéнтка и преподавáтель; кни́га, тетрáдь и словáрь; карандáш и рýчка; сад и парк; журнáл и газéта; конвéрт и письмó; урóк, лéкция и экскýрсия; бýква, слóво и предложéние; гóрод и деревня́; ýлица и дом; фáбрика и завóд; магази́н и киóск; стадиóн и бассéйн; лóжка, ви́лка, нож, чáшка, стакáн, тарéлка; день, недéля, мéсяц, год.

MEMORISE!

Singular	Plural
мать дочь	ма́тери до́чери

Singular	Plural
челове́к ребёнок	лю́ди де́ти

Exercise 80. Replace the singular by the plural.

Model: Это *тетра́дь*.
Это *тетра́ди*.

1. Это *аудито́рия*. 2. Это *студе́нт*. 3. Это *студе́нтка*.
4. Это *портфе́ль*. 5. Это *кни́га*. 6. Это *уче́бник*. 7. Это *каранда́ш*. 8. Это *ру́чка*.
9. Это *письмо́*. 10. Это *газе́та*.
11. Это *слова́рь*. 12. Это *сло́во*.
13. Это *дом*. 14. Это *магази́н*. 15. Это *парк*.
16. Это *челове́к*. 17. Это *ребёнок*. 18. Это *ко́шка*. 19. Это *соба́ка*.

Exercise 81. Replace the plural by the singular.

Model: Я пишу́ *пи́сьма*.
Я пишу́ *письмо́*.

1. Я купи́л[1] *уче́бники*, *тетра́ди* и *карандаши́*. 2. Он чита́л *журна́лы*. 3. Мы писа́ли *дикта́нты* и *упражне́ния*. 4. Там стоя́т *столы́* и *сту́лья*. 5. Там лежа́т *кни́ги*, *газе́ты* и *словари́*. 6. *Преподава́тели* говоря́т по-ру́сски. 7. *Студе́нты* то́же говоря́т по-ру́сски.

Exercise 82. Replace the singular by the plural.

Model: Студе́нт чита́ет *журна́л*.
Студе́нт чита́ет *журна́лы*.

1. Сестра́ пи́шет *письмо́*. 2. Я чита́ю *расска́з*. 3. Они́ смотре́ли *фильм*. 4. Студе́нтка повторя́ет *текст*. 5. Студе́нт пи́шет *упражне́ние*. 6. Мы пи́шем *дикта́нт*. 7. Я пишу́ *сло́во*. 8. Он купи́л *тетра́дь*. 9. Студе́нт чита́ет *расска́з*. 10. Преподава́тель проверя́ет *тетра́ди*. 11. Студе́нтка чита́ет *журна́л*. 12. Я пишу́ *предложе́ние*. 13. Он купи́л *слова́рь*.

---

[1] *купи́ть* (II), to buy; куплю́, ку́пишь, ку́пят.

Exercise 83. Translate into Russian. Write down your translation.

1. The teacher is reading, (and) the students are listening. 2. The teacher and the students are speaking Russian. 3. In the morning I read newspapers and magazines. Now I am reading a magazine. 4. I study Russian, I learn words, revise verbs, write exercises, (and) read texts. 5. These are the textbooks, exercise-books, the dictionary and the pencils.

Questions: *Чей? Чья? Чьё? Чьи?*
The Possessive Pronouns *мой, твой, наш, ваш*

Это я. (Это ты.)	Это	**мой (твой)** каранда́ш. **моя́ (твоя́)** ру́чка. **моё (твоё)** письмо́. **мои́ (твои́)** кни́ги.	**Чей** э́то каранда́ш? **Чья** э́то ру́чка? **Чьё** э́то письмо́? **Чьи** э́то кни́ги?
Это мы. (Это вы.)	Это	**наш (ваш)** каранда́ш. **на́ша (ва́ша)** ру́чка. **на́ше (ва́ше)** письмо́. **на́ши (ва́ши)** кни́ги.	

The possessive pronouns *мой, твой, наш* and *ваш* agree with their head word (noun) in gender and number.

Exercise 84. A. Read the text.

– Чья э́то фотогра́фия? – Это моя́ фотогра́фия. – А кто э́то? – Это на́ша семья́. Вот сидя́т мои́ роди́тели, э́то мой оте́ц, а э́то моя́ ма́ма. Ря́дом сиди́т на́ша ба́бушка, а э́то наш де́душка. Это я. Сле́ва стои́т мой брат, а спра́ва – моя́ сестра́.

B. Describe one of your family photographs.

Exercise 85. Answer the questions, as in the model.

Model: – *Чей* э́то уче́бник? Твой?
– Нет, *не мой*. Это *твой* уче́бник.

1. *Чей* э́то слова́рь? Твой? 2. *Чьё* э́то письмо́? Твоё? 3. *Чья* э́то тетра́дь? Твоя́? 4. *Чьи* э́то часы́? Твои́? 5. *Чей* э́то зонт? Ваш? 6. *Чья* э́то ша́пка? Ва́ша? 7. *Чья* э́то газе́та? Ва́ша? 8. *Чьи* э́то очки́? Ва́ши? 9. *Чьи* э́то ключи́? Ва́ши? 10. *Чья* э́то маши́на? Ва́ша? 11. *Чьи* э́то ве́щи? Твои́?

Exercise 86. Ask questions about the italicised words.

Model: Это *мой* журна́л.
Чей э́то журна́л?

I.1. Это *мой* слова́рь. 2. Это *мой* каранда́ш. 3. Это *наш* дом. 4. Это *ваш* преподава́тель. 5. Это *твой* брат. 6. Это *твой* това́рищ.

II.1. Это *моя́* ко́мната. 2. Это *на́ша* соба́ка. 3. Это твоя́ *фотогра́фия*. 4. Это *ва́ша* дочь. 5. Это *твоя́* тетра́дь. 6. Это *ва́ша* газе́та. 7. Это *моя́* сестра́. 8. Это *на́ша* аудито́рия.

III.1. Это *моё* письмо́. 2. Это *твоё* упражне́ние. 3. Это *на́ше* расписа́ние. 4. Это *ва́ше* окно́. 5. Это *моё* пальто́. 6. Это *ва́ше* ме́сто. 7. Это *на́ше* общежи́тие. 8. Это *твоё* пла́тье.

IV. 1. Это *мои́* часы́. 2. Это *твои́* очки́. 3. Это *мои́* ключи́. 4. Это *твои́* словари́. 5. Это *ва́ши* карандаши́.

Exercise 87. Use the required pronouns. Answer the questions.

Model: – Где ... слова́рь?
– Где *мой* слова́рь?
– Вот *твой (ваш)* слова́рь.

1. Где ... аудито́рия? 2. Где ... уче́бник? 3. Где ... преподава́тель? 4. Где ... пальто́? 5. Где … шарф? 6. Где … ша́пка? 7. Где ... ру́чка? 8. Где ... ме́сто? 9. Где … па́спорт? 10. Где … ве́щи? 11. Где … компьютер? 12. Где … общежи́тие?

The Possessive Pronouns *его́, её, их*

Это он. (Это студе́нт.)	Это **его́**	а́дрес. семья́. общежи́тие.	**Чей** э́то а́дрес? **Чья** э́то семья́? **Чьё** э́то общежи́тие?
Это она́. (Это студе́нтка.)	Это **её**		
Это они́. (Это студе́нты.)	Это **их**	това́рищи.	**Чьи** э́то това́рищи?

! The possessive pronouns *его́, её* and *их* agree with the noun denoting the possessor of the object in gender and number.

Exercise 88. Ask questions about the italicised words and write them down.

Model: Это *их* дом.
Чей э́то дом?

1\. Это *его́* маши́на. 2. Это *его́* магнитофо́н. 3. Это *его́* часы́. 4. Это *её* ко́мната. 5. Это *её* фотоаппара́т. 6. Это *их* телефо́н. 7. Это *их* да́ча. 8. Это *его́* дочь. 9. Это *их* сын. 10. Это *её* брат.

Exercise 89. Use the required pronouns.

Model: – *Сестра́* живёт здесь. Это ... ко́мната
Это *её* ко́мната.

1\. *Студе́нт* у́чит уро́ки. Это ... учёбник. 2. *Я* чита́ю журна́л. Это ... журна́л. 3. *Вы* пи́шете письмо́. Это ... ру́чка. 4. *Ты* у́чишь слова́. Это ... слова́рь. 5. *Оте́ц* до́ма. Это ... пальто́. 6. *Мы* занима́емся здесь. Это ... аудито́рия. 7. *Он* сиди́т здесь. Это ... ме́сто. 8. *Студе́нты* пи́шут упражне́ние. Это ... дома́шнее зада́ние.

Exercise 90. Whose things are these?

Это Ни́на.
Это её ве́щи.
Это её су́мка...

Это Андре́й.
Это его́ ве́щи. Это его́ мяч…

Это Андре́й и Ни́на.
Это их ве́щи. Это их часы́…

Exercise 91. Answer the questions in the negative, using the pronouns *мой, твой, наш, ваш, егó, её, их.*

Model: – Это *ваш* портфéль?
– Нет, э́то *не мой* портфéль. Это *егó* портфéль.

1. Это *вáша* рýчка? 2. Это *егó* словáрь? 3. Это *твой* учéбник? 4. Это *вáши* очкú? 5. Это *её* пальтó? 6. Это *твоё* мéсто? 7. Это *нáша* аудитóрия? 8. Это *их* áдрес? 9. Это *ваш* телефóн? 10. Это *ваш* компью́тер?

Exercise 92. Ask questions about the things lying on the table.

Model: – Это *вáши* дéньги? Это *твои* дéньги?
– *Чьи* э́то дéньги?
– *Чьи* дéньги лежáт здесь?

Exercise 93. Translate into Russian.

1. This is my friend Anton. His brother studies Russian. 2. This is my room. These are my books. These are my photographs. 3. "Whose car is it?" – "It is her car". 4. "Whose magazine is it?" – "It is your magazine". 5. "Whose things are these?" – "I don't know whose things they are". 6. "Where is my dictionary?" – "Your dictionary is over here".

The Genitive Expressing Possession[1]

– **Чей** э́то журнáл?
– Это **егó** журнáл.
– Это журнáл **Бори́са**.

[1] For more details, see p. 178.

Exercise 94. Answer the questions in the affirmative.

I.1. Это маши́на *Оле́га*? 2. Это магнитофо́н *Ви́ктора*? 3. Это велосипе́д *Анто́на*? 4. Это ве́щи *Ива́на*? 5. Это ку́ртка *Андре́я*?

II.1. Это кни́ги *Анны*? 2. Это фотоаппара́т *Мари́ны*? 3. Это су́мка *Тама́ры*? 4. Это плащ *Ни́ны*? 5. Это очки́ *Ли́ды*?

Exercise 95. Complete the sentences putting the words in brackets in the required form.

1. Это кни́ги Па́вла (Бори́с, Михаи́л, Ива́н, Влади́мир, Ви́ктор, Леони́д). 2. Это ве́щи Ни́ны (Анна, Мари́на, Светла́на, Тама́ра, Еле́на, Татья́на).

Exercise 96. Answer the questions, as in the model.

Model: – Это брат Бори́са? (Ви́ктор)
– Нет, э́то брат Ви́ктора.
(– Нет, не Бори́са, а Ви́ктора.)

1. Это ве́щи Ни́ны? (Ли́да) 2. Это ко́мната Ле́ны? (Ни́на) 3. Это журна́л Светла́ны? (Михаи́л) 4. Это письма́ Ве́ры? (Татья́на) 5. Это сигаре́ты Оле́га? (Па́вел) 6. Это роди́тели Игоря? (Ольга и Гали́на)

Exercise 97. Ask questions and answer them. Write down the answers.

Model: – *Чей* э́то рюкза́к?
– Это рюкза́к *Бори́са.*

1. Это Бори́с.

2. Это Ни́на.

3. Это Оле́г.

4. Это Мари́на. 5. Это Анто́н.

Exercise 98. Ask questions and answer them.

Model – Это су́мка Ве́ры?
– Я не зна́ю, *чья* э́то су́мка.

1. Это маши́на Па́вла? 2. Это мотоци́кл Никола́я? 3. Это чемода́н Ле́ны? 4. Это ключи́ Татья́ны? 5. Это письмо́ Михаи́ла? 6. Это перча́тки Ири́ны? 7. Это джи́нсы Петра́?

The Construction *У меня́ (у тебя́...) есть...*
The Present Tense

Я	**У меня́**		
Ты	**У тебя́**		
Он	**У него́**		брат, сестра́, роди́тели;
Она́	**У неё**	**есть**	дом, маши́на, телеви́зор, де́ньги;
Мы	**У нас**		вре́мя, вопро́сы.
Вы	**У вас**		
Они́	**У них**		

! To denote possession in Russian, the construction *У меня́ (У тебя́...) есть...* is used.

Exercise 99. Answer the questions.

Model: – Это Антóн. *У негó есть* сестрá?
– Да, *у негó есть* сестрá.

1. Это Николáй. *У негó есть* родúтели? *У негó есть* женá? 2. Это Марúя. *У неё есть* муж? *У неё есть* дéти? 3. Это Вéра и Игорь. *У них есть* друзья́? *У них есть* брáтья и сёстры?

Exercise 100. Answer the questions in the affirmative.

Model: – У негó *есть* семья́?
– Да, у негó *есть* семья́.
(– Да, *есть*.)

1. У негó *есть* учéбник? 2. У нéго *есть* магнитофóн? 3. У негó *есть* словáрь? 4. У негó *есть* сестрá? 5. У негó *есть* родúтели? 6. У неё *есть* словáрь? 7. У неё *есть* конвéрт? 8. У неё *есть* мáрки? 9. У неё *есть* брат? 10. У них *есть* гарáж? 11. У них *есть* машúна? 12. У них *есть* дéти? 13. У них *есть* друзья́?

Exercise 101. Answer the questions in the affirmative.

1. У вас есть рýчка? 2. У вас есть словáрь? 3. У вас есть тетрáдь? 4. У вас есть телефóн? 5. У вас есть магнитофóн? 6. У вас есть брат? 7. У вас есть часы́? 8. У вас есть родúтели? 9. У тебя́ есть газéта? 10. У тебя́ есть плащ? 11. У тебя́ есть зонт? 12. У тебя́ есть дéньги? 13. У тебя́ есть врéмя? 14. У тебя́ есть сигарé-ты? 15. У тебя́ есть сестрá? 16. У тебя́ есть друзья́?

Exercise 102. Make up questions to which the following sentences are the answers.

Model: – …?
– У вас (у тебя́) есть машúна?
– Да, у меня́ есть машúна.

1. – …?
– Да, у негó есть компью́тер.
2. – …?
– Да, у них есть дом.
3. – …?
– Да, у неё есть велосипéд.
4. – …?
– Да, у меня́ есть фотоаппарáт.

5. – …?
   – Да, у нас есть да́ча.
6. – …?
   – Да, у меня́ есть гара́ж.

Exercise 103. Translate into Russian. Write down your translation.

1 . Have you a dictionary? 2. Have you a newspaper? 3. Has he a car? 4. Has he a tape recorder? 5. Has he (any) money? 6. Has she a family? 7. Have you (any) friends? 8. Have you (any) brothers?

Exercise 104. What have these people got?

1. Это Мари́на.
   У неё есть … .

2. Это Серге́й.
   У него́ есть … .

3. Это Серге́й и Мари́на.
   У них есть … .

Exercise 105. Use the required pronouns.

Model: *У него́ есть* газе́та. Это ... газе́та.
Это *его́* газе́та.

1. *У меня́ есть* мотоци́кл. Это ... мотоци́кл. 2. *У нас есть* кварти́ра. Это ... кварти́ра. 3. *У неё есть* маши́на. Это ... маши́на. 4. *У них есть* сад. Это ... сад. 5. *У них есть* кни́ги. Это ... кни́ги. 6. *У вас есть* календа́рь? Это ... календа́рь?

7. *У неё есть* друзья́? Это ... друзья́. 8. *У них есть* де́ти. Это ... де́ти. 9. *У тебя́ есть* сестра́? Это ... сестра́? 10. *У вас есть* брат? Это … брат? 11. *У них есть* роди́тели? Это ... роди́тели?

The Past Tense

Вчера́ **у нас**	**был** уро́к. **была́** ле́кция. **бы́ло** собра́ние. **бы́ли** экза́мены.

Exercise 106. Answer the questions.

Model: – Вчера́ *у вас бы́ли* ле́кции?
– Да, вчера́ *у нас бы́ли* ле́кции.
(– Да, *бы́ли*.)

1. Сего́дня у них была́ ле́кция? 2. Вчера́ у них бы́ло собра́ние? 3. В сре́ду у тебя́ был экза́мен? 4. В воскресе́нье у них была́ экску́рсия? 5. В суббо́ту у вас был ве́чер? 6. Сего́дня у вас бы́ли уро́ки? 7. Зимо́й у вас бы́ли кани́кулы?

Exercise 107. Replace the present tense by the past.

Model: У *меня́ есть* слова́рь.
У *меня́ был* слова́рь.

1. У *меня́ есть* магнитофо́н. 2. У *меня́ есть* велосипе́д. 3. У *него́ есть* маши́на. 4. У *них есть* дом. 5. У *нас есть* да́ча. 6. У *неё есть* семья́. 7. У *меня́ есть* друзья́. 8. У *него́ есть* соба́ка.

The Future Tense

За́втра **у нас бу́дет**	уро́к. ле́кция. собра́ние.

За́втра **у нас бу́дут** экза́мены.

Exercise 108. Answer the questions in the affirmative.

1. За́втра у нас бу́дет ле́кция? 2. Сего́дня у нас бу́дет собра́ние? 3. В воскресе́нье у вас бу́дет экску́рсия? 4. За́втра у нас бу́дет ве́чер? 5. В суббо́ту у нас в клу́бе[1] бу́дут та́нцы? 6. За́втра у вас бу́дут уро́ки? 7. Ле́том у них бу́дут экза́мены? 8. Ле́том у вас бу́дут кани́кулы?

Questions: *Како́й? Кака́я? Како́е? Каки́е?* The Demonstrative Pronouns *э́тот, э́та, э́то, э́ти*

Этот студе́нт говори́т по-ру́сски.
Эта студе́нтка говори́т по-ру́сски.
Эти студе́нты говоря́т по-ру́сски.
Это ра́дио не рабо́тает.

Exercise 109. Answer the questions, as in the model.

Model: – Вы ви́дели *э́тот фильм*?
– Да, я ви́дел *э́тот фильм*.

1. Вы чита́ли *э́тот журна́л?* 2. Вы купи́ли *э́тот учёбник?* 3. Вы писа́ли до́ма *э́то упражне́ние?* 4. Вы зна́ете *э́то сло́во?* 5. Вы чита́ли *э́ти газе́ты?* 6. *Этот студе́нт* зна́ет ру́сский язы́к? 7. *Эта де́вушка* изуча́ет ру́сский язы́к? 8. *Эта преподава́тельница* говори́т по-англи́йски? 9. *Эти преподава́тели* то́же говоря́т по-англи́йски? 10. Вы зна́ете *э́ти стихи́?*

Этот журна́л лежа́л там. **Како́й журна́л** лежа́л там?
Эта кни́га лежа́ла там. **Кака́я кни́га** лежа́ла там?
Это письмо́ лежа́ло там. **Како́е письмо́** лежа́ло там?
Эти ве́щи лежа́ли там. **Каки́е ве́щи** лежа́ли там?

[1] *в клу́бе,* at the club

Exercise 110. Ask the price of these things, using the pronouns *э́тот, э́та, э́то, э́ти.*

Model: (a) Ско́лько сто́ит[1] э́тот костю́м?
(b) Ско́лько сто́ят э́ти ту́фли?

(a)

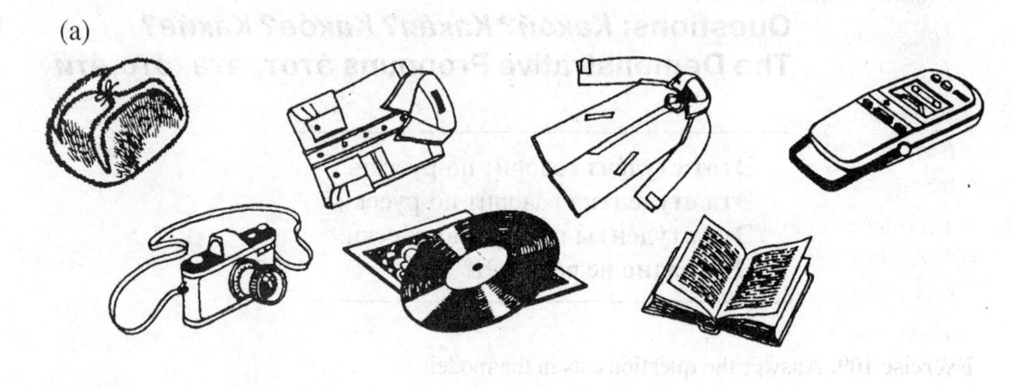

(b)

Exercise 111. Ask questions about the italicised words.

Model: – Анна купи́ла *э́ти* газе́ты.
– *Каки́е* газе́ты купи́ла Анна?

1. *Этот* студе́нт хорошо́ игра́ет в те́ннис. 2. *Эта* де́вушка хорошо́ танцу́ет. 3. Вчера́ *э́ти* студе́нты игра́ли в фу́тбол. 4. Анна чита́ла *э́тот* журна́л. 5. До́ма мы писа́ли *э́ти* упражне́ния. 6. Мы учи́ли *э́ти* глаго́лы. 7. Я чита́ла *э́тот* расска́з. 8. *Эта* студе́нтка хорошо́ говори́т по-ру́сски.

---

[1] *Ско́лько сто́ит (сто́ят) … ?* How much is (are) … ?

Exercise 112. Read the questions and answers, and translate them.

1. – *Что э́то?* – *Это* журна́л.
   – *Како́й* журна́л вы чита́ли? – Я чита́л *э́тот* журна́л.
2. – *Что э́то?* – Это кни́га.
   – *Кака́я* кни́га лежа́ла там? – Там лежа́ла *э́та* кни́га.
3. – *Что э́то?* – *Это* письмо́.
   – *Како́е* письмо́ вы писа́ли вчера́? – Я писа́ла вчера́ *э́то* письмо́.
4. – *Что э́то?* – *Это* газе́ты.
   – *Каки́е* газе́ты вы купи́ли? – Я купи́ла *э́ти* газе́ты.
5. – *Кто э́то?* – *Это* студе́нт.
   – *Како́й* студе́нт хорошо́ говори́т по-ру́сски? – *Этот* студе́нт хорошо́ говори́т по-ру́сски.
6. – *Кто э́то?* – *Это* студе́нтка.
   – *Кака́я* студе́нтка хорошо́ говори́т по-ру́сски? – *Эта* студе́нтка хорошо́ говори́т по-ру́сски.
7. – *Кто э́то?* – *Это* студе́нты.
   – *Каки́е* студе́нты живу́т[1] здесь? – Здесь живу́т *э́ти* студе́нты.

Exercise 113. Write out the sentences, supplying the pronouns *э́тот, э́та, э́то, э́ти.*

1. – Кто ...? – ... студе́нтка. ... студе́нтка изуча́ет ру́сский язы́к. – Где живёт ... студе́нтка? 2. – Что ...? – ... мой слова́рь. Я купи́л ... слова́рь неда́вно. 3. – Кто ... ? – ... на́ши студе́нты. ... студе́нты хорошо́ говоря́т по-ру́сски. 4. – Что ...? – ... мой магнитофо́н. Я купи́л ... магнитофо́н давно́. 5. – Кто ...? – ... преподава́тель. ... преподава́тель рабо́тает здесь неда́вно.

Exercise 114. Supply the pronouns *э́тот, э́та, э́то, э́ти.*

Model: Я чита́ла ... рома́н.
Я чита́ла *э́тот* рома́н.

1. Вы ви́дели ... фильм? 2. Я чита́л ... журна́л. 3. Вы хорошо́ зна́ете ... текст? 4. ... студе́нт хорошо́ говори́т по-ру́сски. 5. ... де́вушка изуча́ет ру́сский язы́к.

---

[1] *жить* (I), to live; живу́, живёшь, живу́т

6. Они́ купи́ли ... кни́ги. 7. Мы уже́ повторя́ли ... глаго́лы. 8. Мы писа́ли ... упражне́ние. 9. Я до́лго писа́л ... письмо́. 10. Я зна́ю ... слова́. 11. У них есть ... учё́бники. 12. У меня́ есть ...кни́га.

Как называ́**ется**	**э́тот го́род?** **э́та у́лица?** **э́то кафе́?**

Как называ́ются э́ти цветы́?

Exercise 115. Ask questions and answer them.

Model: – Ты зна́ешь, как называ́ется э́тот фильм?
– Нет, я не зна́ю, как называ́ется э́тот фильм.

1. Ты зна́ешь, как называ́ется э́та ста́нция метро́?
2. Вы зна́ете, как называ́ется э́тот райо́н?
3. Ты зна́ешь, как называ́ется э́то кафе́?
4. Вы зна́ете, как называ́ется э́тот учё́бник?
5. Вы зна́ете, как называ́ется э́та газе́та?

Exercise 116. Make up questions.

1. *Model*: река́
– Скажи́те, пожа́луйста, как называ́ется э́та река́?

Кни́га, газе́та, журна́л, учё́бник;
го́род, пло́щадь, магази́н, у́лица, рестора́н;
кинотеа́тр, ста́нция метро́, стадио́н, банк.

2. *Model*: карандаши́
– Скажи́те, пожа́луйста, ско́лько сто́ят э́ти карандаши́?

Кни́га, слова́рь, тетра́дь, журна́л;
костю́м, брю́ки, джи́нсы, плащ, ку́ртка;
су́мка, чемода́н, портфе́ль, кошелё́к;
я́блоки, апельси́ны;
морко́вь, огурцы́, лук.

Adjectives

Adjectives with the Stem Terminating in a Hard Consonant (the Endings *-ый (-óй), -ая, -ое, -ые*

Это нó**вый** дом.	Это молод**óй** врач.
Это нó**вая** кни́га.	Это молод**áя** арти́стка.
Это нó**вое** плáтье.	Это молод**óе** дéрево.
Это нó**вые** кни́ги.	Это молод**ы́е** лю́ди.

Adjectives agree with nouns and take masculine, feminine, neuter or plural endings.

Exercise 117. Make up phrases consisting of these nouns and adjectives, and write them down.

1. нóвый – дом, ýлица, здáние, магази́ны
2. стáрый – плащ, шáпка, пальтó, вéщи
3. бéлый – костю́м, сýмка, плáтье, брю́ки
4. чёрный – карандáш, рýчка, крéсло, портфéли

Exercise 118. Make up questions, as in the model, and write them down.

Model: сéрый костю́м
1. – Где мой сéрый костю́м?
2. – Скóлько стóит э́тот сéрый костю́м?

бéлый, чёрный, крáсный, зелёный, жёлтый, голубóй, кори́чневый	плащ, пальтó, плáтье, шарф, гáлстук, шля́па, сýмка, брю́ки, боти́нки, тýфли, джи́нсы

Adjectives with the Stem Terminating in a Soft Consonant (the Endings *-ий, -яя, -ее, -ие)*

Это си́н**ий** костю́м.
Это си́н**яя** рубáшка.
Это си́н**ее** пальтó.
Это си́н**ие** костю́мы.

Exercise 119. Make up phrases consisting of these words.

1. после́дний – авто́бус, страни́ца, письмо́, слова́
2. вчера́шний – разгово́р, ле́кция, собра́ние, газе́ты
3. сосе́дний – класс, ко́мната, зда́ние, дома́
4. ле́тний – день, пого́да, пла́тье, кани́кулы
5. зи́мний – спорт, ша́пка, пальто́, ме́сяцы
6. сего́дняшний – уро́к, газе́та, собра́ние, но́вости

Exercise 120. Supply suitable adjectives and pronouns.

Model: Это … зада́ние.
Это *на́ше дома́шнее* зада́ние.

1. Это … тетра́дь. 2. Это … уро́к. 3. Это … письмо́. 4. Это … экза́мен. 5. Это … упражне́ние. 6. Это … пла́тья. 7. Это … костю́м. 8. Это … пальто́. 9. Это … телефо́н. 10. Это … а́дрес.	мой, твой, наш, ваш, его́, её, их после́дний, дома́шний, ле́тний, зи́мний, си́ний

Adjectives with the Stem Terminating in *г, к, х* (the Endings *-ий (-о́й), -ая, -ое, -ие)*

Это ру́сск**ий** та́нец.	Это дорог**о́й** шкаф.
Это ру́сск**ая** му́зыка.	Это дорог**а́я** маши́на.
Это ру́сск**ое** сло́во.	Это дорог**о́е** кре́сло.
Это ру́сск**ие** пе́сни.	Это дорог**и́е** ве́щи.

! Note that masculine adjectives with the stem terminating in **г, к, х** take the ending **-о́й** when stressed and **-ий** when unstressed: *сухо́й, ти́хий*.

Exercise 121. Make up phrases consisting of these words.

1. ти́хий – го́лос, пе́сня, та́нго, зву́ки
2. пло́хой – день, пого́да, здоро́вье, но́вости
3. дорого́й – компью́тер, кварти́ра, пальто́, ве́щи

Exercise 122. Supply nouns to the following adjectives.

Model: высо́кий ... – высо́кий *челове́к*
высо́кая ... – высо́кая *де́вушка*
высо́кое ... – высо́кое *зда́ние*
высо́кие ... – высо́кие *дома́*

1. ма́ленький ...	2. моско́вский ...	3. ру́сский ...
ма́ленькая ...	моско́вская ...	ру́сская ...
ма́ленькое ...	моско́вское ...	ру́сское ...
ма́ленькие ...	моско́вские ...	ру́сские ...

Adjectives with the Stem Terminating in *ж, ш, ч, щ* (the Endings *-ий (-о́й), -ая, -ее, -ие)*

Это больш**о́й** хоро́ш**ий** дом.
Это больш**а́я** хоро́ш**ая** кварти́ра.
Это больш**о́е** хоро́ш**ее** зда́ние.
Это больш**и́е** хоро́ш**ие** дома́.

Note that masculine and neuter adjectives with the stem terminating in **ж, ш, ч, щ** take the ending **-о́й, -о́е** when stressed and **-ий, -ее** when unstressed.

Exercise 123. Make up phrases consisting of these words.

1. ста́рший – брат, сестра́, де́ти
2. све́жий – хлеб, ры́ба, мя́со, фру́кты
3. горя́чий – суп, вода́, молоко́, котле́ты
4. чужо́й – журна́л, ша́пка, пальто́, ве́щи
5. бу́дущий – год, неде́ля, ле́то, кани́кулы
6. сле́дующий – день, страни́ца, воскресе́нье, вопро́сы

Exercise 124. Answer the questions in the affirmative.

1. У вас есть а́нгло-ру́сский слова́рь? 2. У вас есть ста́рший брат? 3. У вас есть мла́дшая сестра́? 4. У вас есть сего́дняшняя газе́та? 5. У вас есть кра́сный

каранда́ш? 6. Вы де́лали дома́шнее зада́ние? 7. Вы зна́ете на́ше но́вое расписа́ние? 8. Вы слы́шали после́дние но́вости? 9. Вы ви́дели моско́вское метро́? 10. Вы зна́ете мой дома́шний а́дрес?

Exercise 125. Change the following phrases to the plural.

Model: но́вый преподава́тель – *но́вые* преподава́тели

Большо́й дом, но́вый магази́н, интере́сный фильм, ру́сская пе́сня, незнако́мое сло́во, широ́кая у́лица, хоро́ший друг, италья́нская газе́та, коро́ткий расска́з, ста́рый го́род, после́днее письмо́, высо́кое зда́ние, ста́ршая сестра́, све́тлый костю́м, неме́цкий писа́тель, газе́тный кио́ск, иностра́нный язы́к, ле́тний ме́сяц.

Exercise 126. Replace the singular by the plural.

1. У меня́ есть но́вый уче́бник. 2. У него́ есть интере́сная кни́га. 3. У меня́ есть после́дняя францу́зская газе́та. 4. У вас есть чи́стая тетра́дь? 5. У вас есть ру́сско-италья́нский слова́рь? 6. Я чита́л э́тот но́вый журна́л. 7. Сего́дня мы писа́ли тру́дное упражне́ние. 8. Вы смотре́ли но́вый неме́цкий фильм? 9. Вы понима́ете после́днее предложе́ние?

Exercise 127. Make up phrases antonymous to those below.

Model: холо́дная пого́да – тёплая пого́да.

1. горя́чий чай –
2. хоро́ший фильм –
3. интере́сная кни́га –
4. дли́нное пальто́ –
5. ста́рая вещь –
6. ста́рый челове́к –
7. больно́й ребёнок –
8. тёмная ко́мната –
9. холо́дная вода́ –
10. ма́ленький город –
11. тру́дное упражне́ние –
12. лёгкий рюкза́к –
13. ста́ршая сестра́ –
14. тру́дная рабо́та –

Exercise 128. Make up sentences antonymous to the below and write them down.

Model: Это *больша́я* ко́мната.
Это *ма́ленькая* ко́мната.

1. Это *большо́й* го́род. 2. Это *широ́кая* у́лица. 3. Это *ста́рое* зда́ние. 4. Это *све́тлая* ко́мната. 5. Это *коро́ткое* сло́во. 6. Это *лёгкий* текст. 7. Это *тру́дное*

упражне́ние. 8. Это *хоро́ший* отве́т. 9. Это *ста́рое* расписа́ние. 10. Это *плоха́я* ру́чка. 11. Это мой *ста́рший* брат. 12. Это его́ *мла́дшая* сестра́.

Како́й э́то журна́л?
Кака́я э́то кни́га?
Како́е э́то письмо́?
Каки́е э́то газе́ты?

Exercise 129. Answer the questions, using the words given on the right.

1. *интере́сный*
   Кака́я э́то кни́га?
   Како́й э́то журна́л?
   Како́е э́то письмо́?

2. *но́вый*
   Кака́я э́то пе́сня?
   Како́й э́то фильм?
   Каки́е э́то стихи́?

3. *большо́й*
   Како́й э́то дом?
   Како́е э́то зда́ние?
   Кака́я э́то ко́мната?

4. *ле́тний*
   Како́й э́то костю́м?
   Како́е э́то пальто́?
   Каки́е э́то брю́ки?

5. *ма́ленький*
   Како́й ма́льчик игра́ет в па́рке?
   Кака́я де́вочка игра́ет в па́рке?
   Каки́е де́ти игра́ют в па́рке?

6. *англи́йский*
   Како́й журнали́ст был в клу́бе?
   Кака́я журнали́стка была́ в клу́бе?
   Каки́е журнали́сты бы́ли в клу́бе?

Exercise 130. Answer the questions, using suitable adjectives.

Model: – *Како́й* э́то костю́м?
– Это *све́тлый* костю́м.

– *Кака́я* э́то газе́та?
– Это *сего́дняшняя* газе́та.

I.
1. *Како́й* э́то го́род?
2. *Како́й* э́то дом?
3. *Како́й* э́то фильм?
4. *Како́й* э́то журна́л?
5. *Како́й* э́то магази́н?
6. *Како́й* э́то челове́к?

II.
1. *Кака́я* э́то газе́та?
2. *Кака́я* э́то у́лица?
3. *Кака́я* э́то страна́?
4. *Кака́я* э́то пло́щадь?
5. *Кака́я* э́то ко́мната?
6. *Кака́я* э́то студе́нтка?

III. 1. *Какóе* э́то письмó?
2. *Какóе* э́то упражнéние?
3. *Какóе* э́то предложéние?
4. *Какóе* э́то задáние?
5. *Какóе* э́то общежи́тие?
6. *Какóе* э́то пальтó?

IV. 1. *Каки́е* э́то тетрáди?
2. *Каки́е* э́то кни́ги?
3. *Каки́е* э́то тéксты?
4. *Каки́е* э́то словá?
5. *Каки́е* э́то студéнты?
6. *Каки́е* э́то друзья́?

Exercise 131. Answer the questions, using the words given in brackets.

1. Каки́е словари́ вы купи́ли? (áнгло-рýсский и рýсско-англи́йский) 2. Каки́е кни́ги вы собирáете[1]? (рýсский) 3. Каки́е расскáзы вы читáете? (корóткий) 4. Каки́е газéты вы читáете? (сегóдняшний) 5. Каки́е фи́льмы вы смотрéли? (немéцкий) 6. Каки́е мáрки вы собирáете? (инострáнный) 7. Каки́е часы́ ты купи́л? (дорогóй)

Exercise 132. Answer the questions, using suitable adjectives.

1. Какóй журнáл вы читáете? 2. Каки́е словá вы смотрéли в словарé? 3. Какóй фильм вы смотрéли в воскресéнье? 4. Каки́е пéсни вы лю́бите[2]? 5. Каки́е газéты вы читáете?

Exercise 133. Ask questions about the italicised words.

Model: Я купи́л *áнгло-рýсский* словáрь.
Какóй словáрь вы купи́ли?

1. Мы изучáем *рýсский* язы́к.
2. Я смотрю́ *нóвое* расписáние.
3. Я читáю *сегóдняшние* газéты.
4. Мы смотрéли *нóвый пóльский* фильм.
5. Я люблю́ *рýсские нарóдные* пéсни.
6. Я не пóнял *послéднее* предложéние.
7. Мы проверя́ли *домáшние* упражнéния.
8. Мой друг изучáет *китáйский* язы́к.

---

[1] *собирáть* (I) (as *читáть*}, to collect

[2] *люби́ть* (II) (*as купи́ть*), to like; люблю́, лю́бишь, лю́бят

Exercise 134. Make up questions, as in the model.

Model: Ви́ктор купи́л *магнитофо́н*.
Вы зна́ете, *како́й магнитофо́н* купи́л Ви́ктор?

1. Бори́с чита́ет *журна́л*. 2. Он лю́бит *пе́сни*. 3. Мой друг собира́ет *ма́рки*. 4. Анна купи́ла *пальто́*. 5. Они́ смотре́ли *фильм*.

Exercise 135. Read the text and answer the questions.

Моя́ подру́га Мари́на

Это моя́ подру́га Мари́на. Мари́на – высо́кая и краси́вая де́вочка. У неё больши́е голубы́е глаза́ и дли́нные све́тлые во́лосы. Зимо́й Мари́на но́сит[1] брю́ки, коро́ткий чёрный плащ и кра́сный шарф. Ле́том она́ но́сит джи́нсы и́ли шо́рты, жёлтые и зелёные ма́йки и бе́лые кроссо́вки.

Каки́е глаза́ у Мари́ны?
Каки́е у неё во́лосы?
Что но́сит Мари́на зимо́й?
Что она́ но́сит ле́том?

Exercise 136. Read the text, write it out and retell it.

Москва́ – большо́й и краси́вый го́род. Там есть широ́кие но́вые проспе́кты, совреме́нные высо́кие зда́ния, краси́вые пло́щади, ста́рые ти́хие у́лицы. Вот Кра́сная пло́щадь. А вот Моско́вский Кремль.

Это Большо́й теа́тр. Я люблю́ ру́сский бале́т. Я смотре́л здесь бале́т «Спарта́к». А э́то Моско́вский университе́т. Я изуча́ю здесь ру́сский язы́к.

Москва́ – зелёный го́род. В Москве́ есть больши́е па́рки.

Я люблю́ моско́вское метро́. Ста́нции метро́ краси́вые, све́тлые. Метро́ – бы́стрый и удо́бный тра́нспорт.

Exercise 137. Translate into Russian.

I have an elder sister, Maria. She is a student. Maria studies Russian. She already speaks and writes Russian well. Maria reads Russian newspapers and magazines. She likes Russian folk songs.

---

[1] *носи́ть* (II), to wear; ношу́, но́сишь, но́сят

The Adjective and the Adverb
The Questions *Какóй?* and *Как?*

Он читáл **хорóший** расскáз.	Он читáет **хорошó**.
Какóй расскáз он читáл?	**Как** он читáет?

! An adjective qualifies a noun and agrees with that noun. It answers the questions *какóй? какáя? какóе?* or *какúе?*

An adverb is an invariable word. It modifies a verb and answers the question *как?*

Exercise 138. Use an adjective or an adverb. Ask questions about them.

Model: Он ... студéнт | хорóший
Он читáет ... . | хорошó

Он *хорóший* студéнт. *Какóй* он студéнт?
Он читáет *хорошó*. *Как* он читáет?

1. Эта студéнтка пи́шет ... . Ты купи́л ... костю́м.	краси́вый, краси́во
2. Мы ещё ... говори́м по-рýсски. Он всегдá отвечáет ... . Он ... студéнт.	плохóй, плóхо
3. Анна говори́т ... . У неё ... гóлос.	ти́хий, ти́хо
4. Мы знáем рýсский язы́к ... . Я смотрéл ... фильм.	хорóший, хорошó
5. Я читáю ... ромáн. Этот áвтор пи́шет ... . Это ... нóвость.	интерéсный, интерéсно

Exercise 139. Use the adjective or the adverb.

1. Вы знáете ... язы́к? Вы говори́те ...? 2. Ваш друг хорошó говори́т ... . Он давнó изучáет ... язы́к? 3. Вы читáете ... книги? Вы хорошó понимáете ... ? 4. Я ещё плóхо говорю́ ... , потомý что я изучáл ... язы́к тóлько оди́н год.	рýсский по-рýсски

5. Бори́с изуча́ет ... язы́к, он уже́ хорошо́ говори́т и понима́ет … . Он чита́ет ... кни́ги. Мы ча́сто разгова́риваем ... . Он говори́т, что ... язы́к краси́вый, но тру́дный.	англи́йский по-англи́йски
6. Когда́ я жил до́ма, я мно́го говори́л ... . Я чита́л ... журна́лы и газе́ты. У нас в до́ме все хорошо́ говоря́т ... . Мои́ бра́тья и сёстры лю́бят чита́ть ... кни́ги. Мы собира́ем ... кни́ги.	францу́зский по-францу́зски

The General Concept of Verb Aspects[1]

Ма́льчик до́лго **гото́вил** дома́шнее зада́ние.
Ма́льчик хорошо́ **пригото́вил** дома́шнее зада́ние.

Exercise 140. Read the sentences and compare them.

1. Анна *писа́ла* письмо́.

1. Анна *написа́ла* письмо́.

2. Бори́с *чита́л* журна́л.

2. Бори́с *прочита́л* журна́л.

3. Ни́на *гото́вила* обе́д.

3. Ни́на *пригото́вила* обе́д.

[1] For more details on verb aspects, see p. 270.

4. Ма́льчик *реша́л* зада́чу.

4. Ма́льчик *реши́л* зада́чу.

> Note that in the preceding sentences the verbs *писа́ть, чита́ть, гото́вить, реша́ть* denote action as a process.
>
> The verbs *написа́ть, прочита́ть, пригото́вить, реши́ть* denote actions which have had a result.

Exercise 141. Read the questions and answers. Call the aspect pairs of verbs.

1. – Что вы де́лали у́тром?
   – Утром я *писа́л* сочине́ние.
   – Вы до́лго *писа́ли*?
   – Я *писа́л* сочине́ние три часа́.
   – Вы *написа́ли* сочине́ние?
   – *Написа́л*. Вот оно́.
2. – Что вы де́лали ве́чером?
   – Ве́чером я *де́лал* дома́шнее зада́ние.
   – Вы пра́вильно *сде́лали* дома́шнее зада́ние?
   – Я ду́маю, что пра́вильно.
3. – Что де́лали студе́нты?
   – Они́ *учи́ли* ру́сские пе́сни.
   – Они́ *вы́учили* пе́сни?
   – Да, *вы́учили*. Тепе́рь они́ зна́ют э́ти пе́сни.
4. – Что вы де́лали на уро́ке?
   – Мы *повторя́ли* глаго́лы.
   – Вы *повтори́ли* все глаго́лы?
   – Да, мы *повтори́ли* все глаго́лы. За́втра у нас бу́дет контро́льная рабо́та.

Exercise 142. Answer the questions, as in the model.

Model: – Почему́ вы не пи́шете упражне́ние?
– Я уже́ написа́л.

1. Почему́ вы не чита́ете текст? 2. Почему́ вы не у́чите глаго́лы? 3. Почему́ вы

не повторя́ете слова́? 4. Почему́ вы не де́лаете дома́шнее зада́ние? 5. Почему́ вы не исправля́ете оши́бки? 6. Почему́ вы не проверя́ете дикта́нт?

The Verbs *хоте́ть, люби́ть, мочь* and the Short-Form Adjective *до́лжен* with an Infinitive

хоте́ть

Я **хочу́** Ты **хо́чешь** Он **хо́чет** Она́ **хо́чет**	**знать** ру́сский язы́к.	Мы **хоти́м** Вы **хоти́те** Они́ **хотя́т**	**знать** ру́сский язы́к.

Exercise 143. Conjugate the verb *хоте́ть* in the following sentences.

1. Я хочу́ хорошо́ говори́ть по-ру́сски. 2. Я хочу́ знать ру́сские пе́сни. 3. Я хочу́ изуча́ть иностра́нные языки́.

Я **хочу́** есть.
Я **хочу́** пить.
Я **хочу́** спать.

Exercise 144. Answer the questions in the affirmative or the negative. Write out questions 1, 2, 5, 6 and 7, and the answers to them.

Model: – Вы *хоти́те* есть?
– Да, я *хочу́* есть.
(– Нет, я *не хочу́* есть.)

1. Вы хоти́те обе́дать? 2. Вы хоти́те у́жинать? 3. Вы хоти́те слу́шать ра́дио? 4. Ты хо́чешь игра́ть в ша́хматы? 5. Ты хо́чешь игра́ть в футбо́л? 6. Ты хо́чешь смотре́ть телеви́зор? 7. Ты хо́чешь танцева́ть?

Exercise 145. Ask questions, as in the model.

Model: обе́дать
– Ты *хо́чешь* обе́дать?
(– Вы *хоти́те* обе́дать?)

Танцева́ть, спать, у́жинать, смотре́ть телеви́зор.

Exercise 146. Change the sentences to the past tense and write them down.

Model: Я *хочу́ игра́ть* в ша́хматы.
Я *хоте́л игра́ть* в ша́хматы.

1. Они́ хотя́т игра́ть в футбо́л. 2. Она́ хо́чет игра́ть в те́ннис. 3. Мы хоти́м игра́ть в волейбо́л. 4. Вы хоти́те занима́ться? 5. Ты хо́чешь смотре́ть телеви́зор? 6. Я хочу́ изуча́ть испа́нский язы́к.

Exercise 147. Answer the questions.

Model: – Что ты бу́дешь де́лать по́сле у́жина?
– По́сле у́жина я хочу́ смотре́ть телеви́зор.

1. Что вы бу́дете де́лать по́сле обе́да?
2. Что ты бу́дешь де́лать по́сле уро́ков?
3. Что бу́дут де́лать твои́ друзья́ в суббо́ту?
4. Что они́ бу́дут де́лать в воскресе́нье?
5. Что вы бу́дете де́лать сего́дня ве́чером?
6. Что вы бу́дете де́лать за́втра ве́чером?

Рабо́тать, отдыха́ть, занима́ться, чита́ть, писа́ть пи́сьма, игра́ть в те́ннис, игра́ть в футбо́л

люби́ть

Я **люблю́** Ты **лю́бишь** Он **лю́бит** Она́ **лю́бит**	**чита́ть.**	Мы **лю́бим** Вы **лю́бите** Они́ **лю́бят**	**чита́ть.**

Exercise 148. Answer the questions.

1. Ты лю́бишь писа́ть пи́сьма? 2. Ты лю́бишь получа́ть пи́сьма? 3. Ты лю́бишь игра́ть в ша́хматы? 4. Вы лю́бите чита́ть? 5. Вы лю́бите танцева́ть? 6. Вы лю́бите игра́ть в футбо́л? 7. Вы лю́бите слу́шать магнитофо́н?

Exercise 149. Use the verb *люби́ть* in the required form.

1. Мы ... смотре́ть телеви́зор. 2. Они́ не ... занима́ться ве́чером. 3. Он не ...

писа́ть пи́сьма. 4. Я ... чита́ть газе́ты. 5. Вы ... танцева́ть? 6. Ты ... игра́ть в футбо́л? 7. Она́ ... петь. 8. Вы ... получа́ть пи́сьма? 9. Я ... игра́ть в ша́хматы.

Exercise 150. Complete the sentences, using the verb *люби́ть*.

1. Моя́ сестра́ ... . 2. Я ... . 3. Мой ста́рший брат ... . 4. Вы ... ? 5. Наш преподава́тель ... . 6. Мы ... . 7. Его́ друг ... . 8. Эти студе́нты ... . 9. Мой сосе́д ... . 10. Ты ...?

мочь

Я **могу́** Ты **мо́жешь** Он **мо́жет** Она́ **мо́жет**	**реши́ть** э́ти зада́чи.	Мы **мо́жем** Вы **мо́жете** Они́ **мо́гут**	**реши́ть** э́ти зада́чи.

Exercise 151. Use the verb *мочь* in the required form.

a) 1. Сего́дня я не ... отвеча́ть уро́к. 2. Он не ... писа́ть бы́стро. 3. Мы не ... рабо́тать сего́дня ве́чером. 4. Они́ не ... быть за́втра на уро́ке.

b) 5. Я ... объясни́ть э́то сло́во. 6. Она́ ... сде́лать э́то упражне́ние. 7. Вы ... повтори́ть вопро́с? 8. Вы ... показа́ть э́тот журна́л? 9. Ты ... реши́ть э́ти задачи?

до́лжен

Я **до́лжен (должна́)** Ты **до́лжен (должна́)** Он **до́лжен** Она́ **должна́**	**писа́ть** пи́сьма.	Мы **должны́** Вы **должны́** Они́ **должны́**	**писа́ть** пи́сьма.

Exercise 152. Use the word *до́лжен* in the required form.

1. Вы ... расска́зывать э́тот текст. 2. Она́ ... отвеча́ть уро́к. 3. Они́ ... писа́ть дикта́нт. 4. Вы ... повтори́ть э́ти глаго́лы. 5. Я ... де́лать дома́шнее зада́ние. 6. Он ... знать э́ти стихи́. 7. Эта студе́нтка ... мно́го рабо́тать. 8. Мы … мно́го занима́ться.

Exercise 153. Use the word *до́лжен* in the required form.

1. Ве́чером я ... писа́ть пи́сьма. 2. Мы ... чита́ть э́тот расска́з. 3. Все студе́нты ... купи́ть э́тот слова́рь. 4. Мы ... занима́ться ка́ждый день. 5. Мы ... чита́ть ру́сские газе́ты. 6. Вы ... посмотре́ть э́тот фильм.

Exercise 154. Complete the sentences, using the word *до́лжен* and the words and phrases given below.

1. Сего́дня ве́чером я ... . 2. Ка́ждый день мы ... . 3. Студе́нты ... . 4. Сего́дня моя́ сестра́ ... . 5. Ваш това́рищ ... . 6. По́сле уро́ка мы ... .

Рабо́тать, чита́ть, писа́ть пи́сьма, отдыха́ть, занима́ться, хорошо́ знать ру́сский язы́к, говори́ть по-ру́сски

Verbs with the Particle *-ся*
The Verbs *учи́ть* (*что?*) and *учи́ться*[1] (*где?*)

Я **учу́** но́вые **слова́**.	Я **учу́сь**[2] **в университе́те**[3].
Что вы у́чите?	**Где вы у́читесь**?

учи́ться

Я уч**у́сь**.	Мы у́ч**имся**.
Ты у́ч**ишься**.	Вы у́ч**итесь**.
Он (она́) у́ч**ится**.	Они́ у́ч**атся**.

Учи́ть is a transitive verb: it requires a noun answering the question *что?*

Учи́ться is an intransitive verb, like all verbs with the particle **-ся**. It cannot be followed by a noun answering the question *где?*

[1] *учи́ться,* to study
[2] *учи́ться в шко́ле*, to go to school
[3] *в университе́те*, at the University

Exercise 155. Answer the questions. Write down the answers to questions 1, 2, 4 and 5.

1 . Вы у́читесь и́ли рабо́таете? 2. Вы давно́ у́читесь в университе́те? 3. Что вы де́лали ра́ньше – учи́лись и́ли рабо́тали? 4. Когда́ вы у́чите уро́ки? 5. Вы лю́бите учи́ть стихи́? 6. Вы у́чите ру́сские пе́сни? 7. Что вы у́чите сейча́с? 8. Ваш брат у́чится и́ли рабо́тает? 9. Он у́чится в шко́ле и́ли в университе́те?

Exercise 156. Use the verb *учи́ть* or *учи́ться*.

1. – Где вы ... ? – Я ... в университе́те. – А где ... ваш брат? – Мой брат то́же ... в университе́те. 2. – Где вы ... ра́ньше? – Ра́ньше я ... в шко́ле. 3. – Где ... ва́ша ста́ршая сестра́? – Моя́ ста́ршая сестра́ не ... , она́ уже́ рабо́тает. 4. Ва́ша мла́дшая сестра́ ... ? – Да, она́ ... в шко́ле. 5. – Что вы сейча́с де́лаете? – Я ... но́вые слова́. – Вы ка́ждый день ... ру́сские слова́? – Да, я ... слова́ ка́ждый день.

Exercise 157. Use the verb *учи́ть* or *учи́ться*.

1. – Вы ... и́ли рабо́таете? – Я ... в университе́те. 2. – Как вы ... ? – Я ... хорошо́, потому́ что я мно́го занима́юсь: ка́ждый день я ... но́вые слова́, де́лаю упражне́ния, мно́го чита́ю по-ру́сски, слу́шаю переда́чи на ру́сском языке́. 3. – Где ... ваш това́рищ? – Мой това́рищ ... в университе́те. 4. – Что вы ... вчера́? – Вчера́ мы ... диало́г. – Вы до́лго ... э́тот диало́г? – Нет, диало́г был нетру́дный, и я ... его́ недо́лго. 5. – Как ... ваш мла́дший брат? – Он ... непло́хо. – Когда́ он ... уро́ки? – По́сле обе́да он гуля́ет, а пото́м начина́ет ... уро́ки. – Что он ... сейча́с? – Сейча́с он ... стихи́.

Part Two THE MAIN COURSE

THE USES OF THE CASES

THE PREPOSITIONAL CASE

The Prepositional Denoting the Place of an Action

Nouns in the Prepositional Singular with the Prepositions *в* and *на*

Анна рабóтает **в шкóле**.

Exercise 1. A. Read the text and write it out.

Моя́ подру́га Ни́на живёт *в Москве́*. Она́ у́чится *в университе́те*. Её роди́тели живу́т *в дере́вне*. Мать Ни́ны рабóтает *в шкóле*, оте́ц рабóтает *на фе́рме*. Сестра́ Ни́ны живёт *в Нóвгороде*. Она́ рабóтает *в библиоте́ке*.

B. Answer the questions.

1. Ни́на живёт в Москве́ и́ли в Нóвгороде? 2. Она́ у́чится в шкóле и́ли в университе́те? 3. Её роди́тели живу́т в гóроде и́ли в дере́вне? 4. Сестра́ Ни́ны рабóтает в библиоте́ке и́ли в шкóле?

	Nominative	Prepositional	Ending
Masculine	гóрод словáрь музе́й	в гóроде в словаре́ в музе́е	**-е**
Feminine	шкóла дере́вня	в шкóле в дере́вне	**-е**
Neuter	письмó пóле	в письме́ в пóле	**-е**

Exercise 2. Answer the questions in the affirmative or the negative.

Model: – Ва́ша сестра́ у́чится *в шко́ле*?
– Да, моя́ сестра́ у́чится *в шко́ле*.
(– Нет, моя́ сестра́ у́чится *в университе́те*.)

1. Ва́ша семья́ живёт *в го́роде*? 2. Ваш оте́ц рабо́тает *в ба́нке*? 3. Вы у́читесь *в университе́те*? 4. Ваш брат у́чится *в шко́ле*? 5. Вы покупа́ете кни́ги *в магази́не*? 6. Вы берёте[1] кни́ги *в библиоте́ке*? 7. Вы покупа́ете газе́ты *в кио́ске*? 8. Вы покупа́ете лека́рство *в апте́ке*?

Ла́мпа стои́т **на столе́**.

Exercise 3. Answer the questions.

Model: – Книга́ лежи́т *на столе́*?
– Да, кни́га лежи́т *на столе́*.

1. Ла́мпа стои́т *на столе́*?

2. Слова́рь стои́т *на по́лке*?

3. Карти́на виси́т *на стене́*?

---

[1] *брать* (I), to borrow, to lake; беру́, берёшь, беру́т

4. Ма́льчик сиди́т *на дива́не*?

5. Ва́за стои́т *на столе́*?

6. Преподава́тель пи́шет *на доске́*?

7. Газе́та лежи́т *на сто́ле*?

Exercise 4. Complete the sentences, using the words given in brackets and the preposition *в* or *на*.

Model: Де́ти гуля́ют ... (парк).
Де́ти гуля́ют в па́рке.

1. Ла́мпа стои́т ... . (стол) 2. Мы сиди́м ... . (ко́мната) 3. Студе́нт пи́шет ... . (доска́) 4. Мы покупа́ем журна́лы ... . (кио́ск) 5. Карти́на виси́т ... . (стена́) 6. Кни́га лежи́т ... . (по́лка) 7. Мы живём ... . (Москва́) 8. Цветы́ стоя́т ... . (окно́) 9. Письмо́ лежи́т ... . (па́пка)

– **Где** сидя́т студе́нты?
– Студе́нты сидя́т **в кла́ссе.**

– **Где** лежи́т газе́та?
– Газе́та лежи́т **на столе́**.

Exercise 5. Answer the questions, using the words given in brackets. Write down the answers to questions 2, 4 and 5.

I.1. Где лежа́т ва́ши тетра́ди? (су́мка) 2. Где вы берёте кни́ги? (библиоте́ка) 3. Где у́чатся студе́нты? (университе́т) 4. Где вы живёте? (го́род) 5. Где вы отдыха́ете ле́том? (дере́вня) 6. Где вы покупа́ете проду́кты? (магази́н) 7. Где вы покупа́ете лека́рство? (апте́ка)

II. 1. Где стоя́т кни́ги? (по́лка) 2. Где стои́т ва́за? (стол) 3. Где виси́т карти́на? (стена́) 4. Где лежи́т ваш шарф? (стул) 5. Где стоя́т цветы́? (окно́)

Exercise 6. Where are the following objects[1]?

Exercise 7. Answer the questions in the affirmative.

1. Ваш оте́ц рабо́тает на заво́де? 2. Ваш брат рабо́тает на фа́брике? 3. Ва́ша сестра́ рабо́тает на по́чте? 4. Ле́том ва́ша семья́ отдыха́ет на мо́ре? 5. Ваш брат живёт на се́вере? 6. В суббо́ту вы бы́ли на стадио́не?

MEMORISE!

The preposition **в**	The preposition **на**
в институ́те	**на** ку́рсе
в университе́те	**на** факульте́те
	на уро́ке
в шко́ле	**на** заня́тии
в кла́ссе	**на** семина́ре
	на экза́мене
в гру́ппе	**на** ле́кции
в магази́не	**на** ры́нке
	на у́лице
в го́роде	**на** пло́щади
	на стадио́не

---

[1] Remember the use of the verbs *стоя́ть, лежа́ть* and *висе́ть.*

The preposition **в**	The preposition **на**
в дере́вне	**на** фа́брике
	на заво́де
	на по́чте
	на вокза́ле
в клу́бе	**на** ве́чере
	на собра́нии
	на ми́тинге
в музе́е	**на** экску́рсии
в теа́тре	**на** вы́ставке
	на бале́те
в стране́	**на** ю́ге
	на се́вере
	на за́паде
	на восто́ке
	на ро́дине

Exercise 8. Where do these people work?

1. Андре́й ...

2. Ни́на ...

3. Серге́й Нико-ла́евич ...

4. Анна Петро́в-на ...

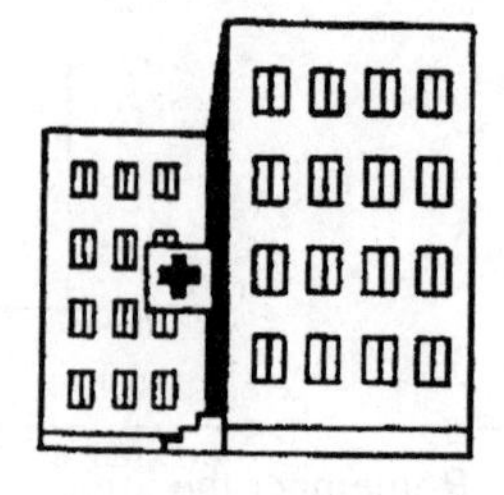

5. Бори́с …

6. Еле́на Миха́й-ловна …

Exercise 9. Answer the questions, using the words given in brackets and the prepositions *в* and *на*.

1. Где рабо́тает ваш оте́ц? (заво́д) 2. Где рабо́тает ваш брат? (фа́брика) 3. Где у́чится ва́ша мла́дшая сестра́? (шко́ла) 4. Где стои́т авто́бус? (у́лица) 5. Где гуля́ют де́ти? (парк) 6. Где сейча́с сидя́т ученики́? (класс) 7. Где они́ игра́ют в футбо́л? (стадио́н) 8. Где вы покупа́ете ма́рки? (по́чта) 9. Где вы покупа́ете кни́ги? (магази́н) 10. Где вы бы́ли ле́том? (ро́дина)

Exercise 10. Answer the questions in the negative, using the words given in brackets.

Model: – Он рабо́тает на фа́брике? (шко́ла)
– *Нет*, он рабо́тает *не на фа́брике, а в шко́ле*.

1. Серге́й рабо́тает на заво́де? (теа́тр) 2. Его́ сестра́ рабо́тает в поликли́нике? (библиоте́ка) 3. Их оте́ц рабо́тает в ба́нке? (шко́ла) 4. Вчера́ вы бы́ли в бассе́йне? (стадио́н) 5. Андре́й был на рабо́те? (клуб) 6. Ты покупа́ешь фру́кты и о́вощи в магази́не? (ры́нок)

MEMORISE!

шкаф – в шкафу́	лес – в лесу́
угол – в углу́	бе́рег – на берегу́
пол – на полу́	мост – на мосту́
сад – в саду́	аэропо́рт – в аэропорту́

Exercise 11. Answer the questions and write down the answers.

1. Де́ти игра́ют в саду́ и́ли на у́лице? 2. Они́ гуля́ют в лесу́ и́ли в па́рке? 3. Руба́шки лежа́т в чемода́не и́ли в шкафу́? 4. Маши́на стои́т на мосту́ и́ли на берегу́? 5. Ты был в аэропорту́ и́ли на вокза́ле?

Exercise 12. Answer the questions.

1. Где игра́ют шко́льники? (сад и́ли парк) 2. Где лежа́т ве́щи? (шкаф и́ли чемода́н) 3. Где лежа́т кни́ги? (по́лка и́ли шкаф) 4. Где вы бы́ли в воскресе́нье? (лес и́ли парк)

	Nominative		Prepositional	
Masculine	санато́рий	**-ий**	в санато́рии	
Feminine	аудито́рия ле́кция	**-ия**	в аудито́рии на ле́кции	**-ии**
Neuter	общежи́тие	**-ие**	в общежи́тии	

Exercise 13. Answer the questions, using the words given in brackets. Write down the answers.

1. Где живу́т студе́нты? (общежи́тие) 2. Где они́ слу́шают ле́кции? (аудито́рия) 3. Где они́ бы́ли у́тром? (ле́кция) 4. Где они́ бы́ли днём? (собра́ние) 5. Где они́ бы́ли в суббо́ту? (экску́рсия) 6. Где живёт ваш друг? (Да́ния) 7. Где живёт ва́ша семья́? (Англия) 8. Где вы бы́ли ле́том? (Ита́лия)

Exercise 14. Make up sentences, as in the model, and write them down.

Model: Пари́ж – Фра́нция.
Пари́ж нахо́дится *во Фра́нции.*

1. Мадри́д – Испа́ния. 2. Неа́поль – Ита́лия. 3. Туло́н – Фра́нция. 4. Жене́ва – Швейца́рия. 5. Ве́на – Австрия. 6. Лиссабо́н – Португа́лия. 7. То́кио – Япо́ния. 8. Стамбу́л – Ту́рция. 9. Мадра́с – Индия.

Exercise 15. Answer the questions, as in the model. Write down the answers to questions 4, 5, 6 and 7.

Model: – Семья́ Андре́я живёт в По́льше? (Че́хия)
– Нет, семья́ Андре́я живёт *не в По́льше, а в Че́хии.*

1. Семья́ Мари́и живёт в Болга́рии? (Ве́нгрия) 2. Сестра́ Анны у́чится во Фра́нции? (Англия) 3. Ле́том Бори́с был в Ита́лии? (Испа́ния) 4. Бухаре́ст нахо́дится в Ве́нгрии? (Румы́ния) 5. Дама́ск нахо́дится в Лива́не? (Си́рия) 6. Осло нахо́дится в Шве́ции? (Норве́гия) 7. Гаа́га нахо́дится в Бе́льгии? (Голла́ндия)

Compare!

Masculine			Feminine		
Nominative	Prepositional		Nominative	Prepositional	
слова́рь – портфе́ль –	в словар**е́** в портфе́л**е**	**-е**	тетра́дь – пло́щадь –	в тетра́д**и** на пло́щад**и**	**-и**

Exercise 16. Answer the questions.

1. Где сидя́т студе́нты? (аудито́рия) 2. Где вися́т фотогра́фии? (стена́) 3. Где стоя́т цветы́? (окно́) 4. Где лежа́т кни́ги и тетра́ди? (стол) 5. Где стоя́т словари́? (шкаф) 6. Где пи́шет преподава́тель? (доска́) 7. Где пи́шет студе́нт? (тетра́дь) 8. Где студе́нты смо́трят незнако́мые слова́? (слова́рь)

Exercise 17. Make up sentences, as in the model.

Model: – Вчера́ мы бы́ли *в ци́рке*. – ... (теа́тр)
– А мы бы́ли *в теа́тре*.

1.– В суббо́ту мы бы́ли *в клу́бе*. – ... (вы́ставка)
2.– В воскресе́нье мы бы́ли *на бале́те*. – ... (конце́рт)
3.– Вчера́ я был *в бассе́йне*. – ... (стадио́н)
4.– Ле́том мы бы́ли *в Ве́нгрии*. – ... (Болга́рия)

Exercise 18. A. Read the questions and answer them. Write down the answers (they should form a story on the subject "Student Ivanov").

1. Где живёт Андре́й Ивано́в? (Москва́, общежи́тие) 2. Где он у́чится? (институ́т) 3. Где он слу́шает ле́кции? (аудито́рия № 3) 4. Где он обы́чно занима́ется? (библиоте́ка) 5. Где он быва́ет ве́чером? (клуб и́ли бассе́йн) 6. Где он хо́чет рабо́тать по́сле институ́та[1]? (заво́д, лаборато́рия) 7. Где он жил ра́ньше? (Белору́ссия) 8. Где живёт его́ семья́? (го́род Брест). 9. Где живёт его́ ста́рший брат? (Минск) 10. Где он рабо́тает? (заво́д)

B. Read your story and retell it.

C. Compose a similar story about a student friend of yours.

---

[1] *по́сле институ́та*, after he graduates from the college

Exercise 19. Answer the questions.

1. Ва́ши друзья́ бы́ли вчера́ *в клу́бе на ве́чере*? 2. Она́ была́ вчера́ *в теа́тре на бале́те*? 3. Вы бу́дете за́втра *в университе́те на ми́тинге*? 4. Анто́н был вчера́ *в клу́бе на конце́рте*? 5. Вы бы́ли вчера́ *в музе́е на экску́рсии*? 6. Анто́н и Анна бы́ли у́тром *в институ́те на ле́кции*? 7. Студе́нты сейча́с *в за́ле на собра́нии*? Анна сейча́с *в кла́ссе на уро́ке*?

Exercise 20. Make up questions as in the model.

Model: Университе́т – библиоте́ка.
В университе́те есть библиоте́ка?

1. Го́род – теа́тр.
2. Дом – лифт.
3. Парк – фонта́н.
4. Шко́ла – спортза́л.
5. Класс – экра́н.
6. Аудито́рия – компью́теры.
7. Библиоте́ка – ксе́рокс.
8. Кио́ск – ру́сские газе́ты.

Exercise 21. Make up questions to which these sentences are the answers.

Model: – ...?
– Я живу́ *в Москве́*.

– *Где* вы живёте?
– Я живу́ *в Москве́*.

1. – ...?
– Я учу́сь *в университе́те*.
2. – ...?
– Я живу́ *в общежи́тии*.
3. – ...?
– Моя́ семья́ живёт *в дере́вне*.
4. – ...?
– Оте́ц Ви́ктора рабо́тает *в го́роде на заво́де*.
5. – ...?
– Сестра́ Анны рабо́тает *в шко́ле*.
6. – ...?
– Я бу́ду рабо́тать *в институ́те, в лабора́тории*.

Exercise 22. Answer the questions in the affirmative and the negative.

Model: – Вы зна́ете, где он живёт?
– Да, (я) зна́ю, (где он живёт). Он живёт в Ки́еве.
– Нет, я не зна́ю, где он живёт.

1. Вы зна́ете, где я живу́? 2. Вы зна́ете, где я рабо́таю? 3. Вы зна́ете, где у́чится Мари́я? 4. Вы зна́ете, где живу́т её роди́тели? 5. Вы зна́ете, где они́ рабо́тают?

Exercise 23. Read the text, write it out and retell it.

В кла́ссе

Я студе́нт. Я живу́ в Мо́скве и учу́сь в университе́те. Я изуча́ю ру́сский язы́к. У меня́ есть хоро́ший друг. Его́ зову́т Рамо́н[1]. Ра́ньше он жил в Ме́ксике, а тепе́рь он живёт в Москве́. Рамо́н то́же студе́нт. Он живёт в общежи́тии.

Сейча́с уро́к. Мы сиди́м в аудито́рии. На столе́ лежа́т на́ши кни́ги, тетра́ди, ру́чки. Преподава́тель пи́шет на доске́, а мы пи́шем в тетра́ди. Пото́м преподава́тель чита́ет но́вый текст. Я слу́шаю внима́тельно, но понима́ю не все слова́ в те́ксте. Я смотрю́ незнако́мые слова́ в словаре́.

По́сле уро́ка я обе́даю в столо́вой[2]. По́сле обе́да я отдыха́ю, а пото́м готовлю́ дома́шнее зада́ние. Иногда́ я занима́юсь в библиоте́ке, а иногда́ до́ма. Пото́м мы у́жинаем. По́сле у́жина мы смо́трим телеви́зор, игра́ем в ша́хматы и́ли слу́шаем магнитофо́н. Иногда́ ве́чером мы гуля́ем в па́рке.

Exercise 24. Translate into Russian.

1. My elder brother, Sergei, lives in Smolensk. He studies at the University. He worked at a factory before. After University, he will work at a museum.

2. In the summer British tourists were in Moscow. They visited a school, a theatre, a museum and a factory.

3. Today I was at the shop and at the post office. I bought books at the shop, and envelopes and stamps at the post office.

Exercise 25. Read the text, write it out and retell it.

Сего́дня воскресе́нье. Мы не занима́емся, отдыха́ем. Утром я писа́л пи́сьма, пото́м пошёл гуля́ть[3]. Я хоте́л посмотре́ть у́лицы и пло́щади Москвы́.

Я сижу́ в авто́бусе и смотрю́ в окно́. Сего́дня хоро́шая пого́да. Не́бо чи́стое и голубо́е. Впереди́ широ́кая у́лица. Это Ле́нинский проспе́кт. Спра́ва стоя́т высо́кие краси́вые дома́. Сле́ва большо́й парк. Сейча́с сентя́брь, и дере́вья в па́рке жёлтые. Наш авто́бус идёт бы́стро. Вот гла́вная у́лица Москвы́ – Тве́рская у́лица.

---

[1] *Его́ зову́т Рамо́н.* His name is Ramon.

[2] *в столо́вой,* at the dining-hall

[3] *пошёл гуля́ть*, went out for a walk

Я хочу́ посмотре́ть Большо́й теа́тр, но не зна́ю, где он нахо́дится. На у́лице стои́т милиционе́р. Я спра́шиваю его́:

– Скажи́те, пожа́луйста, где Большо́й теа́тр?

– Большо́й теа́тр недалеко́. На́до идти́[1] пря́мо, а пото́м нале́во. Вы не москви́ч? – спра́шивает милиционе́р.

– Нет, я не москви́ч. Я иностра́нец, – отвеча́ю я. – Я учу́сь в Моско́вском университе́те.

Милиционе́р ещё раз говори́т, где нахо́дится Большо́й теа́тр.

– Спаси́бо, – говорю́ я. – До свида́ния.

The Prepositional with the Preposition *о (об, обо)* Denoting the Object of Speech or Thought

– **О чём** они́ говоря́т?
– Они́ говоря́т **о литерату́ре**.
– Они́ говоря́т **об экза́мене.**

> **!** Before words beginning with a vowel, the preposition **об** is used: *об* Анне, *об* уро́ке, *об* экза́мене, *об* э́том челове́ке.

– **О ком** расска́зывал[2] преподава́тель?
– Преподава́тель расска́зывал **о космона́вте Гага́рине**.

ду́мать чита́ть писа́ть говори́ть спра́шивать расска́зывать по́мнить вспомина́ть мечта́ть	о чём? о ком?

[1] *на́до идти́,* you should go
[2] *расска́зывать* (I) (as *чита́ть*), to tell

MEMORISE!

Nominative	Prepositional
мать дочь	о ма́тери о до́чери

Exercise 26. Answer the questions, using the words given in brackets.

1. О чём вы расска́зываете сейча́с? (фильм) 2. О чём ча́сто ду́мает Джон? (ро́дина) 3. О чём пи́шет ваш друг? (Москва́) 4. О чём спра́шивает Анна? (телегра́мма) 5. О ком писа́ла мать в письме́? (сестра́) 6. О ком вы говори́те? (писа́тель) 7. О ком он расска́зывает? (друг) 8. О ком он ду́мает? (брат) 9. О ком ду́мает Анна? (мать)

Exercise 27. Complete the sentences, using the words given in brackets.

1. В письме́ брат пи́шет ... (семья́). 2. На уро́ке мы говори́ли ... (теа́тр). 3. Он лю́бит говори́ть ... (литерату́ра). 4. Я чита́л расска́з ... (Москва́). 5. Сейча́с студе́нты ду́мают ... (экза́мен). 6. Вчера́ мы до́лго говори́ли ... (футбо́л). 7. Мать пи́шет ... (дом). 8. Я люблю́ чита́ть ... (ко́смос).

Exercise 28. Say in Russian what (or who) these students are thinking about.

1. Андре́й ...

2. Бори́с ..

3. Анто́н ...

4. Ни́на …

5. Ли́да …

Exercise 29. Answer the questions in the affirmative or the negative.

Model: – Вы слы́шали, *о чём* он расска́зывал?
– Да, (я) слы́шал, (*о чём* он расска́зывал). Он расска́зывал о спекта́кле.
– Нет, я не слы́шал, *о чём* он расска́зывал.

1. Вы слы́шали, о чём мы сейча́с говори́ли? 2. Вы зна́ете, о чём мы чита́ли на уро́ке? 3. Вы зна́ете, о чём расска́зывает э́тот фильм? 4. Вы по́няли, о чём говори́л профе́ссор на ле́кции? 5. Вы зна́ете, о ком мы говори́м? 6. Вы не зна́ете, о ком расска́зывает э́та статья́?

Exercise 30. Make up questions to which these sentences are the answers and write them down.

1. – ... ?
   – Анна спра́шивала в письме́ *о ма́тери*.
2. – ... ?
   – Сейча́с я ду́маю *об экза́мене*.
3. – ... ?
   – Ма́льчик расска́зывал *о соба́ке*.
4. – ... ?
   – Наш преподава́тель расска́зывал *о Пу́шкине*.
5. – ... ?
   – Сего́дня мы чита́ли *о Санкт-Петербу́рге*.
6. – ... ?
   – Этот писа́тель пи́шет *о дере́вне*.

Personal Pronouns in the Prepositional

Exercise 31. A. Read the sentences and translate them.

1. Мои́ роди́тели живу́т в дере́вне, а *я* в го́роде. Я зна́ю, что они́ всегда́ ду́мают *обо мне́*. 2. Почему́ *ты* не́ был вчера́ на уро́ке? Преподава́тель спра́шивал *о тебе́*. 3. Это ваш това́рищ? *Он* у́чится и́ли рабо́тает? Расскажи́те *о нём*. 4. Моя́ *сестра́* живёт на се́вере. Я ча́сто ду́маю *о ней*. 5. Вчера́ *мы* не́ были на уро́ке.

Преподава́тель спра́шивал *о нас*? 6. *Вы* бу́дете за́втра в клу́бе на дискоте́ке? Мой друг спра́шивал *о вас*. 7. Мои́ *бра́тья* у́чатся в Берли́не. До́ма мы ча́сто говори́м *о них*.

B. Make a table of personal pronouns like the ones given below.

Кто?	О ком?
я ты	обо мне́ о тебе́

Exercise 32. Complete the sentences, using personal pronouns.

1. *Моя́ сестра́* живёт в Росто́ве. Я ча́сто ду́маю ... . 2. *Ваш друг* у́чится в Ло́ндоне. Вы вспомина́ете [1]... ? 3. Ско́ро *экза́мены*. На уро́ке мы говори́ли ... . 4. Вчера́ *вы* не́ были на ве́чере. Ваш друг спра́шивал ... . 5. Вчера́ мы смотре́ли интере́сный *фильм*. Ве́чером мы говори́ли ... . 6. *Ты* давно́ не́ был в поликли́нике. Врач спра́шивал ... . 7. *Я* зна́ю, что мои́ роди́тели всегда́ ду́мают ... .

Exercise 33. Answer the questions, using the pronouns given in brackets.

1. О ком вы говори́те сейча́с? (он и она́) 2. О ком писа́л оте́ц в письме́? (они́) 3. О ком он спра́шивал? (мы) 4. О ком они́ говори́ли? (ты и я) 5. О ком он ду́мает всё вре́мя? (она́) 6. О ком он спра́шивает? (я и вы)

Adjectives in the Prepositional Singular

– **В како́м до́ме** вы живёте?
– Мы живём **в большо́м хоро́шем до́ме**.

– **В како́й кварти́р**е вы живёте?
– Мы живём **в большо́й хоро́шей кварти́ре**.

[1] *вспомина́ть* (I) (as *чита́ть*), to remember, to recall

Exercise 34. Read the questions, answer them, and write down the answers to questions 1, 2, 3 and 4. Underline the adjectives.

1. В како́м го́роде живёт ва́ша семья́, в большо́м и́ли в ма́леньком? 2. В како́м до́ме вы живёте, в но́вом и́ли в ста́ром? 3. На како́м этаже́ ва́ша ко́мната, на четвёртом и́ли на пя́том? 4. На како́м факульте́те вы у́читесь, на физи́ческом и́ли на хими́ческом? (истори́ческом, филологи́ческом, экономи́ческом) 5. На како́м этаже́ живёт ваш друг, на второ́м и́ли на тре́тьем? 6. О како́м фи́льме вы говори́ли на уро́ке, о францу́зском и́ли об англи́йском? 7. О како́м бра́те он ча́сто расска́зывает, о ста́ршем и́ли о мла́дшем? 8. В како́м до́ме нахо́дится кни́жный магази́н, в э́том и́ли в сосе́днем?

Exercise 35. Answer the questions, using the words given in brackets.

1. В како́м го́роде вы живёте? (большо́й ю́жный го́род) 2. В како́м до́ме живёт ва́ша семья́? (ста́рый краси́вый дом) 3. На како́м этаже́ ва́ша ко́мната? (второ́й эта́ж) 4. На како́м заво́де рабо́тает ваш ста́рший брат? (хими́ческий заво́д) 5. В како́м клу́бе вы быва́ете? (студе́нческий клуб) 6. В како́м магази́не вы покупа́ете кни́ги? (сосе́дний кни́жный магази́н) 7. В како́м кинотеа́тре вы смо́трите фи́льмы? (но́вый кинотеа́тр)

Exercise 36. Answer the questions.

I. 1. В како́й тетра́ди ты пи́шешь слова́, в но́вой и́ли в ста́рой? 2. На како́й страни́це мы чита́ем, на шесто́й и́ли на седьмо́й? 3. В како́й па́пке лежа́т твои́ тетра́ди, в чёрной и́ли в зелёной? 4. В како́й аудито́рии бу́дет ле́кция, в пе́рвой и́ли во второ́й?

II. 1. На како́й ле́кции ты не́ был, на пе́рвой и́ли на после́дней? 2. В како́й газе́те писа́ли о спекта́кле, в сегодня́шней и́ли во вчера́шней? 3. На како́й у́лице нахо́дится кни́жный магази́н, на э́той и́ли на сосе́дней? 4. О како́й сестре́ ты сейча́с говори́шь, о ста́ршей и́ли о мла́дшей?

Exercise 37. Answer the questions, using the words given in brackets.

1. На како́й у́лице нахо́дится ва́ше общежи́тие? (ти́хая зелёная у́лица) 2. В како́й ко́мнате вы живёте? (больша́я све́тлая ко́мната) 3. В како́й столо́вой вы обы́чно обе́даете? (на́ша студе́нческая столо́вая) 4. В како́й библиоте́ке вы берёте кни́ги? (на́ша университе́тская библиоте́ка) 5. В како́й шко́ле у́чится сестра́ Ви́ктора? (музыка́льная шко́ла) 6. В како́й тетра́ди вы пи́шете упражне́ние? (дома́шняя тетра́дь)

Exercise 38. Answer the questions, using the words given in brackets.

1. В како́м до́ме живёт Анна? (сосе́дний) 2. В како́м общежи́тии вы живёте? (студе́нческое) 3. В како́й ко́мнате вы живёте? (деся́тая) 4. В како́м институ́те у́чится ваш брат? (медици́нский) 5. В како́й шко́ле у́чится ва́ша сестра́? (сре́дняя) 6. На како́м факульте́те вы у́читесь? (истори́ческий) 7. На како́м факульте́те у́чится ваш друг? (физи́ческий) 8. В како́й библиоте́ке вы берёте кни́ги? (университе́тская)

Exercise 39. A. Read the questions and answer them. Write down the answers (they should form a story on the subject "My Friend").

1. Где живёт ваш друг? (наш го́род, сосе́дняя у́лица) 2. Где он у́чится? (университе́т, хими́ческий факульте́т) 3. Где он обы́чно занима́ется? (университе́тская библиоте́ка, чита́льный зал) 4. О чём он мечта́ет? (интере́сная рабо́та) 5. Где он хо́чет рабо́тать по́сле университе́та? (институ́т, хими́ческая лаборато́рия) 6. О чём он расска́зывал вчера́ ве́чером? (одна́ небольша́я статья́) 7. Где была́ э́та ста́тья? (журна́л «Хи́мия», после́дний но́мер)

B. Read your story and retell it.

Exercise 40. Make up questions and answer them.

Model: – Где нахо́дится Шве́ция?
– Шве́ция нахо́дится в Се́верной Евро́пе.

Фра́нция, Ве́нгрия, Ита́лия, Брази́лия, Кана́да, Ниге́рия, Белору́ссия, Коре́я, Туни́с, Аргенти́на, Гвине́я, Индия, Герма́ния, По́льша	За́падная Евро́па, Центра́льная Евро́па, Восто́чная Евро́па, Се́верная Африка, Центра́льная Африка, Се́верная Аме́рика, Южная Аме́рика, Юго-Восто́чная Азия, Центра́льная Азия

Exercise 41. Answer the questions, using the words given on the right.

1. На како́м этаже́ нахо́дится ва́ша аудито́рия?	пя́тый
2. На како́м этаже́ нахо́дится библиоте́ка?	тре́тий
3. На како́м этаже́ нахо́дится столо́вая?	пе́рвый
4. В како́й аудито́рии бу́дет ле́кция?	двена́дцатый
5. В како́й аудито́рии вы занима́лись у́тром?	тридца́тая
6. На како́м ку́рсе вы у́читесь?	второ́й
7. На како́м ку́рсе у́чится ваш друг?	четвёртый
8. На како́й страни́це нахо́дится двена́дцатое упражне́ние?	седьма́я
9. На како́й страни́це нахо́дится расска́з о Москве́?	деся́тая

Exercise 42. Answer the questions in the affirmative.

Model: – Вы зна́ете, *на како́м этаже́* нахо́дится киноза́л?
– Да, зна́ю. Кинозал нахо́дится *на второ́м этаже́*.

1. Вы зна́ете, *в како́й аудито́рии* бу́дет ле́кция? 2. Вы зна́ете, *на како́м этаже́* нахо́дится э́та аудито́рия? 3. Вы зна́ете, *в како́м шкафу́* стоя́т словари́? 4. Вы зна́ете, *в како́м кио́ске* мо́жно купи́ть иностра́нные газе́ты? 5. Вы зна́ете, *в како́м магази́не* мо́жно купи́ть уче́бники?

(пя́тая аудито́рия, тре́тий эта́ж, пе́рвый шкаф, сосе́дний кио́ск, но́вый кни́жный магази́н)

Exercise 43. Answer the questions, as in the model.

Model: – Бори́с живёт на второ́м этаже?
– Я не зна́ю, на *како́м этаже́* он живёт.

1. Макси́м купи́л слова́рь в сосе́днем магази́не? 2. Анна у́чится в медици́нском институ́те? 3. Ви́ктор рабо́тает на автомоби́льном заво́де? 4. В суббо́ту они́ бы́ли в Истори́ческом музе́е? 5. Мари́на рабо́тает в де́тской больни́це? 6. Ба́бушка покупа́ет лека́рство в сосе́дней апте́ке?

Exercise 44. Complete the sentences, as in the model.

Model: Ра́ньше я учи́лся в шко́ле, а тепе́рь я учу́сь … .
Ра́ньше я учи́лся в шко́ле, а тепе́рь я учу́сь *в медици́нской акаде́мии*.

I. 1. Ра́ньше он жил в Австрии, а тепе́рь он живёт … . 2. Ра́ньше она́ учи́лась в сре́дней шко́ле, а тепе́рь она́ у́чится … . 3. Ра́ньше его́ брат рабо́тал в больни́це, а тепе́рь он рабо́тает … . 4. Ра́ньше на́ша семья́ жила́ в ма́ленькой дере́вне, а тепе́рь мы живём … .

II. 1. Мой оте́ц рабо́тает на хими́ческом заво́де, а я … . 2. Моя́ сестра́ отдыха́ла ле́том в родно́й дере́вне, а я … . 3. Они́ живу́т на ю́ге́, а мы … . 4. Я гото́влю уро́ки в на́шей библиоте́ке, а мой друг … . 5. Я обе́даю до́ма, а они́ … . 6. Ве́чером мы бы́ли в на́шем студе́нческом клу́бе, а наш това́рищ … . 7. Ста́рший брат у́чится на физи́ческом факульте́те, а мла́дший брат … .

Exercise 45. Make up questions to which these sentences are the answers and write them down.

1. – … ?
– Мы живём *в но́вом* общежи́тии.

2. – … ?
   – Я учу́сь *на истори́ческом* факульте́те.
3. – … ?
   – Са́ша у́чится *на тре́тьем* ку́рсе.
4. – … ?
   – Оле́г рабо́тает *в хими́ческой* лаборато́рии.
5. – … ?
   – Его́ оте́ц рабо́тает *в сре́дней* шко́ле.

Exercise 46. Compose questions as in the model.

Model: го́род – жить.
В како́м го́роде вы живёте? (он, она́, они́ живу́т?)

1. у́лица дом эта́ж кварти́ра	*жить*
2. университе́т факульте́т курс гру́ппа шко́ла	*учи́ться*
3. заво́д банк больни́ца библиоте́ка магази́н	*рабо́тать*

Possessive Pronouns in the Prepositional

– Вы бы́ли **в на́шем го́роде** ра́ньше?
– Да, мы бы́ли **в ва́шем го́роде**.

Exercise 47. Answer the questions in the affirmative.

1. *В твое́й ко́мнате* есть телеви́зор? 2. *В ва́шем го́роде* есть метро́? 3. *В ва́шей*

гру́ппе есть де́вушки? 4. *В ва́шем клу́бе* есть кинозáл? 5. *На э́той у́лице* есть апте́ка? 6. *В э́том кио́ске* есть карандаши́ и флома́стеры?

Masculine and Neuter		Feminine	
Nominative	Prepositional	Nominative	Prepositional
мой, моё твой, твоё наш, на́ше ваш, ва́ше	в/на моё**м** в/на твоё**м** в/на на́ш**ем** в/на ва́ш**ем**	мо**я́** тво**я́** на́ш**а** ва́ш**а**	в/на мо**е́й** в/на тво**е́й** в/на на́ш**ей** в/на ва́ш**ей**

Exercise 48. Ask the questions as in the model.

Model: ва́ша кварти́ра – цветы́
В ва́шей кварти́ре есть цветы́?

ваш го́род – университе́т
ваш университе́т – спортклу́б
ва́ша страна́ – истори́ческие па́мятники
этот дом – лифт
эта у́лица – апте́ка
этот райо́н – метро́

Exercise 49. Answer the questions.

1. Это *его́* кабине́т. Вы бы́ли в *его́* кабине́те?
2. *Его́* ко́мната нахо́дится на второ́м этаже́. Вы бы́ли в *его́* ко́мнате?
3. Это *её* дом. Вы бы́ли в *её* до́ме?
4. Это *их* общежи́тие. Вы бы́ли в *их* общежи́тии?

Nominative	Prepositional
его́ её их	в его́ в её в их

Exercise 50. Use the required possessive pronouns.

Model: Это на́ше общежи́тие. … живу́т студе́нты. В *на́шем общежи́тии* живу́т студе́нты.
Это моё окно́. … стоя́т цветы́. *На моём окне́* стоя́т цветы́.

1. Это мой рюкза́к. … лежа́т кни́ги. 2. Это наш класс. … вися́т карти́ны.

3. Это её ко́мната. … большо́е окно́. 4. Это их клуб. … вчера́ был интере́сный ве́чер. 5. Это его́ тетра́дь. … лежи́т письмо́. 6. Это мой стол. … стои́т компью́тер. 7. Это наш сад. … расту́т цветы́.

The Possessive Pronoun *свой* in the Prepositional

Exercise 51. Read the sentences and translate them. Note the use of the pronoun *свой*.

1. Это мой брат Анто́н. Я говорю́ об Анто́не.	Я говорю́ *о своём* бра́те.
2. Это твой брат Воло́дя. Ты говори́шь о Воло́де.	Ты говори́шь *о своём* бра́те
3. Это её брат Са́ша. Она́ говори́т о Са́ше	Она́ говори́т *о своём* бра́те.
4. Это его́ брат Ви́ктор. Он говори́т о Ви́кторе.	Он говори́т *о своём* бра́те.
5. Это наш брат Юра. Мы говори́м о Юре.	Мы говори́м *о своём* бра́те.
6. Это ваш брат Бори́с. Вы говори́те о Бори́се.	Вы говори́те *о своём* бра́те.
7. Это их брат То́ля. Они́ говоря́т о То́ле.	Они́ говоря́т *о своём* бра́те.

Exercise 52. Read the sentences and write them out. Compare the meanings and uses of the pronouns *мой, твой, его́, её, их* and of the pronoun *свой*.

1. Это *мой* брат Юра.	*Я* расска́зываю *о своём* бра́те Юре. *Ты* спра́шиваешь *о моём* бра́те Юре.
2. Это *твой* брат Воло́дя.	Ты расска́зываешь *о своём* бра́те Воло́де. *Я слу́шаю о твоём* бра́те Воло́де.
3. Это *её* брат Бори́с.	*Она́* рассказывает *о своём* бра́те Бори́се. *Я* слушаю *о её* бра́те Бори́се.
4. Это *их* брат Серге́й.	*Они́* расска́зывают *о своём* бра́те Серге́е. *Я* спра́шиваю *об их* бра́те Серге́е.

Exercise 53. Complete the sentences in writing.

Model: Это *на́ша* аудито́рия. Мы всегда́ занима́емся *в свое́й* аудито́рии.

1. Это *его́* сестра́. Он расска́зывает ... . 2. Это *их* дом. Они́ говоря́т ... . 3. Это *его́* ра-

бо́та. Он расска́зывает ... . 4. Это *ваш* друг? Расскажи́те ... . 5. Это *его́* кабине́т. Он рабо́тает ... . 6. Это *моя́* тетра́дь. Я пишу́ ... . 7. Это *его́* брат. Он лю́бит расска́зывать ... .

Exercise 54. Use the pronouns *мой, твой, наш, ваш, его́, её, их* and *свой* and the required prepositions.

1. Это его́ ко́мната. Мы сиди́м ... ко́мнате. 2. Это ва́ша сестра́. Вы расска́зываете ... сестре́. 3. Её семья́ живёт в дере́вне. Она́ расска́зывает ... семье́. 4. Это на́ша аудито́рия. Мы слу́шаем ле́кции ... аудито́рии. 5. Па́вел – мой друг. Я ча́сто пишу́ домо́й ... дру́ге. Моя́ мать спра́шивает ... дру́ге. 6. Это ва́ша подру́га? Расскажи́те ... подру́ге. 7. Это его́ брат? Расскажи́те ... бра́те.

Exercise 55. Answer the questions, using the words given in brackets and the pronoun *свой*.

1. О ком вы говори́те? (мой лу́чший друг) 2. О чём он расска́зывает? (его́ но́вая рабо́та) 3. О ком они́ говоря́т? (их но́вый това́рищ) 4. О чём она́ спра́шивает? (её бу́дущая рабо́та) 5. О ком вы говори́те? (наш ста́рый профе́ссор) 6. О чём она́ расска́зывает? (её родно́й го́род)

Exercise 56. Answer the questions, using the pronouns *его́, её* and *свой*. Write down the answers.

1. Это Анна. Это её тетра́дь. В чьей тетра́ди пи́шет Анна? В чьей тетра́ди есть оши́бки? 2. Это Па́вел. Это его́ ко́мната. В чьей ко́мнате сиди́т Па́вел? В чьей ко́мнате сиди́м мы? 3. Это Бори́с. Это его́ сестра́. О чьей сестре́ говори́т Бори́с? О чьей сестре́ говори́м мы? 4. Это Ни́на. Это её семья́. О чьей семье́ расска́зывает Ни́на? О чьей семье́ говори́м мы?

В ва́шей рабо́те есть оши́бки.
У вас в рабо́те есть оши́бки.

В на́шем го́роде есть теа́тр.
У нас в го́роде есть теа́тр.

Exercise 57. Read the sentences and write them out. Compare the synonymous constructions.

1. *В моéй кварти́ре* есть телефо́н. *У меня́ в кварти́ре* есть телефо́н.
2. *В её ко́мнате* стоя́т цветы́. *У неё в ко́мнате* стоя́т цветы́.
3. *В его́ до́ме* есть лифт. *У него́ в до́ме* есть лифт.
4. *В на́шем го́роде* есть истори́ческий музе́й. *У нас в го́роде* есть истори́ческий музе́й.

5. *В на́шем университе́те* есть библиоте́ка. *У нас в университе́те* есть библиоте́ка.
6. *В их общежи́тии* есть столо́вая. *У них в общежи́тии* есть столо́вая.
7. *В твое́й ко́мнате* вися́т фотогра́фии. *У тебя́ в ко́мнате* вися́т фотогра́фии.

Exercise 58. Change the questions, replacing the possessive pronouns by the construction *у меня́, у нас, у них.*

Model: – *В твое́й ко́мнате* есть кни́жный шкаф?
– *У тебя́ в ко́мнате* есть кни́жный шкаф?

1. *В ва́шей кварти́ре* есть телефо́н? 2. *В ва́шем до́ме* есть лифт? 3. *В ва́шем го́роде* есть музе́й? 4. *В на́шем университе́те* есть медици́нский факульте́т? 5. *В их шко́ле* есть спорти́вный зал? 6. *В ва́шем клу́бе* есть дискоте́ка? 7. *В на́шей библиоте́ке* есть чита́льный зал?

Exercise 59. Read the sentences. Replace the possessive pronouns by the construction *у меня́, у него́, у неё, у нас, у вас, у них.*

Model: *В на́шем клу́бе* есть дискоте́ка
У нас в клу́бе есть дискоте́ка.
В на́шем университе́те у́чатся иностра́нные студе́нты.
У нас в университе́те у́чатся иностра́нные студе́нты.

1. *В мое́й ко́мнате* вися́т карти́ны. 2. *В его́ контро́льной рабо́те* была́ одна́ оши́бка. 3. *В их ко́мнате* стои́т телеви́зор. 4. *На твоём столе́* лежи́т мой слова́рь. 5. Мой брат у́чится *на на́шем факульте́те*. 6. *В на́шем клу́бе* сего́дня бу́дет ве́чер. 7. *В ва́шем кио́ске* есть францу́зские газе́ты? 8. *В её ко́мнате* на стене́ вися́т фотогра́фии. 9. *На моём столе́* стои́т компью́тер.

Nouns and Adjectives in the Prepositional Plural

– **Где** лежа́т све́жие газе́ты?
– Газе́ты лежа́т **на стола́х**.
– **О чём** говоря́т студе́нты?
– Студе́нты говоря́т **о ле́кциях, об экза́менах**.

Exercise 60. Read the sentences and write them out. Underline the words which answer the question *где?*

1. Это университе́т. Студе́нты сидя́т в аудито́риях и слу́шают ле́кции. Они́

пи́шут в тетра́дях. На стола́х лежа́т кни́ги и словари́. Студе́нты смо́трят в словаря́х незнако́мые слова́.

2. Ле́том тури́сты бы́ли в Москве́. Они́ бы́ли на заво́дах и фа́бриках, в музе́ях и на вы́ставках. Они́ смотре́ли спекта́кли в теа́трах Москвы́. Не́сколько раз они́ бы́ли на конце́ртах.

Exercise 61. Replace the singular by the plural.

Model: Кни́ги лежа́т *на столе́.*
Кни́ги лежа́т *на стола́х.*

I. 1. Рабо́чие рабо́тают *на фа́брике и на заво́де.* 2. Мы покупа́ем кни́ги *в магази́не и в кио́ске.* 3. Тури́сты бы́ли *в музе́е и в теа́тре.* 4. *В письме́* мой оте́ц спра́шивает о мое́й жи́зни. 5. Мы чита́ли об э́том *в газе́те.*

II. 1. Студе́нты живу́т *в общежи́тии.* 2. Ле́том они́ отдыха́ли *в санато́рии.* 3. Мы бы́ли *на экску́рсии в музе́е.* 4. Мы смотре́ли незнако́мые слова́ *в словаре́.*

Exercise 62. Replace the singular by the plural.

1. В письме́ мать писа́ла *о бра́те и сестре́.* 2. Я ча́сто вспомина́ю *о дру́ге.* 3. Мы смотре́ли фильм *о худо́жнике.* 4. Эта кни́га расска́зывает *о геро́е.* 5. На уро́ке мы спо́рили *о фи́льме.* 6. Мы говори́ли *о кни́ге.*

– **В каки́х магази́нах** вы покупа́ете кни́ги?
– Мы покупа́ем кни́ги **в кни́жных магази́нах**.
– **О каки́х фи́льмах** вы говори́те?
– Мы говори́м **о после́дних америка́нских фи́льмах.**

Exercise 63. Complete the sentences in writing, using the words given in brackets. Use necessary prepositions.

1. Эти лю́ди живу́т (больши́е города́). 2. Они́ рабо́тают (ра́зные заво́ды и фа́брики). 3. Их де́ти у́чатся (но́вые шко́лы). 4. Они́ занима́ются (больши́е све́тлые кла́ссы). 5. Де́ти смо́трят кинофи́льмы (де́тские кинотеа́тры). 6. Ле́том они́ отдыха́ют (спорти́вные лагеря́).

Exercise 64. Answer the questions, using the words given on the right.

1. Где у́чатся студе́нты?	ра́зные институ́ты и университе́ты
2. Где они́ слу́шают ле́кции?	больши́е аудито́рии
3. Где они́ занима́ются спо́ртом?	стадио́ны и спорти́вные за́лы
4. Где живу́т студе́нты?	больши́е но́вые общежи́тия
5. Где они́ отдыха́ют ве́чером?	студе́нческие клу́бы
6. Где они́ рабо́тают ле́том на пра́ктике?	ра́зные заво́ды и фа́брики
7. Где студе́нты покупа́ют кни́ги?	кни́жные магази́ны
8. Где они́ покупа́ют газе́ты и журна́лы?	газе́тные кио́ски

Exercise 65. Replace the singular of the italicised words by the plural.

1. Мои́ друзья́ у́чатся *в моско́вском институ́те*. 2. Они́ живу́т *в но́вом общежи́тии*. 3. Ле́том они́ отдыха́ли *в ю́жном санато́рии*. 4. Студе́нты занима́ются *в физи́ческой лаборато́рии*. 5. Тури́сты бы́ли *в моско́вском теа́тре*. 6. В газе́тах писа́ли *о после́днем росси́йском фи́льме*. 7. Все де́ти мечта́ют *о косми́ческом полёте*.

Exercise 66. Complete the sentences.

1. Скажи́те, пожа́луйста, на како́м этаже́ ... ? 2. Скажи́те, пожа́луйста, в како́й ко́мнате ... ? 3. Вы не зна́ете, в како́м теа́тре ...? 4. Я хочу́ знать, на како́й у́лице ... . 5. Я не зна́ю, в како́м общежи́тии ... . 6. Скажи́те, пожа́луйста, в како́й газе́те ... ? 7. Скажи́те, пожа́луйста, на како́й страни́це ...? 8. Интере́сно, о како́м спекта́кле ... ? 9. Я хочу́ знать, в каки́х магази́нах ... . 10. Я не зна́ю, в каки́х кинотеа́трах ... .

The Prepositional Denoting Time

– **Когда́ (в како́м ме́сяце)** вы бы́ли в Ки́еве?
– Я был в Ки́еве **в ию́ле**, а Ни́на – **в сентябре́.**

Exercise 67. Make a table like the one given below. Remember that all the names of the months are masculine.

Nominative	Prepositional
Что?	**Когда́?**
янва́рь	в январе́

Февра́ль, март, апре́ль, май, ию́нь, ию́ль, а́вгуст, сентя́брь, октя́брь, ноя́брь, дека́брь.

Exercise 68. Answer the questions, using the names of the months. Write down the answers to questions 1, 2, 3, 4 and 5.

1. Когда́ начина́ется учёбный год в университе́те? (сентя́брь) 2. Когда́ конча́ется учёбный год? (ию́нь) 3. Когда́ у вас бу́дут экза́мены? (янва́рь) 4. Когда́ у вас бу́дут зи́мние кани́кулы? (янва́рь и февра́ль) 5. Когда́ у вас бу́дут ле́тние кани́кулы? (ию́ль и а́вгуст) 6. Когда́ вы бы́ли в пе́рвый раз в Большо́м теа́тре? (ноя́брь) 7. Когда́ вы ви́дели э́тот бале́т? (дека́брь)

Exercise 69. Make up questions to which the following sentences are the answers.

Model: – ...?
– Я роди́лся *в ма́рте.*
– *Когда́ (в како́м ме́сяце)* вы родили́сь?

1. – … ?
– Я роди́лся в а́преле.
2. – … ?
– Я был в Москве́ *в ма́е и в ию́не*.
3. – … ?
– Экза́мены бу́дут *в январе́*.
4. – … ?
– Ле́тние кани́кулы бу́дут *в ию́ле и в а́вгусте*.
5. – … ?
– Учёбный год в университе́те начина́ется *в сентябре́*.
6. – … ?
– Андре́й был в Санкт-Петербу́рге *в ноябре́*.
7. – … ?
– У меня день рожде́ния *в апре́ле*.

– **Когда́ (в како́м году́)** вы на́чали изуча́ть ру́сский язы́к?
– Я на́чал изуча́ть ру́сский язы́к **в про́шлом году́**, а Мари́я – **в э́том году́**.

Exercise 70. Answer the questions, using the words given in brackets.

1. Когда́ Джон был в Санкт-Петербу́рге? (про́шлый год) 2. Когда́ он на́чал учи́ться в университе́те? (э́тот год) 3. Когда́ вы начнёте учи́ться в универси-

те́те? (бу́дущий год) 4. Когда́ вы бы́ли в Москве́? (про́шлый год) 5. Когда́ ваш друг око́нчит университе́т? (бу́дущий год) 6. Когда́ вы на́чали изуча́ть ру́сский язы́к? (э́тот год)

– **В како́м году́** роди́лся Серге́й?
– Серге́й роди́лся **в ты́сяча девятьсо́т девяно́сто пя́том году́.**

– **В како́м году́** родила́сь его́ сестра́?
– Его́ сестра́ родила́сь **в две ты́сячи тре́тьем году́**.

Exercise 71. Answer the questions, using the words given in brackets.

1. В како́м году́ роди́лся Ива́н? (ты́сяча девятьсо́т девяно́сто пе́рвый) 2. В како́м году́ роди́лся его́ оте́ц? (ты́сяча девятьсо́т шестьдеся́т второ́й) 3. В како́м году́ родила́сь его́ мать? (ты́сяча девятьсо́т шестьдеся́т восьмо́й) 4. Когда́ Ива́н око́нчит лице́й? (две ты́сячи седьмо́й) 5. Когда́ Иван око́нчит университе́т? (две ты́сячи двена́дцатый)

Exercise 72. Answer the questions.

1. Когда́ (в како́м году́) вы родили́сь?
2. В како́м году́ вы пошли́ в шко́лу?
3. В како́м году́ вы око́нчили шко́лу?
4. Когда́ вы поступи́ли в университе́т?
5. Когда́ вы на́чали изуча́ть ру́сский язы́к?

Exercise 73. A. Write out the text, supplying the words given in brackets. Retell the text.

У меня́ есть друг. Его́ зову́т Серге́й. Он роди́лся ... (ты́сяча девятьсо́т восе́мьдесят девя́тый год) ... (Сиби́рь, небольшо́й го́род). Сейча́с его́ семья́ живёт... (Ирку́тск). Его́ оте́ц рабо́тает ... (желе́зная доро́га), а ста́рший брат Па́вел рабо́тает ... (автомоби́льный заво́д). Снача́ла Серге́й учи́лся ... (сре́дняя шко́ла), пото́м он рабо́тал ... (заво́д), где рабо́тает его́ брат. ... (про́шлый год) он на́чал учи́ться ... (Ирку́тский медици́нский институ́т). Сейча́с он у́чится ... (второ́й курс). Серге́й мно́го рабо́тает. Ка́ждый день он занима́ется ... (лаборато́рия и́ли библиоте́ка). Он ча́сто быва́ет ... (конце́рты, теа́тры, музе́и, вы́ставки). Ле́том он рабо́тает ... (поликли́ника).

B. Compose a similar story about yourself.

THE ACCUSATIVE CASE

The Accusative Denoting an Object Acted Upon
Inanimate Nouns in the Accusative Singular

Анна́ чита́ет	**журна́л.** **письмо́.** **газе́ту.**

Exercise 1. Answer the questions in the affirmative. Write down the answers.

1. Вы чита́ли у́тром *газе́ту*? 2. Вы слу́шали сего́дня *ра́дио*? 3. Вы лю́бите *спорт*? 4. Вы любите *му́зыку*? 5. Вы лю́бите *математи́ку*? 6. Вы хорошо́ зна́ете *фи́зику*?

	Nominative Ч т о (э́то)?	Accusative (Ви́жу) ч т о ?	Ending
Masculine	журна́л слова́рь музе́й	журна́л слова́рь музе́й	as nominative
Neuter	окно́ мо́ре зда́ние	**окно́** **мо́ре** **зда́ние**	as nominative
Feminine	страна́ земля́ аудито́рия пло́щадь	страну́ зе́млю аудито́рию пло́щадь	**-у** **-ю** as nominative

Exercise 2. Make up sentences, as in the model.

Model: (a) у́лица – Я ви́жу *у́лицу*.
(b) журна́л – Я чита́ю *журна́л*.
(c) ра́дио – Я слу́шаю *ра́дио*.

(a) теа́тр, библиоте́ка, кио́ск, зда́ние, больни́ца
(b) письмо́, кни́га, газе́та, расска́з, уче́бник, статья́
(c) магнитофо́н, му́зыка, пе́сня, ле́кция

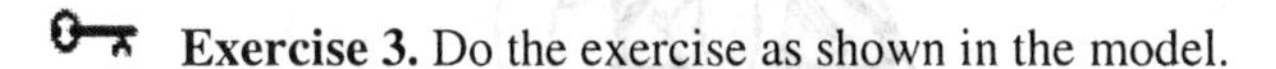

Exercise 3. Do the exercise as shown in the model.

Model: Это маши́на. Я ви́жу ... .
Это маши́на. Я ви́жу *маши́ну*.

I. 1. Это у́лица. Я ви́жу ... .
2. Это кио́ск … .
3. Это библиоте́ка … .
4. Это теа́тр … .
5. Это поликли́ника … .
6. Это апте́ка … .

II. 1. Это кни́га. Я чита́ю … .
2. Это журна́л … .
3. Это газе́та … .
4. Это статья́ … .
5. Это рекла́ма … .

III. 1. Это ла́мпа. Я купи́л … .
2. Это магнитофо́н ... .
3 Это карти́на … .
4. Это кассе́та … .
5. Это компью́тер … .

– **Что** вы чита́ете?
– Я чита́ю **газе́ту**.

Exercise 4. Answer the questions.

1. Что чита́ет Ви́ктор, *журна́л* и́ли *газе́ту*?

2. Что купи́ла Анна, *чемода́н* и́ли *су́мку*?

3. Что купи́л Па́вел, *журна́л* и́ли *кни́гу*?

4. Что они́ купи́ли, *ло́дку* и́ли *маши́ну*?

Exercise 5. Answer the questions, using the words given in brackets.

1. Что мы ви́дим на у́лице? (авто́бус, трамва́й, маши́на, ста́нция метро́) 2. Что вы чита́ете ве́чером? (кни́га, газе́та и́ли журна́л). 3. Что слу́шают студе́нты в клу́бе? (ле́кция, конце́рт, му́зыка) 4. Что мо́жно купи́ть в кио́ске? (кни́га, газе́та, тетра́дь, ру́чка, каранда́ш, бума́га) 5. Что мо́жно купи́ть в э́том магази́не? (хлеб, мя́со, сыр, колбаса́, са́хар, молоко́, ры́ба) 6. Что вы еди́те у́тром? (мя́со, ры́ба, колбаса́, сыр) 7. Что вы пьёте у́тром? (ко́фе, молоко́ и́ли чай)

Exercise 6. Complete the sentences in writing.

Model: Мы ви́дим … . | дом, у́лица, авто́бус, маши́на
Мы ви́дим *дом, у́лицу, авто́бус, маши́ну*.

1. Я чита́ю	кни́га, газе́та, рома́н, расска́з, текст, журна́л
2. Я пишу́	письмо́, упражне́ние, запи́ска
3. Я получи́л	посы́лка, телегра́мма, откры́тка
4. Я люблю́	спорт, му́зыка, бале́т, о́пера, кино́
5. Мы изуча́ем … .	литерату́ра, исто́рия, филосо́фия, фи́зика, хи́мия, матема́тика, биоло́гия

Exercise 7. Make up sentences, using these words, and write them down.

Model: по́чта, посла́ть, телегра́мма
Я был на по́чте. (Там) я посла́л *телегра́мму*.

1. магази́н, купи́ть, хлеб, ма́сло, ры́ба
2. библиоте́ка, взять, кни́га
3. теа́тр, смотре́ть, спекта́кль
4. аудито́рия, слу́шать, ле́кция

5. клуб, смотре́ть, фильм
6. ка́сса, получи́ть, стипе́ндия
7. банк, взять, де́ньги

Animate Nouns in the Accusative Singular

Я жду	студе́нт**а** Игор**я**. студе́нтк**у** Мари́**ю**.

Exercise 8. Answer the questions.

1. Вы зна́ете его́ бра́та? 2. Вы зна́ете его́ дру́га? 3. Вы ждёте здесь това́рища? 4. Он ждёт здесь Бори́са? 5. Вы ви́дели сего́дня преподава́теля? 6. Вы хорошо́ понима́ете профе́ссора? 7. Вы хорошо́ зна́ете Ви́ктора? 8. Вы ви́дели вчера́ Па́вла? 9. Вы зна́ете его́ сестру́? 10. Вы ви́дели Ли́дию?

		Nominative	Accusative	Ending
		Что?	Что?	
Inanivate	Masculine Neuter	слова́рь письм**о́**	слова́рь письм**о́**	as Nominative
	Feminine	стран**а́** пе́сн**я** ле́кци**я** тетра́дь	стран**у́** пе́сн**ю** ле́кци**ю** тетра́дь	**-у** **-ю** as Nominative
Animate		кто?	кого́?	
	Masculine	брат учи́тель Андре́й	бра́т**а** учи́тел**я** Андре́**я**	**-а** **-я**
	Feminine	сестр**а́** Ол**я** Мари́**я**	сестр**у́** Ол**ю** Мари́**ю**	**-у** **-ю**

– **Что** э́то? – Это **авто́бус** и **остано́вка**.	– **Что** вы ви́дите? – Я ви́жу **авто́бус** и **остано́вку**.
– **Кто** э́то? – Это **шофёр**.	– **Кого́** вы ви́дите? – Я ви́жу **шофёра**.

Exercise 9. Answer the questions, using the words given in brackets.

1. Что слу́шают студе́нты? (ле́кция, ра́дио, конце́рт, му́зыка, пе́сня, магнитофо́н) 2. Что учи́л ваш това́рищ? (уро́к, текст, пе́сня) 3. Что вы изуча́ли в шко́ле? (литерату́ра, исто́рия, матема́тика, фи́зика, хи́мия, геогра́фия, биоло́гия) 4. Что вы берёте на заня́тия? (уче́бник, ру́чка, каранда́ш, слова́рь, тетра́дь) 5. Что он купи́л в магази́не? (костю́м, га́лстук, руба́шка, пальто́, ша́пка, шарф) 6. Кого́ вы встреча́ете в университе́те? (това́рищ, друг, преподава́тель, Анна и Ви́ктор) 7. Кого́ слу́шают студе́нты? (профе́ссор, преподава́тель, поэ́т, писа́тель, арти́ст, журнали́ст)

MEMORISE!

Nominative	Accusative
мать дочь	мать дочь

Exercise 10. Complete the sentences.

1. Я ви́жу там (банк и апте́ка, остано́вка и авто́бус). 2. Вчера́ я купи́л (джи́нсы и ку́ртка). 3. Я хорошо́ зна́ю (Бори́с и Ни́на). 4. Преподава́тель спра́шивает (студе́нт и студе́нтка). 5. Я давно́ не ви́дел (мать и оте́ц). 6. Мой брат лю́бит (му́зыка и спорт). 7. Я зна́ю его́ (сын Игорь и дочь Зо́я). 8. Я жду (брат и сестра́).

Exercise 11. Make up questions to which the following sentences are the answers.

1. – ... ?
   – Я купи́л в кио́ске *газе́ту* и *журна́л*.
2. – ... ?
   – Утром я ви́дел *Анну*.
3. – ... ?
   – Анна изуча́ет *фи́зику*.
4. – ... ?
   – Она́ лю́бит *му́зыку* и *спорт*.

5. – ... ?
   – Мы ждём *това́рища*.
6. – ... ?
   – Сего́дня у́тром я встре́тил *Мари́ю*.

Exercise 12. Answer the questions, using the words given on the right.

1. Где у́чится ваш друг? О чём он расска́зывал? Что нахо́дится на э́той у́лице спра́ва?	университе́т
2. Что вы чита́ете? Где лежи́т письмо́? Что лежи́т на столе́? О чём вы говори́те?	кни́га
3. Кто сиди́т в аудито́рии? Кого́ спра́шивает профе́ссор? О ком вы говори́те?	студе́нт
4. Кого́ вы давно́ не ви́дели? О ком вы ча́сто вспомина́ете? Кто написа́л э́то письмо́?	мать и сестра́

Exercisee 13. Complete the sentences, using the words given on the right.

1. Я пишу́ упражне́ния ... . В рюкзаке́ лежи́т ... . Я потеря́л … .	тетра́дь
2. На столе́ лежи́т ... . Посмотри́ э́то сло́во ... . Ви́ктор купи́л … .	слова́рь
3. В аудито́рии сидя́т студе́нты и ... . В теа́тре мы встре́тили ... . Анна расска́зывала	преподава́тель

Exercise 14. Translate into Russian. Write down your translation.

1. I was in a shop. I bought a textbook, a pen and an exercise-book. 2. My friend studies at the University. He studies Russian language and literature. 3. I was at the club on Thursday. I saw Victor and Ann there. Victor said he had bought a car. 4. We had a lecture today. The lecture was very interesting.

Personal Pronouns in the Accusative

– Кто э́тот челове́к?
– Я не зна́ю **его́**.

Singular		Plural	
Nominative К т о ?	Accusative К о г о́ ?	Nominative К т о ?	Accusative К о г о́ ?
я ты он она́	меня́ тебя́ его́ её	мы вы они́	нас вас их

Exercise 15. Answer the questions in the negative. Write down the answers.

Model: – Кто э́та де́вушка? Вы зна́ете *её*?
– Нет, я не зна́ю *её*. Я не встреча́л *её* ра́ньше.

1. – Кто э́тот молодо́й челове́к? Ты зна́ешь его́?
2. – Кто э́та же́нщина? Вы зна́ете её?
3. – Кто э́тот мужчи́на? Ты по́мнишь его́?
4. – Кто э́тот ю́ноша? Ты ви́дел его́ ра́ньше?
5. – Кто э́ти молоды́е лю́ди? Ты зна́ешь их?

Exercise 16. Use the required pronouns.

1. – Где Ива́н? – Я не ви́дел … . 2. – Ты не зна́ешь, где Ни́на? – Я ви́дел … в кафе́. 3. – Что ты бу́дешь де́лать в суббо́ту? Я хочу́ пригласи́ть … на дискоте́ку. 4. – Андре́й и Ви́ктор – на́ши студе́нты. Мы давно́ зна́ем … . 5. – Ты зна́ешь, кто э́тот челове́к? Ка́ждое у́тро мы ви́дим … на оста́новке. 6. – Где вы бы́ли? Мы ждём … 30 мину́т. 7. Никола́й – наш тре́нер. Он у́чит … игра́ть в те́ннис. 8. У меня́ есть мла́дшие бра́тья и сёстры. Я о́чень люблю́ … . Они́ то́же лю́бят … . 9. Вчера́ мы бы́ли на ве́чере. Наш друг пригласи́л … .

Это **мой слова́рь**.	Я купи́л **его́** неда́вно
Это **моя́ кни́га**.	Я купи́л **её** неда́вно.
Это **мои́ часы́**.	Я купи́л **их** неда́вно.

Exercise 17. Use the required pronouns.

1. – Где мой журна́л? – Ты положи́л … в шкаф. 2. – Где моя́ ру́чка? Ты не ви́дел … ? 3. – Где мои́ ключи́? – Ты положи́л … в карма́н. 4. – Каки́е краси́вые

цветы́? Ты купи́л … на ры́нке? 5. – Где твой па́спорт? – Не зна́ю, я потеря́л … . 6. – Вот ва́ши очки́. Вы забы́ли … в буфе́те. 7. – У тебя́ но́вая ку́ртка. Где ты купи́л … ? 8. – Контро́льная рабо́та была́ не о́чень тру́дная. Мы написа́ли … бы́стро. 9. – У вас есть словари́? Нет? Вы мо́жете взять … в библиоте́ке. 10. – Ты хорошо́ зна́ешь э́тот текст? Ты мо́жешь расска́зать … ?

Adjectives and Possessive Pronouns in the Accusative Singular

---

– **Како́й журна́л** вы чита́ете?
– Я чита́ю **но́вый журна́л**.

– **Каку́ю** кни́гу вы чита́ете?
– Я чита́ю **но́вую кни́гу**.

– **Како́го** преподава́теля вы ви́дели в за́ле?
– Я ви́дел в за́ле **но́вого преподава́теля**.

	Nominative	Accusative	Ending
	Ч т о (э́то)? К т о (э́то)?	(Ви́жу) ч т о ? (Ви́жу) к о г о́ ?	
Masculine	но́вый дом но́**вый** студе́нт старш**ий** брат	но́вый дом но́в**ого** студе́нта старш**его** брата	as Nominative **-ого** **-его**
Neuter	но́вое зда́ние	но́вое зда́ние	as Nominative
Feminine	но́в**ая** шко́ла но́в**ая** студе́нтка си́н**яя** ку́ртка	но́в**ую** шко́лу но́в**ую** студе́нтку син**юю** ку́ртку	**-ую** **-юю**

Exercise 18. Answer the questions.

1. Како́й дикта́нт вы писа́ли сего́дня, *тру́дный* и́ли *лёгкий*? 2. Како́е упражне́ние вы пи́шете, *пе́рвое* и́ли *второ́е*? 3. Каку́ю пе́сню он поёт, *гру́стную* и́ли *весёлую*? 4. Каку́ю газе́ту он чита́ет, *сего́дняшнюю* и́ли *вчера́шнюю*? 5. Како́е пальто́ он купи́л, *зи́мнее* и́ли *ле́тнее*? 6. Како́й костю́м он купи́л, *чёрный* и́ли *си́ний*? 7. Каку́ю сестру́ он ждёт, *ста́ршую* и́ли *мла́дшую*? 8. Каку́ю студе́нтку вы встре́тили, *знако́мую* и́ли *незнако́мую*? 9. Како́го бра́та он давно́ не ви́дел, *ста́ршего* и́ли *мла́дшего*? 10. Како́го писа́теля пригласи́ли студе́нты в университе́т, *ру́сского* и́ли *иностра́нного*?

Exercise 19. Answer the questions, using the words given on the right.

1. Како́й фильм вы смотре́ли?	но́вый англи́йский
2. Каку́ю газе́ту вы чита́ете?	сего́дняшняя
3. Каку́ю му́зыку вы лю́бите?	совреме́нная
4. Како́го челове́ка вы встре́тили в коридо́ре?	незнако́мый молодо́й
5. Како́го бра́та вы давно́ не ви́дели?	ста́рший
6. Како́го арти́ста вы слу́шали на конце́рте?	изве́стный

Exercise 20. Make up sentences, as in the model.

Model: (a) интере́сная кни́га –Я чита́ю *интере́сную кни́гу.*
(b) знако́мый челове́к – Я ви́жу, (ви́дел, зна́ю) *знако́мого челове́ка.*

(a) вчера́шняя газе́та, но́вый рома́н, коро́ткий расска́з, но́вая кни́га о Москве́, интере́сная статья́

(b) но́вый студе́нт, незнако́мая де́вушка, мла́дший брат, молодо́й преподава́тель, ста́ршая сестра́, изве́стный худо́жник, ста́рый о́пытный врач

Exercise 21. Make up questions to which the following sentences are the answers and write then down.

1. – ... ?
   – Я купи́л *чёрный* костю́м.
2. – ... ?
   – Она́ купи́ла *ле́тнее* пла́тье.
3. – ... ?
   – Он чита́ет *вече́рнюю* газе́ту.

4. – ... ?

   – В теа́тре они́ встре́тили *знако́мого* преподава́теля.

5. – ... ?

   – Студе́нты пригласи́ли *изве́стного неме́цкого* журнали́ста.

6. – ... ?

   – Я встреча́л на вокза́ле *мла́дшую* сестру́.

Exercise 22. Answer the questions in the affirmative.

I. 1. Вы ви́дели *э́тот* фильм? 2. Вы чита́ли *э́тот* журна́л? 3. Вы чита́ли *э́то* письмо́? 4. Вы зна́ете *э́то* сло́во? 5. Вы чита́ли *э́ту* кни́гу? 6. Вы слы́шали *э́ту* но́вость?

II. 1. Вы зна́ете *мой* а́дрес? 2. Вы чита́ли *моё* письмо́? 3. Вы бра́ли *мою́* кни́гу? 4. Вы зна́ете *наш* го́род? 5. Вы ви́дели *на́ше* общежи́тие? 6. Вы ви́дели *на́шу* библиоте́ку?

Exercise 23. Answer the questions in the affirmative.

I. 1. Вы зна́ете *э́ту* студе́нтку? 2. Вы давно́ зна́ете *э́ту* де́вушку? 3. Вы зна́ете *э́того* врача́? 4. Вы ви́дели ра́ньше *э́того* челове́ка? 5. Вы лю́бите *э́того* арти́ста?

II. 1. Вы по́мните *мою́* сестру́? 2. Вы зна́ете *моего́* бра́та? 3. Вы ви́дели сего́дня *на́шего* преподава́теля? 4. Вы зна́ете *на́шу* преподава́тельницу?

Exercise 24. Use the pronouns *мой, твой, наш, ваш* in the required form.

I. 1. – Ты зна́ешь ... сестру́? – Да, я зна́ю … сестру́. 2. – Где ... кни́га? Ты ви́дел … кни́гу? – Нет, я не ви́дел ... кни́гу. 3. – Вы зна́ете … дру́га? – Да, я хорошо́ зна́ю ... дру́га. 4. – Мо́жно взять ... ру́чку? 5. – Мо́жно взять … слова́рь?

II. 1. – Вы зна́ете ... отца́? – Да, я зна́ю ... отца́. 2. – Вы зна́ете … но́вую студе́нтку? – Да, мы хорошо́ зна́ем ... но́вую студе́нтку. 3. Я зна́ю … мла́дшего бра́та. 4. – Мо́жно взять ... газе́ту? 5. – Мо́жно посмотре́ть ... фотогра́фию? 6. – Мо́жно взять ... тетра́дь?

Exercise 25. Use the pronoun *свой* in the required form.

1. Она́ лю́бит ... отца́ и ... мать. 2. Они́ ждут здесь ... дру́га. 3. Они́ встре́тили в теа́тре ... ста́рого знако́мого. 4. Она́ ждёт о́коло метро́ ... подру́гу. 5. Она́ нашла́ ... ру́чку. 6. Я забы́л до́ма ... тетра́дь. 7. Он потеря́л ... ключ.

Exercise 26. Use the pronouns *мой, егó, её, их* and *свой* in the required form.

1. У Пáвла есть сестрá. Он óчень лю́бит ... сестру́. Сейчáс мы говори́м о ... сестрé. Вчерá я ви́дел ... сестру́ на у́лице. 2. Это моя́ ру́чка. Сегóдня у́тром я потеря́л ... ру́чку. Мой друг нашёл ... ру́чку в аудитóрии. 3. – Где моя́ кни́га? Кто взял ... кни́гу? Ты не знáешь, где ... кни́га? 4. – Ты знáешь, где живу́т Анна и Сергéй? У тебя́ есть ... áдрес? 5. Анна написáла расскáз. Ты читáл ... расскáз? Онá написáла ... нóвый расскáз в э́том году́.

Exercise 27. Answer the questions. Remember the uses of the pronoun *свой*.

Model: *У них* есть брат.	О ком они́ говоря́т? Кто написáл э́то письмó?
У них есть брат.	Они́ говоря́т *о своём* брáте. Это письмó написáл *их* брат.
1. *У них* есть сын.	Когó они́ лю́бят? О ком они́ чáсто говоря́т? Кто прислáл телегрáмму?
2. У *неё* есть муж.	Когó онá лю́бит? О ком онá говори́т?
3. *Ваш друг* живёт в Москвé.	Когó вы дáвно не ви́дели? О ком вы чáсто расскáзываете? Кто дóлжен скóро приéхать?
4. Это *их сестрá*.	Когó они́ встречáли вчерá? Кто приéхал вчерá? О ком они́ говоря́т сейчáс?
5. Это *твоя́ тетрáдь*.	Где ты пи́шешь упражнéние? Что ты положи́л в су́мку? Что лежи́т в твоéй су́мке?

Exercise 28. Answer the questions, using possessive pronouns. Write down the answers.

1. Чей учéбник ты взял? 2. Чьё письмó он читáет? 3. Чью ру́чку он взял? 4. Чью газéту вы взя́ли?

Exercise 29. Make up questions to which the following sentences are the answers and write them down.

1. – ...?
   – Он взял *мой* словáрь.

2. – ...?
   – Она́ потеря́ла *свой* учéбник.
3. – ...?
   – Я зна́ю *их* дочь.
4. – ...?
   – Мы ви́дели *его́* маши́ну.
5. – ...?
   – Они́ зна́ют *мой* телефо́н.

Exercise 30. Answer the questions, using the words given in brackets.

1. Что вы купи́ли? (краси́вая ва́за) 2. Что вы смотре́ли вчера́? (францу́зский фильм) 3. Что вы купи́ли? (неме́цко-ру́сский словáрь) 4. Что вы ви́дите впереди́? (но́вый кинотеа́тр и ста́нция метро́) 5. Что вы слу́шали на конце́рте? (стари́нная ру́сская му́зыка) 6. Что вы чита́ете? (сего́дняшняя газе́та)

Exercise 31. Answer the questions, using the words given on the right.

1. Кого́ вы ждёте?	Ви́ктор и его́ знако́мая де́вушка
2. Кого́ вы встреча́ете?	ста́рший брат Бори́с и его́ жена́
3. Кого́ вы зна́ете в на́шей семье́?	ваш ста́рший брат Никола́й и ва́ша мла́дшая сестра́ Ни́на
4. Кого́ вы ви́дите ка́ждый день?	наш преподава́тель и на́ша преподава́тельница
5. Кого́ вы пригласи́ли в го́сти?	ста́рый друг и его́ сестра́

Exercise 32. Answer the questions, using the words given in brackets.

1. Кого́ вы ждёте здесь? (мой ста́рый друг) 2. Что вы чита́ли в э́том журна́ле? (после́дняя статья́) 3. Кого́ вы ви́дели на у́лице? (наш ста́рый профе́ссор) 4. Кого́ вы лю́бите слу́шать? (э́та изве́стная арти́стка) 5. Что мы бу́дем писа́ть сего́дня? (контро́льная рабо́та) 6. Кого́ вы должны́ ждать здесь? (мой ста́рший брат) 7. Кого́ он ждал вчера́ в поликли́нике? (наш глазно́й врач) 8. Что он расска́зывал вчера́? (интере́сная но́вость)

– Как **вас** зову́т?
– **Меня́** зову́т Анна.

Exercise 33. Answer the questions and write down the answers.

I. 1. Как вас зову́т? 2. Это ва́ша сестра́? Как её зову́т? 3. Это твой друг? Как его́ зову́т? 4. Как тебя́ зову́т? 5. Это ва́ши подру́ги? Как их зову́т? 6. Вы зна́ете, как меня́ зову́т?

II. 1. Как зову́т ва́шего ста́ршего бра́та? 2. Как зову́т ва́шу ста́ршую сестру́? 3. Как зову́т ва́шего отца́? 4. Как зову́т ва́шу мать? 5. Как зову́т ва́шего преподава́теля?

Exercise 34. Answer the questions, using the words given on the right.

1. Что лежи́т на столе́? Что вы чита́ете? Где вы ви́дели э́ту статью́?	вчера́шняя газе́та
2. Что вы чита́ли в э́той газе́те? О чём вы говори́ли вчера́?	одна́ интере́сная статья́
3. Кто живёт в э́том до́ме? Кого́ вы жда́ли о́коло метро́? О ком вы вспомина́ли сего́дня?	оди́н мой хоро́ший друг
4. Кто пел вчера́ в клу́бе? О ком вы говори́те сейча́с? Кого́ вы ви́дели вчера́?	э́тот изве́стный арти́ст

Exercise 35. Ask questions about the italicised words and write them down.

1. Он пи́шет *письмо́*. 2. Она́ чита́ет *журна́л*. 3. Я жду *своего́ това́рища*. 4. В теа́тре она́ встре́тила *свою́ преподава́тельницу*. 5. Он пригласи́л в кино́ *знако́мую* де́вушку. 6. Я зна́ю *ва́шего ста́ршего* бра́та. 7. Она́ потеря́ла *мою́* кни́гу. 8. Я зна́ю *его́* телефо́н. 9. Мы ви́дели *его́* в па́рке. 10. Я зна́ю *её* сы́на. 11. Мы встре́тили *её* в метро́.

Exercise 36. Complete the sentences in writing, using the words given on the right.

1. Где вы купи́ли ... ? Я хочу́ прочита́ть одну́ статью́ … . Ты спра́шивал … ?	э́тот журна́л
2. Около метро́ вы ви́дите ... . Мы живём	большо́й се́рый дом
3. У меня́ есть ... . Я ре́дко ви́жу ... . Я ду́маю	ста́рший брат
4. Вы зна́ете ... ? Где рабо́тает ... ? Почему́ вы спра́шиваете ... ?	э́та де́вушка

Exercise 37. Translate into Russian.

1. We were at the theatre on Sunday. We heard the opera *Boris Godunov*. We came across our student, Victor, and his wife, Nina, at the theatre.

2. I know there is an interesting article in this journal. I want no read this article.

3. Where is my pen? I must have left it behind in the classroom. May I borrow your pen?

4. Who are you waiting for? – I am waiting for my elder brother, Igor. Do you know him? – No, I don't know your brother.

Exercise 38. A. Read the text and answer the questions.

На́ша семья́

Я хочу́ рассказа́ть вам о на́шей семье́. На́ша семья́ больша́я. У меня́ есть мать, оте́ц, сестра́ и два бра́та. Мой оте́ц ещё не ста́рый. Моего́ отца́ зову́т Серге́й Ива́нович. Он инжене́р. Он рабо́тает на большо́м но́вом заво́де, где де́лают маши́ны. Моя́ мать – учи́тельница. Мою́ мать зову́т Анна Петро́вна. Она́ рабо́тает в шко́ле. Ма́ма преподаёт ру́сский язы́к и литерату́ру. Она́ о́чень лю́бит свою́ рабо́ту.

Мой ста́рший брат Юра уже́ око́нчил институ́т и тепе́рь рабо́тает в поликли́нике. Он врач. Моего́ мла́дшего бра́та зову́т Са́ша. Он ещё шко́льник. Са́ша у́чится в пя́том кла́ссе. Са́ша лю́бит спорт. Ле́том он ка́ждый день игра́ет в футбо́л, а зимо́й – в хокке́й. Мою́ сестру́ зову́т Ле́на. Она́ у́чится в Моско́вском университе́те на хими́ческом факульте́те. Ле́на лю́бит хи́мию, она́ хо́чет рабо́тать в хими́ческой лаборато́рии. Меня́ зову́т Вади́м. Я учу́сь в шко́ле, в деся́том кла́ссе. Ско́ро я око́нчу шко́лу и бу́ду поступа́ть в строи́тельный институ́т. Я хочу́ стро́ить дома́. Вот така́я у нас семья́.

1. Кто тако́й Вади́м?
2. У него́ есть роди́тели, бра́тья, сёстры?
3. Как зову́т его́ отца́, кто он и где рабо́тает?
4. Как зову́т его́ мать? Где она́ рабо́тает? Что она́ преподаёт?
5. Как зову́т его́ ста́ршего бра́та? Где он рабо́тает? Кто он? Где он учи́лся?
6. Что де́лает его́ мла́дший брат? Кто он? Как его́ зову́т?
7. У Вади́ма есть сестра́? Как её зову́т? Где она́ у́чится?
8. Что де́лает Вади́м? Что он бу́дет де́лать, когда́ око́нчит шко́лу?

B. Tell about your family. Write down your story.

Nouns in the Accusative Plural

Inanimate Nouns		
Мы покупа́ем	журна́л**ы**. словар**и́**. кни́г**и**. тетра́д**и**.	*(as nominative)*

Exercise 39. Answer the questions.

1. Вы покупа́ете *кни́ги* и́ли берёте их в библиоте́ке? 2. Где вы берёте *журна́лы*? 3. Вы лю́бите чита́ть *газе́ты*? 4. Вы лю́бите *стихи́*? 5. Вы лю́бите писа́ть *пи́сьма*? 6. Где вы покупа́ете *откры́тки, конве́рты* и *ма́рки*? 7. Где вы покупа́ете *ру́чки* и *карандаши́*? 8. Вы лю́бите писа́ть *упражне́ния*?

Exercise 40. Read the text and answer the questions.

В магази́не «Оде́жда» продаю́т костю́мы, брю́ки, пальто́, руба́шки, пла́тья. В магази́не «Радиоте́хника» продаю́т радиоприёмники, видеомагнитофо́ны, телеви́зоры, компью́теры, пле́еры, ди́ски. В отде́ле «Посу́да» продаю́т таре́лки, ча́шки, стака́ны, ва́зы, ножи́, ло́жки, ви́лки.

1. Что продаю́т в магази́не «Оде́жда»?
2. Что продаю́т в магази́не «Радиоте́хника»?
3. Что продаю́т в отде́ле «Посу́да»?

– Кого́ вы встре́тили в клу́бе?
– Я встре́тил в клу́бе **студе́нтов** и **преподава́телей**.

Animate Nouns				
	Singular	Nominative К т о ?	Accusative К о г о́ ?	Ending
Masculine	студе́нт геро́й врач писа́тель	студе́нт**ы** геро́**и** врач**и́** писа́тел**и**	студе́нт**ов** геро́**ев** врач**е́й** писа́тел**ей**	**-ов** **-ев** **-ей**

Animate Nouns				
	Singular	Nominative К т о ?	Accusative К о г о́ ?	Ending
Feminine	же́нщина студе́нтка де́вушка мать	же́нщин**ы** студе́нтк**и** де́вушк**и** ма́тер**и**	же́нщин студе́нт**ок** де́вуш**ек** матер**е́й**	the vowels **-о, -е** are inserted **-ей**

Exercise 41. Read the text and answer the questions.

Ле́том студе́нты бы́ли на пра́ктике. Студе́нты-ме́дики рабо́тали в поликли́нике, студе́нты-инжене́ры – на заво́де, студе́нты-агроно́мы – на фе́рме. Там они́ встре́тили инжене́ров, те́хников, враче́й, медсестёр, фе́рмеров, трактори́стов, шофёров.

1. Кого́ встре́тили студе́нты на фе́рме?
2. Кого́ встре́тили студе́нты на заво́де?
3. Кого́ встре́тили студе́нты в поликли́нике?

Exercise 42. Answer the questions.

1. Это Анна. Вы зна́ете её роди́телей? Вы зна́ете её бра́тьев и сестёр? Вы зна́ете её подру́г?
2. Это Ви́ктор. Вы зна́ете его́ това́рищей? Вы зна́ете его́ друзе́й? Вы зна́ете его́ бра́тьев?
3. Они́ студе́нты. Вы зна́ете их преподава́телей?

Exercise 43. Answer the questions, using the words given in brackets.

1. Кого́ мы встреча́ем в университе́те? (студе́нты, студе́нтки, профессора́, преподава́тели) 2. Кого́ мы слу́шаем на конце́рте? (арти́сты, арти́стки, писа́тели, поэ́ты) 3. Кого́ мы приглаша́ем в го́сти? (друзья́, подру́ги, това́рищи, сосе́ди) 4. Что мы слу́шаем в клу́бе? (конце́рты, ле́кции, докла́ды) 5. Что мы покупа́ем в кио́ске? (газе́ты, журна́лы, откры́тки, ру́чки, карандаши́, конве́рты).

Exercise 44. Complete the sentences, using the words given on the right.

1. Я ча́сто вспомина́ю	роди́тели, бра́тья, сёстры, подру́ги, друзья́, това́рищи
2. Наш университе́т гото́вит	инжене́ры, врачи́, гео́логи, фило́логи, исто́рики, юри́сты, экономи́сты
3. Заво́д приглаша́ет на рабо́ту	инжене́ры, те́хники, лабора́нты

Adjectives and Possessive Pronouns in the Accusative Plural

– **Каки́е пе́сни** вы лю́бите?
– Я люблю́ **ру́сские наро́дные пе́сни**.

Exercise 45. Answer the questions, using the words given in brackets.

1. Каки́е кни́ги вы лю́бите чита́ть? (ра́зные) 2. Каки́е переда́чи вы слу́шаете? (спорти́вные) 3. Каки́е фи́льмы вы лю́бите? (по́льские и францу́зские) 4. Каки́е пи́сьма вы пи́шете? (коро́ткие). 5. Каки́е откры́тки вы посыла́ете? (новогó́дние) 6. Каки́е слова́ вы смо́трите в словаре́? (незнако́мые)

Exercise 46. Write out the sentences, replacing the singular by the plural.

1. Я чита́л *сего́дняшнюю газе́ту*. 2. Я купи́л *новогó́днюю откры́тку*. 3. Мой друг принёс *но́вую кассе́ту*. 4. Он зна́ет *стари́нную ру́сскую пе́сню*. 5. Он купи́л *ну́жный уче́бник*. 6. Игорь принёс *но́вый журна́л*. 7. Студе́нты сда́ли *после́дний экза́мен*. 8. Сестра́ купи́ла *краси́вую ча́шку*.

– **Каки́х друзе́й** вы вспомина́ете?
– Я вспомина́ю **свои́х ста́рых друзе́й.**

Exercise 47. Answer the questions, using the words given in brackets.

1. Каки́х студе́нтов вы встре́тили на ле́кции? (на́ши но́вые) 2. Каки́х друзе́й вы пригласи́ли на ве́чер? (мои́ шко́льные) 3. Каки́х преподава́телей вы ви́дели в клу́бе? (на́ши молоды́е) 4. Каки́х де́вушек ждут э́ти студе́нты? (их знако́мые) 5. Каки́х космона́втов ты зна́ешь? (росси́йские и америка́нские)

Exercise 48. Answer the questions, using the words given in brackets.

1. Кого́ вы ждёте? (мои́ ста́рые това́рищи) 2. Кого́ вы ча́сто ви́дите в клу́бе? (э́ти но́вые студе́нты) 3. Кого́ они́ пригласи́ли в теа́тр? (знако́мые студе́нтки) 4. Кого́ вы встре́тили в кино́? (на́ши но́вые друзья́) 5. Кого́ вы зна́ете в э́том университе́те? (молоды́е преподава́тели) 6. Кого́ Анто́н да́вно не ви́дел? (его́ ста́рые роди́тели) 7. Кого́ он ча́сто вспомина́ет? (его́ мла́дшие бра́тья и ста́ршие сёстры)

Exercise 49. Answer the questions in the affirmative.

Model: – Вы зна́ете, кого́ он пригласи́л в кино́?
– Да, (я) зна́ю, (кого́ он пригласи́л в кино́). Он пригласи́л в кино́ знако́мую студе́нтку.

1. Вы зна́ете, кого́ мы встре́тили в клу́бе? 2. Вы зна́ете, кого́ мы встре́тили в магази́не? 3. Вы зна́ете, что он купи́л? 4. Вы зна́ете, что он пи́шет сейча́с? 5. Вы зна́ете, каку́ю кни́гу он взял в библиоте́ке? 6. Вы слы́шали, каки́х писа́телей студе́нты пригласи́ли в свой клуб? 7. Вы зна́ете, каки́е кни́ги я люблю чита́ть? 8. Вы слы́шали, како́го профе́ссора пригласи́ли в наш университе́т?

Exercise 50. Ask questions about the italicised words.

1. Я прочита́л *все но́вые* журна́лы. 2. Мы пе́ли *наро́дные* пе́сни. 3. Он встре́тил в кино́ *свои́х ста́рых* това́рищей. 4. Студе́нты пригласи́ли в клуб *молоды́х* поэ́тов и писа́телей. 5. На вы́ставке мы ви́дели *изве́стных* худо́жников. 6. Я давно́ не ви́дел *свои́х мла́дших* сестёр. 7. Мать давно́ не ви́дела *свои́х ста́рших* сынове́й.

Exercise 51. Complete the sentences, using the words given on the right.

1. На столе́ лежа́т … . Я купи́л в кио́ске … . Мы чита́ли о космона́втах … .	сего́дняшние газе́ты
2. У меня́ есть ... . Кто забы́л в кла́ссе ... ? Я смотрю́ слова́	большо́й ара́бский слова́рь
3. Вчера́ у нас была́ ... . Мы говори́ли ... . Студе́нты внима́тельно слу́шали	интере́сная ле́кция

4. Ско́лько сто́ит ... ? Я хочу́ купи́ть ... . Мои́ ве́щи лежа́т	э́тот небольшо́й чемода́н
5. В сосе́дней ко́мнате живу́т ... . Я ещё не ви́дел ... . Что ты зна́ешь ... ?	на́ши но́вые студе́нты

The Accusative with Verbs of Motion[1]

– Вы **идёте в теа́тр**?
– Да, я **иду́ в теа́тр**.
– Ва́ши друзья́ **иду́т на вы́ставку**?
– Да, они́ **иду́т на вы́ставку**.

Exercise 52. Answer the questions.

1. Студе́нты иду́т в университе́т?

2. Рабо́чие иду́т на заво́д?

3. Же́нщина идёт в магази́н?

4. Де́ти иду́т в шко́лу?

[1] For more details on the verbs of motion, see p. 219.

5. Де́вушка идёт в библиоте́ку?

6. Друзья́ иду́т в клуб?

Сейча́с я **иду́** Вчера́ я **ходи́л** За́втра я **пойду́**	в библиоте́ку.

Exercise 53. Answer the questions.

1. Вы пойдёте сего́дня в кино́? Они́ то́же пойду́т в кино́? 2. Вы пойдёте за́втра в музе́й? 3. Ты пойдёшь за́втра на ле́кцию? Она́ то́же пойдёт на ле́кцию? 4. Ты пойдёшь в библиоте́ку? 5. Вы пойдёте на экску́рсию? Все студе́нты пойду́т на экску́рсию? 6. Вы пойдёте на вы́ставку?

Exercise 54. Answer the questions.

1. Вы ходи́ли вчера́ на заня́тия? 2. Оте́ц ходи́л у́тром в поликли́нику? 3. Мать ходи́ла в апте́ку? 4. Они́ ходи́ли на конце́рт? 5. Ты ходи́л сего́дня в библиоте́ку? 6. Вы ходи́ли у́тром на ле́кцию? 7. Твои́ друзья́ ходи́ли вчера́ на дискоте́ку?

Exercise 55. Answer the questions.

Model: – Анто́н идёт *в цирк*?
– Нет, он идёт *в теа́тр*.

1. Студе́нты иду́т на ле́кцию?

2. Спортсме́ны иду́т в спорт-за́л?

3. Же́нщина идёт на ры́нок?

4. Тури́сты иду́т в Кремль?

5. Де́ти идут в зоо-па́рк?

– **Куда́** вы идёте сейча́с?
– Я иду́ **в библиоте́ку**.

– **Куда́** вы пойдёте за́втра ве́чером?
– За́втра я пойду́ **в цирк**.

– **Куда́** вы ходи́ли вчера́?
– Вчера́ мы ходи́ли **в кино́**.

Exercise 56. Answer the questions.

1. Куда́ вы ходи́ли в воскресе́нье, в кино́ и́ли в теа́тр? 2. Куда́ вы ходи́ли в суббо́ту, в клуб и́ли на стадио́н? 3. Куда́ ходи́ли шко́льники на экску́рсию, на

заво́д и́ли на фа́брику? 4. Куда́ ходи́ла мать, на ры́нок и́ли в магази́н? 5. Куда́ ходи́л оте́ц, в поликли́нику и́ли в апте́ку? 6. Куда́ вы ходи́ли у́тром, в столо́вую и́ли в буфе́т?

Exercise 57. Answer the questions, using the words given on the right.

1. Куда́ ходи́ли студе́нты в воскресе́нье?	кино́, теа́тр, клуб, музе́й, цирк, ве́чер, конце́рт
2. Куда́ они́ пойду́т в суббо́ту?	вы́ставка, библиоте́ка, поликли́ника, стадио́н
3. Куда́ иду́т студе́нты сейча́с?	зал, аудито́рия, буфе́т, столо́вая, библиоте́ка, лаборато́рия

Сейча́с мы **е́дем**
Вчера́ мы **е́здили** — на да́чу.
За́втра мы **пое́дем**

– **Куда́** вы **е́дете**?
– Я е́ду **в Берли́н**.

– **Куда́** вы **пое́дете** ле́том?
– Ле́том я пое́ду **в Крым**.

– **Куда́** вы **е́здили** в про́шлом году́?
– Я е́здил **в Англию**.

Exercise 58. Answer the questions.

1. Они́ е́дут в Большо́й теа́тр? 2. Вы е́дете на стадио́н? 3. Ты е́дешь в поликли́нику? 4. Ваш друг пое́дет ле́том на ро́дину? 5. Вы пое́дете зимо́й в Евро́пу? 6. Вы е́здили вчера́ в музе́й? 7. Ва́ши друзья́ е́здили в сре́ду на вы́ставку? 8. Он е́здил вчера́ в цирк?

Exercise 59. Answer the questions, using the words given on the right.

1. Куда́ вы идёте сейча́с?	клуб
2. Куда́ идёт ваш друг?	лаборато́рия

3. Куда́ иду́т э́ти студе́нты?	библиоте́ка
4. Куда́ вы е́дете?	стадио́н
5. Куда́ е́дет ва́ша сестра́?	выста́вка
6. Куда́ вы пое́дете ле́том?	дере́вня
7. Куда́ вы пойдёте в воскресе́нье?	цирк
8. Куда́ вы ходи́ли вчера́?	теа́тр
9. Куда́ вы е́здили в суббо́ту?	зоопа́рк
10. Куда́ вы ходи́ли у́тром?	ры́нок

Exercise 60. Make up questions to which the following sentences are the answers and write them down.

1. – ...?
   – Сейча́с мы идём *на ле́кцию*.
2. – ...?
   – По́сле обе́да я пойду́ *в библиоте́ку*.
3. – ... ?
   – Сего́дня ве́чером мы пойдём *на конце́рт*.
4. – ...?
   Вчера́ они́ ходи́ли *в кино́*.
5. – ...?
   – В суббо́ту мы ходи́ли *в теа́тр*.
6. – ...?
   – В про́шлом году́ я е́здил *в Ве́ну*.
7. – ...?
   – Ле́том на́ша семья́ е́здила *в Болга́рию*.

Exercise 61. Answer the questions, using the words given in brackets.

1. Куда́ ты идёшь? (на́ша библиоте́ка) 2. Куда́ иду́т спортсме́ны? (но́вый стадио́н) 3. Куда́ идёт Ле́на? (на́ша райо́нная поликли́ника) 4. Куда́ она́ ходи́ла вчера́? (городска́я библиоте́ка) 5. Куда́ ва́ши друзья́ ходи́ли позавчера́? (студе́нческий клуб) 6. Куда́ они́ пойду́т послеза́втра? (Истори́ческий музе́й) 7. Куда́ вы пойдёте в воскресе́нье? (францу́зская фотовы́ставка)

Exercise 62. Answer the questions, using the words given in brackets. Write down the answers.

1. Куда́ ты е́дешь сейча́с? (городска́я библиоте́ка) 2. Куда́ он пое́дет учи́ться? (Моско́вский университе́т) 3. Куда́ ва́ши сёстры пое́дут ле́том? (родна́я

дере́вня) 4. Куда́ шко́льники е́здили позавчера́? (Политехни́ческий музе́й) 5. Куда́ ваш брат пое́дет ле́том? (Болга́рия) 6. Куда́ вы хоти́те пое́хать ле́том? (родно́й го́род) 7. Куда́ ва́ши друзья́ хотя́т пое́хать о́сенью? (За́падная Евро́па, Южная Аме́рика)

Мы ходи́ли **в теа́тр на бале́т**.

Exercise 63. Answer the questions, using the words given on the right. Write down the answers.

Model: – Куда́ вы идёте? | класс, уро́к
– Я иду́ в класс на уро́к.

1. Куда́ иду́т студе́нты?	большо́й зал, ле́кция
2. Куда́ идёт преподава́тель?	аудито́рия, заня́тис
3. Куда́ идёт врач?	больни́ца, рабо́та
4. Куда́ хотя́т пойти́ ва́ши друзья́?	клуб, конце́рт
5. Куда́ они́ хотя́т пойти́ в воскресе́нье?	клуб, дискоте́ка
6. Куда́ вы хоти́те пое́хать ле́том?	ро́дина, дере́вня
7. Куда́ студе́нты пое́дут за́втра?	сосе́дний го́род, пра́ктика.

Exercise 64. Answer the questions.

Model: – Вы зна́ете, куда́ он е́здил вчера́?
– Да, (я) зна́ю, (куда́ он е́здил вчера́). Вчера́ он е́здил в теа́тр.

1. Вы зна́ете, куда́ он ходи́л вчера́? 2. Вы зна́ете, куда́ они́ ходи́ли сего́дня у́тром? 3. Вы зна́ете, куда́ они́ пойду́т сего́дня ве́чером? 4. Вы зна́ете, куда́ они́ е́здили позавчера́? 5. Вы зна́ете, куда́ она́ е́здила ле́том? 6. Вы зна́ете, куда́ мы е́здили в про́шлом году́? 7. Вы зна́ете, куда́ они́ пое́дут в воскресе́нье?

– **Где** вы **бы́ли**?	– **Куда́** вы **ходи́ли**?
– Я был **в музе́е на вы́ставке**.	– Я ходи́л **в музе́й на вы́ставку**.

Exercise 65. Answer the questions, using the words given on the right.

1. Где бы́ли студе́нты в суббо́ту? Куда́ они́ ходи́ли в суббо́ту?	кино́, клуб, теа́тр, библиоте́ка, музе́й

2. Где ва́ши друзья́ отдыха́ют ле́том? Куда́ вы мо́жете пое́хать ле́том?	юг, санато́рий, дере́вня, Приба́лтика
3. Куда́ вы пое́дете в воскресе́нье? Где вы бу́дете в воскресе́нье?	стадио́н, бассе́йн, цирк, зоопа́рк, вы́ставка

Exercise 66. Use the required forms of the words given in brackets. Use necessary prepositions.

1. Вчера́ мы ходи́ли … (вы́ставка). Вы то́же бы́ли (вы́ставка)? 2. Инжене́р идёт (заво́д). Он рабо́тает (заво́д). 3. За́втра студе́нты пойду́т (ве́чер). (ве́чер) они́ бу́дут петь. 4. Вчера́ больно́й ходи́л (поликли́ника). Сего́дня он опя́ть был (поликли́ника). 5. Мы берём кни́ги (библиоте́ка). По́сле обе́да я пойду́ (библиоте́ка). 6. Обы́чно мы обе́даем (столо́вая). В час мы пойдём (столо́вая). 7. Анна ходи́ла (по́чта). (по́чта) она́ купи́ла конве́рты. 8. Утром моя́ сестра́ ходи́ла (магази́н). (магази́н) она́ купи́ла молоко́, ма́сло, сыр. 9. В про́шлом году́ мы бы́ли (пра́ктика). Ле́том мы сно́ва пое́дем (пра́ктика).

Exercise 67. Answer the questions, using the words given on the right.

1. Где вы бы́ли вчера́? Куда́ вы ходи́ли вчера́?	наш но́вый клуб, интере́сный ве́чер
2. Куда́ вы пойдёте в суббо́ту? Где вы бу́дете в суббо́ту?	стадио́н, футбо́льный матч
3. Где он рабо́тает? Куда́ он идёт сейча́с?	де́тская горо́дская больни́ца
4. Где у́чится ва́ша мла́дшая сестра́? Куда́ она́ е́дет сейча́с?	наш университе́т, филологи́ческий факульте́т
5. Куда́ вы пойдёте по́сле уро́ка? Где вы покупа́ете кни́ги?	кни́жный магази́н
6. Куда́ вы ходи́ли вчера́? Где вы бы́ли вчера́?	Истори́ческий музе́й

Exercise 68. Answer the questions, using the words given on the right.

1. Где профе́ссор чита́ет ле́кции? Куда́ идёт профе́ссор?	больша́я аудито́рия
2. Куда́ вы ходи́ли вчера́? Где вы бы́ли вчера́?	медици́нский институ́т
3. Где вы обы́чно обе́даете? Куда́ вы идёте?	на́ша но́вая столо́вая

4. Куда́ ва́ша семья́ е́здила ле́том? Где вы жи́ли ле́том?	оди́н небольшо́й ю́жный го́род
5. Куда́ они́ ходи́ли вчера́? Где они́ бы́ли вчера́?	музыка́льный теа́тр
6. Куда́ вы пое́дете учи́ться? Где вы бу́дете учи́ться?	Моско́вский университе́т

Exercise 69. Replace the verb *быть* by the verb *ходи́ть* or *е́здить*. Change the case of the noun.

Model: Вчера́ я *был в теа́тре*. Ле́том мы *бы́ли в Ита́лии*.
Вчера́ я *ходи́л в теа́тр*. Ле́том мы *е́здили в Ита́лию*.

1. Утром я *был в университе́те*. 2. Днём мы *бы́ли на стадио́не*. 3. Вчера́ мы *бы́ли в планета́рии*. 4. Сего́дня Анна *была́ в поликли́нике*. 5. В июне́ мы *бы́ли в дере́вне*. 6. В про́шлом году́ мы *бы́ли в Росси́и*.

Exercise 70. Answer the questions, replacing the verbs of motion by the verb *быть*. Change the case of the noun.

Model: – Вы *ходи́ли* сего́дня *в библиоте́ку*?
– Да, я *был* сего́дня *в библиоте́ке*.

1. Вы *ходи́ли* сего́дня *на ле́кцию*? 2. Вы *ходи́ли* вчера́ *на конце́рт*? 3. Они́ *ходи́ли на экску́рсию* в Кремль? 4. Ле́том вы *е́здили на ро́дину*? 5. Они́ *е́здили в Волгогра́д*? 6. Они́ *е́здили в Оде́ссу*?

Exercise 71. Answer the questions, replacing the verb *быть* by verbs of motion. Write down the answers.

Model: – *Где* вы *бы́ли* вчера́?
– Вчера́ мы *ходи́ли в теа́тр*.

1. *Где* вы *бы́ли* в суббо́ту? 2. *Где* вы *бы́ли* сего́дня? 3. *Где* они́ *бы́ли* вчера́ ве́чером? 4. *Где* вы *бы́ли* ле́том? 5. *Где* ва́ши друзья́ *бы́ли* ле́том? 6. *Где* ты *был* в воскресе́нье?

Exercise 72. Make up questions to which the following sentences are the answers and write them down.

1. – ...?
– Вчера́ мы бы́ли *на экску́рсии*.

2. – ...?
   – Утром я ходи́л *в бассе́йн*.
3. – ... ?
   – В ма́е студе́нты е́здили *на пра́ктику*.
4. – ... ?
   – Ра́ньше он учи́лся *во Фра́нции*.
5. – ... ?
   – В про́шлом году́ мои́ друзья́ бы́ли *в Москве́*.
6. – ... ?
   – В про́шлом году́ я е́здил *в Москву́*.

The Accusative with the Verbs *класть – положи́ть, ста́вить – поста́вить, ве́шать – пове́сить*

Я **положи́л** газе́ту **на стол**.
Я **поста́вил** цветы́ **в ва́зу**.
Я **пове́сил** костю́м **в шкаф**.

Exercise 73. A. Read the text and answer the questions.

Сего́дня суббо́та. Анна убира́ет свою́ ко́мнату. Пре́жде всего́[1] она́ положи́ла ка́ждую вещь на своё ме́сто. Тетра́ди, ру́чки, карандаши́ она́ положи́ла на пи́сьменный стол. Пи́сьма, конве́рты, бума́гу она́ положи́ла в пи́сьменный стол, в я́щик. Пальто́, пла́тья, костю́мы Анна пове́сила в шкаф, кни́ги она́ поста́вила в кни́жный шкаф, часы́ – на по́лку, телефо́н – на телефо́нный сто́лик[2], насто́льную ла́мпу на стол.

1. Куда́ Анна положи́ла ру́чки, тетра́ди, карандаши́?
2. Куда́ она́ положи́ла пи́сьма, конве́рты и бума́гу?
3. Куда́ она́ пове́сила пальто́, пла́тья и костю́мы?
4. Куда́ она́ поста́вила часы́ и насто́льную ла́мпу?
5. Куда́ она́ поста́вила кни́ги?
6. Куда́ Анна положи́ла ка́ждую вещь?

B. How did you tidy up your room?

---

[1] *пре́жде всего́*, first of all
[2] *телефо́нный сто́лик*, telephone table

Exercise 74. Where has Andrei put various things?[1]

Это ко́мната Андре́я.

Exercise 75. Answer the questions, using the words given on the right.

Model: – *Куда́* ты положи́л журна́л?
– Я положи́л журна́л *на стол*.

I. 1. Куда вы положи́ли мою́ кни́гу? 2. Куда́ он положи́л свою́ па́пку? 3. Куда́ ты положи́л мой шарф? 4. Куда́ ты положи́ла биле́ты? 5. Куда́ мы положи́ли фотоаппа́рат? 6. Куда́ мы положи́ли докуме́нты? 7. Куда́ мы положи́ли де́ньги?	стол, су́мка, чемода́н, по́лка, па́пка, большо́й конве́рт, кошелёк,
II. 1. Куда́ она́ поста́вила цветы́? 2. Куда́ вы поста́вили ла́мпу? 3. Куда́ ты поста́вил слова́рь? 4. Куда́ ты поста́вил часы́? 5. Куда́ мы поста́вим ва́зу?	ва́за, стол, шкаф, по́лка, окно́
III. 1. Куда́ вы пове́сили карти́ну? 2. Куда́ вы пове́сили костю́м? 3. Куда́ вы пове́сили мой плащ? 4. Куда́ она пове́сила своё пла́тье? 5. Куда́ мы пове́сим календа́рь?	стена́, ве́шалка, шкаф

[1] Remember the use of the verb *поста́вить*.

9-2406

Exercise 76. Complete the sentences, using the words given on the right.

Model: Он поста́вил ... . | ла́мпа, стол

Он поста́вил *ла́мпу на стол.*

1. Я положи́л	кни́га, стол; письмо́, конве́рт; де́ньги, кошелёк; портфе́ль, стул
2. Я поста́вил	ва́за, окно́; кни́га, по́лка; кре́сло, у́гол; стака́н, стол; цветы́, ва́за
3. Я пове́сил	пальто́, шкаф; табли́ца, доска́; карти́на, стена́
4. Мы кладём	тетра́ди, рюкза́к; кни́ги, стол; ве́щи, чемода́н
5. Мы ста́вим	ла́мпа, стол; кни́ги, по́лка; цветы́, ва́за
6. Мы ве́шаем	костю́мы, шкаф, пальто́, ве́шалка; карти́ны, сте́ны

Exercise 77. Answer the questions, as in the model. Write down the answers.

Model: – Куда́ поста́вить молоко́? (холоди́льник)

– Поста́вь[1] молоко́ в холоди́льник.

1. Куда́ поста́вить цветы́? (э́та ва́за) 2. Куда́ положи́ть письмо́? (пи́сьменный стол) 3. Куда́ положи́ть твой па́спорт? (моя́ су́мка) 4. Куда́ пове́сить календа́рь? (э́та стена́) 5. Куда́ положи́ть ди́ски (по́лка) 6. Куда́ поста́вить часы́? (стол) 7. Куда́ положи́ть докуме́нты? (стол, ве́рхний я́щик)

Exercise 78. Answer the questions, using the words given on the right.

1. Где лежа́т кни́ги? Куда́ он положи́л кни́ги?	кни́жная по́лка
2. Куда́ ты положи́л письмо́? Где лежи́т письмо́?	пра́вый карма́н
3. Где стои́т ла́мпа? Куда́ она́ поста́вила ла́мпу?	её пи́сьменный стол
4. Где стоя́т цветы́? Куда́ вы поста́вили цветы́?	больша́я си́няя ва́за
5. Куда́ вы ве́шаете пальто́ и костю́мы? Где вися́т ва́ши пальто́ и костю́мы?	э́тот большо́й шкаф
6. Где лежи́т мой па́спорт? Куда́ ты положи́ла мой па́спорт?	пи́сьменный стол, ве́рхний я́щик

---

[1] The imperative of *поста́вить* is *поста́вь*; of *пове́сить, пове́сь*; and of *положи́ть, положи́*.

Exercise 79. Make up questions to which the following sentences are the answers.

1. – … ?
   Цветы́ стоя́т *на окне́.*
2. – ... ?
   – Я поста́вил цветы́ *в большу́ю ва́зу.*
3. – … ?
   – Игорь положи́л газе́ты *в я́щик.*
4. – … ?
   – Газе́ты лежа́т *на столе́.*
5. – … ?
   – Анна пове́сила фотогра́фию *на сте́ну.*
6. – … ?
   – Её фотогра́фия виси́т *на стене́.*

Exercise 80. Ask where these things should be put. Answer the questions.

Model: – Куда́ пове́сить пла́тье?
– Пла́тье ну́жно пове́сить в шкаф.
(– Пове́сь пла́тье в шкаф.)

Exercise 81. Complete the sentences, using the words given on the right.

Model: Он пригласи́л ... . | я, кино́, но́вый фильм
Он пригласи́л *меня́ в кино́ на но́вый фильм.*

1. Я приглаша́ю	ты, клуб, дискоте́ка
2. Мы приглаша́ем	вы, экску́рсия, сосе́дний го́род
3. Вчера́ они́ пригласи́ли	их друзья́, кафе́, у́жин
4. Студе́нты пригласи́ли	преподава́тель, студе́нческий ве́чер
5. Он пригласи́л	знако́мая де́вушка, теа́тр, бале́т
6. Я хочу́ пригласи́ть	вы, конце́рт, наш клуб

The Accusative Denoting Time

– **Когда́** вы пойдёте в теа́тр?
– Мы пойдём в теа́тр **в (э́ту) суббо́ту**.

Exercise 82. Answer the questions, using the words given in brackets.

1. Когда́ вы бы́ли в теа́тре? (вто́рник) 2. Когда́ мы пойдём на конце́рт? (суббо́та) 3. Когда́ они́ ходи́ли на экску́рсию? (среда́) 4. Когда́ вы отдыха́ете? (суббо́та и воскресе́нье) 5. Когда́ вы пойдёте в бассе́йн? (понеде́льник) 6. Когда́ он заболе́л? (четве́рг) 7. Когда́ он ходи́л в поликли́нику? (пя́тница)

Exercise 83. Answer the questions, using the words given in brackets.

1. Когда́ бу́дет ваш день рожде́ния? (э́тот четве́рг) 2. Когда́ он хо́чет прие́хать сюда́? (сле́дующая пя́тница) 3. Когда́ он был здесь? (про́шлая среда́) 4. Когда́ вы получи́ли э́то письмо́? (э́тот вто́рник) 5. Когда́ он поéдет в дере́вню? (бу́дущее воскресе́нье) 6. Когда́ вы пойдёте на экску́рсию? (бу́дущий понеде́льник) 7. Когда́ вы после́дний раз ходи́ли в кино́? (про́шлый четве́рг) 8. Когда́ вы пойдёте в теа́тр? (сле́дующий вто́рник)

– **Когда́** вы пойдёте обе́дать?
– Я пойду́ обе́дать **че́рез час**.

Exercise 84. Answer the questions, using the words given in brackets. Write down the answers.

Model: – *Когда́* ты бу́дешь до́ма? (час)
– Я бу́ду до́ма *че́рез час*.

1. Когда́ ты дашь мне слова́рь? (мину́та) 2. Когда́ ты пойдёшь домо́й? (час) 3. Когда́ вы поéдете в Ки́ев? (неде́ля) 4. Когда́ они́ поéдут на ро́дину? (полго́да) 5. Когда́ бу́дут экза́мены? (ме́сяц) 6. Когда́ он око́нчит университе́т? (год)

Exercise 85. Complete the sentences, using the words *час, день, мину́та, неде́ля, ме́сяц, год, полго́да* with the preposition *че́рез*.

1. Он придёт ... . 2. Мы полу́чим стипе́ндию ... . 3. Я позвоню́ ... . 4. Мы поéдем в дере́вню ... . 5. Я пойду́ в университе́т ... . 6. Она́ бу́дет до́ма ... .

– **Когда́** вы бы́ли на стадио́не?
– Мы бы́ли на стадио́не **неде́лю наза́д**.

Exercise 86. Answer the questions, using the words given in brackets. Write down the answers.

Model: – *Когда́* вы прие́хали в Москву́? (полго́да)
– Я прие́хал в Москву́ *полго́да наза́д*.

1. Когда́ ты купи́л э́ту кни́гу? (неде́ля) 2. Когда́ ты пришёл сюда́? (мину́та) 3. Когда́ ты за́втракал? (час) 4. Когда́ вы на́чали изуча́ть ру́сский язы́к? (полго́да) 5. Когда́ вы прие́хали сюда́? (год) 6. Когда́ они́ получи́ли дипло́мы? (ме́сяц)

– **Как до́лго (ско́лько вре́мени)** она́ не рабо́тала?
– Она́ не рабо́тала **весь ме́сяц**.

Exercise 87. Make up questions to which the following sentences are the answers.

Model: Я писа́л пи́сьма *весь ве́чер*.
Ско́лько вре́мени ты писа́л пи́сьма? (*Как до́лго* ты писа́л пи́сьма?)

I. 1. Я ждал вас *весь ве́чер*. 2. Он был в библиоте́ке *весь день*. 3. Мы отдыха́ли на ю́ге *всё ле́то*. 4. Он боле́л *всю неде́лю*. 5. Мы рабо́тали *весь день*.

II. 1. Мы разгова́ривали *це́лый ве́чер*. 2. Я ждал вас *це́лый час*. 3. Они́ жи́ли в Москве́ *це́лый год*. 4. Студе́нты бы́ли на пра́ктике *це́лый ме́сяц*. 5. Он занима́лся *це́лый день*.

Exercise 88. Make up questions to which the following sentences are the answers.

Model: Я занима́юсь в университе́те *ка́ждый день*.
Как ча́сто вы занима́етесь в университе́те?

1. Ле́том я ходи́л на стадио́н ка́ждый *вто́рник* и *четве́рг*. 2. Мы смо́трим фи́льмы *ка́ждую неде́лю*. 3. Он де́лает гимна́стику *ка́ждое у́тро*. 4. Мы быва́ем на дискоте́ке *ка́ждую суббо́ту*. 5. Она́ получа́ет пи́сьма *ка́ждую неде́лю*. 6. Ра́ньше мы е́здили в дере́вню *ка́ждое ле́то*. 7. Студе́нты получа́ют стипе́ндию *ка́ждый ме́сяц*.

Exercise 89. Answer the questions, using the words *ка́ждый день, ка́ждый вто́рник, ка́ждую неде́лю, ка́ждый ме́сяц...*

Model: – Вы ча́сто обе́даете в на́шей столо́вой?
– Я обе́даю в на́шей столо́вой *ка́ждый день*.

1. Вы ча́сто получа́ете пи́сьма? 2. Ле́том вы ча́сто ходи́ли в бассе́йн? 3. Зимо́й он ча́сто ходи́л в библиоте́ку? 4. Вы ча́сто е́здили на экску́рсии в про́шлом году́? 5. Вы ча́сто быва́ете в клу́бе? 6. Вы ча́сто е́здите на ро́дину?

Exercise 90. Complete the sentences, using the words *весь день, всю неде́лю, всю жизнь, ка́ждый ме́сяц, че́рез неде́лю, час наза́д...*

1. Мы жда́ли вас ... . 2. Они́ прие́хали ... . 3. Мы гуля́ли в лесу́ ... . 4. Я получа́ю пи́сьма ... . 5. Мои́ друзья́ быва́ют в клу́бе ... . 6. Я слу́шаю ра́дио .... 7. Я бу́ду по́мнить э́ти слова́ ... . 8. Я ви́жу его́ в университе́те ... . 9. ... он лежа́л в больни́це. 10. Мы бу́дем сдава́ть экза́мены ... . 11. Они́ пое́дут отдыха́ть ... . 12. Она́ прие́хала сюда́ ... .

– **Ско́лько вре́мени** ты де́лал дома́шнее зада́ние?
– Я де́лал дома́шнее зада́ние **час**.

– **За ско́лько вре́мени** ты сде́лал дома́шнее зада́ние?
– Я сде́лал дома́шнее зада́ние **за час**.

Exercise 91. Answer the questions, using the words *мину́та, час, день, неде́ля, ме́сяц* and *год* with the preposition *за-*.

1. За ско́лько вре́мени ты написа́л упражне́ния? 2. За ско́лько вре́мени ты вы́учил стихотворе́ние? 3. За ско́лько вре́мени ты прочита́л статью́? 4. За ско́лько вре́мени ты прочита́ешь э́ту кни́гу? 5. За ско́лько вре́мени ты вы́учил э́ти стихи́? 6. За ско́лько вре́мени он перевёл э́ту статью́? 7. За ско́лько вре́мени он сде́лал э́ту рабо́ту?

– **На ско́лько вре́мени** вы прие́хали в Москву́?
– Мы прие́хали в Москву́ **на оди́н год**.

Exercise 92. Do the exercise as shown in the model. Explain the meaning of these sentences.

Model: Он взял слова́рь *на час.*
Он бу́дет смотре́ть слова́рь *час.*
Они́ прие́хали в Москву́ *на ме́сяц.*
Они́ бу́дут в Москве́ *ме́сяц.*

1. Я взял кни́гу *на неде́лю.* 2. Она́ взяла́ журна́л *на оди́н день.* 3. Они́ взя́ли магнитофо́н *на ве́чер.* 4. Они́ прие́хали в на́шу страну́ *на полго́да.* 5. Тури́сты прие́хали в Яросла́вль *на неде́лю.* 6. Она́ пое́хала в санато́рий *на ме́сяц.*

THE DATIVE CASE

The Dative Denoting the Recipient
Nouns in the Dative Singular

Я до́лжен позвони́ть **Па́влу** и **Анне**.

Exercise 1. A. Read the text and write it out.

Ско́ро Но́вый год, и на́до поду́мать о пода́рках. Что подари́ть отцу́, ма́ме, бра́ту, сестре́? Вчера́ Вади́м был в магази́не и купи́л отцу́ шарф, ма́ме – су́мку, бра́ту – фотоаппара́т, сестре́ – духи́.

	Nominative Кто? Что?	Dative Кому́? Чему́?	Ending
Masculine	студе́нт писа́тель	студе́нт**у** писа́тел**ю**	**-у** **-ю**
Neuter	окно́ мо́ре зда́ние	окн**у́** мо́р**ю** зда́ни**ю**	**-у** **-ю**
Feminine	студе́нтка Га́ля Мари́я	студе́нтк**е** Га́л**е** Мари́**и**	**-е** **-и**

B. Answer the questions.

1. Что Вади́м купи́л отцу́?
2. Что он купи́л ма́ме?
3. Что он хо́чет подари́ть бра́ту?
4. Что он пода́рит сестре́?

MEMORISE!

Nominative	Dative
мать дочь	ма́тер**и** до́чер**и**

Exercise 2. Make up phrases, as in the model.

Model: писа́ть – оте́ц, сестра́...
писа́ть *отцу́, сестре́...*

1. писа́ть – брат, друг, това́рищ, сестра́, подру́га, де́вушка
2. звони́ть – Вади́м, Бори́с, Ви́ктор, Никола́й, Серге́й, Анна, Ли́да, Ни́на, Мари́я
3. расска́зывать – сосе́д, преподава́тель, профе́ссор, писа́тель, журнали́ст, врач
4. объясня́ть – студе́нт, студе́нтка, учени́к, сын, дочь

– **Кому́** вы звони́те?
– Я звоню́ **дру́гу**.

Exercise 3. Answer the questions, using the words given on the right.

Model: *Кому́* вы ча́сто пи́шете пи́сьма? | оте́ц и мать
Я ча́сто пишу́ пи́сьма *отцу́* и *ма́тери.*

I.
1. Кому́ вы написа́ли письмо́? | брат
2. Кому́ вы рассказа́ли после́дние но́вости? | друг
3. Кому́ вы купи́ли газе́ту? | това́рищ
4. Кому́ студе́нты отвеча́ют на экза́мене? | профе́ссор
5. Кому́ студе́нты пока́зывают сочине́ния? | преподава́тель
6. Кому́ вы рассказа́ли о свое́й боле́зни? | врач

II. 1. Кому́ преподава́тель объясни́л зада́чу? 2. Кому́ Анто́н посла́л свои́ но́вые фотогра́фии? 3. Кому́ он купи́л пода́рок? 4. Кому́ оте́ц подари́л часы́?	студе́нтка сестра́ мать дочь

Exercise 4. Answer the questions and write down the answers.

1. Кому́ вы даёте свой магнитофо́н? 2. Кому́ вы пи́шете пи́сьма? 3. Кому́ вы покупа́ете кни́ги? 4. Кому́ вы звони́те? 5. Кому́ вы покупа́ете биле́ты в кино́ и в теа́тр? 6. Кому́ вы помога́ете? 7. Кому́ вы расска́зываете о свои́х дела́х?

Exercise 5. Answer the questions.

1. Кому́ вы обеща́ли ча́сто писа́ть пи́сьма? 2. Кому́ вы обеща́ли купи́ть биле́ты в теа́тр? 3. Кому́ вы помога́ете изуча́ть ру́сский язы́к? 4. Кому́ ва́ша сестра́ помога́ет гото́вить обе́д? 5. Кому́ вы помога́ете убира́ть кварти́ру? 6. Кому́ врач не разреша́ет кури́ть? 7. Кому́ врач сове́тует пое́хать в санато́рий? 8. Кому́ преподава́тель разреши́л войти́ в аудито́рию? 9. Кому́ вы сове́туете посмотре́ть но́вый фильм? 10. Кому́ вы сове́туете поступи́ть на медици́нский факульте́т?

Exercise 6. Answer the questions.

Model: – Вы зна́ете, *кому́* он купи́л слова́рь?
– Да, я зна́ю, *кому́* он купи́л слова́рь. Он купи́л слова́рь *това́рищу*.

1. Вы зна́ете, *кому́* он написа́л письмо́?
2. Вы зна́ете, *кому́* он купи́л цветы́?
3. Вы зна́ете, *кому́* она́ звони́т?
4. Вы зна́ете, *кому́* я сде́лала фотогра́фии?
5. Вы зна́ете, *кому́* она́ помога́ет?
6. Вы зна́ете, *кому́* мы посла́ли откры́тки?

Exercise 7. Complete the sentences, using the words given on the right.

Model: Преподава́тель объясни́л ... незнако́мое сло́во. | студе́нт
Преподава́тель объясни́л *студе́нту* незнако́мое сло́во.

1. Я ча́сто пишу́ пи́сьма ... . 2. Сын посла́л ... телегра́мму. 3. Переда́йте, пожа́луйста, э́ту тетра́дь ... . 4. Эту кассе́ту я хочу́ подари́ть	брат мать преподава́тель подру́га

5. Продаве́ц показа́л ... фотоаппара́ты.	покупа́тель
6. Почтальо́н принёс ... письмо́.	сосе́д
7. Вчера́ я звони́л	друг
8. Оте́ц обеща́л ... купи́ть ша́хматы.	сын
9. В письме́ брат сове́товал ... поступа́ть в университе́т.	сестра́
10. Врач не разреша́ет ... мно́го ходи́ть.	оте́ц
11. Больно́й обеща́л ... бо́льше не кури́ть.	врач

Excreise 8. Answer the questions, using the words given on the right. Write down the answers to questions 1 and 2 in parts I and II.

I. 1. Кто написа́л э́то письмо́? 2. Кому́ вы написа́ли письмо́? 3. Кого́ вы давно́ не ви́дели? 4. О ком вы ду́маете?	оте́ц
II. 1. Кому́ Ни́на ча́сто пи́шет пи́сьма? 2. О ком она́ ча́сто ду́мает? 3. Кого́ она́ давно́ не ви́дела? 4. Кто звони́л сего́дня Ни́не?	подру́га
III. 1. Кого́ вы пригласи́ли в го́сти? 2. Кому́ вы посла́ли приглаше́ние на ве́чер? 3. Кто приходи́л сюда́? 4. О ком вы говори́те?	Бори́с и Анна

Exercise 9. Complete the sentences, using the words given on the right.

1. Вчера́ я написа́л письмо́ ... . Я ча́сто ду́маю ... . Я давно́ не ви́дел ... . Эту кни́гу мне подари́ла	сестра́
2. Вчера́ у меня́ был ... . Я рассказа́л отцу́ и ма́тери ... . Я хочу́ пригласи́ть ... на конце́рт. Сего́дня ве́чером я до́лжен позвони́ть	друг

Exercise 10. Make up questions about the following sentences and write them down.

Model: Сын подари́л отцу́ *часы́*.
Что подари́л сын отцу́?

Он подари́л су́мку *ма́тери*.
Кому́ он подари́л су́мку?

1. Роди́тели подари́ли сы́ну *фотоаппара́т*. 2. Мать купи́ла до́чери *пальто́*. 3. Я купи́л э́ти *ди́ски* сестре́. 4. Он посла́л фотогра́фии *дру́гу*. 5. Мы сдава́ли экза́мены *профе́ссору*. 6. Я о́тдал учёбник *преподава́телю*. 7. Я верну́л сосе́ду *магнитофо́н*.

Personal Pronouns in the Dative

– Вы звони́ли **Па́влу**?
– Да, я звони́л **ему́**.

Exercise 11. A. Read the text and write it out. Underline the pronouns.

Я расскажу́ вам, как я покупа́л пода́рки. Я не знал, что купи́ть отцу́, и купи́л *ему́* шарф. А что купи́ть ма́ме? Я зна́ю, что она́ лю́бит су́мки, и купи́л *ей* су́мку. У меня́ есть брат и сестра́. Что подари́ть *им*? Сестра́ помогла́ *мне*. Одна́жды она́ написа́ла: «Я чита́ла, что Москва́ – краси́вый го́род». И я купи́л *ей* кни́гу о Москве́. А бра́ту? *Ему́* я купи́л фотоальбо́м. Интере́сно, что они́ пода́рят *мне*.

B. Make a table of pronouns, like the one given below.

Nominative	Dative
Кто?	Кому́?
я ты	мне тебе́

Exercise 12. Replace the italicised words by personal pronouns.

1. Серге́й зна́ет, что сего́дня бу́дет собра́ние? Ты говори́л *Серге́ю* об э́том? 2. Анна пойдёт на вы́ставку? Ты звони́л *Анне*? 3. Бори́с и Ни́на пойду́т в теа́тр? Ты купи́л *Бори́су и Ни́не* биле́ты? 4. Роди́тели зна́ют, что ты ско́ро прие́дешь? Ты написа́л *роди́телям* об э́том? 5. Друзья́ зна́ют, где ты живёшь? Ты сообщи́л *друзья́м* свой но́вый а́дрес?

Exercise 13. Supply the required pronouns.

Model: – Это мой *сосе́д*. Я купи́л ... газе́ту.
– Я купи́л *ему́* газе́ту.

1. Это *мои́ друзья́*. Я расска́зываю ... о своей жи́зни. 2. Это *наш преподава́-*

тель. Ка́ждый день мы пока́зываем ... свои́ тетра́ди. 3. Это *моя́ подру́га*. Я ча́сто расска́зываю ... о на́шем университе́те. 4. *Моя́ мать* живёт в Росто́ве. Я ча́сто пишу́ ... пи́сьма. 5. *Мы* изуча́ем фи́зику. Преподава́тель пока́зывает ... физи́ческие о́пыты. 6. *Вы* бы́ли в на́шем университе́те? Я могу́ показа́ть ... наш университе́т. 7. *Ты* не по́нял э́ту зада́чу? Я могу́ объясни́ть ... . 8. Неда́вно *у меня́* был день рожде́ния. Друзья́ подари́ли ... фотоаппара́т.

Exercise 14. Use the pronouns given in brackets in the required case.

1. Преподава́тель показа́л ... фильм о Москве́. (мы) 2. Я помога́ю ... изуча́ть францу́зский язы́к. (он) 3. Мои́ роди́тели ча́сто пи́шут ... пи́сьма. (я) 4. Вы не говори́ли ... о на́шем разгово́ре? (они́) 5. За́втра я позвоню́ ... . (вы). 6. Я рассказа́л ... о своём родно́м го́роде. (она́) 7. Брат присла́л ... телегра́мму. (я)

Exercise 15. Supply the required pronouns.

1. Да́йте ... , пожа́луйста, два биле́та. 2. Покажи́те ... свою́ тетра́дь. 3. Купи́те ... , пожа́луйста, конве́рт и ма́рку. 4. Скажи́те ... , где нахо́дится Большо́й теа́тр. 5. Переведи́те ... э́то письмо́ на ру́сский язы́к. 6. Позвони́те ... сего́дня ве́чером. 7. Объясни́те ... , пожа́луйста, как на́до де́лать дома́шнее зада́ние. 8. Переда́йте, пожа́луйста, ... кни́гу.

Exercise 16. Supply the required pronouns.

1. Хоти́те, я покажу́ ... Москву́? 2. Хо́чешь, я расскажу́ ... одну́ исто́рию? 3. Хоти́те, я объясню́ ... э́ту зада́чу? 4. Хо́чешь, я принесу́ ... э́ту кни́гу? 5. Разреши́те, я помогу́ ... . 6. Хоти́те, я переведу́ ... э́ти слова́? 7. Разреши́те, я объясню́ ... всё?

Adjectives and Possessive Pronouns in the Dative Singular

– **Како́му студе́нту** вы купи́ли биле́т в теа́тр?
– Я купи́л биле́т в теа́тр **одному́ знако́мому студе́нту.**

– **Како́й студе́нтке** вы купи́ли биле́т в теа́тр?
– Я купи́л биле́т в теа́тр **одно́й знако́мой студе́нтке**.

Exercise 17. Answer the questions, using the words given in brackets.

I. 1. Како́му преподава́телю вы рассказа́ли о Москве́? (но́вый) 2. Како́му худо́жнику ваш друг пока́зывал свои́ карти́ны? (изве́стный) 3. Како́му журнали́сту вы звони́ли вчера́? (знако́мый) 4. Како́му студе́нту вы помога́ете изуча́ть англи́йский язы́к? (ру́сский) 5. Како́му ма́льчику врач сде́лал опера́цию? (больно́й) 6. Како́му бра́ту вы покупа́ете де́тские кни́ги? (мла́дший) 7. Како́му бра́ту вы купи́ли часы́? (ста́рший)

II. 1. Како́й студе́нтке вы помога́ете изуча́ть ру́сский язы́к? (но́вая). 2. Како́й де́вочке врач сде́лал опера́цию? (больна́я) 3. Како́й де́вушке вы подари́ли цветы́? (знако́мая) 4. Како́й сестре́ она́ подари́ла су́мку? (ста́ршая) 5. Какой сестре́ она́ подари́ла цветны́е карандаши́? (мла́дшая)

Exercise 18. Answer the questions.

1. Како́й студе́нтке вы помога́ете изуча́ть ру́сский язы́к? 2. Како́му това́рищу вы да́ли биле́т на ве́чер? 3. Како́му профе́ссору вы сдава́ли экза́мен? 4. Како́й сестре́ вы ча́сто посыла́ете пи́сьма? 5. Како́му бра́ту вы посла́ли кни́ги? 6. Како́й де́вушке вы звони́те ка́ждую суббо́ту?

Exercise 19. Make up questions to which the following sentences are the answers.

Model: Профе́ссор помога́ет *молодо́му* учёному[1].
Како́му учёному помога́ет профе́ссор?

1. Я написа́л письмо́ своему́ *ста́рому* дру́гу. 2. Врач сде́лал опера́цию *больно́й* де́вочке. 3. Я хочу́ посла́ть э́ту фотогра́фию *ста́ршему* бра́ту. 4. Серге́й посыла́ет кни́ги *свое́й мла́дшей* сестре́. 5. Он пока́зывал свои́ стихи́ *изве́стному* поэ́ту.

Exercise 20. Answer the questions, using the words given in brackets.

1. Кому́ мать купи́ла пла́тье? (её мла́дшая дочь) 2. Кому́ вы подари́ли су́мку? (моя́ ста́ршая сестра́). 3. Кому́ вы помога́ете изуча́ть ру́сский язы́к? (оди́н но́вый студе́нт) 4. Кому́ вы обеща́ли дать интере́сную кни́гу? (мой друг Па́вел) 5. Кому́ врач не разреша́ет кури́ть? (э́тот больно́й студе́нт) 6. Кому́ вы сове́туете посмотре́ть э́тот фильм? (мой сосе́д) 7. Кому́ вы сообщи́ли э́ту но́вость? (мой бли́зкий друг)

Exercise 21. Complete the sentences, using the words given on the right.

1. Преподава́тель дал кни́ги	э́тот студе́нт и э́та студе́нтка
2. Я показа́л фотогра́фии	наш преподава́тель
3. Юра позвони́л	его́ това́рищ

---

[1] *учёный*, scientist (noun)

4. Он ча́сто пи́шет пи́сьма	его́ семья́, его́ оте́ц, его́ брат и его́ сестра́
5. Неда́вно я посла́л посы́лку	моя́ мать
6. Мой това́рищ купи́л биле́ты в кино́	я и мой друг

Exercise 22. Answer the questions, using the words given on the right.

1. Кого́ вы спроси́ли об экску́рсии? Кому́ вы сказа́ли об экску́рсии?	наш преподава́тель
2. Кого́ вы пригласи́ли на ве́чер? Кому́ вы да́ли биле́т на ве́чер?	мой ста́рый друг
3. Кого́ вы попроси́ли купи́ть биле́ты в теа́тр? Кому́ вы обеща́ли купи́ть биле́ты в теа́тр?	знако́мый студе́нт
4. Кого́ вы поблагодари́ли за кни́гу? Кому́ вы сказа́ли «спаси́бо» за кни́гу?	наш библиоте́карь
5. Кого́ вы спроси́ли, где нахо́дится университе́т? Кому́ вы объясни́ли, где нахо́дится университе́т?	оди́н незнако́мый челове́к
6. Кого́ вы поздра́вили с Но́вым го́дом[1]? Кому́ вы посла́ли поздравле́ние?	мой оте́ц, моя́ мать, моя́ сестра́ и мой брат

Nouns in the Dative Plural

– **Кому́** вы пи́шете пи́сьма?

– Я пишу́ **роди́телям, бра́тьям, сёстрам, друзья́м.**

	Nominative	Dative	Ending
Masculine	студе́нт**ы** писа́тел**и**	студе́нт**ам** писа́тел**ям**	**-ам, -ям**
Feminine	сёстр**ы** ле́кци**и**	сёстр**ам** ле́кци**ям**	
Neuter	о́кн**а** мор**я́** зда́ни**я**	о́кн**ам** мор**я́м** зда́ни**ям**	

[1] *поздра́вить с Но́вым го́дом,* to wish somebody a Happy New Year

Exercise 23. Answer the questions, using the words given in brackets.

1. Кому́ профе́ссор чита́ет ле́кцию? (студе́нты) 2. Кому́ вы сообщи́ли об экску́рсии? (това́рищи) 3. Кому́ вы купи́ли пода́рки? (сёстры) 4. Кому́ вы звони́ли сего́дня? (друзья́) 5. Кому́ Бори́с посла́л свои́ фотогра́фии? (бра́тья) 6. Кому́ мать купи́ла лы́жи? (сыновья́) 7. Кому́ помогает Анна? (роди́тели)

Exercise 24. Supply the words given on the right.

1. Преподава́тель объясня́ет ... тру́дную зада́чу.	студе́нты
2. Экскурсово́д пока́зывает ... моско́вское метро́.	тури́сты
3. Я показа́л ... свои́ но́вые фотогра́фии.	друзья́
4. Ка́ждую неде́лю я посыла́ю ... откры́тки.	роди́тели
5. Я ча́сто звоню́	бра́тья
6. Анна ре́дко пи́шет … .	подру́ги
7. Мать расска́зывает … ска́зку.	де́ти

Exercise 25. Supply the required verbs.

1. Оте́ц ... сы́ну велосипе́д. 2. Кто ... студе́нтам, что за́втра бу́дет экску́рсия? 3. Не разгова́ривайте, пожа́луйста. Вы ... нам слу́шать ле́кцию. 4. Профе́ссор ... студе́нтам ле́кцию. 5. Студе́нты ... преподава́телю свои́ тетра́ди. 6. Библиоте́карь ... студе́нтам кни́ги и журна́лы. 7. Дочь ... ма́тери гото́вить обе́д 8. Вчера́ я ... роди́телям телегра́мму. 9. Я … вам прочита́ть э́ту кни́гу. 10. Андре́й … друзья́м свои́ но́вые фотогра́фии. 11. Брат … дать мне свои́ ди́ски, но не дал.

Verbs to he used: пока́зывать, посла́ть, меша́ть, помога́ть, дать, подари́ть, сообщи́ть, чита́ть, сове́товать, обеща́ть.

Exercise 26. Complete the sentences in writing, using the words given on the right.

Model: Мать купи́ла (к о м у́ ? ч т о ?) ... . | дочь, часы́
Мать купи́ла *до́чери часы́*.

1. Мари́я посла́ла	подру́ги, откры́тки
2. Учи́тель объя́снил	ученики́, их оши́бки
3. Почтальо́н принёс	сосе́ди, газе́ты
4. Я посла́л	друг, телегра́мма
5. Профе́ссор чита́ет	студе́нты, ле́кция
6. Мы подари́ли	мать, насто́льная ла́мпа
7. Молоды́е худо́жники показа́ли	шко́льники, свои́ но́вые карти́ны

Exercise 27. Complete the sentences in writing, using the words given on the right.

Model: Я написа́л (к о м у́ ? о к о м ? о ч ё м ?) | сестра́, мои́ друзья́
Я написа́л *се́стре о свои́х друзья́х*.

1. Я расска́зывал	друзья́, наш университе́т
2. На собра́нии дека́н рассказа́л	студе́нты, экза́мены
3. Вы сказа́ли ... ?	това́рищи, экску́рсия
4. Почему́ вы не сказа́ли ...?	врач, ва́ша боле́знь
5. Я написа́л	оте́ц, моя́ жизнь
6. Анна написа́ла	брат, её друзья́ и подру́ги
7. На уро́ке мы расска́зывали …	преподава́тель, кани́кулы

Exercise 28. Answer the questions.

1. Кто помога́ет вам изуча́ть ру́сский язы́к? 2. Кому́ вы помога́ете изуча́ть англи́йский язы́к? 3. Кому́ вы помогли́ перевести́ текст на англи́йский язы́к? 4. Кто помо́г вам написа́ть статью́ в газе́ту? 5. Кто меша́ет вам занима́ться до́ма? 6. Кто меша́л вам слу́шать ра́дио? 7. Кто обеща́л вам дать интере́сную кни́гу? 8. Кому́ вы обеща́ли сде́лать фотогра́фии? 9. Кто посове́товал вам прочита́ть э́тот рома́н? 10. Кому́ вы посове́товали посмотре́ть э́тот фильм? 11. Кому́ вы разреши́ли взять ваш слова́рь? 12. Кто разреши́л вам взять э́ту кни́гу?

Кто?	Кому́?
Анто́н Ива́нович Петро́в	Анто́н**у** Ива́нович**у** Петро́в**у**
Серге́й Па́влович Кузьми́н	Серге́**ю** Па́влович**у** Кузьмин**у́**
Анна Ива́новна Петро́ва	Анн**е** Ива́новн**е** Петро́в**ой**
Ма́рия Па́вловна Кузьмина́	Мари́**и** Па́вловн**е** Кузьмин**о́й**

This is how Russian first names, patronymics and surnames are written on envelopes.

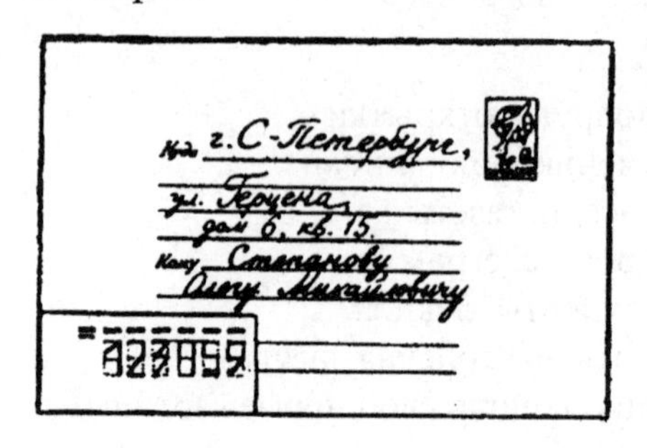

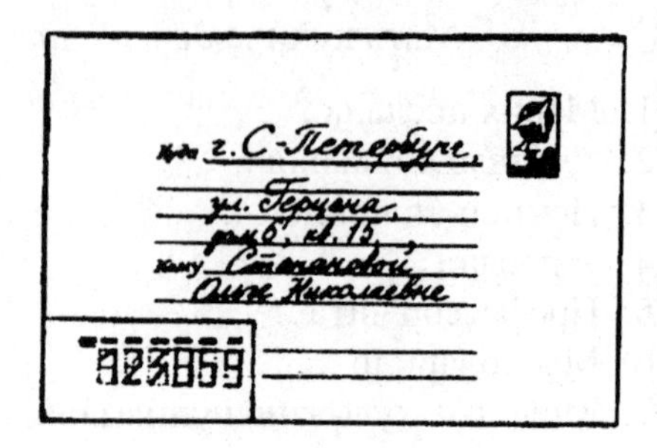

Exercise 29. Complete the sentences in writing, using the following first names, patronymics and surnames.

Model: Ивано́ву Петру́ Андре́евичу.
Ивано́вой Инне Андре́евне.

1. Мы посла́ли телегра́ммы … .	Серге́ев Анато́лий Па́влович и Серге́ева Ли́дия Никола́евна
2. На́до написа́ть пи́сьма	Смирно́ва Ни́на Петро́вна и Соколо́в Бори́с Васи́льевич
3. Переда́йте, пожа́луйста, э́ти кни́ги … .	Си́монов Влади́мир Фёдорович и Ники́тина Ольга Бори́совна

Adjectives and Possessive Pronouns in the Dative Plural

– **Каки́м студе́нтам** вы купи́ли биле́ты в теа́тр?
– Я купи́л биле́ты **на́шим знако́мым студе́нтам**.

Exercise 30. Answer the questions, using the words given on the right.

1. Каки́м студе́нтам объясня́ет преподава́тель уро́к?	но́вые
2. Каки́м тури́стам вы пока́зывали го́род?	иностра́нные
3. Каки́м бра́тьям вы ча́сто пи́шете?	ста́ршие
4. Каки́м сёстрам вы покупа́ете игру́шки?	мла́дшие
5. Каки́м друзья́м вы расска́зываете о свои́х дела́х?	бли́зкие

Exercise 31. Answer the questions, using the words given in brackets. Write down the answers.

1. Кому́ вы пи́шете пи́сьма? (мои́ роди́тели) 2. Кому́ мать чита́ет кни́ги? (её ма́ленькие де́ти) 3. Кому́ вы звони́те? (мои́ хоро́шие знако́мые) 4. Кому́ ты сде́лал фотогра́фии? (мои́ знако́мые де́вушки) 5. Кому́ вы помога́ете? (мои́ мла́дшие бра́тья) 6. Кому́ гид расска́зывает о Санкт-Петербу́рге? (иностра́нные тури́сты)

Exercise 32. Make up questions to which the following sentences are the answers and write them down.

1. – ... ?
– Студе́нты показа́ли университе́т *иностра́нным гостя́м*.

2. – ... ?

– Мать показа́ла сы́на *о́пытным врача́м*.

3. – ... ?

– Я переда́л приве́т свои́м *шко́льным друзья́м*.

4. – ... ?

– Я помога́ю изуча́ть англи́йский язы́к *ру́сским студе́нтам*.

The Dative with the Verb *нра́виться – понра́виться*

Мне **нра́вится э́та у́лица**.

Мне **нра́вятся э́ти у́лицы.**

Exercise 33. Answer the questions.

1. Вам нра́вится э́тот фильм? 2. Вам нра́вится э́та кни́га? 3. Вам нра́вится э́то зда́ние? 4. Вам нра́вится э́та ста́нция метро́? 5. Вам нра́вятся э́ти фи́льмы? 6. Вам нра́вятся э́ти кни́ги? 7. Вам нра́вятся эти зда́ния?

Exercise 34. Replace the singular by the plural.

Model: Мне нра́вится э́та пе́сня.
Мне *нра́вятся э́ти пе́сни.*

1. Мне нра́вится э́тот учё́бник. 2. Нам нра́вится но́вая ста́нция метро́. 3. Им нра́вится э́та пе́сня. 4. Тебе́ нра́вится э́та де́вушка? 5. Вам нра́вится э́тот преподава́тель? 6. Мне нра́вится наш но́вый студе́нт.

Нам	понра́вился фильм понра́вил**а**сь экску́рсия. понра́вил**о**сь кино́. понра́вил**и**сь фотогра́фии.

Exercise 35. Answer the questions.

1. Вам понра́вился наш университе́т? 2. Им понра́вилось на́ше общежи́тие? 3. Тебе́ понра́вилась моя́ ко́мната? 4. Студе́нтам понра́вился фильм о космона́втах? 5. Им понра́вилось моско́вское метро́? 6. Ле́не понра́вились э́ти духи́? 7. Анне понра́вились на́ши друзья́? 8. Вам понра́вилась Москва́? 9. Ей понра́вились стари́нные ру́сские пе́сни?

Недáвно **я** был в Ки́еве.
Мне óчень **понрáвился** э́тот гóрод.
Вчерá **мы** бы́ли на экску́рсии.
Нам понрáвилась э́та экску́рсия.

Exercise 36. Supply the words given on the right.

1. ... понрáвилась Москвá.	я и мой брат
2. ... не нрáвится моя́ специáльность	мой отéц
3. ... понрáвилась послéдняя лéкция.	мы
4. ... не понрáвилась э́та карти́на.:	мой друг
5. ... понрáвилась нáша кварти́ра?	вáша сестрá
6. ... понрáвился вчерáшний концéрт?	вы

Exercise 37. Make up sentences, as in the model, using the verb *понрáвиться*.

Model: Вчерá мы смотрéли нóвый фильм. ...
Вчера мы смотрéли нóвый фильм. Нам *(не) понрáвился* э́тот фильм.

1. Недáвно в нáшем клу́бе был вéчер. ... 2. В суббóту мы бы́ли на экску́рсии в шкóле. ... 3. Я прочитáл вáшу кни́гу. ... 4. Вчерá мы слу́шали доклáд. ... 5. Друзья́ подари́ли мне спорти́вную су́мку. … 6. В суббóту мы бы́ли на дискотéке. … 7. Вчерá я слу́шал нóвые ди́ски. …

Exercise 38. Answer the questions in the past, using the verb *нрáвиться/понрáвиться.*

Model: – Почему́ ты хóчешь посмотрéть фильм ещё раз?
– Я хочу́ посмотрéть э́тот фильм ещё раз, потому́ что мне понрáвился э́тот фильм.

1. – Почему́ вы хоти́те ещё раз сходи́ть на э́ту *вы́ставку*?
2. – Почему́ вы совéтуете мне поéхать на кани́кулы в *Ярослáвль*?
3. – Почему́ ты совéтуешь нам прочитáть э́ту *кни́гу*?
4. – Почему́ *Андрей* купи́л э́ту *ку́ртку*?
5. – Почему́ твоя́ сестрá купи́ла такóй дорогóй *телефóн*?
6. – Почему́ отéц вы́брал э́ту *модéль автомаши́ны*?

Exercise 39. Complete the sentences as in the model.

Model: *Оте́ц* мно́го хо́дит пешко́м, *потому́ что ему́ нра́вится* ходи́ть пешко́м.

1. Мои́ друзья́ ча́сто хо́дят на дискоте́ку, …
2. Обы́чно я лета́ю на самолёте, …
3. Ка́ждое у́тро де́душка гуля́ет в па́рке, …
4. Ле́том на́ши роди́тели живу́т в дере́вне, …
5. Подру́ги ча́сто е́здят на экску́рсии в ра́зные города́, …
6. Моя́ сестра́ занима́ется не до́ма, а в библиоте́ке, …
7. Ка́ждую суббо́ту мы пла́ваем в бассе́йне, …
8. Вы изуча́ете иностра́нные языки́, …
9. Ты всегда́ спо́ришь, …

Я **люблю́** таку́ю му́зыку.

Мне **нра́вится** така́я му́зыка.

Exercise 40. Ask the questions and answer them as in the model.

Model: – Ты *лю́бишь* свою́ специа́льность?
– Да, *мне нра́вится* моя́ специальность.

– *Вы лю́бите* гуля́ть в лесу́?
– Да, *мне нра́вится* гуля́ть в лесу́.

1. Ты лю́бишь	ходи́ть пешко́м? ката́ться на велосипе́де? пла́вать в бассе́йне? игра́ть в футбо́л? чита́ть детекти́вы?
2. Вы лю́бите	зи́мнюю пого́ду? истори́ческие рома́ны? класси́ческую му́зыку? чёрный цвет?

Exercise 41. Ask the questions and answer them as in the model.

Model: – Како́й ваш люби́мый цвет?
– Я *люблю́* зелёный цвет. А вы?
– А мне *нра́вится* кра́сный цвет.

1. – Како́е ва́ше люби́мое вре́мя го́да?
2. – Како́й ваш люби́мый учёбный предме́т?
3. – Како́й твой люби́мый арти́ст?
4. – Кака́я твоя́ люби́мая телепереда́ча?
5. – Како́й твой люби́мый вид спо́рта?

Exercise 42. Make up questions.

1. – … ?
– Да, я люблю́ игра́ть в ша́хматы.
2. – … ?
– Да, мне о́чень нра́вится джаз.
3. – … ?
– Нет, мы не лю́бим ходи́ть в кино́.
4. – … ?
– Коне́чно, мы лю́бим детекти́вные фи́льмы.
5. – … ?
– Нет, нам не нра́вится сиде́ть в суббо́ту до́ма.
6. – … ?
– Нет, я не люблю́ футбо́л.
7. – … ?
– Да, мне нра́вится баскетбо́л.

The Dative Denoting Age

– Ско́лько **вам** лет? Ско́лько лет **ва́шему бра́ту**?
– **Мне** два́дцать оди́н год, а **моему́ бра́ту** два́дцать три го́да.

MEMORISE:

оди́н (21, 91,101) **год**
два, три, четыре (22, 23, 24) **го́да**
пять–два́дцать (25–100) лет

Exercise 43. Complete the sentences in writing, using the words *год, го́да* and *лет*.

1. Мне два́дцать ... . 2. Ему семна́дцать ... . 3. Ста́ршему бра́ту три́дцать три ... . 4. Мла́дшему бра́ту двена́дцать ... . 5. Мое́й ма́тери со́рок четы́ре ... . 6. Моему́ отцу́ пятьдеся́т оди́н ... . 7. Ми́ше девя́тнадцать ... . 8. Её мла́дшей сестре́ шесть ... . 9. Этой студе́нтке два́дцать три ... . 10. На́шему преподава́телю два́дцать де́вять ... .

Exercise 44. Complete the sentences.

1. Сейча́с мне 25 ... . Два го́да наза́д мне бы́ло 23 ... . Че́рез два го́да мне бу́дет 27 ... .

2. Анне 22 ... . Че́рез пять лет ей бу́дет 27 ... . Пять лет наза́д ей бы́ло 17 ... .

3. Моему́ отцу́ 45 ... . Когда́ я роди́лся, ему́ бы́ло 24 ... .

4. Андре́ю 21 ... . Когда́ он око́нчит университе́т, ему́ бу́дет 26 ... .

Exercise 45. Answer the questions.

1. Ско́лько вам лет? 2. Ско́лько лет ва́шей ма́тери? 3. Ско́лько лет ва́шему отцу́? 4. Ско́лько лет ва́шей се́стре? 5. Ско́лько лет ва́шему ста́ршему бра́ту? 6. Ско́лько лет э́тому челове́ку? 7. Ско́лько лет э́той де́вочке?

Exercise 46. Ask questions about the following sentences. Write down the questions about sentences 3, 4, 5.

Model: Оле́гу *два́дцать два го́да.*
Ско́лько *лет* Оле́гу?

1. Этому ма́льчику *двена́дцать лет.* 2. Его́ бра́ту *семна́дцать лет.* 3. Анне *два́дцать четы́ре го́да.* 4. Её сестре́ *два́дцать оди́н год.* 5. Этому студе́нту *восемна́дцать лет.* 6. Мне *два́дцать три го́да.* 7. Мое́й ста́ршей сестре́ *два́дцать пять лет.* 8. Мое́й ма́тери *со́рок пять лет.* 9. Моему́ отцу́ *пятьдеся́т два го́да.*

Exercise 47. Make up sentences. Write out the numbers in words.

Model:	Ни́на – 20 лет.	Михаи́л Ива́нович – 51 год.
	Ни́не два́дцать лет.	Михаи́лу Ива́новичу пятьдеся́т оди́н год.

1. Макси́м – 22 го́да. 2. Ири́на – 15 лет. 3. Серге́й Никола́евич – 37 лет. 4. Ни́на Петро́вна – 42 го́да. 5. Ле́на – 9 лет. 6. Воло́дя – 21 год. 7. Ве́ра Алексе́евна – 34 го́да.

Exercise 48. Answer the questions. Write down the answers.

1. Ско́лько вам бы́ло лет, когда́ вы научи́лись чита́ть? 2. Ско́лько вам бы́ло лет, когда́ вы поступи́ли в шко́лу? 3. Ско́лько вам бы́ло лет, когда́ вы око́нчили шко́лу? 4. Ско́лько вам бы́ло лет, когда́ вы на́чали изуча́ть ру́сский язы́к? 5. Ско́лько вам бу́дет лет, когда́ вы око́нчите университе́т? 6. Ско́лько лет бу́дет ва́шему дру́гу, когда́ он око́нчит университе́т?

Exercise 49. Use the required form of the words given on the right.

1 ... два́дцать лет.	мой друг
2. ... два́дцать четы́ре го́да.	э́тот студе́нт
3. ... два́дцать шесть лет.	моя́ ста́ршая сестра́
4. ... шестьдеся́т оди́н год.	наш профе́ссор
5. ... со́рок пять лет.	моя́ мать
6. ... пятьдеся́т лет.	мой оте́ц

Exercise 50. Use the required pronouns.

1. *Я* учу́сь в университе́те. ... девятна́дцать лет. 2. *Моя́ сестра́ Ни́на* то́же студе́нтка. ... два́дцать оди́н год. 3. *Моя́ мать* ещё молода́я. ... три́дцать де́вять лет. 4. *У меня́* есть де́душка. ... семьдеся́т четы́ре го́да. 5. Это *мой мла́дший брат*. ... шестна́дцать лет. 6. Это *твоя́* фотогра́фия? Ско́лько лет ... бы́ло тогда́? 7. Это *ва́ша дочь*? Ско́лько ... лет?

Exercise 51. A. Read the text, supplying the required pronouns.

На э́той фотогра́фии вы ви́дите на́шу семью́. В це́нтре сиди́т де́душка. ... (74 го́да). Сле́ва сиди́т мой оте́ц. ... (46 лет). Спра́ва сиди́т ма́ма. Она́ ещё молода́я. ... (39 лет). Это моя́ сестра́ Ни́на. ... (21 год). Ря́дом стои́т брат Игорь. ... (16 лет). А э́то я. Здесь ... (19 лет).

B. Tell about your family. Give the ago of every member of your family. Write down your story.

The Dative in Impersonal Sentences

Мне ещё **тру́дно говори́ть** по-ру́сски.
Нам ну́жно мно́го **занима́ться**.

Exercise 52. Make up antonymous sentences and write them down.

Model: Мне *легко́* изуча́ть ру́сский язы́к.
Мне *тру́дно* изуча́ть ру́сский язы́к.

1. Ей *тру́дно* изуча́ть ру́сский язы́к. 2. Вам *тру́дно* де́лать э́ту рабо́ту. 3. Нам *легко́* бы́ло учи́ть ру́сские слова́. 4. Тебе́ *легко́* бу́дет реша́ть э́ти зада́чи. 5. Ему́ *интере́сно* бы́ло чита́ть э́тот расска́з. 6. Мне *прия́тно* говори́ть об э́том.

Exercise 53. Use the words given on the right in the required case.

Model: … на́до купи́ть газе́ту. *Мне* на́до купи́ть газе́ту.	я
I. 1. ... на́до повтори́ть э́тот текст.	вы
2. ... на́до пойти́ в поликли́нику.	она́
3. ... на́до написа́ть э́ти упражне́ния.	мы
4. ... нельзя́ ходи́ть на лы́жах.	он
5. ... ну́жно купи́ть э́тот уче́бник.	студе́нт
6. ... нельзя́ кури́ть.	спортсме́н
7. ... нельзя́ выходи́ть на у́лицу.	де́вочка
8. ... на́до занима́ться спо́ртом.	де́ти́
II. 1. Мо́жно . .. взять ва́шу ру́чку? 2. Мо́жно … спроси́ть вас? 3. Мо́жно … взять ваш слова́рь? 4. Мо́жно ... вы́йти? 5. Мо́жно ... войти́?	я

Exercise 54. Answer the questions, using antonymous sentences for the answers.

Model: – Ему́ *мо́жно* мно́го рабо́тать?
– Ему́ *нельзя́* мно́го рабо́тать.

1. Вам мо́жно занима́ться спо́ртом? 2. Ей мо́жно ходи́ть на лы́жах?

3. Ва́шему отцу́ мо́жно кури́ть? 4. Ему́ мо́жно пить ко́фе? 5. Де́душке мо́жно встава́ть? 6. Ему́ мо́жно де́лать гимна́стику?

Exercise 55. Replace the word *до́лжен* by *на́до* and *ну́жно.*

Model: *Я до́лжен* прочита́ть э́ту кни́гу.
Мне на́до (ну́жно) прочита́ть э́ту кни́гу.

1. Я до́лжен пойти́ на по́чту. 2. Я до́лжен купи́ть ма́рки. 3. Они́ должны́ мно́го занима́ться. 4. Больно́й до́лжен идти́ в поликли́нику. 5. Я до́лжен позвони́ть сестре́. 6. Мой брат до́лжен сдава́ть экза́мены. 7. Все студе́нты должны́ купи́ть э́тот слова́рь. 8. Я до́лжен написа́ть письмо́ отцу́.

Exercise 56. Replace the verb *мочь* by the word *мо́жно.*

Model: *Вы мо́жете* не де́лать э́ту рабо́ту: вы её уже́ де́лали.
Вам мо́жно не де́лать э́ту рабо́ту: вы её уже́ де́лали.

1. В*ы мо́жете* идти́ отдыха́ть: вы уже́ ко́нчили рабо́ту. 2. *Она́ мо́жет* не покупа́ть слова́рь: у неё есть тако́й слова́рь. 3. *Вы мо́жете* не писа́ть э́то упражне́ние: вы уже́ писа́ли его́. 4. Врач сказа́л, что *она́ мо́жет* занима́ться спо́ртом: у неё хоро́шее здоро́вье. 5. *Вы мо́жете* не повторя́ть э́то пра́вило: вы его́ зна́ете. 6. *Они́ мо́гут* идти́ домо́й: уро́ки уже́ ко́нчились.

Сего́дня мне **на́до** Вчера́ мне **на́до бы́ло** За́втра мне **на́до бу́дет**	**пойти́** в поликли́нику.

! In the past and future tenses the verb *быть (бы́ло, бу́дет)* is placed after the words *на́до, ну́жно, мо́жно,* etc.

Exercise 57. Write out the sentences, replacing the present tense by the past.

Model: *Мне на́до* позвони́ть домо́й.
Мне на́до бы́ло позвони́ть домо́й.

1. *Вам на́до* прочита́ть одну́ статью́. 2. *Ей на́до* посла́ть домо́й телегра́мму. 3. *Ему́ нельзя́* занима́ться спо́ртом. 4. *Нам нетру́дно* изуча́ть ру́сский язык 5. *Мне интере́сно* чита́ть э́ту кни́гу. 6. *Нам прия́тно* ви́деть вас.

Exercise 58. Replace the present tense by the future.

Model: *Нам на́до* сдава́ть экза́мены.
Нам на́до бу́дет сдава́ть экза́мены.

1. *Вам ну́жно* купи́ть слова́рь. 2. *Тебе́ ну́жно* позвони́ть домо́й. 3. *Ему́ на́до* принима́ть лека́рство. 4. *Вам на́до* пойти́ в библиоте́ку. 5. *Мне ну́жно* пойти́ на по́чту.

Exercise 59. Answer the questions.

Model: – Вам слы́шно, что говори́т преподава́тель?
– Да, нам слы́шно.

1. Вам хорошо́ слы́шно, что я говорю́? 2. Всем хорошо́ слы́шно? 3. Вам ви́дно, что я пишу́ на доске́? 4. Всем хорошо́ ви́дно? 5. Мо́жет быть, вам пло́хо ви́дно отсю́да? 6. Вам удо́бно сиде́ть здесь? 7. Вам удо́бно писа́ть? 8. Мо́жет быть, вам неудо́бно сиде́ть здесь? 9. Мо́жет быть, вам пло́хо слы́шно? 10. Вам всё поня́тно? 11. Мо́жет быть, вам непоня́тно, что я чита́ю?

The Dative with the Preposition *к*

Я иду́ **к дру́гу**.
Ле́том Бори́с е́здил **к роди́телям**.

Exercise 60. Answer the questions.

1. Вы идёте к врачу́? 2. Вы идёте к больно́му това́рищу? 3. Де́вушки пойду́т за́втра в го́сти к подру́ге? 4. Вы ходи́ли вчера́ к своему́ дру́гу? 5. Ле́том вы пое́дете к роди́телям? 6. В воскресе́нье вы е́здили к друзья́м?

Exercise 61. Complete the sentences, using the words given on the right.

1. Сего́дня мне ну́жно пойти́	глазно́й врач
2. Ле́том я пое́ду	оте́ц и мать
3. Шко́льники ходи́ли в го́сти	их ста́рая учи́тельница
4. В суббо́ту мы пойдём в больни́цу	больно́й това́рищ
5. В кани́кулы Па́вел пое́дет в дере́вню	его́ ста́рший брат
6. А́нна пойдёт в го́сти	её лу́чшая подру́га

Exercise 62. Complete the sentences, using the words given on the right.

Model: Я иду́ .... | кабине́т, дире́ктор
Я иду́ *в кабине́т к дире́ктору.*

1. Я иду́	поликли́ника, зубно́й врач
2. По́сле уро́ков мы ходи́ли	лаборато́рия, наш профе́ссор
3. По́сле экза́мена она́ поe̋дет	да́ча, её ба́бушка
4. Ле́том он поe̋дет	дере́вня, его́ сестра́
5. В суббо́ту я е́здил	общежи́тие, мои́ друзья́
6. Вчера́ Игорь ходи́л	медици́нский институ́т, преподава́тель
7. Ле́том студе́нты е́здили	ро́дина, их роди́тели

– **К кому́ (ку́да)** вы ходи́ли вчера́?
– Вчера́ мы ходи́ли **к ста́рому дру́гу.**

Exercise 63. Answer the questions.

1. К кому́ вы идёте сейча́с? 2. К кому́ идёт э́та де́вушка? 3. К кому́ вы ходи́ли вчера́? 4. К кому́ вы пойдёте ве́чером? 5. К кому́ вы поe̋дете в суббо́ту? 6. К кому́ вы поe̋дете ле́том?

! In the dative the pronouns *он*, *она́* and *они́* take the form *к ней, к нему́* and *к ним* when preceded by a preposition.

Exercise 64. Supply the required pronouns.

Model: Здесь живёт *мой друг.* Я иду́ ... .
Здесь живёт мой друг. Я иду́ *к нему́.*

1. Это на́ша *студе́нтка Мари́я.* ... прие́хал её брат. 2. Я иду́ *к дру́гу.* Я обеща́л прийти́ ... в 3 часа́. 3. *Моя́ сестра́* лежи́т в больни́це. Вчера́ я ходи́л ... . 4. *Друзья́* пригласи́ли меня́ в го́сти. Я пое́ду ... в суббо́ту ве́чером. 5. *Мы* пригласи́ли ле́ктора. За́втра он придёт ... . 6. *Врач* сказа́л, что я до́лжен прийти́ ... в понеде́льник. 7. *Вы* помо́жете мне перевести́ статью́? Тогда́ я приду́ ... по́сле рабо́ты. 8. Вчера́ *у меня́* бы́ли го́сти. Они́ прие́хали ... в 6 часо́в.

Exercise 65. Make up questions to which the following sentences are the answers.

Model: Я ходи́л *в поликли́нику*. – *Куда́* вы ходи́ли?
Я ходи́л к врачу́. – *К кому́* вы ходи́ли?

1. Мы е́здили *в дере́вню*. Мы е́здили *к роди́телям*.
2. Студе́нт идёт *к профе́ссору*. Студе́нты иду́т *в лаборато́рию*.
3. Ле́том он пое́дет *в Ки́ев*. Он пое́дет *к свои́м друзья́м*.

Exercise 66. Insert the words given on the right.

1. Я подошёл ... и спроси́л, где ста́нция метро́.	незнако́мый челове́к
2. Де́вушка подошла́ ... и спроси́ла, где нахо́дится библиоте́ка.	мы
3. Мы подошли́ ... и купи́ли газе́ты и журна́лы.	кио́ск
4. Я подошёл ... и стал иска́ть в карма́не ключ.	дверь
5. Преподава́тель подошёл ... и на́чал писа́ть.	доска́
6. Я звони́л вам, но никто́ не подошёл	телефо́н
7. Ве́чером тури́сты подошли́	ма́ленькая дере́вня

Exercise 67. Insert the words given on the right. Use the preposition *к* wherever necessary.

1. Вчера́ оте́ц ходи́л ... . Оте́ц сказа́л … , что он стал пло́хо ви́деть	глазно́й врач
2. Я хочу́ показа́ть свои́ рису́нки ... . За́втра пое́ду	изве́стный худо́жник
3. Па́вел подошёл ... и пригласи́л её в теа́тр. Он купи́л биле́ты в теа́тр себе́ и	знако́мая де́вушка
4. Я написа́л ..., что ско́ро у нас бу́дут кани́кулы. Я ду́маю, что ле́том я пое́ду	роди́тели
5. В воскресе́нье мы пое́дем в го́сти ... . Мы уже́ звони́ли ... и сказа́ли им об э́том.	на́ши друзья́

The Dative with the Preposition *по*

Вчера́ мы **бы́ли на вы́ставке**.
Мы **ходи́ли по вы́ставке** це́лый час.

Exercise 68. Read the sentences and explain the difference between the meanings of the italicised words.

1. Студе́нты стоя́т *в коридо́ре*. Студе́нты иду́т *по коридо́ру*. 2. На́ша семья́ живёт *на э́той у́лице*. Оте́ц хо́дит на рабо́ту *по э́той у́лице*. 3. Вчера́ мы бы́ли *в музе́е*. Мы до́лго ходи́ли *по музе́ю*. 4. Вчера́ мы ходи́ли *в парк*. Мы гуля́ли *по па́рку*. 5. Мы бы́ли *на Кра́сной пло́щади*. Мы гуля́ли *по Кра́сной пло́щади*. 6. Университе́т нахо́дится *на центра́льной у́лице*. Этот авто́бус идёт *по центра́льной у́лице*.

Exercise 69. Complete the second sentence of each pair, using the italicised words of the first sentence.

1. *В Москву́* прие́хали мои́ роди́тели. Вчера́ мы гуля́ли ... . 2. *Эта у́лица* о́чень краси́вая. Я люблю́ гуля́ть ... . 3. В воскресе́нье мы бы́ли *в музе́е*. Мы до́лго ходи́ли ... . 4. Кто стои́т *в коридо́ре*? Кто идёт ... ? 5. Вчера́ мы бы́ли *в па́рке*. Весь ве́чер мы гуля́ли ... . 6. Мы бы́ли *в Моско́вском университе́те*. Мы ходи́ли ... и смотре́ли, как там живу́т и у́чатся студе́нты.

Exercise 70. Complete the sentences, using the words given in brackets.

Model: Я люблю́ гуля́ть ... (го́род).
Я люблю́ гуля́ть *по го́роду*.

1. Этот худо́жник мно́го е́здил ... (страна́). 2. – Скажи́те, пожа́луйста, где библиоте́ка? – Снача́ла иди́те пря́мо ... (коридо́р), пото́м поверни́те нале́во. 3. – Вы до́лго бы́ли на экску́рсии на заво́де? – Да, мы ходи́ли ... (заво́д) два часа́. 4. – Где ближа́йшая ста́нция метро́? – На́до идти́ пря́мо ... (э́та у́лица). 5. Когда́ я ду́маю, я обы́чно хожу́ ... (ко́мната). 6. Он лю́бит гуля́ть ... (го́род).

Сейча́с у нас бу́дет **ле́кция по и́стории**.

MEMORISE!

ле́кция заня́тие консульта́ция экза́мен контро́льная рабо́та кни́га тетра́дь	по фи́зике по margin математи́ке по литерату́ре по ру́сскому языку́…

Exercise 71. Answer the questions.

1. Вы слу́шаете *ле́кции по исто́рии*? 2. Вам понра́вилась ле́кция *по литерату́ре*? 3. У вас была́ контро́льная рабо́та *по францу́зскому языку́*? 4. Когда́ у вас бу́дет экза́мен *по ру́сскому языку́*? 5. У вас есть тетра́дь *по матема́тике*? 6. Вы пойдёте на консульта́цию *по биоло́гии*? 7. У вас бу́дет за́втра ле́кция *по геогра́фии*?

– **Каки́е кни́ги** нам на́до купи́ть?
– Вам на́до купи́ть кни́ги **по геогра́фии**.

Exercise 72. Answer the questions, using the words given on the right.

1. Како́й экза́мен вы бу́дете сдава́ть за́втра?	исто́рия
2. Каку́ю ле́кцию вы слу́шали вчера́?	хи́мия
3. Каки́е кни́ги вам на́до купи́ть?	англи́йский язы́к
4. Каку́ю тетра́дь вы и́щете?	фи́зика
5. Каки́е кни́ги вам на́до взять в библиоте́ке?	матема́тика
6. Каку́ю контро́льную рабо́ту вы писа́ли сего́дня?	ру́сский язы́к
7. На каку́ю ле́кцию вы идёте?	биоло́гия
8. На каку́ю консульта́цию вы ходи́ли вчера́?	литерату́ра

MEMORISE!

посыла́ть присыла́ть	по по́чте по фа́ксу	слу́шать передава́ть сообща́ть выступа́ть	по ра́дио
смотре́ть пока́зывать	по телеви́зору		
		звони́ть говори́ть	по телефо́ну

Exercise 73. Answer the questions.

1. Кому́ вы хоти́те позвони́ть по телефо́ну? 2. Вы мо́жете присла́ть мне э́ту кни́гу по по́чте? 3. О чём сообщи́ли вчера́ ве́чером по ра́дио? 4. Вы смотре́ли э́тот бале́т в теа́тре и́ли по телеви́зору? 5. Что сейча́с передаю́т по ра́дио? 6. Что пока́зывают по телеви́зору? 7. Как ты лю́бишь смотре́ть фи́льмы – в кинотеа́тре и́ли по телеви́зору?

Exercise 74. Complete the sentences, using the words *по по́чте, по ра́дио, по телеви́зору, по телефо́ну.*

1. Мы смотре́ли э́тот фильм не в кинотеа́тре, а ... . 2. Мы слу́шали конце́рт ... . 3. На́до посла́ть э́ти журна́лы ... . 4. Вчера́ ... пока́зывали бале́т. 5. – Где Анна? – Она́ в сосе́дней ко́мнате, говори́т ... .

THE CENTIVE CASE

The Genitive in Negative Sentences with the Words *нет, не́ было, не бу́дет* Nouns in the Genitive Singular

---

У меня́ **нет магнитофо́на**.
У нас **нет маши́ны**.

Exercise 1. Answer the questions in the negative and the affirmative.

Model: – У вас *нет карандаша́*?
– Нет. *У меня́ нет карандаша́.*
– У *меня́ есть каранда́ш.*

I. 1. У вас нет журна́ла? 2. У вас нет магнитофо́на? 3. У тебя́ нет конве́рта? 4. У вас нет словаря́? 5. У вас нет уче́бника? 6. У них нет телеви́зора? 7. У тебя́ нет календаря́? 8. У неё нет бра́та? 9. У них нет сы́на?

II. 1. У вас нет кни́ги? 2. У вас нет ма́рки? 3. У тебя́ нет тетра́ди? 4. У тебя́ нет ру́чки?

В на́шем го́роде **нет теа́тра**.

Exercise 2. Answer the questions, as in the model.

Model: – На э́той у́лице *нет кинотеа́тра*?
– На э́той у́лице *есть кинотеа́тр.*

1. В ва́шем го́роде нет *стадио́на*?
2. В ва́шем доме нет *ли́фта*?
3. В ва́шей кварти́ре нет *телефо́на*?

4. В э́той дере́вне нет *шко́лы*?
5. На э́той у́лице нет *апте́ки*?
6. В на́шем университе́те нет *библиоте́ки*?
7. В э́том райо́не нет *гости́ницы*?

	Nominative К т о ? Ч т о ?	Dative К о г о́ ? Ч е г о́ ?	Ending
Masculine	студе́нт журна́л преподава́тель слова́рь музе́й	студе́нт**а** журна́л**а** преподава́тел**я** словар**я́** музе́**я**	**-а** **-я**
Neuter	письмо́ мо́ре зда́ние	письм**а́** мо́р**я** зда́ни**я**	**-а** **-я**
Feminine	сестра́ студе́нтка семья́ тетра́дь ста́нция	сестр**ы́** студе́нтк**и** семь**и́** тетра́д**и** ста́нци**и**	**-ы** **-и** **-и**

Exercise 3. Answer the questions, as in the model.

Model: – У вас *есть телефо́н?*
– У меня́ *нет телефо́на.*

1. У вас *есть слова́рь*? 2. У вас *есть фотоаппара́т*? 3. У тебя́ *есть компью́тер*? 4. У них *есть телеви́зор*? 5. У неё *есть уче́бник исто́рии*? 6. У них сего́дня *собра́ние*? 7. У них *есть сего́дня экза́мен*?

Exercise 4. Answer the questions in the negative. Write down your answers.

1. У тебя́ есть ру́чка? 2. У тебя́ есть лине́йка? 3. У тебя́ есть тетра́дь? 4. У них есть ло́дка? 6. У них есть да́ча? 7. У него́ есть сестра́? 7. У них есть дочь? 8. У неё есть подру́га?

Exercise 5. Make up questions and answers, as in the model.

Model: – У вас (у тебя́) *есть каранда́ш*?
– У нас (у меня́) *нет карандаша́.*

Учéбник, ру́чка, бума́га, конвéрт, ма́рка, маши́на, газéта, рабо́та, кварти́ра, компью́тер, холоди́льник

Exercise 6. Answer the questions in the negative, replacing the proper names by pronouns.

Model: – У *Бори́са* есть *маши́на*?
– Нет, *у него́* нет *маши́ны.*

1. *У Сергéя* есть *магнитофо́н*? 2. *У Вади́ма* есть *кинока́мера*? 3. *У Мари́ны* есть *телефо́н*? 4. *У Ли́ды* есть *фотоаппара́т*? 5. *У Анто́на* есть *семья́*? 6. *У Ольги* есть *сын*? 7. *У Ни́ны* есть *дочь*?

Exercise 7. Complete the sentences.

Model: У Гали́ны *есть семья́*, а у Елéны … .
У Гали́ны есть семья́, а у Елéны *нет семьи́.*

1. У меня́ *есть сестра́*, а у Ви́ктора … .
2. У бра́та *есть компью́тер*, а у меня́ … .
3. У нас *есть маши́на*, а у сосéда … .
4. В на́шем до́ме *есть лифт*, а в сосéднем до́ме … .
5. На сосéдней у́лице *есть по́чта*, а на на́шей у́лице … .
6. На пéрвом этажé *есть буфéт*, а на второ́м этажé … .

<table>
<tr><td>У вас был уро́к?</td><td rowspan="3">У нас нé было</td><td>уро́ка.</td></tr>
<tr><td>У вас была́ лéкция?</td><td>лéкции.</td></tr>
<tr><td>У вас бы́ло собра́ние?</td><td>собра́ния.</td></tr>
</table>

Exercise 8. Make up phrases, as in the model.

Model: (a) *нé было уро́ка*
(b) *нé было лéкции*

(a) экза́мен, зачёт, концéрт, переры́в, вéчер, собра́ние, заня́тие
(b) экску́рсия, консульта́ция, встрéча, репети́ция
(c) фи́зика, матема́тика, хи́мия, биоло́гия, геогра́фия, исто́рия, литерату́ра

Exercise 9. Answer the questions in the negative.

Model: Вчера́ у вас была́ консульта́ция?
Вчера́ у нас *не́ было консульта́ции.*

1. Сего́дня у вас была́ матема́тика? 2. Вчера́ у вас была́ литерату́ра? 3. В воскресе́нье у вас была́ экску́рсия? 4. Вчера́ в клу́бе была́ ле́кция? 5. В суббо́ту в клу́бе был конце́рт? 6. У вас был экза́мен? 7. У них бы́ло собра́ние?

У вас **бу́дет уро́к**?	У нас **не бу́дет**	**уро́ка.**
У вас **бу́дет ле́кции**?		**ле́кции.**
У вас **бу́дет собра́ние**?		**собра́ния.**

Exercise 10. Answer the questions in the negative.

1. За́втра у вас бу́дет уро́к ру́сского языка́? 2. За́втра у них бу́дет ле́кция по литерату́ре? 3. За́втра у нас бу́дет экза́мен по исто́рии? 4. В сре́ду у нас бу́дет собра́ние? 5. В суббо́ту у нас в клу́бе бу́дет конце́рт? 6. В воскресе́нье у нас бу́дет экску́рсия в музе́й? 7. В четве́рг у вас бу́дет консульта́ция по грамма́тике? 8. В суббо́ту бу́дет дискоте́ка?

Exercise 11. Answer the questions, as in the model, using the words given below. Write down your answers.

Model: – Почему́ вы не пи́шете?
– Я не пишу́, потому́ что *у меня́ нет ру́чки.*

1. Почему́ он не пригото́вил дома́шнее зада́ние? 2. Почему́ вы не купи́ли э́ту вещь? 3. Почему́ он не́ был вчера́ в теа́тре? 4. Почему́ она́ не была́ на ве́чере? 5. Почему́ вы не прочита́ли э́ту статью́? 6. Почему́ вы не посмотре́ли слова́ в словаре́? 7. Почему́ вы не но́сите кни́ги и тетра́ди в портфе́ле? 8. Почему́ э́ти студе́нты сейча́с в столо́вой, а не на уро́ке? 9. Почему́ ты не отпра́вил письмо́? 10. Почему́ она́ несёт проду́кты не в су́мке, а в рука́х? 11. Почему́ он не посмотре́л текст в Интерне́те?

Words to be used in the answers: уче́бник, биле́т, вре́мя (gen. вре́мени), слова́рь, портфе́ль, журна́л, де́ньги (gen. де́нег), уро́к, конве́рт, компью́тер, су́мка.

Personal Pronouns in the Genitive

– Бори́с до́ма?
– **Бори́са нет** до́ма.

– Он на уро́ке?
– **Его́ нет** на уро́ке.

Меня́ **Тебя́** **Его́** **Её** **Нас** **Вас** **Их**	**нет** **не́ было** **не бу́дет**	до́ма. на рабо́те. в клу́бе. в университе́те

Exercise 12. Answer the questions in the negative. Write down your answers.

Model: – *Он* сейча́с на уро́ке?
– Нет, *его́ нет* на уро́ке.

1. *Он* сейча́с до́ма? 2. *Он* в университе́те? 3. *Она́* сейча́с в кла́ссе? 4. *Она́* в библиоте́ке? 5. *Они́* сейча́с в столо́вой? 6. *Они́* в аудито́рии? 7. *Они́* на стадио́не?

Exercise 13. Answer the questions, as in the model.

Model: – Ви́ктор сейча́с в кла́ссе?
– Нет, *Ви́ктора* сейча́с *нет* в кла́ссе.
(– Нет, *его́* сейча́с *нет* в кла́ссе.)

1. Бори́с сейча́с в общежи́тии? 2. Анна сейча́с в университе́те? 3. Врач сейча́с в кабине́те? 4. Ве́ра в библиоте́ке? 5. Бори́с сейча́с на ле́кции? 6. Ва́ша сестра́ сейча́с до́ма? 7. Оте́ц на рабо́те? 8. Мать до́ма?

Exercise 14. Answer the questions, replacing the italicised words by personal pronouns.

Model: – *Игорь был* сего́дня на ле́кции?
– Нет, *его́ не́ было* сего́дня на ле́кции.

1. *Мари́я была́* на ле́кции? 2. Вчера́ ве́чером *Анна была́* до́ма? 3. Вчера́ *ваш друг был* до́ма? 4. Утром *вы бы́ли* на рабо́те? 5. В суббо́ту *ва́ши роди́тели бы́ли* до́ма? 6. Сего́дня *Ви́ктор был* на уро́ке?

Exercise 15. Complete the sentences, as in the model.

Model: (a) Анна больна́, ... (уро́к).
Анна больна́, поэ́тому *её нет* (*не́ было*, *не бу́дет*) на уро́ке.

1. Вади́м бо́лен, ... (ле́кция).
2. Ни́на и Андре́й уе́хали, ... (заня́тие).
3. Ли́да больна́, ... (рабо́та).
4. Бори́с и Ле́на в санато́рии, ... (Москва́).

Model: (b) Я звони́л *вам*, но ... (до́ма).
Я звони́л вам, но *вас не́ было до́ма*.

1. Мы звони́ли *тебе́*, но ... (рабо́та).
2. Я хоте́л пригласи́ть *вас* на конце́рт, но ... (университе́т).
3. Ко *мне* приходи́ли друзья́, ... (до́ма).
4. Я звони́л *ему́*, но ... (кабине́т).
5. Я хоте́л верну́ть *тебе́* кни́гу, но … (аудито́рия).

Adjectives Demonstrative and Possessive Pronouns in the Genitive Singular

– У вас есть э́тот уче́бник?
– У меня́ **нет э́того уче́бника**.

– У вас есть э́та кни́га?
– У меня́ **нет э́той кни́ги**.

Exercise 16. Answer the questions in the negative.

1. У вас есть *э́тот* журна́л? 2. У вас есть *э́тот* слова́рь? 3. У вас есть *э́та* газе́та? 4. У него́ есть *э́та* откры́тка? 5. У неё есть *э́тот* уче́бник? 6. У неё есть *э́та* фотогра́фия? 7. У вас в библиоте́ке есть *э́та* кни́га? 8. У вас в колле́кции есть *э́та* ма́рка?

Exercise 17. Answer the questions in the affirmative and the negative, replacing the italicised phrases by personal pronouns.

Model: – *У ва́шей сестры́* есть сын?
– Да, *у неё* есть сын.
(– Нет, *у неё* нет сы́на).

1. *У ва́шего това́рища* есть маши́на? 2. *У на́шего преподава́теля* есть э́та кни́га? 3. *У на́шей преподава́тельницы* есть э́тот учёбник? 4. *У твоего́ дру́га* есть семья́? 5. *У э́того студе́нта* есть друг? 6. *У э́той студе́нтки* есть подру́га? 7. *У ва́шего бра́та* есть дочь? 8. *У ва́шей сестры́* есть сын? 9. *У ва́шей подру́ги* есть брат?

– **У кого́** есть магнитофо́н?
– **У моего́ бра́та** есть магнитофо́н.

Exercise 18. Answer the questions, using the words given on the right.

1. У кого́ есть но́вый учёбник?	э́тот студе́нт и э́та студе́нтка
2. У кого́ есть ру́сско-италья́нский слова́рь?	наш преподава́тель
3. У кого́ есть вчера́шние газе́ты?	на́ша сосе́дка
4. У кого́ есть биле́ты в теа́тр?	мой сосе́д Андре́й
5. У кого́ есть маши́на?	мой друг Никола́й
6. У кого́ есть велосипе́д?	мой мла́дший брат Игорь

Exercise 19. Answer the questions. Write down the answers.

1. У кого́ есть сего́дняшняя газе́та? 2. У кого́ есть ли́шний биле́т в теа́тр? 3. У кого́ есть тако́й учёбник? 4. У кого́ есть кра́сный каранда́ш? 5. У кого́ есть чи́стая тетра́дь? 6. У кого́ есть новогóдняя откры́тка? 7. У кого́ есть де́ньги?

Exercise 20. Make up questions, as in the model.

Model: чи́стый конве́рт
– У кого́ есть чи́стый конве́рт?

Англо-ру́сский слова́рь, но́вое расписа́ние, учёбник ру́сского языка́, свобо́дное вре́мя, лишни́е де́ньги, чи́стая тетра́дь, со́товый телефо́н.

– У вас есть но́вый уче́бник?
– У меня́ **нет но́вого уче́бника.**

– У тебя́ есть больша́я су́мка?
– У меня́ **нет большо́й су́мки.**

Exercise 2l. Answer the questions, as in the model.

Model: – У вас нет чи́стого конве́рта?
– Нет, у меня́ нет чи́стого конве́рта.

I. 1. У вас нет ру́сско-испа́нского словаря́? 2. У вас нет после́днего журна́ла «Но́вый мир»? 3. У вас нет спорти́вного костю́ма? 4. У вас нет ли́шнего биле́та? 5. У вас в ко́мнате нет кни́жного шка́фа? 6. У вас нет мла́дшего бра́та? 7. У вас нет свобо́дного вре́мени сего́дня?

II.1. У вас нет чи́стой тетра́ди? 2. У него́ нет сего́дняшней газе́ты? 3. У тебя́ нет э́той францу́зской ма́рки? 4. У тебя́ нет кра́сной ру́чки? 5. У тебя́ нет мла́дшей сестры́? 6. У вас нет тако́й фотогра́фии?

Exercise 22. Answer the questions in the negative. Write down the answers.

Model: – У вас есть после́дний журна́л?
– У меня́ *нет после́днего журна́ла.*

1. У вас есть си́ний каранда́ш? 2. У неё есть а́нгло-ру́сский слова́рь? 3. У него́ есть большо́й чемода́н? 4. У вас есть спорти́вный велосипе́д? 5. У вас есть сего́дня свобо́дное вре́мя? 6. У нас есть сего́дня дома́шнее зада́ние? 7. У них есть большо́й телеви́зор?

Exercise 23. Answer the questions in the negative.

1. У вас есть но́вый уче́бник? 2. У ва́шего преподава́теля есть ру́сско-англи́йский слова́рь? 3. У ва́шей преподава́тельницы есть э́та кни́га? 4. У Па́вла есть сего́дняшняя газе́та? 5. У вас есть сейча́с свобо́дное вре́мя? 6. У вас есть ли́шний биле́т в теа́тр? 7. У ва́шего дру́га есть ста́рший брат? 8. У э́той деву́шки есть мла́дшая сестра́?

Exercise 24. Complete the sentences, using the words given on the right.

1. В э́том го́роде нет … .	о́перный теа́тр, ботани́ческий са́д, истори́ческий музе́й
2. На э́той у́лице нет … .	авто́бусная остано́вка, кни́жный магази́н
3. В э́том университе́те нет … .	студе́нческий клуб, медици́нский факульте́т
4. В э́той библиоте́ке нет … .	чита́льный зал
5. На э́том эта́же нет … .	больша́я аудито́рия

Exercise 25. Answer the questions in the negative, using the words given on the right.

1. Кого́ нет на уро́ке?	Ни́на и Бори́с
2. Кого́ сего́дня не́ было на уро́ке фоне́тики?	Андре́й и Анна
3. Кого́ нет на заня́тии?	больно́й студе́нт
4. Кого́ не́ было на экза́мене?	но́вая студе́нтка
5. Кого́ вчера́ не́ было в теа́тре?	мой друг
6. Кого́ не́ было на собра́нии?	оди́н преподава́тель

The Genitive with the Numerals *два (две), три, четы́ре*

Masculine and Neuter		Feminine	
два **три** **четы́ре**	уче́бника письма́ словаря́ упражне́ния	**две** **три** **четы́ре**	сестры́ кни́ги ста́нции

! Nouns used with the numerals *два, три, четы́ре* and with compound numerals whose last component is *два, три* or *четы́ре (два́дцать два, три́дцать четы́ре, пятьдеся́т три, сто два*, etc.) take the genitive singular.

Exercise 26. Make up phrases, as in the model.

Model: два студе́нта, два бра́та, два журна́ла...
две студе́нтки, две газе́ты, две тетра́ди...

1. два – брат, друг, студе́нт, челове́к, сын, журнали́ст, арти́ст, инжене́р, писа́тель, покупа́тель, зри́тель, преподава́тель

2. две – сестра́, студе́нтка, арти́стка, подру́га; кни́га, су́мка, па́пка, ру́чка; ча́шка, ло́жка, ви́лка, буты́лка, руба́шка, ша́пка

3. три – конве́рт, ма́рка, биле́т, слова́рь, ле́кция, каранда́ш, вопро́с, газе́та, тетра́дь

4. четы́ре – ко́мната, дом, окно́, стул, карти́на, ла́мпа, шкаф, кре́сло, стол, по́лка, телеви́зор, ва́за, дива́н

Exercise 27. Answer the questions, as in the model.

Model: – У вас есть уче́бники фи́зики?
– Да, у меня́ есть *два уче́бника* фи́зики.

1. У вас есть журна́лы? 2. У него́ есть уче́бники матема́тики? 3. У вас есть словари́? 4. У вас есть конве́рты и ма́рки? 5. У вас есть вопро́сы? 6. У вас есть биле́ты на конце́рт? 7. У вас есть друзья́? 8. У неё есть подру́ги? 9. У вас есть бра́тья? 10. У него́ есть сёстры?

Exercise 28. Answer the questions, as in the model.

Model: – У вас в ко́мнате одно́ окно́? (2)
– Нет, у меня́ в ко́мнате *два окна́*.

1. У вас в ко́мнате оди́н стол? (2) 2. У вас оди́н магнитофо́н? (2) 3. У вас оди́н биле́т в кино́? (4) 4. У нас сего́дня одна́ ле́кция? (2) 5. У неё оди́н брат? (3) 6. У него́ одна́ сестра́? (2) 7. У вас в го́роде оди́н кинотеа́тр? (3) 8. На э́той у́лице оди́н магази́н? (3) 9. В э́том го́роде одна́ гости́ница? (4)

Exercise 29. Complete the sentences, using the words given on the right. Write out sentences 1, 2, 3, 4 and 5.

1. В моéй ко́мнате четы́ре ... , два ... и две	стул, стол, ла́мпа
2. В э́том до́ме три	эта́ж
3. Я изуча́ю ру́сский язы́к четы́ре	ме́сяц
4. Я взял в библиоте́ке две ... и два	кни́га, журна́л
5. У меня́ два ... и две	брат, сестра́
6. Он купи́л два ... в кино́.	биле́т
7. Мы уже́ бы́ли в Москве́ два	раз
8. Эта кни́га сто́ит девяно́сто три	рубль
9. На уро́ке мы прочита́ли два	расска́з
10. Друг подари́л мне три	диск
11. Я чита́л э́ту кни́гу четы́ре	день

12. Экза́мены бу́дут че́рез три	неде́ля
13. Сего́дня мой сосе́д получи́л два	письмо́
14. В на́шей гру́ппе три ... и четы́ре	студе́нтка, студе́нт
15. В э́той кни́ге сто две	страни́ца

Nouns in the Genitive Plural
The Genitive with the Words *мно́го, ма́ло, ско́лько, не́сколько, немно́го* and Cardinal Numerals

– **Ско́лько факульте́тов** в ва́шем университе́те?
– В на́шем университе́те **во́семь факульте́тов**.

– **Ско́лько страни́ц** в э́той кни́ге?
– В э́той кни́ге **сто три́дцать страни́ц**.

! Nouns used with the cardinal numerals *пять, шесть*, etc. and with the words *ско́лько, не́сколько, мно́го, ма́ло, немно́го*, etc. take the genitive plural.

Masculine				
Singular	Nominative Plural Кто? Что?	Genitive Plural Кого́? Чего́?		Ending
студе́нт	студе́нт**ы**		студе́нт**ов**	**-ов**
журна́л	журна́л**ы**		журна́л**ов**	
геро́й	геро́**и**		геро́**ев**	**-ев**
трамва́й	трамва́**и**		трамва́**ев**	
ме́сяц	ме́сяц**ы**		ме́сяц**ев**	
брат	бра́т**ья**	**пять**	бра́ть**ев**	
стул	сту́л**ья**	**сто**	сту́ль**ев**	
слова́рь	словар**и́**	**мно́го**	словар**е́й**	**-ей**
врач	врач**и́**		врач**е́й**	
эта́ж	этаж**и́**		этаж**е́й**	
каранда́ш	карандаш**и́**		карандаш**е́й**	
това́рищ	това́рищ**и**		това́рищ**ей**	

Exercise 30. Answer the questions, as in the model.

Model: – Ско́лько домо́в на э́той у́лице? (15)
– На э́той у́лице *пятна́дцать домо́в*.

1. Ско́лько студе́нтов в на́шей гру́ппе? (6) 2. Ско́лько преподава́телей на э́том факульте́те? (9) 3. Ско́лько бра́тьев у ва́шего дру́га? (5) 4. Ско́лько враче́й в э́той поликли́нике? (40) 5. Ско́лько друзе́й у вас в университе́те? (5) 6. Ско́лько сту́льев в э́той ко́мнате? (8) 7. Ско́лько уче́бников вы взя́ли в библиоте́ке? (6)

Exercise 31. Put the words given below in the genitive.

Model: костю́м – костю́мы – два костю́ма – мно́го костю́мов
слова́рь – словари́ – два словаря́ – мно́го словаре́й
стул – сту́лья – два сту́ла – мно́го сту́льев

Авто́бус, уче́бник, врач, брат, друг, слова́рь, сту́дент, преподава́тель, журна́л, зал, дом, го́род, трамва́й, стул, экза́мен, эта́ж, рубль, язы́к, биле́т, вопро́с, каранда́ш, ме́сяц, писа́тель, день, гость.

Exercise 32. Answer the questions, as in the model.

Model: – Вы зна́ете, *ско́лько студе́нтов* в ва́шей гру́ппе?
– Да, я зна́ю, *ско́лько студе́нтов* в на́шей гру́ппе.

1. Вы зна́ете, ско́лько студе́нтов у́чится в ва́шем университе́те? 2. Вы зна́ете, ско́лько преподава́телей рабо́тает на ва́шем факульте́те? 3. Вы зна́ете, ско́лько враче́й рабо́тает в э́той поликли́нике? 4. Вы зна́ете, ско́лько столо́в и сту́льев в на́шей аудито́рии? 5. Вы зна́ете, ско́лько стадио́нов в э́том го́роде? 6. Вы зна́ете, ско́лько этаже́й в э́том зда́нии? 7. Вы зна́ете, ско́лько музе́ев и теа́тров в э́том го́роде?

Neuter				
Singular	Nominative Plural Что?	Genitive Plural Чего́?		Ending
сло́во окно́ число́ зда́ние мо́ре де́рево	слов**а́** о́кн**а** чи́сл**а** зда́ни**я** мор**я́** дере́вь**я**	**пять** **сто** **мно́го**	слов о́к**о**н чи́с**е**л зда́н**ий** мор**е́й** дере́вь**ев**	– – – **-ий** **-ей** **-ев**

> **!** In the genitive plural of a number of words there appears an unstable vowel **о** or **е**: *сýмок, дéвочек*.

Exercise 33. Put the words given below in the genitive.

Model: мéсто – местá – два мéста – мнóго мест.
упражнéние – упражнéния – два упражнéния – мнóго упражнéний

Слóво, крéсло, упражнéние, задáние, предложéние, окончáние, общежúтие, пóле, мóре, окнó, письмó, исключéние, я́блоко, óзеро, зéркало, прáвило, числó.

Exercise 34. Answer the questions, as in the model.

Model: – В э́том предложéнии *четы́ре слóва*? (5)
– Нет, в э́том предложéнии *пять слов*.

1. Вы написáли четы́ре письмá? (5) 2. Вы написáли четы́ре упражнéния? (5) 3. В зáле четы́ре окнá? (6) 4. В кóмнате четы́ре крéсла? (6) 5. На блю́де четы́ре я́блока? (5).

Feminine				
Singular	Nominative Plural Кто? Что?	Genitive Plural Когó? Чегó?		Ending
кнúга	кнúги		книг	–
подрýга	подрýги		подрýг	–
пóлка	пóлки	**пять**	пóл**ок**	–
рýчка	рýчки	**сто**	рýч**ек**	–
дéвушка	дéвушки	**мнóго**	дéвуш**ек**	–
стáнция	стáнции		стáнц**ий**	**-ий**
плóщадь	плóщади		площад**éй**	**-ей**

Exercise 35. Put the words given below in the genitive.

Model: странá – стрáны – две страны́ – мнóго стран.
лéкция – лéкции – две лéкции – мнóго лéкций
дочь – дóчери – две дóчери – мнóго дочерéй

Кни́га, ла́мпа, ру́чка, ле́кция, ста́нция, консульта́ция, опера́ция, поликли́ника, у́лица, пло́щадь, гости́ница, апте́ка, ча́шка, ви́лка, де́вушка, таре́лка, столи́ца, библиоте́ка, дочь, мать, газе́та, тетра́дь, ка́рта, конфе́та, страни́ца, неде́ля, зада́ча, фа́брика, апте́ка.

Exercise 36. Answer the questions.

1. Ско́лько кни́г на ру́сском языке́ вы прочита́ли? 2. Ско́лько страни́ц в э́той кни́ге? 3. Ско́лько ко́мнат в ва́шей кварти́ре? 4. Ско́лько аудито́рий на э́том этаже́? 5. Ско́лько де́вушек у́чится в ва́шей гру́ппе? 6. Ско́лько оши́бок вы сде́лали в дикта́нте? 7. Ско́лько зада́ч мы должны́ реши́ть?

Exercise 37. Answer the questions. Write down the answers.

1. Ско́лько университе́тов в ва́шем го́роде? 2. Ско́лько факульте́тов в ва́шем университе́те? 3. Ско́лько групп на ва́шем факульте́те? 4. Ско́лько де́вушек в ва́шей гру́ппе? 5. Ско́лько ле́кций вы слу́шаете ка́ждый день? 6. Ско́лько у вас бу́дет экза́менов? 7. Ско́лько преподава́телей рабо́тает в ва́шей гру́ппе?

Ско́лько	мину́т часо́в дней ме́сяцев лет

Exercise 38. Answer the questions.

1. Ско́лько часо́в вы занима́етесь ка́ждый день? (6) 2. Ско́лько часо́в вы спи́те? (8) 3. Ско́лько дней вы бы́ли в Москве́? (12) 4. Ско́лько ме́сяцев ваш друг изуча́л ру́сский язы́к? (8) 5. Ско́лько дней боле́л ваш това́рищ? (9) 6. Ско́лько дней вы чита́ли э́ту кни́гу? (3) 7. Ско́лько мину́т вы говори́ли по телефо́ну? (15) 8. Ско́лько лет вы учи́лись в шко́ле? (10)

Exercise 39. Answer the questions.

1. Ско́лько вре́мени вы занима́етесь ка́ждый день? (6, час) 2. Ско́лько вре́мени вы гото́вите дома́шнее зада́ние? (3, час) 3. Ско́лько вре́мени вы чита́ли э́ту кни́гу? (5, день) 4. Ско́лько вре́мени вы отдыха́ли в дере́вне? (10, день) 5. Ско́лько вре́мени он был в Москве́? (3, неде́ля) 6. Ско́лько вре́мени боле́л ваш това́рищ? (2, неде́ля) 7. Ско́лько вре́мени вы изуча́ете ру́сский язы́к? (6, ме́сяц)

8. Ско́лько вре́мени вы бу́дете отдыха́ть ле́том? (2, ме́сяц) 9. Ско́лько вре́мени ва́ша семья́ живёт в э́том го́роде? (20, год) 10. Ско́лько вре́мени вы у́читесь в университе́те? (3, год)

Exercise 40. Make up phrases, as in the model.

Model: буты́лка – молоко́, кефи́р
буты́лка молока́, буты́лка кефи́ра

1. буты́лка – вода́, сок, вино́, пи́во, ма́сло
2. стака́н – чай, ко́фе, молоко́, кефи́р, лимона́д, сок, вода́
3. килогра́мм – хлеб, ма́сло, мя́со, са́хар, соль, ры́ба, сыр, конфе́ты, я́блоки
4. кусо́к – хлеб, са́хар, торт, мя́со, ма́сло, сыр, мел, мы́ло

– Ско́лько сто́ит э́тот календа́рь?
– Этот календа́рь сто́ит **со́рок рубле́й.**

– Ско́лько сто́ят э́ти часы́?
– Эти часы́ сто́ят **три́ста девяно́сто четы́ре рубля́**.

Exercise 41. Ask the questions and answer them.

Model: – Ско́лько сто́ит паке́т молока́? (30, рубль)
– Паке́т молока́ сто́ит три́дцать рубле́й.

1. Ско́лько сто́ит паке́т со́ка? (28, рубль)
2. Ско́лько сто́ит буты́лка ма́сла? (41, рубль)
3. Ско́лько сто́ит па́чка сигаре́т? (25, рубль)
4. Ско́лько сто́ит ба́нка пи́ва? (22, рубль)
5. Ско́лько сто́ит коро́бка конфе́т? (84, рубль)
6. Ско́лько сто́ят спи́чки? (5, рубль)

Exercise 42. Ask the price of these things and answer the questions.

Model: – Ско́лько сто́ит ма́рка?
– Ма́рка сто́ит три рубля́.

Что?	Ско́лько?
до́ллар фунт франк е́вро	до́лларов фу́нтов фра́нков е́вро

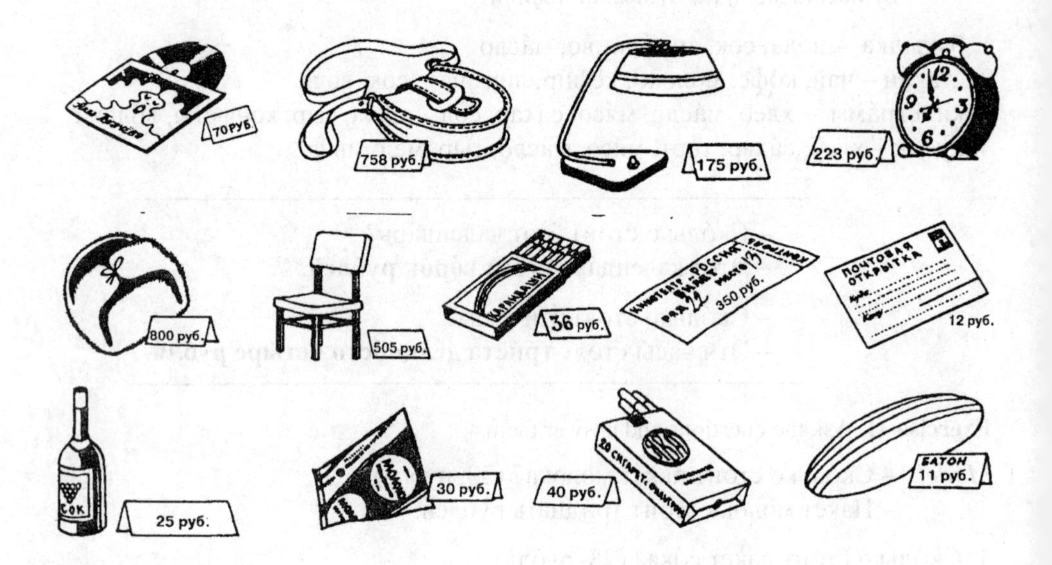

Exercise 43. Make up questions to which the following sentences are the answers and write them down.

1. – ...?
   – У нас в гру́ппе *10 студе́нтов.*
2. – ...?
   – Я изуча́ю ру́сский *язы́к 5 ме́сяцев.*
3. – ...?
   – У нас будет *3 экза́мена.*
4. – ...?
   – Мы живём в э́том го́роде *10 лет.*
5. – ...?
   – На́до взять в библиоте́ке *4 уче́бника.*

6. – ...?
   – Я чита́л э́тот текст *3 ра́за*.
7. – ...?
   – Мы жда́ли авто́бус *15 мину́т*.

– **Ско́лько челове́к сиди́т** в ко́мнате?
– **Ско́лько челове́к бы́ло** вчера́ на собра́нии?

In sentences containing the word *мно́го, ма́ло, ско́лько* or *не́сколько* the verb in the past tense is used in the neuter gender.

Exercise 44. Use the verbs in the required form.

1. Ско́лько челове́к ... на ва́шем факульте́те? (учи́ться) 2. Ско́лько студе́нтов ... вчера́ на ве́чере? (быть) 3. Ско́лько преподава́телей ... в на́шем университе́те? (рабо́тать) 4. Ско́лько челове́к ... за́втра на экску́рсию? (пое́хать) 5. Ско́лько челове́к ... в на́шей библиоте́ке? (рабо́тать) 6. Ско́лько челове́к ... в сосе́дней ко́мнате? (сиде́ть) 7. Ско́лько книг ... на столе́? (лежа́ть) 8. Ско́лько сту́льев ... в ко́мнате? (стоя́ть) 9. Ско́лько челове́к ... в э́том го́роде? (жить)

Exercise 45. Complete the sentences, using the words given in brackets.

1. В на́шем го́роде мно́го (у́лица, пло́щади, теа́тры, музе́и, гости́ницы, рестора́ны). 2. На у́лицах го́рода мно́го (маши́ны, авто́бусы, трамва́и). 3. В поликли́нике рабо́тает мно́го (врачи́ и сёстры). 4. На ми́тинге бы́ло мно́го (профессора́, преподава́тели и студе́нты). 5. В э́том ме́сяце они́ получи́ли не́сколько (пи́сьма, откры́тки, посы́лки и телегра́ммы). 6. Ми́ша взял в библиоте́ке не́сколько (учё́бники, кни́ги и журна́лы). 7. Я купи́л в кио́ске не́сколько (тетра́ди, блокно́ты, конве́рты и ма́рки).

Exercise 46. Complete the sentences, using the words given on the right.

1. У меня́ мно́го	бра́тья, сёстры, друзья́ и това́рищи
2. Друзья́ подари́ли мне не́сколько	кни́ги и ди́ски
3. В э́том го́роде мно́го	па́рки, сады́ и бульва́ры

4. В на́шем университе́те мно́го	за́лы, аудито́рии, кабине́ты, лабора́тории
5. На э́той у́лице ма́ло	дере́вья и цветы́
6. В э́том райо́не мно́го	заво́ды и фа́брики
7. Ка́ждое у́тро мы получа́ем мно́го … .	газе́ты, журна́лы, пи́сьма, откры́тки, телегра́ммы

Exercise 47. Complete the sentences, using the words given on the right.

1. В магази́не я купи́л немно́го	сыр, мя́со, ры́ба
2. В холоди́льнике есть немно́го	молоко́ и кефи́р
3. В морско́й воде́ мно́го	соль
4. У нас в стране́ мно́го	желе́зо и у́голь
5. В э́том райо́не гео́логи нашли́ мно́го … .	зо́лото и нефть

Exercise 48. Complete the sentences, using the words given in brackets.

1. В на́шей стране́ мно́го (города́). 2. В пусты́не ма́ло (вода́) 3. В э́том году́ я посмотре́л мно́го (фи́льмы). 4. На вы́ставке мне понра́вилось не́сколько (карти́ны). 5. Ско́лько (киломе́тры) тури́сты шли пешко́м? 6. В э́том году́ зимо́й бы́ло ма́ло (снег). 7. На уро́ке матема́тики мы реши́ли не́сколько (зада́чи). 8. Сейча́с у меня́ ма́ло (вре́мя). 9. Сего́дня я купи́л не́много (мя́со, ма́сло, са́хар, хлеб и фру́кты).

Exercise 49. Read the text, using the required forms of the words given in brackets.

Моско́вское метро́

Ста́нции метро́ открыва́ются в 6 (час) утра́ и закрыва́ются в 1 (час) но́чи. Поезда́ подхо́дят че́рез 90 (секу́нда). От одно́й ста́нции до друго́й по́езд идёт 2–3 (мину́та). Ле́том в метро́ 20 (гра́дус) тепла́, а зимо́й – 16–18 (гра́дус) тепла́, по́этому ле́том в метро́ прохла́дно, а зимо́й – тепло́.

Сре́дняя ско́рость поездо́в – 60 (киломе́тр) в час, вы́сшая ско́рость – 90 (киломе́тр) в час. За день поезда́ метро́ перево́зят 6,5 (миллио́н) пассажи́ров.

Пе́рвую ли́нию метро́ в Москве́ постро́или в 1935 году́. На пе́рвой ли́нии бы́ло 10 (ста́нция). В 1988 году́ в моско́вском метро́ бы́ло 130 (ста́нция), в 2006 году́ – уже́ 170.

Adjectives and Possessive Pronouns in the Genitive Plural

В э́том го́роде **мно́го**	**но́вых домо́в.** **краси́вых зда́ний.** **широ́ких у́лиц.**

Exercise 50. Answer the questions.

1. В ва́шей стране́ мно́го больши́х городо́в?
2. В ва́шем го́роде мно́го краси́вых у́лиц?
3. На э́той у́лице мно́го высо́ких зда́ний?
4. В на́шей библиоте́ке мно́го ру́сских книг?
5. Вы ви́дели мно́го иностра́нных фи́льмов?
6. У вас мно́го знако́мых студе́нтов в университе́те?
7. У ва́шего дру́га мно́го иностра́нных ма́рок?

Exercise 51. Insert the words given in brackets. Answer I he questions, using the words *мно́го, ма́ло, не́сколько*.

1. Ско́лько (ру́сские кни́ги) в на́шей библиоте́ке? 2. Ско́лько (иностра́нные языки́) вы зна́ете? 3. Ско́лько (молоды́е преподава́тели) рабо́тает в на́шем университе́те? 4. Ско́лько (сре́дние шко́лы и де́тские сады́) в ва́шем го́роде? 5. Ско́лько (но́вые дома́) на э́той у́лице? 6. Ско́лько (ру́сские пе́сни) вы зна́ете? 7. Ско́лько (больши́е магази́ны) в э́том го́роде?

Сего́дня в кио́ске **бы́ли францу́зские газе́ты.**
Сего́дня в кио́ске **не́ было францу́зских газе́т**.

Завтра в кио́ске **бу́дут францу́зские газе́ты.**
За́втра в кио́ске **не бу́дет францу́зских газе́т**.

Exercise 52. Answer the questions in the negative.

Model: – В кио́ске есть вчера́шние газе́ты?
– В кио́ске *нет вчера́шних газе́т*.

1. В э́том го́роде есть истори́ческие па́мятники?
2. На э́той пло́щади есть высо́кие зда́ния?

3. На э́той у́лице есть больши́е магази́ны?
4. В кио́ске есть ру́сские газе́ты?
5. В за́ле есть свобо́дные места́?
6. В э́том уче́бнике есть тру́дные упражне́ния?
7. В э́том те́ксте есть незнако́мые слова́?

Exercise 53. Complete the sentences, as in the model.

Model: У вас есть биле́ты в теа́тр, а у нас *нет биле́тов в теа́тр*.

1. У меня́ есть болга́рские ма́рки, а у моего́ бра́та ... . 2. У Па́вла есть това́рищи в университе́те, а у Ви́ктора ... . 3. У Ни́ны есть бли́зкие друзья́ в Москве́, а у Ли́ды ... . 4. У меня́ есть ста́ршие бра́тья, а у него́ ... . 5. У вас бу́дут за́втра экза́мены, а у нас ... . 6. У них бы́ли вчера́ уро́ки, а у нас ... . 7. В кио́ске есть э́ти журна́лы, а в магази́не ... . 8. В магази́не бы́ли а́нгло-ру́сские словари́, а в кио́ске ... . 9. В суббо́ту у меня́ бу́дет свобо́дное вре́мя, а у них ... .

Exercise 54. Answer the questions in the negative.

1. У вас есть магнитофо́н? 2. У него́ есть со́товый телефо́н? 3. Сего́дня у вас была́ ле́кция по литерату́ре? 4. Сего́дня у вас был уро́к исто́рии? 5. У них был экза́мен по ру́сскому языку́? 6. В э́том зда́нии есть спорти́вный зал? 7. В библиоте́ке есть ру́сские кни́ги и журна́лы? 8. В кио́ске есть иностра́нные журна́лы? 9. У вас есть друзья́ в Москве́? 10. У вас есть знако́мые студе́нты в Моско́вском университе́те? 11. У него́ есть роди́тели? 12. У неё есть мла́дшие бра́тья и сёстры?

The Genitive Denoting Possession

– **Чей** э́то портфе́ль?
– Э́то портфе́ль **на́шего преподава́теля**.

– **Чья** кни́га лежи́т на столе́?
– На столе́ лежи́т кни́га **на́шей студе́нтки А́нны**

Exercise 55. Answer the questions, using the words given on the right.

Model: – *Чей* э́то каранда́ш? | Андрей
– Э́то каранда́ш *Андре́я*.

1. Чья э́то ко́мната?	сестра́
2. Чьё э́то кре́сло?	оте́ц
3. Чей э́то портре́т?	мать
4. Чьи э́то кни́ги?	Анна
5. Чья маши́на стои́т о́коло до́ма?	Игорь
6. Чей брат рабо́тает в теа́тре?	Мари́я
7. Чья сестра́ у́чится в университе́те?	Бори́с
8. Чьи роди́тели живу́т в Пари́же?	Жан
9. Чей друг у́чится в Москве́?	Ни́на

Exercise 56. Complete the sentences, using the words given on the right.

1. Это ко́мната	мой ста́рший брат
2. Это велосипе́д	наш сосе́д
3. Это маши́на	наш но́вый врач
4. Это кабине́т	наш профе́ссор
5. Это газе́та	на́ша преподава́тельница
6. Это компью́тер … .	оди́н мой друг
7. Это фотоаппара́т	моя́ мла́дшая сестра́

Exercise 57. Ask questions and answer them.

Model:

(мой брат Серге́й)

– Чей э́то велосипе́д?

– Это велосипе́д моего́ бра́та Серге́я.

1.

(наш профе́ссор Никола́й Петро́вич)

2.

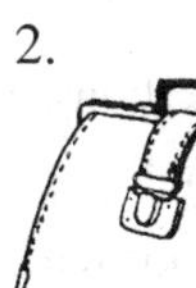

(наш врач Влади́мир Па́влович)

3. (мой сын Ди́ма)

4. (на́ша сосе́дка Ни́на Ива́новна)

5. (моя́ сестра́ Мари́на)

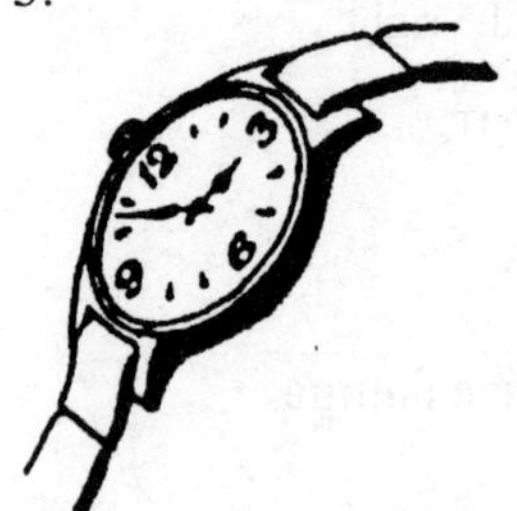

6. (наш де́душка)

Exercise 58. Answer the questions, using the words given on the right.

Model: – Это твоя́ газе́та? | Бори́с
– Нет, э́то газе́та *Бори́са*.

1. Это твои́ лы́жи?	мой мла́дший брат
2. Это твой мотоци́кл?	мой това́рищ
3. Эго твои́ кни́ги?	одна́ знако́мая де́вушка
4. Это ваш плащ?	мой друг Серге́й
5. Это ва́ша ко́мната?	моя ста́ршая сестра́ Ли́да

Exercise 59. Answer the questions, as in the model. Write down the answers.

Model: – Это ва́ши кни́ги? | други́е студе́нты
– Нет (э́то не на́ши кни́ги), э́то кни́ги *други́х студе́нтов*.

1. Это ва́ша ко́мната?	мои́ роди́тели
2. Это ва́ша маши́на?	на́ши сосе́ди
3. Это ваш магнитофо́н?	мои́ друзья́

4. Это ва́ши кни́ги?	на́ши преподава́тели
5. Это ва́ши уче́бники?	мои́ това́рищи
6. Это ва́ши ве́щи?	мои́ мла́дшие бра́тья

Exereise 60. Answer the questions, using the words given in brackets.

Model: – *Чья* газе́та лежи́т на столе́? (наш преподава́тель)
– На столе́ лежи́т газе́та *на́шего преподава́теля*.

1. Чей уче́бник лежи́т на столе́? (наш студе́нт Бори́с) 2. Чьи тетра́ди лежа́т на столе́? (на́ши студе́нты и на́ша преподава́тельница) 3. Чья маши́на стои́т на у́лице? (наш профе́ссор) 4. Чьи велосипе́ды стоя́т в кори́доре? (мои́ бра́тья) 5. Чью кни́гу вы нашли́ в аудито́рии? (одна́ на́ша студе́нтка) 6. Чей слова́рь вы взя́ли? (оди́н наш студе́нт)

Exercise 61. Answer the questions, using the words given in brackets. Write down the answers.

1. Чьи пе́сни вы слу́шали по ра́дио? (оди́н молодо́й неме́цкий компози́тор) 2. Чей рома́н вы чита́ете? (изве́стный ру́сский писа́тель) 3. Чью статью́ вы переводи́ли? (изве́стный да́тский фи́зик) 4. Чья вы́ставка откры́лась в До́ме худо́жника? (молоды́е грузи́нские худо́жники) 5. Чьи стихи́ вы переводи́ли? (совреме́нные испа́нские поэ́ты) 6. Чьи рису́нки вы ви́дели на вы́ставке? (кита́йские шко́льники)

Exercise 62. Make up questions to which the following sentences are the answers.

1. – ...?
   – На столе́ лежа́т ве́щи *моего́ дру́га*.
2. – ...?
   – У нас в гостя́х бы́ли роди́тели *Джо́на*.
3. – ...?
   – Внизу́ стои́т маши́на *на́шего ста́рого профе́ссора*.
4. – ...?
   – У меня́ в ко́мнате виси́т фотогра́фия *моей ма́тери*.
5. – ...?
   – Преподава́тель чита́ет рабо́ты *студе́нтов*.

The Adnominal Genitive

– Что э́то?
– Это **зда́ние на́шего университе́та**.
– Кто э́то?
– Это наш **преподава́тель исто́рии**.

Exercise 63. Make up phrases, as in the model.

Model: ре́ктор ... (университе́т, институ́т, акаде́мия)
Это *ре́ктор университе́та, институ́та, акаде́мии*

1. дире́ктор ... (заво́д, фа́брика, цирк, шко́ла, Большо́й теа́тр, кни́жный магази́н)
2. а́втор ... (рома́н, расска́з, уче́бник, пе́сня, му́зыка)
3. преподава́тель ... (фи́зика, матема́тика, литерату́ра, исто́рия, геогра́фия, ру́сский язы́к, иностра́нный язы́к)
4. хозя́ин, хозя́йка … (дом, кварти́ра, сад, соба́ка, магази́н, гости́ница)

Exercise 64. Complete the sentences.

1. Мы слу́шали ле́кцию ... (наш профе́ссор).
выступле́ние ... (наш хор).
объясне́ние ... (наш преподава́тель).
отве́ты ... (на́ши студе́нты).
2. Я чита́ю письмо́ ... (мой шко́льный друг).
запи́ску ... (мой университе́тский това́рищ).
сочине́ние ... (наш но́вый студе́нт).
3. Мне нра́вятся пе́сни ... (э́тот компози́тор).
рома́ны ... (э́тот ру́сский писа́тель).
стихи́ ... (оди́н молодо́й поэ́т).
карти́ны ... (оди́н неизве́стный худо́жник).
фи́льмы ... (э́тот по́льский режиссёр).

Exercise 65. Complete the sentences, using the words given on the right.

1. Вы по́мните фами́лию ... ?	э́та студе́нтка, э́тот студе́нт, э́тот писа́тель, э́та арти́стка, э́тот челове́к
2. Вы по́мните назва́ние ... ?	э́тот журна́л, э́та газе́та, э́та кни́га, э́тот фильм, э́та у́лица, э́та пло́щадь

3. Вы ви́дели но́вое зда́ние ... ?	наш университе́т, э́тот музе́й, на́ша библиоте́ка, на́ше общежи́тие

Exercise 66. Change the sentences, as in the model.

Model: Анто́н у́чится в Ки́евском политехни́ческом институ́те, на механи́ческом факульте́те, на пя́том ку́рсе. Он студе́нт.
Анто́н студе́нт пя́того ку́рса механи́ческого факульте́та Ки́евского политехни́ческого институ́та.

1. Джон у́чится в Моско́вском университе́те на физи́ческом факульте́те, на четвёртом ку́рсе. Он студе́нт.
2. Анна у́чится в педагоги́ческом институ́те на истори́ческом факульте́те, на второ́м ку́рсе. Она́ студе́нтка.
3. Ни́на у́чится в музыка́льной шко́ле в седьмо́м кла́ссе. Она́ учени́ца.
4. Вале́рий у́чится в математи́ческой шко́ле в восьмо́м кла́ссе. Он учени́к.

Exercise 67. Answer the questions.

1. Ва́ши друзья́ бы́ли на ве́чере ру́сской пе́сни? 2. Ты купи́л но́вый уче́бник ру́сского языка́? 3. Вам нра́вится му́зыка совреме́нных компози́торов? 4. Ты ви́дел но́вое зда́ние Моско́вского университе́та? 5. Вы зна́ете, где нахо́дится магази́н де́тской кни́ги? 6. Вы слу́шаете ле́кции по исто́рии ру́сской культу́ры? 7. Вы бы́ли на вы́ставке ру́сской жи́вописи? 8. Ты зна́ешь исто́рию свое́й страны́?

Exercise 68. Answer the questions, using the words given on the right.

Model: – *Каки́е студе́нты* бы́ли на экску́рсии? – На экску́рсии бы́ли *студе́нты пе́рвого ку́рса.*	пе́рвый курс

1. Каки́е расска́зы вы чита́ете?	ру́сские и украи́нские писа́тели
2. На како́й вы́ставке вы бы́ли?	совреме́нные францу́зские худо́жники
3. На како́м конце́рте вы бы́ли в суббо́ту?	Берли́нский симфони́ческий орке́стр
4. Каки́е студе́нты е́здили в про́шлом году́ в Москву́?	ста́ршие ку́рсы
5. Каку́ю ста́тью вы чита́ете?	наш профе́ссор исто́рии
6. Каки́е стихи́ вы чита́ете?	болга́рские поэ́ты
7. Каки́е города́ посети́ли тури́сты?	Се́верная Ита́лия

Exercise 69. Complete the sentences, using the words given on the right.

1. Этот па́мятник нахо́дится в це́нтре	ста́рый го́род
2. Ле́том мы отдыха́ли на берегу́	Чёрное мо́ре
3. Го́сти осмотре́ли лаборато́рии	Моско́вский университе́т
4. Мне де́лал опера́цию гла́вный врач	городска́я больни́ца
5. В на́шем го́роде выступа́ли арти́сты	моско́вский цирк
6. Я люблю́ му́зыку	э́тот компози́тор
7. Преподава́тель показа́л нам фотогра́фии	его́ ста́рые студе́нты

Exercise 70. Make up sentences, as in the model.

Model: Москва́ – Росси́я
Москва́ – столи́ца Росси́и.

1. Пари́ж – Фра́нция. 2. Варша́ва – По́льша. 3. Осло – Норве́гия. 4. Будапе́шт – Ве́нгрия. 5. Отта́ва – Кана́да. 6. То́кио – Япо́ния. 7. Ве́на – Австрия. 8. Ло́ндон – Англия. 9. Рим – Ита́лия. 10. Берли́н – Герма́ния. 11. Мадри́д – Испа́ния. 12. Хе́льсинки – Финля́ндия. 13. Лиссабо́н – Португа́лия.

Exercise 71. Make up sentences, as in the model, and write them down.

Model: Ки́ев – Украйна.
Ки́ев – столи́ца Украйны.

1. Минск – Белору́ссия. 2. Кишинёв – Молда́вия. 3. Ерева́н – Арме́ния. 4. Тбили́си – Гру́зия. 5. Баку́ – Азербайджа́н. 6. Ашхаба́д – Туркме́ния. 7. Бишке́к – Кирги́зия. 8. Душанбе́ – Таджикиста́н. 9. Ташке́нт – Узбекиста́н. 10. Астана́ – Казахста́н. 11. Ри́га – Ла́твия. 12. Та́ллин – Эсто́ния. 13. Ви́льнюс – Литва́.

The Genitive with the Comparative Degree

Я **ста́рше Ви́ктора**.
Па́вел **вы́ше своего́ бра́та**.
Ва́ша маши́на **лу́чше моей (маши́ны).**

Exercise 72. Complete the sentences, as in the model.

Model: Проспе́кт ши́ре (у́лица).
Проспе́кт *ши́ре у́лицы*.

1. Мой оте́ц ста́рше (мать). 2. Мой брат вы́ше (оте́ц). 3. Ле́на моло́же (Бори́с). 4. Ва́ша кварти́ра бо́льше (на́ша кварти́ра). 5. Наш дом бо́льше (ваш дом). 6. Зима́ в Москве́ холодне́е (зима́) в Волгогра́де. 7. Ва́ша рабо́та интере́снее (моя́ рабо́та). 8. Второ́е упражне́ние бы́ло трудне́е (пе́рвое упражне́ние). 9. Мэ́ри зна́ет ру́сский язы́к лу́чше (други́е студе́нты). 10. Бори́с бе́гает быстре́е (все на́ши спортсме́ны).

MEMORISE!

a) бы́стрый – быстр**е́е**	b) молодо́й – моло́**же** (д/ж)
тру́дный – трудн**е́е** краси́вый – краси́в**ее** ста́рший – ста́рш**е** большо́й – бо́льш**е**	дорого́й – доро́**же** (г/ж) дешёвый – деше́в**ле** (в/вл) коро́ткий – коро́ч**е** (т/ч) высо́кий – вы́**ше** (с/ш) ни́зкий – ни́**же** (з/ж)
c) ма́ленький – ме́ньш**е** хоро́ший – лу́чш**е** плохо́й – ху́**же**	

Exercise 73. Change the sentences, as in the model, and write them down.

Model: Наш го́род бо́льше, чем сосе́дний город.
Наш го́род *бо́льше сосе́днего го́рода.*

1. Анна ста́рше, чем её брат. 2. Мой друг говори́т по-ру́сски лу́чше, чем я. 3. Я чита́ю по-ру́сски ме́дленнее, чем ты. 4. Это упражне́ние коро́че, чем пе́рвое упражне́ние. 5. Биле́ты в теа́тр доро́же, чем биле́ты в кино́. 6. На́ша у́лица краси́вее, чем сосе́дняя. 7. Сего́дняшняя ле́кция была́ интере́снее, чем вчера́шняя.

The Genitive Denoting Dates

– **Како́е** сего́дня **число́**?
– Сего́дня **пе́рвое января́ две ты́сячи седьмо́го го́да.**

Exercise 74. Read the dates and write them down in figures.

1. Два́дцать второ́е января́ ты́сяча девятьсо́т девяно́сто девя́того го́да. 2. Пя́тнадцатое ма́я ты́сяча девятьсо́т се́мьдесят второ́го го́да. 3. Тре́тье сентября́

ты́сяча девятьсо́т шестьдеся́т седьмо́го го́да. 4. Девя́тое октября́ ты́сяча девятьсо́т со́рок восьмо́го го́да. 5. Три́дцать пе́рвое ию́ля ты́сяча девятьсо́т во́семьдесят восьмо́го го́да. 6. Двена́дцатое апре́ля двухты́сячного го́да. 7. Девятна́дцатое а́вгуста две ты́сячи шесто́го го́да.

Exercise 75. Read the following dates.

1.01.1939; 10.07.1961; 28.11.1941; 12.05.1921; 24.09.1947; 19.06.1955; 9.10.1972; 11.12.1984; 21.08.2000; 3.02.2003; 4.03.2007.

The Genitive Denoting Time

– **Когда́** он роди́лся?
– Он роди́лся **двадца́того января́ ты́сяча девятьсо́т девяно́сто пя́того го́да.**
– **Когда́** э́то произошло́?
– Э́то произошло́ **второ́го ма́рта две ты́сячи седьмо́го го́да.**

Exercise 76. Answer the questions, using the words given in brackets. Write down the answers.

1. Когда́ откры́ли пе́рвую ли́нию метро́ в Москве́? (15, май, 1935) 2. Когда́ зако́нчилась Втора́я мирова́я война́? (2, сентя́брь, 1945) 3. Когда́ был пе́рвый полёт челове́ка в ко́смос? (12, апре́ль, 1961) 4. Когда́ роди́лся А.С. Пу́шкин? (6, ию́нь, 1799)

Exercise 77. A. Read the text.

Моя биогра́фия

Меня́ зову́т Вади́м Петро́в. Я роди́лся в Волгогра́де в а́вгусте 1991 го́да. В сентябре́ 1998 го́да, когда́ мне бы́ло семь лет, я поступи́л в шко́лу. В нача́ле 1994 го́да на́ша семья́ перее́хала в Москву́. В 2007 году́ я око́нчил шко́лу и поступи́л в инжене́рно-строи́тельный институ́т. Сейча́с я учу́сь на пе́рвом ку́рсе. Я око́нчу институ́т в 2012 году́.

B. Answer the questions.

1. Когда́ роди́лся Вади́м?
2. Когда́ он поступи́л в шко́лу?
3. Когда́ он око́нчил шко́лу?
4. Когда́ их семья́ перее́хала в Москву́?
5. Когда́ Вади́м око́нчит институ́т?

Exercise 78. A. Tell about yourself by answering these questions.

В како́м году́ вы родили́сь? Когда́ поступи́ли в шко́лу и когда́ око́нчили её? Когда́ на́чали рабо́тать? В како́м году́ поступи́ли в университе́т? Когда́ на́чали изуча́ть ру́сский язы́к?

B. Write down your story.

– **Когда́** мы мо́жем поговори́ть? – Мы мо́жем поговори́ть	**до рабо́ты,** **во вре́мя рабо́ты,** **по́сле рабо́ты.**

Exercise 79. Make up sentences antonymous to those below.

Model: Студе́нт пришёл *по́сле звонка́.*
Студе́нт пришёл *до звонка́.*

1. Я чита́ю газе́ты *до за́втрака.* 2. Мы смотре́ли телеви́зо́р *по́сле у́жина.* 3. Оте́ц чита́ет газе́ты *по́сле рабо́ты.* 4. Я не ви́дел его́ *по́сле экза́мена.* 5. Я до́лжен пить лека́рство *по́сле обе́да.* 6. Андре́й вошёл в аудито́рию *по́сле звонка́.*

– **Ско́лько вре́мени** он был в институ́те?
– Он был в институ́те **с утра́ до ве́чера**.
– Он был в институ́те **с оди́ннадцати часо́в утра́ до пяти́ часо́в ве́чера**.

Exercise 80. Complete the sentences.

Model: – Я рабо́таю с ... до ... . | (10, у́тро; 4, день)
– Я рабо́таю *с 10 часо́в утра́ до 4 часо́в дня.*

1. Студе́нты занима́ются с ... до	9, у́тро; 3, день
2. Кни́жные магази́ны рабо́тают с ... до … .	10, у́тро; 7, ве́чер
3. Моско́вское метро́ рабо́тает с ... до	6, у́тро; 1, ночь
4. Чита́льный зал откры́т с ... до	9, у́тро; 9, ве́чер
5. Спекта́кли в теа́трах иду́т с ... до	7 ве́чер; 10 ве́чер

Exercise 81. Read the questions and answer them. Write down the answers (they should form a story on the subject "My Day").

1. Когда́ вы встаёте? 2. Что вы де́лаете до за́втрака? 3. Когда́ вы обы́чно за́втракаете? 4. Когда́ вы выхо́дите из до́ма? 5. Как (на чём?) вы е́дете до университе́та? 6. Когда́ вы прихо́дите в университе́т? 7. В каки́е часы́ вы занима́етесь в университе́те? 8. Когда́ у вас конча́ются ле́кции? 9. Что вы де́лаете по́сле ле́кций? 10. Куда́ вы идёте по́сле ле́кций? 11. Что вы де́лаете по́сле обе́да? 12. Где вы обы́чно занима́етесь? 13. Ско́лько вре́мени вы гото́вите дома́шнее зада́ние? 14. Что вы де́лаете по́сле у́жина? 15. Где вы быва́ете ве́чером? 16. Когда́ вы ложи́тесь спать?

Exercise 82. Answer the questions. Write down the answers (they should form a story on the subject "The Winter Holidays").

1. С како́го и до како́го числа́ у студе́нтов быва́ют зи́мние кани́кулы? 2. Что обы́чно де́лают студе́нты во вре́мя кани́кул? 3. Где вы прово́дите ва́ши кани́кулы? 4. Куда́ вы е́здили во вре́мя кани́кул? 5. Что вы де́лали в э́то вре́мя? 6. Что вы ви́дели во вре́мя кани́кул? 7. Кака́я пого́да была́ в э́то вре́мя? 8. Вы бы́ли в теа́трах во вре́мя кани́кул? 9. В како́м теа́тре вы бы́ли? 10. Что вы ви́дели в теа́тре? 11. Ско́лько раз вы бы́ли в кино́? 12. Каки́е фи́льмы вы посмотре́ли в э́то вре́мя? 13. Как вы отдохну́ли во вре́мя кани́кул?

The Genitive with the Prepositions *из* and *с* Denoting Direction

Бори́с был **в клу́бе**. Он пришёл **из клу́ба**.
Бори́с был **на конце́рте**. Он пришёл **с конце́рта**.

Exercise 83. Complete the sentences.

1. Шко́льники иду́т из шко́лы, ... (класс, теа́тр, музе́й, парк, библиоте́ка, лаборато́рия, сад, кинотеа́тр).

2. На́ша библиоте́ка получа́ет кни́ги из Фра́нции, ... (Ита́лия, Шве́ция, Австрия, Япо́ния, Швейца́рия, Герма́ния, Кана́да, Алжи́р.)

3. Эти студе́нты прие́хали из Пари́жа, ... (Ло́ндон, Рим, Варша́ва, Москва́, Белгра́д, Брюссе́ль, Пра́га, Бонн, Берли́н).

Exercise 84. Complete the sentences.

1. Студе́нты иду́т с ле́кции, ... (экза́мен, консульта́ция, собра́ние, ми́тинг, экску́рсия, ве́чер, конце́рт, бале́т, спекта́кль, вы́ставка).

2. Эти лю́ди иду́т с заво́да, ... (фа́брика, вокза́л, ста́нция, стадио́н, по́чта).

Где?	Куда́?	Отку́да?
в магази́не	**в** магази́н	**из** магази́на
на рабо́те	**на** рабо́ту	**с** рабо́ты

Exercise 85. Do the exercise as shown in the model.

Model: Мы бы́ли *в теа́тре*. Мы пришли́ *из теа́тра*.
Оте́ц был *на рабо́те*. Оте́ц пришёл *с рабо́ты*.

1. Брат был *в шко́ле*. 2. Мать была́ *в поликли́нике*. 3. Шко́льники бы́ли *в бассе́йне.* 4. Студе́нты бы́ли *в библиоте́ке.* 5. Ви́ктор и Анна бы́ли *на конце́рте.* 6. Де́ти бы́ли *в па́рке.* 7. Мы бы́ли *на вы́ставке.*

Exercise 86. Complete the sentences.

Model: Мы бы́ли *в теа́тре на бале́те.*
Мы пришли́ *из теа́тра с бале́та*.

1. Они́ бы́ли *в клу́бе на конце́рте*. Они́ уже́ пришли́ ... . 2. Мы бы́ли *в за́ле на собра́нии.* Мы ушли́ ... . 3. Ле́том студе́нты е́здили *в Приба́лтику на пра́ктику*. В а́вгусте они́ верну́лись ... . 4. Мы ходи́ли *в шко́лу на экску́рсию.* Мы то́лько что пришли́ ... . 5. Мой брат сейча́с *на рабо́те в больни́це.* Обы́чно он прихо́дит ... в 6 часо́в ве́чера. 6. – Вы до́лго бы́ли вчера́ *в посо́льстве на ве́чере*? – Да, мы по́здно пришли́ ... .

– **Отку́да** вы прие́хали?
– Я прие́хал **из Ки́ева**.

Exercise 87. Answer the questions, using the words given on the right.

Model: – *Отку́да* прие́хал ваш това́рищ? | Варша́ва
– Он прие́хал *из Варша́вы*.

1. Отку́да прие́хали ва́ши друзья́?	Ри́га и Та́ллин
2. Отку́да пришли́ ва́ши роди́тели?	конце́рт
3. Отку́да иду́т шко́льники?	экску́рсия
4. Отку́да прие́хала ва́ша сестра́?	да́ча
5. Отку́да вы идёте?	университе́т
6. Отку́да они́ иду́т?	рабо́та

Exercise 88. Make up questions to which the following sentences arc the answers and write them down.

1. – ...?
   – Мы идём *из теа́тра*.
2. – ...?
   – Мы прие́хали *из Аме́рики*.
3. – ...?
   – Эта делега́ция прие́хала *из Ме́ксики*.
4. – ...?
   – Вчера́ я получи́л письмо́ *с роди́ны*.
5. – ...?
   – Мои роди́тели прие́хали *из санато́рия*.

	Prepositional	Accusative	Genitive
	Где?	Куда́?	Отку́да?
Masculine	**в го́роде** **на** стадио́не	**в** го́род **на** стадио́н	**из** го́рода **со** стадио́на
Neuter	**в** общежи́тии **на** собра́нии	**в** общежи́тие **на** собра́ние	**из** общежи́тия **с** собра́ния
Feminine	**в** библиоте́ке **на** ро́дине **на** пло́щади	**в** библиоте́ку **на** ро́дину **на** пло́щадь	**из** библиоте́ки **с** ро́дины **с** пло́щади

Exercise 89. Answer the questions, as in the model.

Model: *Где* Па́вел был вчера́? *Куда́* он ходи́л? *Отку́да* он пришёл?	клуб, ве́чер

Вчера́ Па́вел был *в клу́бе на ве́чере.*
Он ходи́л *в клуб на ве́чер.*
Он пришёл *из клу́ба с ве́чера.*

1. *Куда́* Анна и Бори́с е́здили вчера́? *Где* они́ бы́ли вчера́? *Отку́да* они́ прие́хали так по́здно?	сосе́дний го́род
2. *Куда́* вы идёте? *Где* вы бы́ли? *Отку́да* вы идёте?	истори́ческая библиоте́ка
3. *Куда́* ты е́здил в про́шлом году́? *Где* ты отдыха́л ле́том? *Отку́да* ты прие́хал?	Южная Ита́лия
4. *Куда́* студе́нты ходи́ли у́тром? *Где* они́ бы́ли? *Отку́да* они́ иду́т сейча́с?	медици́нский институ́т, ле́кция
5. *Куда́* ходи́ла вчера́ ва́ша гру́ппа? *Где* вы бы́ли вчера́? *Отку́да* вы прие́хали так по́здно?	экску́рсия, шко́ла
6. *Куда́* студе́нты е́здили в про́шлом году́? *Где* они́ бы́ли? *Отку́да* они́ прие́хали в а́вгусте?	большо́й автомоби́льный заво́д, пра́ктика
7. *Куда́* поéдет ваш друг ле́том? *Где* жил ра́ньше ваш друг? *Отку́да* он получа́ет пи́сьма?	Шотла́ндия, ма́ленькая дере́вня

Exercise 90. Complete the sentences, as in the model.

Model: Письмо́ лежа́ло *в кни́ге.*
Я взял письмо́ *из кни́ги.*

1. Бума́га лежи́т *в моёй па́пке*. Возьми́ бума́гу ... . 2. Фотогра́фии лежа́т *в конве́рте*. Возьми́ их ... . 3. Ма́рки лежа́ли *в тетра́ди*. Кто взял ма́рки ... ? 4. Журна́л лежа́л *на сто́ле*. Кто взял журна́л ... ? 5. Кни́га стоя́ла *на по́лке*. Кто взял

книгу ... ? 6. Магнитофо́н стои́т *в лаборато́рии*. Принеси́те его́ ... . 7. Табли́цы вися́т *на стене́*. Сними́те их ... . 8. Молоко́ стои́т *в холоди́льнике*. Возьми́ его́ ... . 9. Газе́ты лежа́т *в почто́вом я́щике*. Доста́нь их ... .

Exercise 91. Complete the sentences, using the words given on the right.

Model: Я положи́л де́ньги ... . | карма́н.
Я положи́л де́ньги *в карма́н*.
Де́ньги лежа́т *в карма́не*.
Я вы́нул де́ньги *из карма́на*.

1. Я положи́л письмо́ ... . Письмо́ лежа́ло … . Я вы́нул письмо́ … .	конве́рт
2. Я положи́л ве́щи ... . Ве́щи лежа́ли … . Я вы́нул ве́щи … .	чемода́н
3. Я кладу́ тетра́ди и кни́ги ... . Тетра́ди и кни́ги лежа́т ... . Я вы́нул тетра́ди и кни́ги	паке́т
4. Студе́нт пове́сил ка́рту ... . Ка́рта виси́т ... . Студе́нт снял ка́рту … .	стена́
5. Мы ве́шаем оде́жду ... . Оде́жда виси́т ... . Мы берём оде́жду … .	шкаф
6. Я поста́вил ла́мпу ... . Ла́мпа стои́т ... . Возьми́те ла́мпу	стол

The Genitive with the Preposition *у*

– **У кого́** вы бы́ли вчера́?
– Вчера́ я был **у одно́го своего́ това́рища**

Exercise 92. Answer the questions, using the words given on the right. Write down the answers.

Model: – *У кого́* вы бы́ли вчера́? | зубно́й врач
– Вчера́ я был *у зубно́го врача́*.

1. У кого́ вы бы́ли в суббо́ту?	мой шко́льный това́рищ
2. У кого́ был Ви́ктор?	наш профе́ссор
3. У кого́ была́ ва́ша сестра́ вчера́?	её подру́га
4. У кого́ вы бы́ли в воскресе́нье?	мой ста́рший брат
5. У кого́ ты взял э́ту кни́гу?	наш сосе́д
6. У кого́ вы взя́ли э́тот слова́рь?	знако́мый библиоте́карь

– **Где** вы бы́ли у́тром?
– У́тром я был **в поликли́нике у врача́**.

Exercise 93. Answer the questions, using the words given on the right.

Model: – *Где* вы бы́ли ле́том? | Каза́нь, мои́ друзья́
– Ле́том я был *в Каза́ни у свои́х друзе́й.*

1. Где вы бы́ли днём?	поликли́ника, глазно́й врач
2. Где вы бы́ли вчера́?	дере́вня, роди́тели
3. Где ты был сего́дня?	университе́т, наш преподава́тель
4. Где ты был в воскресе́нье?	лаборато́рия, мой нау́чный руководи́тель
5. Где ты отдыха́л ле́том?	да́ча, моя́ ста́ршая сестра́

Exercise 94. Make up questions lo which the following sentences are the answers and write them down.

Model: Анто́н был *в Швейца́рии.* – *Где* был Анто́н?
Анто́н был *у дру́га.* – *У кого́* был Анто́н?

1. Сего́дня я был *в поликли́нике*. Сего́дня я был *у врача́*. 2. Ле́том мы жи́ли *в дере́вне*. Ле́том мы жи́ли *у роди́телей*. 3. Я взял э́ту кни́гу *в библиоте́ке.* Я взял э́ту кни́гу *у дру́га.* 4. Мой брат был *в шко́ле*. Мой брат был *у на́шего ста́рого учи́теля*. 5. Вчера́ мы занима́лись *в лаборато́рии*. Вчера́ мы бы́ли *у профе́ссора*.

Exercise 95. Change the sentences, as in the model.

Model: Я ходи́л *в общежи́тие к дру́гу.*
Я был *в общежи́тии у дру́га.*

1. Вчера́ он ходи́л *в поликли́нику к глазно́му врачу́*. 2. Студе́нты ходи́ли *в больни́цу к больно́му дру́гу.* 3. Вчера́ мы ходи́ли *к профе́ссору на консульта́цию.* 4. Осенью я е́здил *в Ки́ев к ста́ршей сестре́.* 5. В сре́ду мы ходи́ли *в общежи́тие к свои́м друзья́м.* 6. Ле́том они́ е́здили *на ро́дину к свои́м роди́телям.* 7. Зимо́й она́ е́здила *в Оде́ссу к свое́й ма́тери*. 8. Когда́ я был в Москве́, я е́здил в *Моско́вский университе́т к свои́м това́рищам.*

Genitive	Dative	Genitive
Где? У кого́?	Куда́? К кому́?	Отку́да? От кого́?
у ста́ршего бра́та **у** мла́дшей сестры́	**к** ста́ршему бра́ту **к** мла́дшей сестре́	**от** ста́ршего бра́та **от** мла́дшей сестры́

Exercise 96. Complete the sentences, using the words given on the right.

Model: Я был ... . Я éздил ... . Я вернýлся	мой роди́тели

Я был *у свои́х роди́телей.*
Я éздил *к свои́м роди́телям.*
Я вернýлся *от свои́х роди́телей.*

1. Мы бы́ли в гостя́х ... . Мы ходи́ли ... . Мы пришли́	однá знакóмая дéвушка
2. Ви́ктор ходи́л в гóсти ... . Он был в гостя́х ... . Он вернýлся	нáши стáрые друзья́
3. Мы éздили на дáчу ... . Мы бы́ли ... . Мы пóздно вернýлись	егó шкóльный товáрищ

– **От когó** вы узнáли э́ту нóвость?
– Я узнáл э́ту нóвость **от своегó дрýга**.

Exercise 97. Answer the questions, using the words given on the right.

1. От когó вы получáете пи́сьма?	роди́тели и стáрший брат
2. От когó вы получи́ли сегóдня посы́лку?	мой стáрый друг
3. От когó вы узнáли э́ту нóвость?	наш совéд
4. От когó вы услы́шали э́ту нóвость?	моя́ подрýга
5. От когó вы получи́ли поздравлéние?	моя́ стáршая сестрá

– **Откýда** вы получи́ли письмó?
–Я получи́л письмó **из Берли́на от своегó брáта**.

Exercise 98. Answer the questions, using the words given on the right. Write down the answers.

Model: – *Откýда* ты получи́л посы́лку?	дом, роди́тели

– Я получи́л посы́лку *из дóма от роди́телей*.

1. Откýда получáет пи́сьма ваш друг?	Москвá, егó нóвые друзья́
2. Откýда он идёт?	общежи́тие, знакóмые студéнты

3. Отку́да прие́хала ва́ша сестра́?	Ло́ндон, её подру́га
4. Отку́да он верну́лся в а́вгусте?	родна́я дере́вня, его́ роди́тели

The Genitive with the Prepositions *до, недалеко́ от, о́коло, напро́тив, от ... до*

Мы живём **недалеко́ от це́нтра** го́рода.

Exercise 99. Make up phrases, using the words given in brackets.

1. Недалеко́ от до́ма, ... (университе́т, шко́ла, ста́нция метро́, авто́бусная остано́вка, вокза́л, го́род).
2. Около до́ма, ... (окно́, стена́, лес, кинотеа́тр, библиоте́ка).
3. Напро́тив вокза́ла, ... (дверь, окно́, зда́ние, магази́н, шко́ла).

Exercise 100. Complete the sentences, using the words given on the right.

1. Гости́ница нахо́дится недалеко́ от	вокза́л
2. Стадио́н нахо́дится недалеко́ от	центр го́рода
3. Мы живём недалеко́ от	наш университе́т
4. Ле́том мы жи́ли недалеко́ от	большо́е о́зеро
5. Мои́ друзья́ живу́т о́коло	городско́й парк
6. Ста́нция метро́ нахо́дится напро́тив	истори́ческий музе́й
7. Остано́вка авто́буса нахо́дится недалеко́ от	наш дом

Exercise 101. Answer the questions, as in the model.

Model: – Ско́лько киломе́тров *от Москвы́ до Ки́ева*?
– Я не зна́ю, ско́лько киломе́тров от Москвы́ до Ки́ева.

1. Ско́лько киломе́тров *от Пари́жа до Ри́ма*?
2. Ско́лько киломе́тров *от Варша́вы до Берли́на*?
3. Ско́лько киломе́тров *от Пра́ги до Ве́ны*?
4. Ско́лько киломе́тров *от Будапе́шта до Москвы́*?

Exercise 102. Make up questions, as in the model, and write them down.

Model: Стокго́льм – Та́ллин.
Ско́лько киломе́тров от Стокго́льма до Та́ллина?

1. Мóсква – Мадри́д. 2. Ви́льнюс – Ми́нск. 3. Москвá – Пари́ж. 4. Ки́ев – Одéсса. 5. Лóндон – Москвá. 6. Санкт-Петербýрг – Берли́н.

Exercise 103. Answer the questions.

1. Скóлько минýт вы идёте (éдете) от дóма до университéта? 2. Скóлько врéмени вы идёте (éдете) от вáшего дóма до цéнтра гóрода? 3. Скóлько врéмени вы идёте от университéта до автóбусной остановки? 4. Скóлько врéмени нýжно идти́ от вáшего дóма до ближáйшей аптéки? 5. Скóлько врéмени нýжно éхать от вáшего дóма до вокзáла?

MEMORISE!

Скажи́те, пожáлуйста, как доéхать	до цéнтра? до Большóго теáтра? до вокзáла? до аэропóрта?

Exercise 104. Answer the questions (your answers should form a story on the subject "My Native City"). Write down the story.

1. Когдá и где вы родили́сь? (В какóй странé, в какóм гóроде?) 2. Этот гóрод большóй и́ли мáленький, стáрый и́ли нóвый? 3. Он нахóдится далекó от столи́цы? 4. Каки́е ýлицы в вáшем гóроде? 5. В вáшем гóроде есть высóкие многоэтáжные домá? 6. В вáшем гóроде мнóго магази́нов, ры́нков, кафé, ресторáнов? 7. Каки́е теáтры и кинотеáтры есть в вáшем гóроде? 8. Есть ли в вáшем гóроде истори́ческие пáмятники, и éсли есть, то каки́е? 9. Вáша семья́ давнó живёт в э́том гóроде? 10. Вы давнó уéхали из рóдного гóрода? 11. Скóлько врéмени вы не ви́дели роднóй гóрод?

THE INSTRUMENTAL CASE

Nouns in the Instrumental Singular
The Instrumental Denoting Joint Action

Вчерá я был в кинó **с Бори́сом и с Анной**.

Exercise 1. Answer the questions.

I.1. Вы бы́ли в теáтре *с брáтом*? 2. Пáвел разговáривал по телефóну *с отцо́м*? 3. Сего́дня вы за́втракали *с дру́гом*? 4. Вы изуча́ете ру́сский язы́к *с преподава́телем*? 5. Вы хо́дите в кино́ *с това́рищем*?

II.1. Ле́на была́ в клу́бе *с подру́гой*? 2. Ле́том Анна пое́дет в дере́вню *с сестро́й*? 3. Преподава́тель разгова́ривает *с Мари́ей*? 4. Мать ходи́ла в магази́н *с до́черью*? 5. Сын говори́л по телефо́ну *с ма́терью*?

	Nominative	Instrumental	Ending
	Кто? Что?	С кем? С чем?	
Masculine	студе́нт врач писа́тель това́рищ Андре́й	со студе́нт**ом** с врач**о́м** с писа́тел**ем** с това́рищ**ем** с Андре́**ем**	**-ом** **-ем**
Neuter	окно́ зда́ние	окн**о́м** зда́ни**ем**	**-ом** **-ем**
Feminine	сестра́ тётя Мари́я мать	с сестр**о́й** с тёт**ей** с Мари́**ей** с ма́тер**ью**	**-ой** **-ей** **-ью**

Exercise 2. Make up sentences, using the words given in brackets, and write them down.

1. Я хожу́ в кино́ с дру́гом, ... (брат, това́рищ, сестра́, подру́га, оте́ц и мать).
2. Я игра́ю в ша́хматы с Бори́сом, ... (Ви́ктор, Серге́й, Игорь, Мари́на, Га́ля, Ни́на, Та́ня).
3. Я говори́ла по телефо́ну с врачо́м, ... (профе́ссор, медсестра́, преподава́тель, преподава́тельница, мать, оте́ц).

Exercise 3. Complete the sentences, using the words given in brackets.

1. Я игра́ю в ша́хматы ... (друг). 2. Я говори́л по телефо́ну ... (дека́н). 3. Шко́льники бы́ли на стадио́не ... (учи́тель). 4. Студе́нты бы́ли в музе́е ... (преподава́тель). 5. Ни́на была́ в кино́ ... (подру́га). 6. Анна была́ в теа́тре ... (мать). 7. Анто́н был в ци́рке ... (дочь).

Exercise 4. Complete the sentences.

1. В теа́тре мы встре́тились ... (Ма́рия и Игорь). 2. В клу́бе на́ши студе́нты познако́мились ... (писа́тель). 3. Я поздоро́вался ... (ре́ктор). 4. Он попроща́лся ... (мать). 5. Анна сове́туется ... (сестра́). 6. В Москве́ я познако́мился ... (Бори́с). 7. Я посове́товался ... (оте́ц).

Exercise 5. Answer the questions, using the words given on the right.

С кем на́до посове́товаться, е́сли...

1. ...у вас ча́сто боли́т голова́?	врач
2. ...вы гото́вите докла́д по исто́рии?	преподава́тель
3. ...вам на́до купи́ть пода́рки сестре́?	мать
4. ...ты хо́чешь купи́ть маши́ну?	меха́ник

Exercise 6. Complete the sentences, using the words given on the right.

1. В поликли́нике больно́й разгова́ривал	врач и медсестра́
2. Он да́вно не ви́делся	се́стра и брат
3. Я всегда́ сове́туюсь	оте́ц и мать
4. В Москве́ мы познако́мились	Ни́на и Михаил
5. Брат прие́дет к нам	жена́ и сын
6. Мать гуля́ет в па́рке	сын и дочь

– **С кем** вы бы́ли в клу́бе?
– Я был в клу́бе **с де́вушкой**.

Exercise 7. Answer the questions.

Model: – *С кем* ты поздоро́вался? | (преподава́тель)
– Я поздоро́вался *с преподава́телем.*

1. С кем Макси́м говори́т по телефо́ну? (брат) 2. С кем Таня познако́милась в Москве́? (студе́нтка из Пари́жа) 3. С кем вы встре́тились в теа́тре? (Оле́г и Ири́на) 4. С кем вы бы́ли на стадио́не? (тре́нер) 5. С кем разгова́ривал студе́нт в поликли́нике? (профе́ссор и врач) 6. С кем вы бы́ли вчера́ в кино́? (прия́тель и сестра́) 7. С кем вы е́хали сего́дня в авто́бусе? (Па́вел и Ни́на)

Exercise 8. Answer the questions, as in the model.

Model: – Вы зна́ете, *с кем* он говори́л по телефо́ну?
– Да, (я) зна́ю, *с кем* он говори́л по телефо́ну. Он говори́л по телефо́ну с дру́гом.

1. Вы зна́ете, с кем он был вчера́ в теа́тре? 2. Вы зна́ете, с кем она́ пое́дет ле́том в Москву́? 3. Вы зна́ете, с кем они́ разгова́ривают в коридо́ре? 4. Вы зна́ете, с кем он поздоро́вался сейча́с? 5. Вы зна́ете, с кем он познако́мился в Москве́? 6. Вы зна́ете, с кем я случа́йно встре́тился на у́лице?

Exercise 9. Make up questions to which the following sentences are the answers and write them down.

1. – … ?
– Мы поздоро́вались *с преподава́тельницей.*
2. – … ?
– Около метро́ я встре́тился *с дру́гом.*
3. – … ?
– В Москве́ я познако́мился *с профе́ссором* Моско́вского университе́та.
4. – … ?
– Обы́чно я хожу́ в кино́ *с Анто́ном.*
5. – … ?
– Она́ всегда́ сове́туется *с подру́гой.*
6. – … ?
– Он разгова́ривает по телефо́ну *с Никола́ем.*

Exercise 10. Complete the sentences, using the words given on the right.

I. 1. Я давно́ не ви́дел ... . 2. Ле́том я е́здил ... . 3. Вчера́ я говори́л по телефо́ну ... . 4. Ско́ро ко мне прие́дет ... . 5. Я хочу́ рассказа́ть вам	брат
II. 1. Анна́ помога́ет ... . 2. Она́ была́ в теа́тре ... . 3. Анна получи́ла письмо́ ... . 4. Она́ ждёт ... . 5. Анна написа́ла роди́телям	сестра́

III. 1. Вчера́ я был ... . | врач
2. Я разгова́ривал ... .
3. В суббо́ту я опя́ть пойду́ ... .
4. Я рассказа́л о боле́зни ... .
5. Я забы́л кни́гу в кабине́те ... .

Personal Pronouns in the Instrumental

– Вы знако́мы **с Па́влом**?
– Да, я знако́м **с ним**.

Exercise 11. A. Answer the questions.

1. Это на́ши друзья́ – Ви́ктор и Та́ня. Вы знако́мы *с ним и с не́ю*? 2. Вы давно́ знако́мы *с ни́ми*? 3. Ви́ктор, ты пойдёшь *с на́ми* в кино́? 4. Та́ня, мо́жно поговори́ть *с тобо́й*? 5. Ты хо́чешь пойти́ *со мной* в теа́тр? 6. Кто был *с ва́ми* на вы́ставке?

B. Make a table of personal, like the one given below.

Nominative	Instrumental
я ты …	**со** мной **с** тобой …

! Before words beginning with a group of consonants the preposition *со* is used: *со* мной, *со студе́нтом*, *со свои́м дру́гом*.

Exercise 12. Use personal pronouns.

Model: Это *мой друг*. Вы знако́мы ... ?
Это мой друг. Вы знако́мы *с ним*.

1. Это *Макси́м*. Вы знако́мы ... ? Вы да́вно познако́мились ... ? 2. Это *Ни́на*. Почему́ вы не поздоро́вались ... ? Вы не знако́мы ... ? 3. *Бори́с и Ни́на* – на́ши студе́нты. Вы хоти́те пойти́ ... в кино́? Если хоти́те, вы должны́ встре́титься ... о́коло кинотеа́тра в 6 часо́в. 4. *Мы* идём на конце́рт. Вы хоти́те пойти́ ... ? 5. *Вы* бы́ли вчера́ на ве́чере? Кто был ... на ве́чере? 6. *Ты* е́дешь в бассе́йн? Я то́же пое́ду ... . 7. *Я* иду́ сейча́с в буфе́т. Ты пойдёшь ... ?

Exercise 13. Use the required pronouns.

Model: Я разгова́ривал ... (они́) вчера́ ве́чером.
Я разгова́ривал *с ни́ми* вчера́ ве́чером.

1. Моя́ сестра́ лю́бит спо́рить ... (я). Я то́же ча́сто спо́рю ... (она́). 2. Вчера́ мы встре́тили Игоря на у́лице. Почему́ он не поздоро́вался ... (мы)? 3. Это наш сосе́д. Мой брат дру́жит ... (он). 4. Мы встре́тились ... (они́) в теа́тре. 5. Друзья́ попроща́лись ... (я) и ушли́. 6. Я хочу́ посове́товаться ... (ты). 7. Мой друг хо́чет познако́миться ... (вы). 8. Вчера́ я разгова́ривал ... (она́) по телефо́ну. 9. Я познако́мился ... (он) в про́шлом году́.

Exercise 14. Answer the questions.

Model: (a) – Что с ва́ми?
– У меня́ боли́т голова́.

1. Что с тобо́й? 2. Что с ним? 3. Что с ней? 4. Что с ва́ми? 5. Что с ним?

Model: (b) – Что с ва́ми случи́лось? Почему́ вы гру́стный?
– Я потеря́л очки́.

1. Что с тобо́й случи́лось? Почему́ ты тако́й бле́дный? 2. Что с ним случи́лось в суббо́ту? Почему́ он не́ был у нас? 3. Что с ней случи́лось вчера́? Почему́ она́ пла́кала? 4. Что с ва́ми случи́лось? Почему́ вы не́ были на заня́тии? 5. Что с ни́ми случи́лось? Почему́ они́ не пришли́ на собра́ние?

Adjectives and Possessive Pronouns in the Instrumental Singular

Мы знако́мы **с э́тим челове́ком**.

Exercise 15. Answer the questions.

1. Вы давно́ познако́мились *с э́тим студе́нтом*? 2. Вы познако́мились *с э́той де́вушкой* в Москве́? 3. Вы говори́ли *с э́тим инжене́ром*? 4. Вы сове́товались *с э́тим врачо́м*? 5. Вы знако́мы *с мои́м бра́том*? 6. Вы знако́мы *с мое́й сестро́й*? 7. Ты давно́ не ви́делся *со свои́м отцо́м*? 8. Ты давно́ не ви́делся *со свое́й ма́терью?*

Exercise 16. Answer the questions, using the words given on the right. Write down the answers.

1. С кем вы говори́ли сейча́с по телефо́ну?	мой брат
2. С кем вы обы́чно занима́етесь?	мой друг
3. С кем вы поздоро́вались?	наш профе́ссор
4. С кем разгова́ривал преподава́тель?	э́та студе́нтка
5. С кем вы хоти́те поговори́ть?	э́тот челове́к
6. С кем вы хоти́те познако́миться?	э́та де́вушка
7. С кем вы давно́ не ви́делись?	моя́ мать

– **С каки́м студе́нтом** вы разгова́ривали сейча́с?
– Я разгова́ривал сейча́с **с на́шим но́вым студе́нтом.**

– **С како́й студе́нткой** вы разгова́ривали?
– Я разгова́ривал **с на́шей но́вой студе́нткой.**

Exercise 17. Answer the questions, using the words given on the right.

1. С каки́м студе́нтом разгова́ривает преподава́тель?	но́вый
2. С каки́м ма́льчиком разгова́ривает врач?	больно́й
3. С каки́м врачо́м сове́туется больно́й?	о́пытный
4. С каки́м худо́жником вы познако́мились на вы́ставке?	молодо́й
5. С каки́м писа́телем была́ встре́ча в клу́бе?	де́тский
6. С каки́м бра́том он всегда́ сове́туется?	ста́рший
7. С каки́м студе́нтом вы игра́ли в ша́хматы?	неме́цкий

Exercise 18. Answer the questions, using the words given on the right.

1. С како́й студе́нткой разгова́ривает дека́н?	но́вая
2. С како́й де́вочкой разгова́ривает врач?	больна́я
3. С како́й арти́сткой познако́мились студе́нты?	изве́стная
4. С како́й писа́тельницей была́ встре́ча в на́шем клу́бе?	францу́зская
5. С како́й студе́нткой дру́жит ва́ша сестра́?	неме́цкая
6. С како́й сестро́й Анто́н ходи́л в цирк?	мла́дшая
7. С како́й де́вушкой он был на дискоте́ке?	знако́мая

Exercise 19. Complete (he sentences in writing, using the words given in brackets.

1. Мы поздоро́вались ... (наш но́вый преподава́тель). 2. Я был в теа́тре ... (мой хоро́ший друг). 3. Моя́ сестра́ Мари́я дру́жит ... (одна́ шве́дская студе́нтка). 4. В суббо́ту в клу́бе была́ встре́ча ... (изве́стный кирги́зский писа́тель). 5. На конце́рте мы познако́мились ... (оди́н интере́сный челове́к). 6. Сего́дня я говори́л по телефо́ну ... (твой мла́дший брат). 7. Он ча́сто спо́рит ... (его́ ста́ршая сестра́).

Exercise 20. Complete the sentences, using the words given on the right.

I. 1. Я давно́ не ви́делся ... . 2. Вчера́ я позвони́л ... . 3. Я пригласи́л в го́сти ... . 4. В суббо́ту я был в гостя́х … . 5. За́втра ко мне придёт … .	мой ста́рый друг
II. 1. Обы́чно я хожу́ в кино́ ... . 2. Я купи́л биле́ты в кино́ себе́ и ... . 3. Вчера́ у меня́ был	мой хоро́ший това́рищ
III. 1. Вчера́ в рестора́не я встре́тил ... . 2. Я танцева́л ... . 3. Мне на́до позвони́ть ... . 4. Вчера́ я получи́л письмо́ ... . 5. Эту кни́гу мне дала́	одна́ знако́мая де́вушка
IV. 1. Ра́ньше я не знал ... . 2. Неда́вно я познако́мился ... . 3. Я помога́ю ... изуча́ть ру́сский язы́к. 4. Я получи́л поздравле́ние	э́тот францу́зский студе́нт
V. 1. Вчера́ я был в гостя́х ... . 2. Я принёс цветы́ ... . 3. Эту исто́рию мне рассказа́ла ... . 4. Я говори́л по телефо́ну ... . 5. Я о́чень люблю́ … .	моя́ ста́ршая сестра́
VI. 1. В теа́тре мы встре́тили ... . 2. Мы подошли́ ... . 3. Мы поздоро́вались	наш но́вый преподава́тель

Nouns, Adjectives and Possessive Pronouns in the Instrumental Plural

– **С кем** вы игра́ли в футбо́л?
– Я игра́л в футбо́л **с друзья́ми**.

Nominative	Instrumental	Ending
студе́нты	со студе́нт**ами**	**-ами**
студе́нтки	со студе́нтк**ами**	
роди́тели	с роди́тел**ями**	**-ями**
друзья́	с друзь**я́ми**	

Exercise 21. Answer the questions.

1. С кем вы ходи́ли на вы́ставку?
2. С кем была́ встре́ча в университе́те?
3. С кем Анна е́здила в Москву́?
4. С кем сове́товался дире́ктор заво́да?
5. С кем они́ поздоро́вались?
6. С кем Та́ня была́ в теа́тре?
7. С кем разгова́ривает дека́н?
8. С кем ча́сто спо́рит Серге́й?

това́рищи
космона́вты
роди́тели
инжене́ры
преподава́тели
друзья́
студе́нты
бра́тья

MEMORISE!

Nominative К т о ?	Instrumental С к е м ?
де́ти лю́ди	с детьми́ с людьми́

Мы давно́ не ви́делись **с на́шими ста́рыми друзья́ми.**

Exercise 22. Answer the questions.

1. С кем вы бы́ли в музе́е? (на́ши студе́нты) 2. С кем вы встре́тились вчера́ в па́рке? (на́ши хоро́шие друзья́). 3. С кем вы познако́мились в Москве́? (прия́тные

лю́ди) 4. С кем она́ была́ в теа́тре? (её ста́ршие сёстры) 5. С кем вы лю́бите игра́ть в ша́хматы? (мои́ мла́дшие бра́тья) 6. С кем э́та же́нщина гуля́ет у́тром? (её ма́ленькие де́ти)

Exercise 23. Replace the plural by the singular.

1. Ли́да поздоро́валась *со свои́ми подру́гами.* 2. Брат попроща́лся *со свои́ми това́рищами.* 3. В клу́бе мы познако́мились *с изве́стными журнали́стами.* 4. Ле́том я был на Да́льнем Восто́ке *со свои́ми друзья́ми.* 5. Я давно́ не ви́делся *со ста́ршими бра́тьями.* 6. Ле́том мы пое́дем на пра́ктику *с на́шими преподава́телями.* 7. Я не знако́ма *с твои́ми но́выми подру́гами.* 8. Бори́с был на ве́чере *со свои́ми знако́мыми де́вушками.*

Exercise 24. Replace the singular by the plural.

Model: Я хожу́ в бассе́йн *с мла́дшим бра́том.*
Я хожу́ в бассе́йн *с мла́дшими бра́тьями.*

1. Он был в теа́тре *со свои́м ста́рым дру́гом.* 2. В Ки́еве мы познако́мились *с украи́нской студе́нткой.* 3. Сего́дня я говори́л по телефо́ну *со ста́ршим бра́том.* 4. Ле́том я пое́ду в дере́вню *со свое́й мла́дшей сестро́й.* 5. Вчера́ в клу́бе была́ встре́ча *с изве́стным худо́жником.* 6. Больно́й сове́товался *с о́пытным врачо́м.*

Exercise 25. Complete the sentences.

1. Когда́ Ива́н был на ве́чере в клу́бе, он познако́мился ... . 2. Когда́ мы гуля́ли в па́рке, мы встре́тились ... . 3. Когда́ ве́чер ко́нчился, я попроща́лся ... . 4. Я опозда́л в теа́тр, потому́ что до́лго говори́л по телефо́ну ... . 5. Когда́ я жил в Ла́твии, я был знако́м ... . 6. Он пло́хо ви́дит, поэ́тому он не поздоро́вался ... . 7. Если ваш друг пое́дет в Москву́, он, мо́жет быть, встре́тится там … .

Exercise 26. Complete the sentences, using the words given on the right.

I.		
I.	1. Я о́чень люблю́ … .	мой ста́рший брат
	2. Я ча́сто звоню́ … .	
	3. Я ча́сто получа́ю пи́сьма … .	
	4. Я всегда́ сове́туюсь … .	
	5. Ле́том я пое́ду … .	
	6. Эти фотогра́фии сде́лал … .	

II. 1. Вчера́ на у́лице я встре́тил ... . 2. Я поздоро́вался ... . 3. Я помога́ю изуча́ть ру́сский язы́к ... . 4. Сего́дня на уро́ке не́ было ... . 5. Этот журна́л дала́ мне	на́ша но́вая студе́нтка
III. 1. Он давно́ не ви́дел ... . 2. Вчера он приезжа́л ... . 3. Он вошёл и поздоро́вался	я и мои́ това́рищи
IV. 1. Неда́вно я получи́л письмо́ ... . 2. Я посла́л телегра́мму ... . 3. Вчера́ я встреча́л на вокза́ле ... . 4. Я хочу́ познако́мить вас	мои́ роди́тели
V. 1. Мне о́чень нра́вятся ... . 2. Вчера́ в клу́бе мы ви́дели ... . 3. Мы бы́ли на конце́рте ... . 4. Зри́тели до́лго аплоди́ровали ... . 5. По́сле конце́рта мы разгова́ривали	э́ти молоды́е арти́сты

The Instrumental in the Compound Predicate after the Verbs *быть* and *стать*

Мой брат – журнали́ст.
Мой брат был **журнали́стом**.
Мой брат **бу́дет журнали́стом.**

! In the present tense the link-verb in a compound predicate is omitted and the noun takes the nominative; in the past and future tenses the link-verb *быть (был, бу́ду)* or *стать (стал, ста́ну)* is obligatory and the noun takes the instrumental.

Exercise 27. Replace the present tense by the past and the future.

Model: Моя́ сестра́ – *врач.*
Моя́ сестра́ *была́ врачо́м.*
Моя́ сестра́ *бу́дет врачо́м.*

1. Мой брат инжене́р. 2. Мой сосе́д – студе́нт. 3. Его́ сестра́ – дире́ктор шко́лы. 4. Её друг – писа́тель. 5. Она́ хоро́ший де́тский врач. 6. Эта же́нщина – изве́стная арти́стка.

Exercise 28. Change the sentences to the present tense and write them down.

Model: Мой оте́ц был крестья́нином.
Мой оте́ц – крестья́нин.

1. Она́ бу́дет учи́тельницей. 2. Мой ста́рший брат был врачо́м. 3. Она́ бу́дет хоро́шей журнали́сткой. 4. Наш сосе́д был гео́логом. 5. Мой брат бу́дет агроно́мом. 6. Моя́ сестра́ бу́дет арти́сткой. 7. Я бу́ду инжене́ром. 8. Мой друг был перево́дчиком.

Exercise 29. Complete the sentences, using the words given in brackets.

Model: Ра́ньше я был шко́льником, а тепе́рь я стал (студе́нт).
Ра́ньше я был шко́льником, а тепе́рь я стал *студе́нтом*.

1. Мой друг был рабо́чим, а тепе́рь он стал (инжене́р). 2. Пять лет она́ была́ студе́нткой, а тепе́рь она ста́ла (аспира́нтка). 3. Она́ была́ учени́цей музыка́льной шко́лы, а тепе́рь она́ ста́ла (студе́нтка консервато́рии). 4. Моя́ подру́га была́ медици́нской сестро́й, ско́ро она́ ста́нет (де́тский врач). 5. Ра́ньше он был учи́телем, а тепе́рь он стал (дире́ктор шко́лы). 6. Два го́да наза́д его́ оте́ц был рабо́чим, а тепе́рь он стал (ма́стер).

Exercise 30. Answer the questions, using the words given in brackets. Write down the answers.

Model: – Почему́ вы поступи́ли на экономи́ческий факульте́т? (экономи́ст)
– Я поступи́л на экономи́ческий факульте́т, потому́ что я хочу́ стать *экономи́стом*.

1. Почему́ он поступи́л на физи́ческий факульте́т? (фи́зик) 2. Почему́ вы поступи́ли на инжене́рный факульте́т? (инжене́р) 3. Почему́ Анна поступи́ла на хими́ческий факульте́т? (хи́мик) 4. Почему́ она́ поступи́ла на биологи́ческий факульте́т? (био́лог) 5. Почему́ она́ у́чится на филологи́ческом факульте́те? (фило́лог) 6. Почему́ она́ у́чится на истори́ческом факульте́те? (исто́рик) 7. Почему́ Бори́с вы́брал медици́нский институ́т? (врач) 8. Почему́ вы вы́брали юриди́ческий факульте́т? (юри́ст)

Exercise 31. Make up sentences, as in the model, and write them down.

Model: Анто́н – экономи́ческий факульте́т.
Анто́н у́чится на экономи́ческом факульте́те.
Когда́ Анто́н око́нчит экономи́ческий факульте́т, он бу́дет (рабо́тать) *экономи́стом*.

1. Бори́с – истори́ческий факульте́т. 2. Анна – медици́нский факульте́т. 3. Ива́н – инжене́рный факульте́т. 4. Еле́на – хими́ческий факульте́т.

5. Макси́м – юриди́ческий факульте́т. 6. Мари́на – физи́ческий факульте́т. 7. Ви́ктор – филологи́ческий факульте́т.

– **Кем был** ваш оте́ц?
– Мой оте́ц был учи́телем.
– **Кем бу́дет** ваш брат?
– Мой брат **бу́дет инжене́ром**.

Exercise 32. Make up questions.

Model: – Два го́да наза́д *он был учи́телем*.
– *Кем* он был два го́да наза́д?

1. – … ?
– Его дя́дя *был перево́дчиком*.
2. – … ?
– Моя́ сестра́ *ста́нет врачо́м*.
3. – … ?
– В де́тстве я мечта́л *стать космона́втом*.
4. – … ?
– По́сле оконча́ния университе́та я *ста́ну агроно́мом*.
5. – … ?
– Она́ хоте́ла *быть актри́сой кино́*.
6. – … ?
– Мно́го лет он *был дире́ктором шко́лы*.
7. – … ?
– Мой мла́дший брат хо́чет *быть футболи́стом*.

– **Где** рабо́тает ваш брат?
– Мой брат рабо́тает **на заво́де**.
– **Кем** он рабо́тает?
– Он рабо́тает **меха́ником**.

Exercise 33. Answer the questions, as in the model.

Model: – *Кем* она́ рабо́тает? (преподава́тель)
– Она́ рабо́тает *преподава́телем*.

1. Кем рабо́тает ваш оте́ц? (инжене́р) 2. Кем рабо́тает ваш ста́рший брат?

(лабора́нт) 3. Кем рабо́тает ваш друг? (агроно́м) 4. Кем рабо́тает э́тот челове́к? (машини́ст) 5. Кем рабо́тает ва́ша мать? (врач) 6. Кем рабо́тает ва́ша ста́ршая сестра́? (учи́тельница) 7. Кем вы бу́дете рабо́тать? (перево́дчик)

Exercise 34. Make up questions and answer them.

Model: Сестра́ – шко́ла – учи́тель исто́рии
– *Где* рабо́тает ва́ша сестра́?
– Она́ рабо́тает *в шко́ле*.
– *Кем* она́ рабо́тает?
– Она рабо́тает *учи́телем исто́рии*.

1. Оте́ц – заво́д – инжене́р.
2. Мать – рестора́н – по́вар.
3. Брат – банк – опера́тор.
4. Сосе́д – фи́рма – ме́неджер.
5. Сосе́дка – поликли́ника – медсестра́.
6. Подру́га – университе́т – библиоте́карь
7. Дя́дя – гара́ж – меха́ник.
8. Тётя – де́тский сад – воспита́тель.

Exercise 35. Replace the sentences by sentences with the verb *явля́ться*.

Model: Москва́ – столи́ца Росси́и.
Москва́ *явля́ется столи́цей Росси́и*.

1. Варша́ва – столи́ца По́льши. 2. Пари́ж – столи́ца Фра́нции. 3. То́кио – столи́ца Япо́нии. 4. Пра́га – столи́ца Че́хии. 5. Рим – столи́ца Ита́лии. 6. Будапе́шт – столи́ца Ве́нгрии. 7. Отта́ва – столи́ца Кана́ды. 8. Софи́я – столи́ца Болга́рии. 9. Ме́хико – столи́ца Ме́ксики.

The Instrumental with the Verbs *интересова́ться* and *занима́ться*, and the Short-Form Adjective *дово́лен*

– **Чем** вы интересу́етесь?
– Я интересу́юсь **му́зыкой** и **литерату́рой**.

Exercise 36. Answer the questions, as in the model.

Model: – Вы интересу́етесь фи́зикой? (хи́мия)
– Нет, я интересу́юсь *хи́мией*.

1. Вы интересу́етесь исто́рией? (литерату́ра) 2. Он интересу́ется хи́мией? (биоло́гия) 3. Они́ интересу́ются матема́тикой? (астроно́мия) 4. Она́ интересу́ется му́зыкой? (та́нцы) 5. Ма́льчики интересу́ются теа́тром? (спорт)

Exercise 37. Answer the questions. Write down the answers.

1. Чем вы интересу́етесь? (литерату́ра) 2. Чем интересу́ется ва́ша сестра́? (медици́на) 3. Чем интересу́ется ваш ста́рший брат? (матема́тика) 4. Чем интересу́ется ваш друг? (теа́тр) 5. Чем интересу́ется ваш мла́дший брат? (ма́рки) 6. Чем интересу́ются его́ това́рищи? (ша́хматы) 7. Чем интересу́ется э́тот челове́к? (иску́сство)

Exercise 38. Make up questions to which the following sentences are the answers and write them down.

Model: – Мой брат интересу́ется *ру́сским языко́м*.
– *Чем* интересу́ется ваш брат?

1. Я интересу́юсь *астроно́мией*. 2. Они́ интересу́ются *ру́сской литерату́рой*. 3. Этот студе́нт интересу́ется *хи́мией*. 4. Они́ интересу́ются *медици́ной*. 5. Ра́ньше он интересова́лся *матема́тикой*, тепе́рь он интересу́ется *биоло́гией*. 6. Она́ интересу́ется *жи́вописью*. 7. Мы интересу́емся *исто́рией*.

Exercise 39. Answer the questions, as in the model. Write down the answers.

Model: – Почему́ он ча́сто хо́дит на ле́кции по ру́сской литерату́ре?
– Он ча́сто хо́дит на ле́кции по ру́сской литерату́ре, потому́ что (он) *интересу́ется ру́сской литерату́рой*.

1. Почему́ он ча́сто хо́дит на ле́кции по биоло́гии? 2. Почему́ он ча́сто хо́дит на футбо́льные ма́тчи? 3. Почему́ он ча́сто хо́дит в теа́тр на бале́т? 4. Почему́ он ча́сто хо́дит в Истори́ческий музе́й? 5. Почему́ он ча́сто хо́дит на конце́рты симфони́ческой му́зыки? 6. Почему́ он покупа́ет кни́ги по фи́зике? 7. Почему́ он собира́ет кни́ги о худо́жниках?

– **Чем** твой брат занима́ется в свобо́дное вре́мя?
– Он занима́ется **спо́ртом**.
– **Где** он занима́ется?
– **На стадио́не** или в **спорти́вном за́ле**.

Exercise 40. Make up sentences, as in the model.

Model: Мой брат ... (спорт).
Мой брат *занима́ется спо́ртом.*

1. Я ... (те́ннис). 2. Сестра́ ... (гимна́стика). 3. Мы ... (ру́сский язы́к). 4. Мла́дший брат ... (испа́нский язы́к). 5. Оле́г ... (лы́жный спорт). 6. Бори́с ... (ру́сская исто́рия). 7. Андре́й ... (ру́сская литерату́ра)

Exercise 41. Complete the sentences, using the words given in brackets and the verbs *интересова́ться, занима́ться, рабо́тать, быть, стать* as required by the sense.

1. Моя́ сестра́ ... (медици́на). 2. Она́ ... (глазно́й врач). 3. Ра́ньше она́ ... (медсестра́). 4. Всю жизнь наш оте́ц ... (хи́мия). 5. Сейча́с он ... (гла́вный инжене́р) хими́ческого заво́да. 6. Мой брат ... (биоло́гия). 7. Он ... (жизнь морски́х птиц).

Exercise 42. Answer the questions, as in the model. Use the pronouns *свой* and *э́тот* in the answers.

Model: – Вам понра́вилась *экску́рсия* в музе́й?
– Да, мы о́чень дово́льны *э́той экску́рсией.*

1. Вам понра́вился *ве́чер* дру́жбы в университе́те? 2. Вам понра́вился *конце́рт* италья́нских арти́стов? 3. Ва́шим друзья́м понра́вилась *пое́здка* в Сре́днюю Азию? 4. Ва́шему бра́ту нра́вится *его́ но́вая рабо́та*? 5. Ва́шему дру́гу нра́вится *его́ жизнь в Москве́?* 6. Ва́шей сестре́ нра́вится *её но́вая кварти́ра*? 7. Ва́шему дру́гу нра́вится *его́ специа́льность*?

The Instrumental with the Prepositions *над, под, пе́ред, за* and *ря́дом с* Denoting Place

над		над столо́м
под		под дива́ном
пе́ред	**чем?**	пе́ред до́мом
за		за стено́й
ря́дом с		ря́дом с остано́вкой

Exercise 43. Answer the questions.

Model: – Что виси́т *над столо́м*?
– *Над столо́м* виси́т ла́мпа.

1. Что виси́т *над пи́сьменным столо́м*? (календа́рь) 2. Что виси́т *над дива́ном*? (фотогра́фия) 3. Что нахо́дится *под до́мом*? (гара́ж) 4. Что нахо́дится *за э́тим до́мом*? (де́тский сад) 5. Что нахо́дится *ря́дом со ста́нцией метро́*? (конце́ртный зал) 6. Кто лежи́т *под дива́ном*? (соба́ка) 7. Кто сиди́т *под сту́лом*? (ко́шка)

Exercise 44. Complete the sentences, using the words given in brackets.

1. Ла́мпа виси́т ... (пи́сьменный стол). 2. Я нашёл свою́ тетра́дь ... (кни́жный шкаф). 3. Мой каранда́ш лежа́л ... (ва́ша тетра́дь). 4. Ру́чка упа́ла и лежи́т ... (э́тот стул). 5. ... (наш дом) расту́т цветы́. 6. ... (Моско́вский университе́т) стои́т па́мятник Ломоно́сову. 7. Остано́вка авто́буса нахо́дится ... (кни́жный магази́н).

Exercise 45. Make up sentences opposite in meaning to those given below.

Model: Наш авто́бус останови́лся *за музе́ем*.
Наш авто́бус останови́лся *пе́ред музе́ем*.

1. На конце́рте *пе́редо мной* сиде́л Андре́й. 2. Маши́на останови́лась *за вокза́лом*. 3. В кино́ Ми́ша сиде́л *за на́ми*. 4. Авто́бус остана́вливается *за студе́нческим общежи́тием*. 5. *Пе́ред до́мом* расту́т дере́вья.

The Instrumental in Passive Constructions[1]

– **Кем** напи́сана э́та карти́на?
– Эта карти́на напи́сана **неизве́стным худо́жником**.

Exercise 46. Make up questions to which the following sentences are the answers.

Model: – Этот рома́н напи́сан *изве́стным англи́йским писа́телем*.
– *Кем* напи́сан э́тот рома́н?

[1] For more details on the Passive Constructions see p.p. 321.

1. Эта карти́на напи́сана *изве́стным ру́сским худо́жником.*
2. Эти стихи́ переведены́ на ру́сский язы́к *молоды́м австри́йским поэ́том.*
3. Этот фильм со́здан *знамени́тым италья́нским режиссёром.*
4. Эта пе́сня напи́сана *изве́стным по́льским компози́тором.*
5. Эта тео́рия со́здана *изве́стным англи́йским фи́зиком.*
6. Этот зако́н откры́т *вели́ким ру́сским хи́миком.*

Exercise 47. Answer the questions, using the words given in brackets. Write down the answers.

1. Кем напи́сано э́то письмо́? (её ста́рший брат) 2. Кем нарисо́вана э́та карти́на? (неизве́стный худо́жник) 3. Кем решена́ э́та тру́дная зада́ча? (оди́н молодо́й учёный) 4. Кем при́сланы э́ти ма́рки? (мой ста́рый друг) 5. Кем напи́сана э́та кни́га? (изве́стный францу́зский писа́тель) 6. Кем напи́саны э́ти пе́сни? (совреме́нный неме́цкий компози́тор) 7. Кем откры́т э́тот зако́н? (изве́стный ру́сский хи́мик)

The Instrumental Denoting the Instrument of Action

– **Чем** вы пи́шете?
– Я пишу́ **карандашо́м**.

Exercise 48. Answer the questions, using the words given in brackets.

1. Чем вы пи́шете в тетра́ди? (ру́чка) 2. Чем вы пи́шете на доске́? (мел) 3. Чем преподава́тель исправля́ет оши́бки в тетра́дях? (кра́сный каранда́ш) 4. Чем мы еди́м? (ло́жка и ви́лка) 5. Чем мы ре́жем хлеб? (нож) 6. Чем мы чи́стим зу́бы? (зубна́я щётка) 7. Чем мы фотографи́руем? (фотоаппара́т) 8. Чем мы измеря́ем температу́ру? (термо́метр) 9. Чем мы измеря́ем давле́ние во́здуха? (баро́метр)

The Instrumental with Prepositions Used in Various Meanings

Exercise 49. Ask questions about the italicised words.

Model: – Бори́с встре́тил нас *с большо́й ра́достью.*
– *Как* встре́тил вас Бори́с?

1. Я переводи́л э́тот текст *с больши́м трудо́м.* 2. Студе́нты слу́шали ле́кцию

с больши́м внима́нием. 3. Мы смотре́ли э́тот фильм *с удово́льствием*. 4. Ни́на говори́т о своём ста́ршем бра́те *с го́рдостью*. 5. Мы слу́шали его́ расска́з *с удивле́нием*. 6. Я чита́л э́тот рома́н *с больши́м интере́сом*.

Exercise 50. Complete the sentences, using the words *с ра́достью, с удово́льствием, с интере́сом, с го́рдостью, с трудо́м, с удивле́нием*.

1. Когда́ мы прие́хали, роди́тели встре́тили нас ... . 2. Мать ... расска́зывала о своём сы́не. 3. Я ... посмотрю́ э́тот фильм ещё раз. 4. Я чита́л его́ пи́сьма ... . 5. Он ... реши́л э́ти зада́чи. 6. Мы всегда́ ... слу́шаем ле́кции э́того профе́ссора. 7. Он смотре́л на меня́ ... .

Exercise 51. Complete the sentences, as in the model.

Model: Я люблю́ чай ... (молоко́).
Я люблю́ *чай с молоко́м*.

1. Утром я ем хлеб ... (ма́сло и сыр). 2. Па́вел лю́бит мя́со ... (карто́фель и́ли рис). 3. Обы́чно я пью чай ... (са́хар и лимо́н). 4. Утром мы пьём ко́фе ... (молоко́ и са́хар). 5. Я люблю́ карто́фель ... (мя́со и́ли ры́ба). 6. Я ем суп ... (хлеб).

Exercise 52. Complete the sentences, using the words given on the right and the preposition *пе́ред*.

Model: Он позвони́л мне … . | пра́здник
Он позвони́л мне *пе́ред пра́здником*.

1. Я получи́л письмо́ от роди́телей	Но́вый год
2. Она́ всегда́ волну́ется … .	экза́мены
3. Сестра прие́хала ко мне	пра́здник
4. Мы немно́го погуля́ли	нача́ло фи́льма
5. Мы успе́ли поу́жинать	конце́рт
6. Он не попроща́лся с на́ми … .	отъе́зд

Exercise 53. Replace the sentences, as in the model.

Model: Оле́г пошёл на по́чту, *что́бы купи́ть конве́рты и ма́рки.*
Оле́г пошёл на по́чту *за конве́ртами и ма́рками.*

1. Мать пошла́ в магази́н, *что́бы купи́ть мя́со и о́вощи.* 2. Студе́нты пошли́ в библиоте́ку, *что́бы взять кни́ги*. 3. Мой сосе́д пошёл на по́чту, *что́бы получи́ть посы́лку*. 4. Ве́чером ко мне приходи́л мой друг, *что́бы взять но́вые ди́ски.*

5. По́сле уро́ков я пое́ду в ка́ссу, *что́бы купи́ть биле́ты на футбо́л*. 6. Студе́нты побежа́ли в кио́ск, *что́бы купи́ть све́жие газе́ты*. 7. Моя́ сестра́ пошла́ в апте́ку, *что́бы купи́ть лека́рство*.

Exercise 54. Complete the sentences in writing, using prepositions wherever necessary.

1. Я был в музе́е ... (друг). 2. Он рису́ет портре́т ... (чёрный каранда́ш). 3. Температу́ру измеря́ют ... (термо́метр). 4. Подру́га слу́шала меня́ ... (интере́с). 5. Самолёт лети́т ... (го́род). 6. ... (дом) был большо́й сад. 7. Ма́льчик написа́л дикта́нт ... (оши́бки). 8. ... (мой стол) виси́т портре́т отца́. 9. Она́ пошла́ в кио́ск ... (газе́ты). 10. Оле́г давно́ занима́ется ... (спорт). 11. Эта карти́на нарисо́вана ... (ру́сский худо́жник).

Exercise 55. Ask questions about the italicised words.

1. Я поздоро́вался *со свои́м знако́мым*. 2. Его́ мать рабо́тает *медици́нской сестро́й*. 3. На собра́нии я сиде́л *со свои́м дру́гом*. 4. Хозя́ин встре́тил госте́й *с ра́достью*. 5. Сестра́ пошла́ в апте́ку *за лека́рством*. 6. Ни́на была́ в теа́тре *со свое́й подру́гой*. 7. Мой друг интересу́ется *геоло́гией*. 8. Маши́на стои́т *пе́ред до́мом*. 9. Мы живём *ря́дом с па́рком*. 10. Они́ прие́хали в Москву́ пе́ред *нача́лом уче́бного го́да*.

Revision Exercises

Exercise 56. Answer the questions, using the words given on the right. Write down the answers.

I. 1. Где живёт ва́ша семья́? 2. Отку́да вы получа́ете пи́сьма? 3. Куда́ вы пое́дете ле́том? 4. Что вы ча́сто вспомина́ете?	ро́дина
II. 1. Кому́ вы купи́ли э́тот слова́рь? 2. Кто звони́л вам сейча́с? 3. С кем вы игра́ете в ша́хматы? 4. Чьё письмо́ вы чита́ете? 5. К кому́ вы пойдёте игра́ть в ша́хматы?	това́рищ
III. 1. Чем вы интересу́етесь? 2. Что вы сейча́с изуча́ете? 3. Каку́ю кни́гу вы купи́ли? 4. Кака́я нау́ка вам нра́вится?	исто́рия

Exercise 57. Answer the questions, using the words given on the right.

I.	1. Где вы берёте кни́ги?	библиоте́ка
	2. Куда́ вы ходи́ли?	
	3. Отку́да вы идёте?	
	4. Что постро́или на э́той у́лице?	
	5. Что тепе́рь нахо́дится на э́той у́лице?	
II.	1. Кто написа́л э́то письмо́?	сестра́
	2. От кого́ вы получи́ли письмо́?	
	3. Кому́ вы пи́шете письмо́?	
	4. Чьё письмо́ вы чита́ете?	
	5. К кому́ вы пое́дете в воскресе́нье?	
III.	1. С кем вы занима́етесь на стадио́не?	тре́нер
	2. Кого́ вы ви́дели на стадио́не?	
	3. У кого́ вы бы́ли вчера́?	
IV.	1. Чем вы занима́етесь в свобо́дное вре́мя?	спорт
	2. Что вы лю́бите?	
	3. Каку́ю кни́гу вы сейча́с чита́ете?	
V.	1. Кого́ вы ждёте?	подру́га
	2. Кому́ вы звони́ли?	
	3. С кем вы бы́ли в теа́тре?	
	4. У кого́ вы взя́ли кни́гу?	
	5. О ком вы говори́те?	
VI.	1. Кем хо́чет стать ваш брат?	врач
	2. У кого́ вы бы́ли?	
	3. К кому́ вы ходи́ли?	
	4. Кто сове́тует вам занима́ться спо́ртом?	

Exercise 58. Use the required forms of the words given in brackets.

1. Я ре́дко ви́жу ... (он и она́). 2. Вы давно́ зна́ете ... (они́)? Где вы познако́мились ... (они́)? Вы ча́сто звони́те ... (они́)? 3. Переда́йте, пожа́луйста, ... (она́) э́ту запи́ску. 4. Я прошу́ ... (ты) принести́ ... (я) журна́л. 5. Покажи́, пожа́луйста, ... (мы) свои́ фотогра́фии. 6. Я хочу́ ви́деть ... (вы). Могу́ я прийти́... (вы) за́втра? 7. Я позвоню́ ... (ты) за́втра ве́чером. Ты пойдёшь ... (я) в кино́? 8. Брат посове́товал ... (я) купи́ть э́тот магнитофо́н.

Exercise 59. Write out the sentences, using the required pronouns.

1. Моя́ сестра́ у́чится в Москве́. Я давно́ не ви́дел ... . ча́сто пи́шет мне. Неда́вно я получи́л от ... большо́е письмо́. Сего́дня я до́лжен отве́тить ... . Мо́жет быть, ле́том я пое́ду .... 2. У меня́ есть друг. ... зову́т Макси́м. ... рабо́тает в шко́ле. Иногда́ мы хо́дим ... в бассе́йн. Я учу́ ... пла́вать. Я получи́л ... приглаше́ние. За́втра я пойду́ ... в го́сти. 3. Эта де́вушка рабо́тает в на́шем институ́те. Я не знако́м ... . Я не зна́ю, как ... зову́т и ско́лько ... лет. Я ча́сто встреча́ю ... в библиоте́ке. ... то́же изуча́ет ру́сский язы́к. 4. Мои́ роди́тели живу́т в Жене́ве. Я давно́ не ви́дел .... Вчера́ я получи́л ... телегра́мму. ... сообща́ют, что собира́ются прие́хать ко мне в го́сти. Я отве́тил ..., что я бу́ду ждать ... с нетерпе́нием.

Exercise 60. Answer the questions, using the pronouns.

Model: – Вы зна́ете *Анну и Ви́ктора*?
– Да, я зна́ю *их*.

1. Вы зна́ете *Ни́ну*? 2. Вы зна́ете *Бори́са*? 3. Вы знако́мы *с Бори́сом*? 4. Вы давно́ знако́мы *с Анной*? 5. Вы бы́ли вчера́ *у свои́х друзе́й*? 6. Вы звони́ли *преподава́телю*? 7. Вы е́здили ле́том *к роди́телям*? 8. Вы получи́ли письмо́ *от отца́*? 9. Вы написа́ли письмо́ *ма́тери*? 10. Вы ходи́ли *к врачу́*? 11. Ты ждёшь *Андре́я и Ли́ду*? 12. Ты хо́чешь посове́товаться *с бра́том*?

Exercise 61. Answer the questions, using the required forms of the words given on the right.

I.	1. Кого́ вы ви́дели на вы́ставке? 2. С кем вы разгова́ривали о карти́нах? 3. Кто показа́л вам свои́ карти́ны? 4. Кому́ вы хоти́те показа́ть свои́ рису́нки? 5. Чьи карти́ны вы ви́дели на вы́ставке? 6. О ком писа́ли газе́ты?	оди́н изве́стный ру́сский худо́жник
II.	1. Кто звони́л вам? 2. Кого́ вы ждёте? 3. С кем вы спо́рили о литерату́ре? 4. Кому́ вы помога́ете? 5. Чья э́то фотогра́фия? 6. О ком вы расска́зываете?	моя́ ста́ршая сестра́

Exercise 62. Complete the sentences, using the required forms of the words given on the right.

I.	1. Я хочу́ рассказа́ть вам ... . 2. Когда́ я жил в родно́м го́роде, я всегда́ ходи́л в кино́ ... . 3. Я получи́л письмо́ ... . 4. Неда́вно в Москву́ прие́хал ... . 5. Я встре́тил на вокза́ле ... . 6. Сего́дня я звони́л	мой ста́рый шко́льный това́рищ

II. 1. Ни́на купи́ла биле́ты в теа́тр себе́ и ... . 2. В теа́тре мы ви́дели Ни́ну и ... . 3. Ни́на показа́ла нам фотогра́фию ... . 4. Она рассказа́ла нам ... . 5. Она́ познако́мила нас	её лу́чшая подру́га

Exercise 63. Complete the sentences, using the required forms of the words given on the right.

I. 1. Я ча́сто получа́ю пи́сьма ... . 2. Я до́лжен написа́ть пи́сьма ... . 3. Я давно́ не ви́дел ... . 4. В суббо́ту ко мне приду́т ... . 5. Я люблю́ встреча́ться	друзья́
II. 1. В э́том го́роде мно́го ... . 2. Я люблю́ ходи́ть ... . 3. Вы бы́ли ... э́того го́рода? 4. Что вы зна́ете ... на́шего го́рода?	музе́и
III. 1. У нас в университе́те бы́ли ... . 2. Мы познако́мились ... . 3. В на́шем го́роде бы́ло мно́го	тури́сты из Москвы́

Exercise 64. Answer the questions, using the required forms of the words given on the right.

1. Кому́ вы звони́те? 2. С кем вы бы́ли на конце́рте? 3. Кто звони́л вам? 4. Кого́ вы пригласи́ли в го́сти? 5. У кого́ вы бы́ли в гостя́х? 6. Чей э́то дом? 7. О ком вы вспомина́ете?	мои́ ста́рые друзья́

Exercise 65. Complete the sentences, using the words given on the right.

1. Я о́чень люблю́ ... . 2. Я ча́сто ду́маю ... . 3. Я всегда́ сове́туюсь ... . 4. Я помога́ю ... . 5. Ле́том я отдыха́ю … . 6. Неда́вно я е́здил ... . 7. Эти часы́ мне подари́ли ... . 8. Это да́ча … .	мои́ роди́тели

THE VERB

VERBS OF MOTION

Unprefixed Verbs of Motion and the Verbs *пойти́* and *пое́хать*

The Verb *идти́*. The Present Tense

– **Куда́** идёт Бори́с?
– Бори́с **идёт в магази́н.**

идти́

Я **иду́** Ты **идёшь** Он (она́) **идёт**	в теа́тр.	Мы **идём** Вы **идёте** Они́ **иду́т**	в теа́тр.

Exercise 1. Use the required forms of the verb *идти́*.

1. Я ... в лаборато́рию. 2. Ли́да ... в буфе́т. 3. Его́ друзья́ ... в клуб. 4. Студе́нтка ... в аудито́рию. 5. Мы ... в библиоте́ку. 6. Анна ... в музе́й. 7. Студе́нты ... в общежи́тие. 8. Куда́ ты ... ? 9. Куда́ вы ... ? 10. Куда́ они́ ... ?

Exercise 2. Answer the questions, using the words given in brackets.

Model: – *Куда́* вы идёте? (университе́т)
– Я иду́ *в университе́т.*

1. *Куда́* он идёт сейча́с? (клуб) 2. *Куда́* она́ идёт? (библиоте́ка) 3. *Куда́* они́ иду́т? (теа́тр) 4. *Куда́* вы идёте? (поликли́ника) 5. *Куда́* ты идёшь? (магази́н) 6. *Куда́* иду́т де́ти? (шко́ла) 7. *Куда́* идёт преподава́тель? (лаборато́рия)

Exercise 3. Answer the questions, using the words given in brackets.

Model: – *Куда́* они́ иду́т? (заво́д)
– Они́ иду́т *на заво́д*.

1. *Куда́* они́ иду́т? (по́чта) 2. *Куда́* ты идёшь? (стадио́н) 3. *Куда́* он идёт? (фа́брика) 4. *Куда́* она́ идёт? (ры́нок) 5. *Куда́* вы идёте? (вокза́л) 6. *Куда́* ты идёшь? (уро́к) 7. *Куда́* иду́т студе́нты? (конце́рт)

Exercise 4. Use the required forms of the verb *идти́*.

1. – Куда́ ... Бори́с и Андре́й?
– Я не зна́ю, куда́ они́ ... . Я ду́маю, что они́ ... в столо́вую.
2. – Куда́ ... Мари́на?
– Она́ ... на ле́кцию.
– А вы то́же ... на ле́кцию?
– Да, я то́же ... туда́.
3. – Куда́ вы ...?
– Я ... в кино́.
– А почему́ вы ... оди́н?
– Я ... оди́н, потому́ что мои́ друзья́ уже́ ви́дели э́тот фильм.
4. – Вы ... в фонети́ческую лаборато́рию?
– Нет, мы уже́ бы́ли там. Сейча́с мы ... в библиоте́ку.

The Verb *ходи́ть*. The Past Tense

Сейча́с я **иду́** в столо́вую.
Утром я **ходи́л** в буфе́т.

Exercise 5. Use the verb *ходи́ть* in the past tense.

1. Вчера́ Анто́н ... в Большо́й теа́тр. 2. Утром студе́нты ... на ле́кцию. 3. Позавчера́ мы ... в музе́й. 4. Вчера́ я ... на стадио́н. 5. На про́шлой неде́ле мы ... в цирк. 6. В четве́рг Никола́й ... в поликли́нику. 7. Утром Анна ... в библиоте́ку.

Exercise 6. Write out the sentences, replacing the verb *идти́* by *ходи́ть* in the past tense. Change the adverbs of time.

Model: *Сейча́с* мы *идём* на вы́ставку.
Вчера́ мы *ходи́ли* на вы́ставку.

I. 1. *Сейча́с* я *иду́* в лаборато́рию. 2. *Сейча́с* мы *идём* на ле́кцию. 3. *Сейча́с* мой друг *идёт* в поликли́нику. 4. *Сейча́с* студе́нты *иду́т* в библиоте́ку. 5. *Сейча́с* Андре́й *идёт* в клуб.

II. 1. Ты *идёшь* в столо́вую? 2. Они́ *иду́т* на стадио́н? 3. Вы *идёте* на конце́рт? 4. Ты *идёшь* в апте́ку?

Вчера́ я **ходи́л в теа́тр**. – **Куда́** вы **ходи́ли** вчера́?
Вчера́ я **был в теа́тре**. – **Где** вы **бы́ли** вчера́?

NOTE: In the past tense the verb *ходи́ть* denotes movement there and back. In this case the verb *ходи́л* is equivalent to the verb *был*: Вчера́ *я ходи́л* в *теа́тр*. = Вчера́ я *был* в *теа́тре*.

Exercise 7. Make up questions to which the following sentences are the answers and write them down.

1. Вчера́ мы *бы́ли в теа́тре*. Вчера́ мы *ходи́ли в теа́тр*. 2. Анна *ходи́ла в магази́н*. Анна *была́ в магази́не*. 3. Студе́нты *ходи́ли в клуб*. Студе́нты *бы́ли в клу́бе*. 4. В суббо́ту Анто́н *был на вы́ставке*. В суббо́ту Анто́н *ходи́л на вы́ставку*. 5. Позавчера́ мы *бы́ли на конце́рте*. Позавчера́ мы *ходи́ли на конце́рт*.

Exercise 8. Replace the verb *ходи́ть* by the verb *быть*. Change the case of the nouns following the verb.

Model: Он *ходи́л* в посо́льство.
Он *был* в посо́льстве.

1. Вчера́ мы *ходи́ли* на ве́чер. 2. Вчера́ моя́ сестра́ *ходи́ла* в консервато́рию. 3. Мой друг *ходи́л* в музе́й. 4. Утром она́ *ходи́ла* на по́чту. 5. Па́вел *ходи́л* в библиоте́ку. 6. В суббо́ту они́ *ходи́ли* в рестора́н.

Exercise 9. Do the exercise as shown in the model.

Model: Вчера́ он *ходи́л* в Большо́й теа́тр.
Вчера́ он *был* в Большо́м теа́тре.

1. Позавчера́ Оле́г *ходи́л* на студе́нческий ве́чер. 2. В суббо́ту моя́ подру́га *ходи́ла* в о́перный теа́тр. 3. Вчера́ я *ходи́л* в кни́жный магази́н. 4. Сего́дня у́тром мы *ходи́ли* на интере́сную ле́кцию. 5. Сего́дня Анна *ходи́ла* в Моско́вский университе́т. 6. Позавчера́ мы *ходи́ли* в медици́нский институ́т. 7. В суббо́ту мы *ходи́ли* на футбо́льный матч.

Exercise 10. Replace the verb *быть* by *ходи́ть*.

Model: Вчера́ ве́чером он *был в теа́тре*.
Вчера́ ве́чером он *ходи́л в теа́тр*.

1. Неда́вно мы *бы́ли в Истори́ческом музе́е*. 2. В воскресе́нье мы *бы́ли на Кра́сной пло́щади*. 3. Позавчера́ мои́ друзья́ *бы́ли в Моско́вском Кремле́*. 4. В суббо́ту мои́ роди́тели *бы́ли в Большо́м теа́тре*. 5. Вчера́ Мари́на *была́ в Моско́вском университе́те*. 6. Сего́дня мой друг *был в кни́жном магази́не*.

Exercise 11. Answer the questions, as in the model.

Model: – Что вы де́лали у́тром? (библиоте́ка)
– Утром я *ходи́л в библиоте́ку*.

1. Что вы де́лали вчера́ ве́чером? (конце́рт) 2. Что вы де́лали в суббо́ту? (бассе́йн) 3. Что де́лал Бори́с в воскресе́нье? (стадио́н) 4. Что де́лала Мари́я по́сле ле́кции? (библиоте́ка) 5. Что де́лали ва́ши друзья́ в суббо́ту? (рестора́н) 6. Что де́лали де́ти по́сле обе́да? (парк)

Exercise 12. Answer the questions, as in the model. Write down the answers.

Model: – Где ты был? (вы́ставка)
– Я ходи́л на вы́ставку.

1. Где ты был у́тром? (банк) 2. Где была́ Мари́я? (столо́вая) 3. Где вы бы́ли в суббо́ту? (цирк) 4. Где была́ у́тром ва́ша сестра́? (поликли́ника) 5. Где она́ была́ пото́м? (апте́ка) 6. Где бы́ли ва́ши друзья́ в воскресе́нье? (консервато́рия)

Exercise 13. Use the verb *ходи́ть* in the past tense.

1. – Куда вы ... в суббо́ту?
   – Я ... в клуб на ве́чер.
   – А ва́ши друзья́ то́же ... на ве́чер?
   – Нет, они́ не ...
2. – Вы хоти́те посмотре́ть но́вый фильм?
   – Нет, я уже́ ви́дел его́. Я ... смотре́ть э́тот фильм вчера́.
   – А Анна ви́дела э́тот фильм?
   – Да, она́ то́же ... со мной.
3. – Куда́ ты ... вчера́ ве́чером?
   – Я ... в теа́тр. А ты?
   – А я ... в го́сти.

The Verb *пойти́*. The Future Tense

Сейча́с я **иду́** в поликли́нику.
За́втра я **пойду́** в поликли́нику.

Exercise 14. Use the verb *пойти́* in the future tense.

1. За́втра мой мла́дший брат ... в цирк. 2. В суббо́ту мы ... на вы́ставку. 3. За́втра мои́ друзья́ ... в теа́тр. 4. Сего́дня по́сле обе́да я ... в кни́жный магази́н. 5. Послеза́втра она́ ... в клуб на ве́чер. 6. За́втра мы ... на дискоте́ку. 7. Ве́чером роди́тели ... в кино́.

Exercise 15. Replace the present tense verbs by future tense ones. Use the words *за́втра, послеза́втра, сего́дня ве́чером, в воскресе́нье,* etc.

Model: Мы *идём* в кино́.
Сего́дня ве́чером мы *пойдём* в кино́.

1. Мы *идём* в теа́тр. 2. Студе́нты *иду́т* в лаборато́рию. 3. Бори́с *идёт* в кни́жный магази́н. 4. Игорь *идёт* в банк. 5. Мы *идём* в рестора́н. 6. Я *иду́* в го́сти.

Exercise 16. Use the required forms of the verb *пойти́*.

1. – Куда́ ... за́втра ва́ши друзья́?
   – Они́ говори́ли, что они́ ... на дискоте́ку.

– А ты то́же … на дискоте́ку?
– Нет, я не ..., потому́ что я … в го́сти.
2. – Что бу́дет де́лать Михаи́л в воскресе́нье?
– Он говори́л, что он ... на стадио́н.
– А Ви́ктор и Серге́й то́же ... ? Или Михаи́л ... оди́н?
– Я ду́маю, что они́ то́же ... на стадио́н.
3. – Когда́ вы ... в столо́вую? Сейча́с?
– Нет, сейча́с мы ... на ле́кцию, а пото́м в столо́вую.
4. – Кто хо́чет ... на экску́рсию в шко́лу?
– Мы все хоти́м ... .

Exercise 17. Make up sentences, as in the model, and write them down. Use adverbs of time.

Model: Я *иду́* в университе́т.
Утром я *ходи́л* в университе́т.
По́сле обе́да я *пойду́* в университе́т.

1. Я *иду́* на рабо́ту. 2. Де́ти *иду́т* в зоопа́рк. 3. Мы *идём* в кни́жный магази́н. 4. Вы *идёте* на стадио́н? 5. Ты *идёшь* в бассе́йн? 6. Она́ *идёт* в библиоте́ку?

Exercise 18. Use the required forms of the verbs *идти́, ходи́ть, пойти́.*

1. – Куда́ вы сейча́с ... ?
– Я ... в буфе́т. А куда́ вы ... ?
– Мы ... в зал. Там сейча́с бу́дет ле́кция.
2. – Куда́ вы ... сего́дня ве́чером?
– Я ду́маю, что мы ... в кино́.
– Анна и Серге́й то́же ... в кино́?
– Нет, они́ ... в теа́тр.
3. – Где был Бори́с?
– Он ... на по́чту.
4. – Куда́ вы ... вчера́?
– Вчера́ мы ... на вы́ставку.

Exercise 19. Use the required forms of the verbs *идти́, ходи́ть, пойти́.*

1. – Куда́ ты ... ?
– Я ... в буфе́т, я ещё не за́втракал.
– А куда́ ты ... пото́м?
– Пото́м я ... в чита́льный зал.

2. – Где ты был вчера́ ве́чером?
   – Вчера́ я ... в клуб.
   – Ты ... оди́н?
   – Нет, мы ... с Ви́ктором.
3. – За́втра воскресе́нье. Что ты бу́дешь де́лать?
   – За́втра у́тром я ... в бассе́йн. Пото́м мы с дру́гом ... в парк.
   – А куда́ вы ... ве́чером?
   – Я ещё не зна́ю, куда́ мы ... .
4. – Куда́ ты ... ?
   – Я ... на по́чту. А вы то́же ... на по́чту?
   – Нет, мы уже́ … на по́чту, сейча́с мы ... домо́й.

The Verb *е́хать*. The Present Tense

– **Куда́** е́дет Бори́с?
– Бори́с **е́дет в Ки́ев**.

е́хать

Я е́ду Ты е́дешь Он (она́) е́дет	в Ки́ев.	Мы е́дем Вы е́дете Они́ е́дут	в Ки́ев.

! Note that unlike the verb *идти́*, *е́хать* denotes movement in a vehicle.

Exercise 20. Use the required forms of the verb *éхать*.

1. – Куда́ вы сейча́с ... ?
   – Я ... в центр, а мой друг ... в университе́т.
2. – Куда́ ты сейча́с ... ?
   – Я ... в банк.
3. – Ва́ша гру́ппа ... на экску́рсию?
   – Да, мы ... на экску́рсию
4. – Вы ... на вы́ставку?
   – Да, мы ... на вы́ставку.
5. – Куда́ они́ ... ?
   – Они́ ... в цирк.

Exercise 21. Answer the questions, using the words given in brackets. Write down the answers.

Model: – Куда́ они́ е́дут? (санато́рий)
– Они́ е́дут *в санато́рий*.

1. Куда́ вы е́дете? (рабо́та) 2. Куда́ е́дут студе́нты? (пра́ктика) 3. Куда́ е́дут рабо́чие? (заво́д) 4. Куда́ е́дут де́ти? (стадио́н) 5. Куда́ ты е́дешь? (дом о́тдыха) 6. Куда́ они́ е́дут? (дере́вня)

Exercise 22. Do the exercise as shown in the model.

Model: – Ты е́дешь домо́й? – Нет, я е́ду *на вокза́л*.	вокза́л

1. Вы е́дете в дере́вню?	дом о́тдыха
2. Ты е́дешь в го́сти?	теа́тр
3. Они́ е́дут в Кишинёв?	Оде́сса
4. Вы е́дете в университе́т?	библиоте́ка
5. Ты е́дешь на стадио́н?	бассе́йн

The Verb *е́здить*. The Past Tense

Сейча́с я **е́ду** на стадио́н.
Вчера́ я **е́здил** на стадио́н.

Exercise 23. Use the verb *е́здить* in the past tense.

1. Ле́том мой друг ... на ро́дину. 2. В про́шлом году́ я ... в Англию. 3. Неда́вно моя́ сестра́ ... в Гре́цию . 4. В а́вгусте мои́ роди́тели ... в санато́рий. 5. В воскресе́нье на́ша семья́ ... на да́чу. 6. Вчера́ мы с бра́том ... в зоопа́рк.

Exercise 24. Answer the questions, using the words given on the right.

Model: – Вы е́здили на стадио́н на метро́? – Нет, мы е́здили туда́ на авто́бусе.	авто́бус

1. Вы е́здили на да́чу на по́езде?	маши́на
2. Вы е́здили на вокза́л на метро́?	авто́бус
3. Ты е́здил в больни́цу на такси́?	трамва́й
4. Ты е́здил в дере́вню на по́езде?	мотоци́кл
5. Вы е́здили в Су́здаль на маши́не?	по́езд

Exercise 25. Answer the questions, using the words given in brackets.

Model: – Куда́ ты е́здил вчера́? (зоопа́рк)
– Вчера́ я е́здил *в зоопа́рк*.
– На чём (как) ты е́здил туда́? (авто́бус)
– Я е́здил туда́ *на авто́бусе*.

1. Куда́ вы е́здили вчера́? (стадио́н)
   На чём вы е́здили туда́? (маши́на)
2. Куда́ вы е́здили вчера́? (музе́й)
   На чём вы е́здили туда́? (трамва́й)
3. Куда́ вы е́здили в воскресе́нье? (дере́вня)
   На чём вы е́здили туда́? (велосипе́д)
4. Куда́ е́здил неда́вно Оле́г? (Санкт-Петербу́рг)
   На чём он е́здил туда́? (по́езд)
5. Куда́ е́здили вчера́ э́ти студе́нты? (пра́ктика)
   На чём они́ е́здили? (авто́бус)

! Note that like the verb *ходи́ть* the verb *е́здить* in the past tense denotes movement there and back. In this case the verb *е́здил* is equivalent to the verb *был*: Ле́том я *е́здил* в дере́вню. = Ле́том я *был* в дере́вне.

Ле́том я **е́здил в Москву́.** – **Куда́** вы **е́здили** ле́том?
Ле́том я **был в Москве́**. – **Где** вы **бы́ли** ле́том?

Exercise 26. Make up questions to which the following sentences are the answers.

1. Ле́том на́ша семья́ *была́ в Крыму́*. Ле́том на́ша семья́ *е́здила в Крым*. 2. В а́вгусте я *был в Ки́еве*. В а́вгусте я *е́здил в Ки́ев*. 3. Вчера́ мы *е́здили на стадио́н*. Вчера́ мы *бы́ли на стадио́не*. 4. Неда́вно Макси́м *е́здил в Волгогра́д*. Неда́вно Макси́м *был в Волгогра́де*. 5. В про́шлом году́ Анна *была́ на ро́дине*. В про́шлом году́ Анна *е́здила на ро́дину*.

Exercise 27. Replace the verb *е́здить* by *быть*. Change the case of the nouns which follow the verb.

Model: Ле́том я *е́здил на ро́дину*.
Ле́том я *был на ро́дине*.

1. Сего́дня у́тром я *е́здил в поликли́нику*. 2. Вчера́ мои́ друзья́ *е́здили в лес*. 3. В воскресе́нье мы *е́здили на да́чу*. 4. В про́шлом году́ мой брат *е́здил в Индию*. 5. Ле́том Па́вел и Анна *е́здили в Ташке́нт*. 6. В а́вгусте моя́ сестра́ *е́здила в Ту́рцию*.

Exercise 28. Replace the verb *быть* by *е́здить*.

Model: Ле́том он *был в Норве́гии*.
Ле́том он *е́здил в Норве́гию*.

1. Ле́том я *был во Фра́нции*. 2. В про́шлом году́ я *был в Финля́ндии*. 3. В э́том году́ она́ *была́ в Ми́нске*. 4. В про́шлом ме́сяце мой друг *был в Ита́лии*. 5. Неда́вно они́ *бы́ли в Ри́ме*. 6. Ле́том она́ *была́ на ро́дине*. 7. В ию́ле мы *бы́ли в По́льше*. 8. В а́вгусте на́ши студе́нты *бы́ли в Москве́*.

Exercise 29. Answer the questions, as in the model. Write down the answers.

Model: – Где ты был ле́том? (дере́вня)
– Ле́том я е́здил *в дере́вню*.

1. Где бы́ли ва́ши роди́тели ле́том? (санато́рий) 2. Где была́ ва́ша сестра́ в ию́ле? (Сиби́рь) 3. Где вы бы́ли ле́том? (пра́ктика) 4. Где была́ ва́ша семья́ в суббо́ту? (да́ча) 5. Где вы бы́ли в воскресе́нье? (экску́рсия) 6. Где ты был во вто́рник? (стадио́н)

🗝 **Exercise 30.** Use the verb *éхать* or *éздить* in the required form.

1 – Кудá вы ... сейчáс?
 – Мы ... домóй.
 – Вы бы́ли на вы́ставке?
 – Да, мы ... на вы́ставку.
2. – Кудá Пáвел ... сейчáс?
 – Он ... в кни́жный магази́н. Он ... тудá вчерá, но магази́н был закры́т.
3. – Куд ... сейчáс э́ти тури́сты?
 – Они́ ... в Санкт-Петербу́рг.
 – Они́ бы́ли в други́х городáх?
 – Да, они́ ужé ... в Нóвгород.

The Verb *поéхать*. The Future Tense

Сейчáс я **éду** на дáчу.
Зáвтра я **поéду** на дáчу.

Exercise 31. Use the verb *поéхать* in the future tense.

1. Лéтом студéнты ... на рóдину. 2. В ию́не мой отéц ... в дом óтдыха. 3. Скóро мой друг Сергéй ... в Вéнгрию. 4. В сентябрé они́ ... в Болгáрию. 5. Зáвтра мы ... на прáктику. 6. В воскресéнье вы ... на дáчу? 7. Зáвтра ты... в бассéйн?

🗝 **Exercise 32.** Use the verb *éхать, éздить* or *поéхать* in the required form.

1. – Кудá вы сейчáс ... ?
 – Мы ... на экску́рсию в Истори́ческий музéй. А вы ужé бы́ли в Истори́ческом музéе?
 – Да, мы ... тудá во втóрник.
2. – Кудá ... Ивáн в прóшлом году́?
 – В прóшлом году́ он ... в Гермáнию.
 – А вы ... ?
 – Нет, не … . Мóжет быть, я ... тудá в бу́дущем году́.
3. – Кудá ты сейчáс ... ?
 – Я ... в поликли́нику, а потóм я ... в аптéку. А кудá ты ... ?
 – Я ... в кни́жный магази́н.
4. – В суббóту у нас бу́дет экску́рсия в музéй. Кто хóчет ... на э́ту экску́рсию?
 – Мы не ... , потому́ что мы ужé бы́ли в э́том музéе.

Exercise 33. Use the verb *пойти́* or *поéхать* in the required form.

1. Пóсле урóков мы ... в столóвую. 2. Лéтом мой друг ... на рóдину. 3. В воскресéнье Бори́с и Анна ... зá город. 4. В бýдущем мéсяце онá ... отдыхáть в Крым. 5. Я ... в теáтр на такси́. 6. Пóсле обéда мой друг ... в лаборатóрию. 7. Магази́н нахóдится бли́зко от дóма, поэ́тому я ... тудá пешкóм[1]. 8. Студéнты ... на экскýрсию на автóбусе.

Exercise 34. Complete the sentences in writing, using the verb *пойти́ (пешкóм)* or *поéхать* in the future tense.

Model: Кинотеáтр нахóдится далекó, поэ́тому ... .
Кинотеáтр нахóдится далекó, поэ́тому мы *поéдем* тудá на автóбусе.

Ры́нок нахóдится недалекó, поэ́тому ... .
Ры́нок нахóдится недалекó, поэ́тому мы *пойдём* тудá пешкóм.

1. Мой брат живёт далекó, поэ́тому ... . 2. Э́тот магази́н нахóдится далекó, поэ́тому ... . 3. Библиотéка нахóдится ря́дом, поэ́тому ... . 4. Парк нахóдится недалекó от нáшего общежи́тия, поэ́тому ... . 5. Пóчта нахóдится в сосéднем здáнии, поэ́тому ... . 6. Истори́ческий музéй нахóдится в сáмом цéнтре гóрода, поэ́тому ... .

Exercise 35. Use the verb *éхать, éздить, поéхать, идти́, ходи́ть, пойти́* in the required form.

1. В прóшлое воскресéнье я ... на велосипéде к своемý брáту. В э́то воскресéнье я снóва ... к немý.
2. Кáждое лéто э́тот студéнт отдыхáет в санатóрии. В прóшлом годý он ... тудá в ию́ле, а в э́том годý он ... в санатóрий в сентябрé.
3. – Кудá ты ... ?
   – Я ... в поликли́нику, к зубнóму врачý.
   – А я ... к немý вчерá.
4. – Кудá ты ... лéтом?
   – Лéтом я ... в Болгáрию. А ты?
   – Я ... в Болгáрию в прóшлом годý. В э́том годý я ... во Фрáнцию.
   – Ты ... во Фрáнцию пéрвый раз?
   – Нет, я ... тудá два гóда назáд.
5. – Кудá ты ... сейчáс?

---
[1] пойти́ пешкóм, to walk

– Я ... в библиоте́ку, а пото́м я … домо́й.

Exercise 36. Answer the questions, using the words *да, нет, спаси́бо, с удово́льствием* in the answers.

Model: – Вы хоти́те пойти́ ве́чером в парк?
– Спаси́бо. Я *с удово́льствием* пойду́.
(– Нет, спаси́бо. Я за́нят.)

1. Вы хоти́те пойти́ с на́ми в кино́? 2. Вы хоти́те пойти́ в воскресе́нье в теа́тр? 3. Вы хоти́те пойти́ на конце́рт сего́дня ве́чером? 4. Вы хоти́те пое́хать в суббо́ту на экску́рсию? 5. Ты хо́чешь пое́хать в воскресе́нье на да́чу? 6. Ты хо́чешь пое́хать за́втра за́ город[1]?

The Verbs *идти́ – ходи́ть*

Сейча́с я **иду́** в университе́т

Сейча́с я *иду́* по у́лице.

Ка́ждый день я **хожу́** в университе́т.

Я *ча́сто хожу́* в кино́.
Я *всегда́ хожу́* по э́той у́лице.
Ребёнок *уже́ хо́дит.*

! The verb *идти́* denotes movement in one direction. The verb *ходи́ть* denotes: (1) movement in different directions, (2) repeated movement in one direction, or (3) the ability to walk.

[1] *пое́хать за́ город*, to go to the country

ходи́ть

Я **хожу́** Ты **хо́дишь** Он (она́) **хо́дит**	в шко́лу.	Мы **хо́дим** Вы **хо́дите** Они́ **хо́дят**	в шко́лу.

Exercise 37. Answer the questions.

1. Куда́ вы хо́дите у́тром? 2. Куда́ вы хо́дите днём? 3. Куда́ вы и ва́ши друзья́ хо́дите в суббо́ту? 4. Куда́ они́ хо́дят в воскресе́нье? 5. Куда́ вы хо́дите в воскресе́нье?

Exercise 38. Answer the questions. Write out the questions and the answers.

1. Вы лю́бите ходи́ть пешко́м? 2. Вы ча́сто хо́дите пешко́м? 3. Вы хо́дите бы́стро и́ли ме́дленно? 4. Вы ча́сто хо́дите в кино́? 5. Вы лю́бите ходи́ть по незнако́мому го́роду?

Exercise 39. Do the exercise (in writing) as shown in the model.

Model: – Он ча́сто быва́ет в на́шем клу́бе.
– Он ча́сто хо́дит в наш клуб.

1. Я ча́сто быва́ю на стадио́не. 2. Ка́ждую суббо́ту моя́ сестра́ быва́ет в консервато́рии. 3. Ка́ждую сре́ду и пя́тницу они́ быва́ют в бассе́йне. 4. В воскресе́нье мы быва́ем на ры́нке. 5. Я ча́сто быва́ю в библиоте́ке.

Exercise 40. Use the verb *идти́* or *ходи́ть* in the required form.

1. – Здра́вствуй, Ни́на!
– Здра́вствуй, Воло́дя!
– Куда́ ты ... ?
– Я ... в столо́вую.
2. – Здра́вствуй, Ви́ктор!
– Здра́вствуй, Бори́с!
– Куда́ ты ... ?
– Я ... в бассе́йн.

– Ты ка́ждый день ... в бассе́йн?
– Нет, я ... че́рез день.

3. – Оле́г, куда́ ты ... ?
– Я ... в библиоте́ку.
– Ты ча́сто ... в библиоте́ку?
– Обы́чно я ... в библиоте́ку раз в неде́лю.

4. – Здра́вствуй, Анна!
– До́брый день, Ни́на!
– Куда́ ты ... ?
– Я ... в лаборато́рию.
– Ты всегда́ ... в лаборато́рию в э́то вре́мя?
– Нет, иногда́ я ... туда́ ве́чером. А куда́ ты ... сейча́с?
– Я ... в общежи́тие.

Exercise 41. Use the verb *идти́* or *ходи́ть* in the required form.

1. – Куда́ ... де́ти?
– Они́ ... в парк.
– Они́ ча́сто ... в парк?
– Да, они́ всегда́ ... в парк, когда́ быва́ет хоро́шая пого́да.

2. – Куда́ ты ... вчера́?
– Вчера́ я ... в бассе́йн.
– Ты ка́ждый ве́чер ... в бассе́йн?
– Да, я ча́сто ... туда́.
– А сейча́с ты ... в бассе́йн?
– Нет, сейча́с я ... в кино́.

3. – До́брый день!
– До́брый день!
– Куда́ вы ... ?
– Мы ... в столо́вую
– Вы всегда́ … в столо́вую вме́сте?
– Да, обы́чно мы ... в столо́вую вме́сте.

4. – До́брый ве́чер!
– До́брый ве́чер!
– Куда́ вы ... ?
– Я ... в кино́.
– Вы ча́сто ... в кино́?
– Обы́чно я ... в кино́ ка́ждую суббо́ту.

The Past Tense of the Verb *идти́*

Вчера́ я **ходи́л** в кино́. (Вчера́ я **был** в кино́.)	Когда́ я **шёл** в кино́, я встре́тил своего́ дру́га.

The verb *идти́* in the past tense *(шёл, шла, шли)* denotes movement in one direction.

Он **шёл**.
Она́ **шла**.
Они́ **шли**.

Exercise 42. Read the sentences and write them out. Note the difference in the use of the verbs *идти́* and *ходи́ть* in the past tense.

1. В воскресе́нье мы *ходи́ли* в музе́й.
   Когда́ мы *шли* в музе́й, мы говори́ли о литерату́ре.
2. Позавчера́ Па́вел *ходи́л* в поликли́нику.
   Когда́ он *шёл* в поликли́нику, он встре́тил своего́ преподава́теля.
3. В воскресе́нье Ли́да и Ви́ктор *ходи́ли* в теа́тр.
   Когда́ они́ *шли* из теа́тра, они́ говори́ли о спекта́кле.

Exercise 43. Use the verb *идти́* or *ходи́ть* in the past tense.

1. Вчера́ он ... в апте́ку. Когда́ он ... в апте́ку, на у́лице был дождь.
2. Вчера́ ве́чером мы ... в клуб. Когда́ мы ... в клуб, мы встре́тили друзе́й.
3. В суббо́ту мы ... в кино́. Когда́ мы ... из кинотеа́тра, мы говори́ли о фи́льме.
4. Сего́дня у́тром я ... в магази́н. Когда́ я ... туда́, я купи́л в кио́ске газе́ты.

Exercise 44. Use the verb *идти́* or *ходи́ть* in the past tense.

1. Вчера́ мы ... в парк. 2. Когда́ мы ... в парк, бы́ло тепло́. 3. Когда́ студе́нты ... в столо́вую, они́ разгова́ривали. 4. Сего́дня у́тром я ... не в столо́вую, а в буфе́т. 5. В понеде́льник Па́вел ... в поликли́нику. 6. Когда́ я ... в поликли́нику, я встре́тил Па́вла. 7. Вчера́, когда́ мы ... домо́й, бы́ло уже́ темно́. 8. – Где вы бы́ли вчера́? – Мы ... в кино́.

The Verb *е́хать – е́здить*

Сейча́с я **е́ду** в университе́т.

Ка́ждый день я **е́зжу** в университе́т.
Он *е́здит* на рабо́ту на маши́не.
Он *е́здит* (уме́ет е́здить) на мотоци́кле.

> **!** Note that the verb *е́хать* denotes movement in one direction. The verb *е́здить* denotes: (1) movement in different directions, (2) repeated movement in one direction, or (3) the ability to move in a vehicle.

е́здить

Я **е́зжу** Ты **е́здишь** Он (она́) **е́здит**	на маши́не.	Мы **е́здим** Вы **е́здите** Они́ **е́здят**	на маши́не.

Exercise 45. Read the sentences and write them out. Compare the sentences and explain the difference in their meaning.

1. Сейча́с студе́нты *е́дут* на экску́рсию.	1. Студе́нты ча́сто *е́здят* на экску́рсии.
2. Сейча́с Анна *е́дет* на рабо́ту.	2. Ка́ждый день Анна *е́здит* на рабо́ту.
3. Сейча́с мы *е́дем* на да́чу.	3. Ка́ждую неде́лю мы *е́здим* на да́чу.

Exercise 46. Answer the questions. Write out the questions and the answers.

1. Куда́ вы е́здите ка́ждый день? 2. Куда́ ваш брат е́здит ка́ждое у́тро? 3. Куда́ ва́ша семья́ е́здит ка́ждую суббо́ту? 4. Куда́ вы е́здите ле́том? 5. Куда́ студе́нты е́здят ка́ждое ле́то?

Exercise 47. Use the verb *éхать* or *éздить* in the required form.

1. – Здрáвствуй, Волóдя!
   – Здрáвствуй, Бори́с!
   – Кудá ты ... ?
   – Я ... на стадиóн.
   – Ты чáсто ... на стадиóн?
   – Я ... на стадиóн чéрез день.
2. – Кудá вы ... сейчáс?
   – Мы ... на вы́ставку. А вы бы́ли на вы́ставке?
   – Да, мы ... на вы́ставку на прóшлой недéле.
3. – Дóбрый день, Ви́ктор!
   – Дóбрый день, Пáвел!
   – Кудá ты ... вчерá вéчером?
   – Вчерá вéчером я ... в бассéйн.
   – А кудá ты ... сейчáс?
   – Сейчáс я ... в кинó.
4. – Кудá ты ... ?
   – Я ... в центр, в кни́жный магази́н.
   – Зачéм ты тудá ... ?
   – Я хочу́ купи́ть словáрь.

The Past Tense of the Verb *éхать*

Вчерá я **éздил** на дáчу. = Вчерá я **был** на дáче. (movement there and back)	Когдá я **éхал** на дáчу, шёл дождь. (movement in one direction)

Exercise 48. Read the sentences and write them out. Note the difference in the use of the verbs *éхать* and *éздить* in the past tense.

1. Сегóдня днём моя́ мать *éздила* в поликли́нику.
   Когдá онá *éхала* в поликли́нику, онá забы́ла в автóбусе свой зонт.
2. Лéтом мой брат *éздил* в дерéвню к роди́телям.
   Когдá он *éхал* тудá, он встрéтил своегó дру́га.
3. На прóшлой недéле мы *éздили* на экску́рсию.
   Когдá мы *éхали* на экску́рсию, мы пéли пéсни.

4. В прóшлом мéсяце я *éздил* на прáктику.
Когдá я *éхал* на прáктику, я заболéл.

Exercise 49. Use the verb *éхать* or *éздить* in the past tense.

1. Вчерá онá ... к подрýге. 2. Когдá онá ... к подрýге, онá читáла кни́гу. 3. Когдá мы ... на прáктику, мы пéли в пóезде пéсни. 4. В прóшлом мéсяце студéнты ... на прáктику. 5. Лéтом моя́ сестрá ... в Крым. 6. Когдá моя́ сестрá ... в Крым, в пóезде онá познакóмилась с тури́стами из Финля́ндии. 7. Когдá он ... на рабóту, он потеря́л очки́. 8. В прóшлом годý он ... в Итáлию.

Exercise 50. Use the verb *éхать* or *éздить* in the past tense.

Model: Вчерá мы *éздили* в парк. Туда мы *éхали* на автóбусе, а обрáтно *éхали* на метрó.

1. Позавчерá мы … в гóсти. Тудá мы … на метрó, а обрáтно … на такси́. 2. Вчерá мы ... в теáтр. Тудá мы ... на такси́, а обрáтно мы ... на автóбусе. 3. В воскресéнье они́ ... на вы́ставку. Тудá они́ ... на автóбусе, а обрáтно ... на трамвáе. 4. На прóшлой недéле мы ... в дерéвню. Сначáла мы ... на пóезде, а потóм ... на автóбусе. 5. Лéтом мои́ друзья́ ... в Крым. Сначáла они́ ... на пóезде, потóм ... на маши́не.

Exercise 51. Use the verb *ходи́ть* or *éздить* in the present tense.

1. Я живý недалекó от университéта. Кáждый день я ... в университéт пешкóм. 2. Он живёт далекó от завóда. Кáждый день он ... на рабóту на автóбусе и на метрó. 3. Ры́нок нахóдится далекó от дóма, поэ́тому мы ... тудá на трамвáе. 4. Магази́н нахóдится óчень бли́зко. Мы ... тудá пешкóм. 5. Моя́ подрýга живёт далекó, поэ́тому я ... к ней на троллéйбусе. 6. Мой друг живёт бли́зко, поэ́тому я ... к немý пешкóм.

Exercise 52. Replace the verb *быть* by the verb *ходи́ть* or *éздить*.

Model: В прóшлом годý я *был* на Кавкáзе. — Вчерá я *был* в библиотéке.
В прóшлом годý я *éздил* на Кавкáз. — Вчерá я *ходи́л* в библиотéку.

1. Лéтом э́тот студéнт *был* на рóдине. 2. Пóсле урóков э́тот студéнт *был* в столóвой. 3. В прóшлом мéсяце мой друг *был* в Берли́не. 4. На прóшлой недéле я *был* в поликли́нике. 5. Лéтом онá *былá* в санатóрии. 6. Вчерá онá *былá* в Третьякóвской галерéе. 7. В августе нáша семья́ *былá* в дерéвне. 8. В ию́ле студéнты *бы́ли* в Санкт-Петербýрге. 9. Там они́ *бы́ли* в Рýсском музéе.

Exercise 53. Use the verbs *идти́ – ходи́ть* or *е́хать – е́здить* in the required form.

1. Вчера́ мой друг ... в теа́тр. Когда́ он ... в теа́тр, он встре́тил в метро́ ста́рого знако́мого. 2. Ка́ждый день я ... на рабо́ту на тролле́йбусе и́ли на трамва́е. Обра́тно я ... пешко́м. 3. Он лю́бит ... на мотоци́кле. Обы́чно он ... на мотоци́кле о́чень бы́стро. Вчера́ он ... в дере́вню к свои́м роди́телям. Когда́ он ... туда́, шёл дождь. 4. Моя́ мать живёт недалеко́ от го́рода, где я живу́. Ка́ждое воскресе́нье я ... к ней. В про́шлое воскресе́нье я то́же ... к ней. 5. Мы ча́сто быва́ем в бассе́йне. Обы́чно мы ... туда́ пешко́м, иногда́ мы ... туда́ на авто́бусе. Вчера́ ве́чером мы ... в бассе́йн. Когда́ мы ... в бассе́йн, мы встре́тили в авто́бусе на́ших студе́нтов. А вы ча́сто ... в бассе́йн? 6. Он живёт недалеко́ от университе́та и ... в университе́т пешко́м. Сего́дня у́тром, когда́ он ... по у́лице, он встре́тил дру́га.

The Verbs *нести́ – носи́ть, везти́ – вози́ть*

Ма́льчик **идёт** в шко́лу. В рука́х у него́ портфе́ль.
Ма́льчик **идёт** в шко́лу и **несёт** портфе́ль.
Он всегда́ **но́сит** в шко́лу портфе́ль.

Exercise 54. Read the sentences and write them out. Remember the meanings and uses of the verbs *нести́ – носи́ть*.

1. Студе́нт *идёт* по коридо́ру. В рука́х у него́ ка́рта.	1. Студе́нт *идёт* по коридо́ру и *несёт* ка́рту.
2. Я *иду́* в библиоте́ку. В рука́х у меня́ кни́ги.	2. Я *иду́* в библиоте́ку и *несу́* туда́ кни́ги.
3. Студе́нты *хо́дят* на заня́тия с кни́гами и тетра́дями.	3. Студе́нты *но́сят* на заня́тия кни́ги и тетра́ди.

По у́лице **е́дет** маши́на. Она́ **везёт** проду́кты.
Эта маши́на специа́льная – она́ **во́зит** проду́кты.

Exercise 55. Read the sentences and write them out. Remember the meanings and uses of the verbs *везти́ – вози́ть.*

1. В авто́бусе *сиди́т* же́нщина. В рука́х у неё су́мка с проду́ктами.
2. По у́лице *е́дет* авто́бус. В авто́бусе *сидя́т* де́ти.
3. Этот авто́бус *е́здит* в аэропо́рт. В авто́бусе *сидя́т* пассажи́ры.

1. В авто́бусе *е́дет* же́нщина и *везёт* су́мку с проду́ктами.
2. По у́лице *е́дет* авто́бус и *везёт* детей.
3. Этот авто́бус *во́зит* пассажи́ров в аэропо́рт.

Exercise 56. Make up captions to be used under these drawings.

Model: Ма́льчик *несёт* портфе́ль.

Exercise 57. Use the verbs *нести́ – носи́ть* or *везти́ – вози́ть* in the required form.

1. Вот идёт почтальо́н. Он ... нам газе́ты и журна́лы. Ка́ждое у́тро почтальо́н ... газе́ты и журна́лы. 2. Мой друг идёт на уро́к. Он ... учёбник и тетра́ди. Ка́ждый день он ... на уро́к э́тот учёбник. 3. Этот авто́бус е́дет в аэропо́рт. Он ... пассажи́ров. Ка́ждый день э́тот авто́бус ... пассажи́ров в аэропо́рт . 4. Эта маши́на е́дет в магази́н. Она́ ... хлеб. 5. Около до́ма стои́т больша́я маши́на, кото́рая ... ме́бель. 6. Около университе́та стои́т авто́бус, кото́рый ... студе́нтов на экску́рсии.

Exercise 58. Use the verb *нести́* or *везти́* in the required form.

1. – Куда́ ты идёшь?
   – Я иду́ к това́рищу.
   – Что ты ... ?
   – Я ... ему́ кни́гу, кото́рую я брал у него́.
2. – Куда́ вы е́дете?
   – Я е́ду к дру́гу.
   – Что вы ... ?
   – Я ... ди́ски, кото́рые он у меня́ проси́л.
3. – Отку́да идёт э́та де́вушка?
   – Она́ идёт из библиоте́ки.
   – Что она́ ... ?
   – Она́ ... кни́ги.
4. – Отку́да ты е́дешь?
   – Я е́ду из магази́на.
   – Что ты ... ?
   – Я ... проду́кты.

Exercise 59. Make up sentences, using the verbs *нести́ – носи́ть, везти́ – вози́ть* and write them down.

Model: Преподава́тель идёт в класс. В рука́х у него́ на́ши тетра́ди.
Преподава́тель *несёт* (в класс) на́ши тетра́ди.

1. Я иду́ в библиоте́ку. В рука́х у меня́ кни́ги. 2. Студе́нт идёт в класс. В рука́х у него́ слова́рь. 3. Же́нщина е́дет из магази́на. В рука́х у неё фру́кты. 4. Вот идёт де́вушка. В рука́х у неё цветы́. 5. Мужчи́на идёт к такси́. В рука́х у него́ чемода́н. 6. Вот е́дет авто́бус. В э́том авто́бусе тури́сты е́дут на экску́рсию. 7. В тролле́йбусе у окна́ сиди́т мужчи́на. На рука́х у него́ сын. Они́ е́дут домо́й. 8. Же́нщина идёт в больни́цу. На рука́х у неё ребёнок.

The Verbs *нести́, везти́* in the Past Tense

Он **нёс**.	Он **вёз**.
Она́ **несла́**.	Она́ **везла́**.
Они́ **несли́**.	Они́ **везли́**.

Анна **шла** и **несла́** цветы́.
Анто́н **е́хал** и **вёз** рюкза́к.

Exercise 60. Use the verb *нести́* or *везти́* in the past tense.

1. Преподава́тельница шла по коридо́ру и ... на́ши тетра́ди. 2. Этот челове́к е́хал на тролле́йбусе и ... чемода́н. 3. Де́вушка шла по у́лице и ... лы́жи. 4. Он е́хал домо́й и ... фру́кты. 5. Студе́нтка шла по коридо́ру и ... кни́ги. 6. Юноша шёл по у́лице и ... чемода́н.

Exercise 61. Use the verbs *нести́ – носи́ть* or *везти́ – вози́ть* in the required form.

1. Сего́дня у́тром я встре́тил дру́га. Он шёл из библиоте́ки и ... кни́ги. Он сказа́л мне, что он ... э́ти кни́ги в библиоте́ку, но библиоте́ка закры́та. 2. Мой това́рищ всегда́ ... все уче́бники на уро́к. Вчера́, когда́ он шёл на уро́к и ... уче́бники, он потеря́л одну́ кни́гу. 3. У моего́ бра́та боли́т нога́. Утром я ... его́ в поликли́нику. Туда́ я ... его́ на авто́бусе, а обра́тно на такси́. 4. Мой друг рабо́тает шофёром авто́буса. Он ... пассажи́ров из це́нтра го́рода в аэропо́рт. Одна́жды, когда́ он ... пассажи́ров в аэропо́рт, авто́бус слома́лся и пассажи́ры опозда́ли на самолёт.

Prefixed Verbs of Motion

The Prefix *по-*

Мы зако́нчили рабо́ту и **пошли́** домо́й.

The prefix **по-** signifies the beginning of the action expressed in verbs of motion.

Exercise 62. Read the sentences and write them down. Explain what meaning the prefix *по-* adds to the verbs *идти́* and *е́хать*.

1. Утром мы поза́втракали и *пошли́* на рабо́ту. 2. Я ко́нчил писа́ть письмо́ и *пошёл* на по́чту. 3. У меня́ заболе́ли зу́бы, и я *пошёл* к врачу́. 4. Он сел в маши́ну и *пое́хал* домо́й. 5. Студе́нты сда́ли экза́мены и *пое́хали* отдыха́ть. 6. Я реши́л купи́ть магнитофо́н и *пое́хал* в радиомагази́н. 7. Я узна́л, что мой друг бо́лен, и *пое́хал* к нему́.

Exercise 63. Use the verb *пойти́* or *пое́хать* in the required form.

1. Я захоте́л есть и ... в столо́вую. 2. Мы реши́ли посмотре́ть бале́т «Лебеди́ное о́зеро» и ... в Большо́й теа́тр. 3. Вчера́ мы реши́ли посмотре́ть но́вый фильм и ... в кино́. 4. Он сел в такси́ и ... на вокза́л. 5. Она́ взяла́ реце́пт и ... в апте́ку. 6. Студе́нты сда́ли экза́мены и ... на пра́ктику в друго́й го́род. 7. Я купи́л пода́рок и ... к дру́гу на день рожде́ния.

Exercise 64. Use the verb *пойти́* or *пое́хать* in the required form.

1. В суббо́ту студе́нты е́здили на экску́рсию в шко́лу. Снача́ла они́ сиде́ли на уро́ке в пе́рвом кла́ссе. Пото́м они́ ... в физи́ческий кабине́т. По́сле уро́ка они́ ... в спорти́вный зал. Студе́нты осмотре́ли шко́лу и ... в университе́т.

2. Вчера́ бы́ло воскресе́нье. Утром я ... к това́рищу. Мы поза́втракали и ... гуля́ть. Снача́ла мы ... в парк, а пото́м мы ... в кино́. По́сле кино́ мы ... домо́й.

Exercise 65. Read the sentences and write them out. Note the difference in the meaning of the italicised verbs.

1. Они́ *ходи́ли* в кино́. (They were at the cinema, saw a film and came back home.)	1. Они́ *пошли́* в кино́. (They left for the cinema, but it is not known whether they actually were at the cinema. For example, they may have gone to the cinema, but were late for the show and decided to go hack.)
2. В воскресе́нье они́ *е́здили* на да́чу. (They were in the country.)	2. Утром они́ *пое́хали* на да́чу. (It is not known whether they actually got there or not.)

Exercise 66. Read the sentences and write them out. Explain the difference in the meaning of the verbs in the left and right-hand columns.

1. Он *ходи́л* в столо́вую.	1. Он *пошёл* в столо́вую.
2. Наш преподава́тель *ходи́л* в лабора́торию.	2. Наш преподава́тель *пошёл* в лабора́торию.
3. Они́ *е́здили* в кни́жный магази́н.	3. Они́ *пое́хали* в кни́жный магази́н.

Exercise 67. Answer the questions, as in the model. Write out the questions and the answers.

Model: – Где Бори́с? (кино́)
– Он *пошёл* в кино́.

1. Где студе́нты? (лаборато́рия) 2. Где преподава́тель? (библиоте́ка) 3. Где Мари́я? (магази́н) 4. Где ва́ши роди́тели? (да́ча) 5. Где Андре́й? (вокза́л) 6. Где твой брат Игорь? (шко́ла)

The Prefixes *при-* and *у-*

Джон **прие́хал** в Москву́ из Ло́ндона.

Exercise 68. Answer the questions. Note the use of ehe verbs *прие́хать* and *прийти́*.

(a) *прие́хать*

1. Когда́ Па́вел *прие́хал* в Москву́? (сентя́брь) 2. Когда́ Андре́й *прие́хал* в Ло́ндон? (про́шлый год) 3. Когда́ ваш друг *прие́дет* к вам? (суббо́та) 4. Когда́ *прие́дут* ва́ши роди́тели? (воскресе́нье) 5. Когда́ ты *прие́дешь* к нам в го́сти? (пя́тница)

(b) *прийти́*

1. Когда́ вы *пришли́* в университе́т сего́дня? (10 часо́в утра́) 2. Когда́ *придёт* Бори́с? (че́рез час) 3. Когда́ *приду́т* на́ши го́сти? (6 часо́в) 4. Когда́ они́ *пришли́* домо́й вчера́? (по́здно ве́чером) 5. Когда́ оте́ц *прихо́дит* с рабо́ты? (5 часо́в)

Exercise 69. Ask questions about the italicised words and write them down.

Model: – Этот студе́нт прие́хал *из Алжи́ра*.
– *Отку́да* прие́хал э́тот студе́нт?

1. Мой това́рищ прие́хал *из Ита́лии*. 2. Эти студе́нты прие́хали *из Кана́ды*. 3. Эта де́вушка прие́хала *из Се́верной Африки*. 4. Де́ти пришли́ *из шко́лы*. 5. Оле́г пришёл *со стадио́на*. 6. Оте́ц пришёл *с рабо́ты*.

Exercise 70. Use the verb *прийти́* or *прие́хать* in the required form.

1. Сего́дня Ви́ктор ... в университе́т в 11 часо́в. 2. Ско́ро ко мне ... друг. 3. Этот студе́нт ... в Ло́ндон в про́шлом году́. 4. Сего́дня Оле́г и Ви́ктор ... в класс ра́ньше всех. 5. Мой брат ... из Ми́нска на про́шлой неде́ле. 6. Мой оте́ц ... сюда́ в бу́дущем ме́сяце. 7. Вчера́ я ... в аудито́рию ро́вно в 9 часо́в. 8. Мы ... сюда́ 5 мину́т наза́д.

Exercise 71. Use the verbs *приходи́ть – прийти́* or *приезжа́ть – прие́хать* in the required form.

1. Обы́чно я ... домо́й в 3 часа́. Сего́дня у нас бу́дет собра́ние, поэ́тому я ... домо́й в 5 часо́в. 2. Ка́ждый день оте́ц ... с рабо́ты в 4 часа́. Он сказа́л, что сего́дня он ... по́зже. 3. Этот студе́нт всегда́ ... на ле́кции. Сего́дня он не ... , потому́ что заболе́л. 4. Обы́чно Анна ... на ле́кции ра́но. И сего́дня она́ ... о́чень ра́но. 5. Ка́ждое ле́то мой брат ... к нам. Но в э́том году́ он написа́л, что не ... . 6. Обы́чно мои́ друзья́ ... к нам в а́вгусте. В э́том году́ они́ ... в ию́ле.

Анто́н **ушёл** из университе́та в 3 часа́.

! The prefix **у-** added to a verb signifies the absence or departure of the performer.

Exercise 72. Read the sentences and write them out. Note the use of the verbs with the prefix *у-*.

1. – Вы ви́дели Анну? – Да, я ви́дел её, но час тому́ наза́д она́ *ушла́*. 2. – Где Андре́й? – Он *ушёл* в фонети́ческую лаборато́рию. 3. – Ва́ша сестра́ в Ло́ндоне? – Нет, она́ *уе́хала* в Москву́. 4. – Ва́ша гру́ппа в аудито́рии? – Нет, все *ушли́* в столо́вую. 5. – Ва́ши роди́тели сейча́с в го́роде? – Нет, они́ уже́ *уе́хали* в дере́вню. 6. – Ва́ша преподава́тельница уже́ *ушла́*? – Да, она́ *ушла́* полчаса́ наза́д.

Exercise 73. Use the verb *уйти́* or *уе́хать* in the required form.

1. – Воло́дя до́ма?
   – Нет, он ... .
   – Он давно́ ... ?
   – Да, он ... час наза́д.
2. – Где Ви́ктор?
   – Он ... .
3. – Где твоя́ сестра́?
   – Она́ ... .
   – А ты не зна́ешь, куда́ она́ ... ?
   – Не зна́ю.

4. – Ваш брат в Ло́ндоне?
   – Нет, он ... в Москву́.
   – Давно́?
   – Он ... ме́сяц наза́д.
5. – Анна до́ма?
   – Нет, она́ ... полчаса́ наза́д.

Exercise 74. Use the verb *уйти́* or *уе́хать* in the required form.

1. На про́шлой неде́ле мой друг ... на пра́ктику. 2. По́сле ле́кции студе́нты ... из университе́та. 3. Мы ... отсю́да че́рез 10 мину́т. 4. Роди́тели ... в дере́вню неде́лю наза́д. 5. По́сле экза́менов студе́нты ... на ро́дину. 6. Анна ... отсю́да час наза́д. 7. – Алло́, скажи́те, пожа́луйста, Никола́й до́ма? – Нет, он уже́ … на рабо́ту.

Exercise 75. Do the exercise as shown in the model.

Model: Он был в университе́те. Сейча́с его́ нет в университе́те.
Он *ушёл* из университе́та.

1. Студе́нты сиде́ли в аудито́рии. Сейча́с их нет там. 2. Моя́ подру́га была́ на ве́чере. Сейча́с её нет на ве́чере. 3. Сейча́с мой друг в лаборато́рии. Че́рез час его́ не бу́дет в лаборато́рии. 4. Сейча́с я в библиоте́ке. Че́рез полчаса́ меня́ не бу́дет здесь. 5. Ра́ньше Ви́ктор жил в Москве́. Тепе́рь он живёт в друго́м го́роде. 6. Мой брат жил в Симферо́поле. Сейча́с он живёт в Ки́еве. 7. Сейча́с моя́ сестра́ в Москве́. Че́рез ме́сяц её не бу́дет в Москве́.

Exercise 76. Use the verbs *уходи́ть – уйти́, уезжа́ть – уе́хать* in the required form.

(a) *уходи́ть – уйти́*

1. Обы́чно она́ ... с рабо́ты в 5 часо́в. Сего́дня она́ ... с рабо́ты в 6 часо́в. 2. Ка́ждый день он ... из до́ма в 8 часо́в. Сего́дня он ... из до́ма о́чень ра́но. 3. Обы́чно я ... из лаборато́рии в 6 часо́в ве́чера. Сего́дня я ... отту́да в 7 часо́в.

(b) *уезжа́ть – уе́хать*

1. Ка́ждый год они́ ... на пра́ктику в ию́ле. В э́том году́ они́ ... на пра́ктику в ма́е. 2. Ка́ждую суббо́ту э́та семья́ ... за́ город. Вчера́ они́ то́же ... за́ город. 3. Ка́ждое ле́то он ... на ро́дину. Он ... на ро́дину на про́шлой неде́ле.

Exercise 77. Replace the sentences by sentences opposite in meaning.

Model: Он *пришёл в столо́вую*.
Он *ушёл из столо́вой*.

1. Мы *пришли́ в лаборато́рию*. 2. Мой друг *прие́хал из санато́рия*. 3. Она́ *уе́хала на ро́дину*. 4. Наш преподава́тель *прие́хал в университе́т*. 5. Оте́ц *пришёл с рабо́ты*. 6. Он *ушёл на по́чту*. 7. Мать *пришла́ из магази́на*. 8. Де́ти *ушли́ в шко́лу*.

Exercise 78. Use the verbs *приходи́ть – прийти́, уходи́ть – уйти́, приезжа́ть – прие́хать, уезжа́ть – уе́хать* in the required form.

1. Ка́ждый день я ... на рабо́ту в 9 часо́в и ... с рабо́ты в 5 часо́в. Сего́дня у нас бы́ло собра́ние, и я ... домо́й в 6 часо́в. 2. В про́шлую суббо́ту мой друг ... в Нью-Йо́рк. Че́рез две неде́ли он ... сюда́, в Ло́ндон. 3. – Где ва́ши роди́тели? – Они́ ... на конце́рт. Они́ сказа́ли, что ... домо́й в 10 часо́в. 4. В ию́ле студе́нты ... на ро́дину. В а́вгусте они́ ... обра́тно. 5. Вчера́ мой брат ... из до́ма в 8 часо́в утра́ и ... домо́й в 7 часо́в ве́чера. 6. Ка́ждый день наш сосе́д ... на маши́не в 8 часо́в утра́ и ... домо́й в 7 часо́в ве́чера.

Exercise 79. Do the exercise as shown in the model.

Model: (a) Джон прие́хал ... (Ло́ндон, Кана́да). (к у д а́ ? о т к у́ д а ?)
Джон прие́хал *в Ло́ндон из Кана́ды*.

1. Эта делега́ция прие́хала ... (Англия, Росси́я) . 2. Эти преподава́тели прие́хали ... (Москва́, Ве́на). 3. Эти студе́нты прие́хали ... (Ки́ев, Да́ния). 4. Хуа́н прие́хал ... (Росси́я, Ме́ксика). 5. Эти тури́сты прие́хали … (Мю́нхен, По́льша).

Model: (b) Нина уе́хала ... (Каза́нь, Москва́). (о т к у д а́ ? к у́ д а ?)
Ни́на уе́хала *из Каза́ни в Москву́*.

1. Ле́том Джон уе́дет ... (Ло́ндон, Ливерпу́ль). 2. На про́шлой неде́ле Анна уе́хала ... (Пари́ж, Ита́лия). 3. Он ушёл … (рабо́та, поликли́ника). 4. В 5 часо́в они́ ушли́ ... (университе́т, стадио́н).

Exercise 80. Use the pronouns in the required form.

Model: За́втра они́ прие́дут ... (я).
За́втра они́ прие́дут *ко мне*.

1. Сестра́ прие́дет ... (я) во вто́рник. 2. Я прие́ду ... (вы) в четве́рг. 3. Мы прие́дем ... (ты) сего́дня ве́чером. 4. Кто прие́хал ... (вы)? 5. ... (я) прие́хали роди́тели. 6. За́втра мой друг прие́дет ... (я). 7. Вы пойдёте ... (они́) в суббо́ту?

Пришёл почтальо́н и **принёс** пи́сьма и газе́ты.

Ма́льчик **ушёл** и **унёс** свои́ игру́шки.

Оте́ц **прие́хал** домо́й и **привёз** сы́ну пода́рок.

Маши́на «ско́рая по́мощь» **уе́хала** и **увезла́** больно́го в больни́цу.

Exercise 81. Use the verbs *принести́, привезти́, унести́, увезти́* in the required form.

1. Студе́нты пришли́ на уро́к и ... а́нгло-ру́сские словари́. 2. Сего́дня ко мне пришёл Воло́дя и ... свои́ но́вые фотогра́фии. 3. Преподава́тельница пришла́ в класс и ... на́ши тетра́ди. 4. Том прие́хал из Москвы́ и ... мно́го ру́сских книг. 5. Неда́вно роди́тели прие́хали из Ми́нска и ... нам пода́рки. 6. Анна прие́хала из Пари́жа и ... сувени́ры. 7. Преподава́тель собра́л на́ши тетра́ди и ... их. 8. Андре́й ушёл и ... по оши́бке мой слова́рь. 9. Маши́на «ско́рая по́мощь» уе́хала и ... больно́го в больни́цу.

Exercise 82. Change the aspect of the verbs and, where necessary, the adverbs as well. Explain how the meaning of the sentences has changed.

Model: Бори́с *ча́сто приходи́л* ко мне и *приноси́л* но́вые ма́рки.
Вчера́ Бори́с *пришёл* ко мне и *принёс* но́вые ма́рки.

1. Ка́ждый день студе́нты приноси́ли в класс тетра́ди, уче́бники и словари́. 2. Ра́ньше оте́ц привози́л мне интере́сные кни́ги. 3. Вчера́ мой друг принёс в класс интере́сные журна́лы. 4. Когда́ она́ прие́хала из Пари́жа, она́ привезла́ отту́да интере́сные альбо́мы. 5. Когда́ он пришёл ко мне, он принёс мне но́вые ма́рки.

Я прочитáл кнúгу и **отнёс** её в библиотéку

Exercise 83. Use the verb *отнестú* in the required form.

1. Мой часы́ сломáлись, и я ... их в мастерскýю. 2. Анна прочитáла кнúгу и ... её в библиотéку. 3. Вúктор купúл фрýкты и ... их товáрищу в больнúцу. 4. Пóсле урóка мы ... магнитофóн в лаборатóрию. 5. Сегóдня вéчером я ... товáрищу дúски, котóрые я брал у негó. 6. Когдá он прочитáет журнáл, он ... егó в библиотéку. 7. Я дóлжен ... э́ти дéньги дрýгу. 8. Отéц приготóвил посы́лку и … её на пóчту. 9. Мать приготóвила чай и … егó в кóмнату отцý.

The Prefixes *в- (во-)* and *вы-*

Мáльчик **вошёл** в кóмнату.

Мáльчик **вы́шел** из кóмнаты.

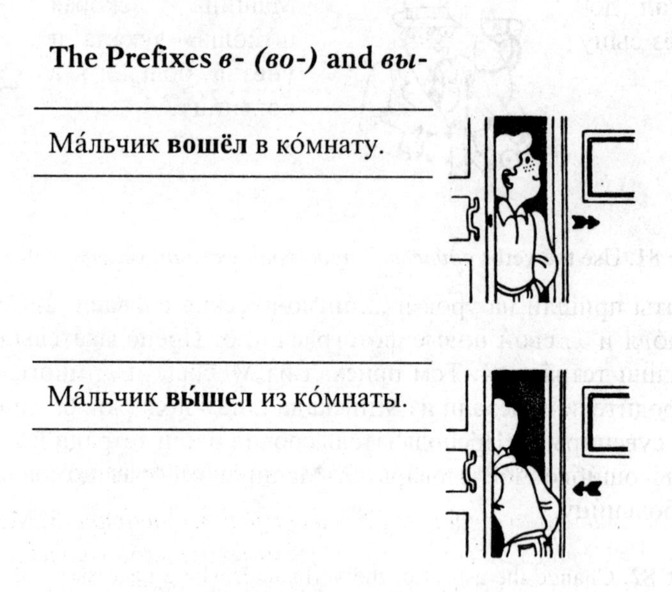

Exercise 84. Do the exercise as shown in the model.

Model: Вúктор был в коридóре. Сейчáс он *в своéй кóмнате*.
Вúктор *вошёл в свою́ кóмнату*.

1. Студéнты стоя́ли *в коридóре*. Сейчáс онú *в аудитóрии*. 2. Дéвушка былá *на ýлице*. Сейчáс онá *в общежúтии*. 3. Мы стоя́ли *óколо университéта*. Сейчáс мы *в университéте*. 4. Я был *в коридóре*. Сейчáс я *в читáльном зáле*. 5. Мы стоя́ли *на ýлице*. Сейчáс мы *в аптéке*. 6. Врач был *в коридóре*. Сейчáс он *в своём кабинéте*. 7. Турúсты стоя́ли *на плóщади*. Сейчáс онú *в автóбусе*.

Exercise 85. Do the exercise as shown in the model.

Model: Студе́нт был *в кла́ссе*. Сейча́с он стои́т *в коридо́ре*.
Студе́нт *вы́шел из кла́сса в коридо́р*.

1. Преподава́тель был *в аудито́рии*. Сейча́с он *в хо́лле*. 2. Они́ бы́ли *в магази́не*. Сейча́с они́ стоя́т *на у́лице*. 3. Он был *в ваго́не*. Сейча́с он стои́т *на платфо́рме*. 4. Врач был *в кабине́те*. Сейча́с он *в коридо́ре*. 5. Мы бы́ли *в теа́тре*. Сейча́с мы стои́м *на у́лице* о́коло теа́тра.

Exercise 86. Complete the sentences, using the verb *вы́йти* in the required form and the words given on the right.

1. Я купи́л проду́кты и	магази́н
2. Ни́на взяла́ де́ньги и	банк
3. Мы посмотре́ли фильм и	кинотеа́тр
4. Спекта́кль ко́нчился, и все	теа́тр
5. Ле́кция ко́нчилась, и студе́нты	аудито́рия
6. Ба́бушка купи́ла лека́рство и	апте́ка

Exercise 87. Use the verb *войти́* or *вы́йти* in the required form.

1. Прозвене́л звоно́к, и студе́нты ... в аудито́рию. 2. Мо́жно мне ... из аудито́рии? 3. Студе́нтка ... из лаборато́рии. 4. Он ... в ко́мнату и уви́дел своего́ дру́га. 5. Мы подняли́сь на второ́й эта́ж и ... в библиоте́ку. 6. Вдруг в ко́мнату ... моя́ сестра́. 7. Сего́дня я ... из до́ма в 8 часо́в утра́.

Exercise 88. Replace the sentences by sentences opposite in meaning.

1. Студе́нты *вошли́ в аудито́рию*. 2. Мы *вы́шли из теа́тра*. 3. Мои́ друзья́ *вы́шли из клу́ба*. 4. Я *вы́шел из столо́вой*. 5. Де́ти *вошли́ в библиоте́ку*. 6. Мой друг *вошёл в чита́льный зал*. 7. Они́ *вошли́ в сосе́днюю ко́мнату*.

Exercise 89. Answer the questions.

1. Когда́ вы выхо́дите у́тром из до́ма? 2. Когда́ вы прихо́дите в университе́т? 3. Когда́ вы ухо́дите из университе́та? 4. Когда́ вы прихо́дите домо́й? 5. К вам ча́сто прихо́дят друзья́?

Exercise 90. Complete the sentences.

1. Бори́с вошёл в класс и ... . 2. Мы вы́шли на у́лицу и ... . 3. Я пришёл домо́й

и ... . 4. Сего́дня ве́чером я приду́ домо́й и ... . 5. Бори́с вы́шел из библиоте́ки и ... . 6. Ско́ро мой брат прие́дет в Москву́ и ... .

Exercise 91. Complete the sentences, using verbs of motion.

Model: ... и уви́дел дру́га.
Я *вошёл в буфе́т* и уви́дел дру́га.

1. ... и поздоро́вался. 2. ... и спроси́л, когда́ принима́ет глазно́й врач. 3. ... , немно́го отдохну́л и стал занима́ться. 4. ... и пошёл к авто́бусной остано́вке. 5. ... и поступи́л в университе́т. 6. ... , мы пойдём с ним в музе́й. 7. ... , в кла́ссе никого́ не́ было. 8. ... и не оста́вил своего́ а́дреса.

The Prefixes *под-* (*подо-*) and *от-* (*ото-*)

Ма́льчик **подошёл** к столу́.

Ма́льчик **отошёл** от стола́.

Exercise 92. Use the verb *подойти́* or *подъе́хать* in the required form.

Model: Маши́на ... к до́му и останови́лась.
Маши́на *подъе́хала* к до́му и останови́лась.

1. Преподава́тель ... к доске́ и на́чал писа́ть. 2. Мы ... к кио́ску и купи́ли све́жие газе́ты. 3. Авто́бус ... к остано́вке и останови́лся. 4. Я ... к окну́ и посмотре́л на у́лицу. 5. Они́ ... к вокза́лу на маши́не. 6. Мы ... к теа́тру на такси́.

Exercise 93. Replace the sentences by sentences opposite in meaning.

I. 1. Я *подошла́ к окну́.* 2. По́езд *отошёл от ста́нции.* 3. Авто́бус *подошёл к остано́вке.* 4. Такси́ *подъе́хало к вокза́лу.* 5. Студе́нт *отошёл от доски́.* 6. Маши́на *отъе́хала от больни́цы.*

II. 1. По́езд уже́ *отхо́дит от платфо́рмы.* 2. Ка́ждый день маши́на *подъезжа́ет к по́чте* в 8 часо́в. 3. Тролле́йбус *подхо́дит к остано́вке.*

Exercise 94. Complete the sentences.

1. Он подошёл к нам и ... . 2. Мы подошли́ к ка́ссе и ... . 3. Авто́бус подошёл к остано́вке и ... . 4. Ма́льчик подошёл к окну́ и ... . 5. Такси́ подъе́хало к до́му и ... . 6. По́езд подошёл к ста́нции и ... .

Exercise 95. Supply beginnings to the sentences.

1. ... и постуча́л. 2. ... и поздоро́вались. 3. … и пассажи́ры вы́шли из ваго́на. 4. ... и останови́лась. 5. ... и спроси́ла, где ста́нция метро́. 6. ... и купи́ли сего́дняшние газе́ты.

The Prefix *до-*

Мы **доехали** до на́шей ста́нции и вы́шли из ваго́на.

! The prefix **до-** added lo a verb lends in the meaning “movement up to a certain borderline, up to a certain point”.

Exercise 96. Use the required forms of the words given in brackets.

Model: Я доехал ... (университе́т) на авто́бусе.
Я доехал *до университе́та* на авто́бусе.

1. Он дое́хал ... (теа́тр) на метро́. 2. Мы дое́хали ... (музе́й) на тролле́йбусе. 3. Я дое́хал ... (стадио́н) на такси́. 4. Они́ дое́хали ... (э́тот го́род) на по́езде.

5. Мы доéхали ... (больнúца) на метрó и на автóбусе. 6. Мы дошлú ... (стáнция) пешкóм. 7. Турúсты дошлú ... (бéрег рекú) и остановúлись.

The Prefixes *про-, пере-, за-*

Exercise 97. Read the sentences and write them out. Remember the meaning of the prefix *про-* in the verbs. Note the prepositions used.

I. 1. Он *прошёл мúмо* меня́ и не поздорóвался. 2. Онú *прошлú мúмо* óзера и вошлú в лес. 3. Кáждый день я *прохожу́ мúмо* пáрка. 4. Когдá он *проходúл мúмо* кинотеáтра, он встрéтил своúх друзéй.

II. 1. Мы *прошлú чéрез* лес и вы́шли на дорóгу. 2. Мы *прошлú чéрез* парк и увúдели небольшóе óзеро.

III. 1. Пóезд *прошёл* 30 киломéтров и остановúлся. 2. За день турúсты *прошлú* 15 киломéтров.

Exercise 98. Read the sentences and write them out. Note that verbs with the prefix *пере-* may be followed by the preposition *чéрез.*

1. Мы *перешлú у́лицу* и вошлú в магазúн. 2. Дéвочка *перешлá чéрез дорóгу* и подошлá к киóску. 3. Турúсты *перешлú чéрез рéку* и пошлú по дорóге. 4. Когдá *бу́дешь переходúть у́лицу,* посмотрú сначáла налéво, а потóм напрáво.

Exercise 99. Read the sentences and write them out. Remember the meanings of the verbs with the prefix *за-*.

1. Когдá мы шли на пóчту, по дорóге мы *зашлú* в кнúжный магазúн. 2. Почему́ ты пришёл пóздно? – Я *заходúл* к товáрищу. 3. Если пойдёте в парк, *зайдúте* за нáми. 4. Если бу́дете на нáшей у́лице, *заходúте* к нам в гóсти.

Revision Exercises

Exercise 100. Put the words given in brackets in the required case. Use prepositions wherever necessary.

1. Профéссор вошёл ... (аудитóрия), и лéкция началáсь. 2. Мы вы́шли ... (кинотеáтр) и пошлú ... (автóбусная останóвка). 3. Он пришёл ... (поликлúника) и спросúл, когдá принимáет врач. 4. Когдá я подошёл ... (дом), я увúдел,

что о́коло до́ма стои́т маши́на. 5. Он подошёл ... (окно́) и посмотре́л на у́лицу. 6. Он отошёл ... (окно́) и сел занима́ться. 7. Вчера́ мы ушли́ ... (университе́т) в 5 часо́в.

Exercise 101. Replace the sentences by sentences opposite in meaning.

1. Оте́ц *вошёл в ко́мнату*. 2. Студе́нты *уе́хали на пра́ктику*. 3. Ма́льчик *подошёл к окну́*. 4. Я *вы́шел из библиоте́ки*. 5. Серге́й *ушёл от своего́ дру́га* в 7 часо́в. 6. Тури́сты *прие́хали в го́род*. 7. Челове́к *вошёл в дом*. 8. Учени́к *отошёл от доски́*. 9. Пассажи́ры *вы́шли из ваго́на*.

Exercise 102. Replace the sentences by sentences opposite in meaning.

1. Моя́ сестра́ *уе́хала в Москву́*. 2. Преподава́тель *вы́шел из аудито́рии*. 3. Студе́нты *пошли́ в зал*. 4. На́ша семья́ *уе́хала в дере́вню*. 5. Мы *вы́шли из метро́*. 6. По́езд *подошёл к ста́нции*. 7. Маши́на *отъе́хала от до́ма*. 8. Оте́ц *пришёл на рабо́ту* в 3 часа́.

Exercise 103. Read the text and write it out. Remember the use of the verbs of motion. Draw the route of the trip and with its help retell the text.

Ле́том я отдыха́л в дере́вне. Одна́жды я реши́л *пойти́* в го́сти к своему́ дру́гу, кото́рый жил в сосе́дней дере́вне. В тот день я встал ра́но у́тром, поза́втракал и *вы́шел* из до́ма. Я *отошёл* недалеко́ от до́ма и вдруг вспо́мнил, что я забы́л до́ма кни́гу, кото́рую проси́л у меня́ друг. Я верну́лся, взял кни́гу и сно́ва *пошёл* по доро́ге. Недалеко́ от моего́ до́ма был магази́н. Я *зашёл* в магази́н и купи́л газе́ты. Снача́ла я *шёл* бы́стро. Когда́ я уста́л, я *пошёл* ме́дленнее. Я *шёл* всё вре́мя пря́мо. Около реки́ я *пошёл* напра́во. Пото́м я *перешёл* че́рез ре́ку. Пе́редо мной лежа́ло о́зеро. Я *обошёл* о́зеро и *вошёл* и лес. Я *прошёл* лес, *вы́шел* из ле́са и уви́дел дере́вню. Ско́ро я *дошёл* до ме́ста. Я *подошёл* к до́му, постуча́л в дверь и услы́шал знако́мый го́лос: «Войди́те!» Я *вошёл* в дом. «Как хорошо́, что ты *пришёл*», – сказа́л мой друг.

Exercise 104. Use the required forms of the verb *идти́* with the correct prefixes.

Вчера́ мы реши́ли ... в кино́. Мы ... из до́ма и ... по у́лице. Когда́ мы ... по у́лице, начался́ дождь. Мы реши́ли ... в ближа́йший магази́н и немно́го подожда́ть. Дождь ско́ро ко́нчился, мы ... из магази́на и ... да́льше. Кинотеа́тр находи́лся на друго́й стороне́ у́лицы. Мы ... че́рез у́лицу и ... в кинотеа́тр. Мы ... к ка́ссе и купи́ли биле́ты. До нача́ла сеа́нса остава́лось 30 мину́т. Мы реши́ли ... на у́лицу. Мы ... до пло́щади и верну́лись наза́д.

Exercise 105. Write out the text, using the verb *идти́* with the correct prefixes.

В воскресе́нье я реши́л ... в музе́й. Я ... из до́ма в 11 часо́в. Музе́й нахо́дится недалеко́ от на́шего до́ма, поэ́тому я ... пешко́м. По доро́ге я реши́л ... к своему́ дру́гу и пригласи́ть его́ с собо́й. Я ... к его́ до́му, ... в дом и позвони́л. Из кварти́ры ... его́ сестра́ и сказа́ла, что Бори́са нет до́ма. «Он ... в библиоте́ку», – сказа́ла она́. Я ... из до́ма и ... по у́лице. Снача́ла я ... пря́мо, пото́м ... напра́во. Наконе́ц я ... до музе́я. Я ... в му́зей, разде́лся и ... в пе́рвый зал. Я … все за́лы. Музе́й мне о́чень понра́вился. Я оде́лся, ... из музе́я и ... домо́й.

Exercise 106. Use the verb *идти́* or *е́хать* with the correct prefixes.

В суббо́ту ве́чером мы должны́ бы́ли ... в теа́тр. Спекта́кль начина́лся в полови́не седьмо́го. Мы ... из до́ма в 5 часо́в, потому́ что мы не зна́ли, ско́лько вре́мени нам ну́жно бу́дет, что́бы ... до теа́тра. Мы ... к трамва́йной остано́вке и ста́ли ждать трамва́я. Вот подошёл трамва́й. Мы се́ли и .... Че́рез 20 мину́т мы ... до ста́нции метро́. Мы ... из трамва́я и ... в метро́. Когда́ мы ... в ваго́н, мы уви́дели там свои́х друзе́й, кото́рые то́же ... в теа́тр. Все вме́сте мы ... на у́лицу и ... к теа́тру. Когда́ мы ... к теа́тру, мы уви́дели, что о́коло теа́тра никого́ нет. Мы по́няли, что мы ... о́чень ра́но. Но мы ... в теа́тр, разде́лись и ... в буфе́т пить ко́фе.

Exercise 107. Use the required forms of appropriate verbs of motion.

Вчера́ мы с друзья́ми ... в Большо́й теа́тр. Мы ... из общежи́тия в 5 часо́в. Мы ... к коне́чной остано́вке и ста́ли ждать авто́буса. Че́рез 5 мину́т авто́бус ... к остано́вке. Авто́бус останови́лся, из него́ ... все пассажи́ры. Мы ... в авто́бус. Ско́ро авто́бус ... от остано́вки. Он ... о́чень бы́стро. Мы ... на авто́бусе до це́нтра. В це́нтре мы ... из авто́буса. Все ... в теа́тр, а я ... в магази́н, что́бы купи́ть цветы́. Когда́ я ... в теа́тр, уже́ прозвене́л второ́й звоно́к. Я разде́лся и ... в зал.

Exercise 108. Use the required forms of appropriate verbs of motion.

Ка́ждое воскресе́нье мы с друзья́ми ... в кино́. Обы́чно мы ... из до́ма в 5 часо́в. Мы ... к авто́бусной остано́вке, сади́мся в авто́бус и ... до кинотеа́тра. От на́шего до́ма до кинотеа́тра авто́бус ... 20 мину́т. Мы ... из авто́буса, ... у́лицу и ... в кинотеа́тр. По́сле звонка́ мы ... в зри́тельный зал и сади́мся на свои́ места́. Когда́ фильм конча́ется, мы ... из кинотеа́тра и ... в кафе́. Там мы у́жинаем. По́сле у́жина мы ... домо́й.

Exercise 109. Use the required forms of appropriate verbs of motion.

Моего́ дру́га зову́т Воло́дя. Он у́чится в университе́те. Ка́ждый день он ... в университе́т. Он ... из до́ма в 8 часо́в. Он ... к авто́бусной остано́вке и сади́тся в авто́бус. Че́рез пять остано́вок он ... из авто́буса и ... к метро́. Пото́м он ... на метро́ до ста́нции «Университе́т». Воло́дя ... из метро́. От метро́ до университе́та он ... пешко́м. Обы́чно он ... в университе́т без десяти́ де́вять.

Exercise 110. Use the required forms of appropriate verbs of motion.

В суббо́ту мне да́ли два биле́та на ве́чер в наш клуб. В 6 часо́в я ... из до́ма и ... к дру́гу, с кото́рым я до́лжен был ... на ве́чер. Я ... к его́ до́му, подня́лся на второ́й эта́ж и позвони́л. Его́ мать откры́ла мне дверь и пригласи́ла меня́ ... . Когда́ я ... , она́ сказа́ла, что Воло́дя ещё не ... из институ́та. Я спроси́л её, когда́ он ... . Она́ отве́тила, что обы́чно он ... в 5 часо́в, а сего́дня он ... в семь. Я реши́л не ждать Воло́дю, оста́вил ему́ биле́т и ... на ве́чер оди́н. Я ... из до́ма и ... к трамва́йной остано́вке. В э́то вре́мя к остано́вке ... трамва́й и из него́ ... Воло́дя. Я ... к нему́, поздоро́вался и сказа́л, что я бу́ду ждать его́ в клу́бе.

Exercise 111. Write out the text, using the required forms of appropriate verbs of motion.

В про́шлое воскресе́нье мы ... за́ город. Мы ... из до́ма в 8 часо́в утра́. Около до́ма нас ждал това́рищ со свое́й маши́ной. Мы се́ли в маши́ну и ... . Снача́ла мы ... по го́роду, а пото́м ... из го́рода и ... по шоссе́. Мы ... киломе́тров пятьдеся́т. Бы́ло о́чень жа́рко, и мы ... к реке́. Мы ... из маши́ны и ... к воде́. Здесь, на берегу́ реки́, мы провели́ весь день. Мы игра́ли в волейбо́л, ... в лес. В 5 часо́в ве́чера мы ... обра́тно. В 7 часо́в мы ... домо́й.

Exercise 112. Use the required forms of appropriate verbs of motion.

Оди́н наш това́рищ живёт в дере́вне, недалеко́ от Москвы́. Одна́жды он пригласи́л нас к себе́ в го́сти. Мы реши́ли ... к нему́ в суббо́ту ве́чером, что́бы провести́ в дере́вне всё воскресе́нье. Мы ... из до́ма в 6 часо́в ве́чера, се́ли в авто́бус и ... на вокза́л. Мы ... на вокза́л и ... к ка́ссам. Я посмотре́л расписа́ние и уви́дел, что по́езд то́лько что ... . Мы купи́ли биле́ты и ... на платфо́рму. Когда́ ... по́езд, мы ... в ваго́н и се́ли. Че́рез 5 мину́т по́езд ... . Мы ... о́коло ча́са. Когда́ мы ... из ваго́на, бы́ло ещё светло́. На ста́нции я спроси́л одну́ же́нщину, как ... в дере́вню. Она́ объясни́ла нам, куда́ ... , и мы ... . Мы ... почти́ час. Мы ... киломе́тра три. Наконе́ц мы ... в дере́вню.

Exercise 113. Write out the text, using the required forms of appropriate verbs of motion.

Не́сколько дней наза́д в Москву́ ... гру́ппа францу́зских тури́стов. Они́ ... из Пари́жа тре́тьего а́вгуста. Вчера́ э́та гру́ппа ... на экску́рсию в Росто́в и Су́здаль. Они́ ... на авто́бусе. Когда́ тури́сты ... в Росто́в, они́ ви́дели по доро́ге мно́го интере́сного. Когда́ они́ ... в го́род, их встре́тил гид. Тури́сты до́лго ... по Росто́ву. Они́ ... в Москву́ в 8 часо́в ве́чера. Сего́дня у́тром францу́зские тури́сты ... в Кремль, ве́чером они́ ... в Большо́й теа́тр.

Verbs With The Particle *-ся*

The verbs with the particle **-ся** (reflexive verbs) are invariably intransitive, i.e. they cannot be followed by a direct object (a noun or pronoun in the accusative without a preposition). Verbs with the particle **-ся** have various meanings.

Verbs with Passive Meaning

Active construction	Passive construction
Кто **де́лает** *что*	*Что* **де́лается** *кем*
1. *Дире́ктор* **подпи́сывает** все *докуме́нты* .	1. *Все докуме́нты* **подпи́сываются** *дире́ктором.*
2. *Наш спортклу́б* **прово́дит** *спорти́вные пра́здники.*	2. *Спорти́вные пра́здники* **прово́дятся** *нашим спортклу́бом.*
3. *Опытные врачи́* **де́лают** *опера́цию на се́рдце.*	3. *Опера́ция на се́рдце* **де́лается** *о́пытными врача́ми.*

! Remember that in passive constructions 1) the real performer of the action is expressed by a noun in the instrumental, 2) the Imperfective verbs are used.

Exercise 1. Read the sentences and write them out. Compare the sentences in the left and right-hand columns.

1. Рабо́чие *стро́ят* дом.	1. Дом *стро́ится* рабо́чими.
2. Преподава́тель *проверя́ет* на́ши тетра́ди.	2. На́ши тетра́ди *проверя́ются* преподава́телем.
3. Констру́кторы *создаю́т* но́вые маши́ны.	3. Но́вые маши́ны *создаю́тся* констру́кторами.
4. Нау́ка *объясня́ет* та́йны приро́ды.	4. Та́йны приро́ды *объясня́ются* нау́кой.
5. Студе́нты медици́нского институ́та *изуча́ют* анато́мию.	5. Анато́мия *изуча́ется* студе́нтами медици́нского институ́та.

Exercise 2. Replace the passive constructions by active ones.

Model: Ко́смос *иссле́дуется* учёными ра́зных стран.
Ко́смос *иссле́дуют* учёные ра́зных стран.

1. Антаркти́да *изуча́ется* учёными мно́гих стран. 2. Наш го́род ча́сто *посеща́ется* тури́стами. 3. Ру́сская литерату́ра *изуча́ется* студе́нтами ста́рших ку́рсов. 4. Вла́жность во́здуха *измеря́ется* э́тими прибо́рами. 5. Косми́ческие корабли́ *создаю́тся* рабо́чими и инжене́рами. 6. В поликли́нике больны́е *осма́триваются* о́пытными врача́ми. 7. Плане́ты Со́лнечной систе́мы *иссле́дуются* учёными мно́го лет.

Exercise 3. Replace the passive constructions by active ones.

1. На́шим университе́том *организую́тся* междунаро́дные конфере́нции. 2. Профессора́ми э́того институ́та *де́лаются* сло́жные опера́ции. 3. На́шим клу́бом *гото́вится* больша́я фотовы́ставка. 4. Иску́сственными спу́тниками Земли́ *посыла́ются* сигна́лы из ко́смоса. 5. Не́сколько раз в день моско́вским ра́дио *передаю́тся* после́дние изве́стия. 6. Ка́ждый день студе́нтами *выполня́ются* дома́шние зада́ния. 7. На́шим факульте́том *прово́дятся* интере́сные литерату́рные встре́чи.

🗝 **Exercise 4.** Use one of the verbs given in brackets.

1. Косми́ческие корабли́ (создаю́т – создаю́тся) учёными, инжене́рами, рабо́чими. 2. Хи́мики (создаю́т – создаю́тся) но́вые ви́ды пластма́сс. 3. Учёными (изуча́ют – изуча́ется) вопро́с о жи́зни на други́х плане́тах. 4. Учёные мно́гих стран (изуча́ют – изуча́ются) косми́ческие лучи́. 5. Телеви́дение мно́гих стран Евро́пы (принима́ет – принима́ется) переда́чи из Москвы́. 6. Радиосигна́лы с иску́сственных спу́тников Земли́ (принима́ют – принима́ются) специа́льными ста́нциями. 7. Температу́ра (измеря́ет – измеря́ется) термо́метром. 8. Этот прибо́р (измеря́ет – измеря́ется) вла́жность во́здуха. 9. На́ши студе́нты (гото́вят – гото́вятся) ве́чер на ру́сском языке́. 10. На́шим клу́бом (гото́вит – гото́вится) большáя фотовы́ставка. 11. В настоя́щее вре́мя зна́ния студе́нтов (проверя́ют – проверя́ются) компью́терами. 12. Компью́теры (проверя́ют – проверя́ются) контро́льные рабо́ты студе́нтов.

🗝 **Exercise 5.** Write out the sentences, replacing the active constructions by passive ones.

Model: Преподава́тель *проверя́ет* на́ши сочине́ния.
На́ши сочине́ния *проверя́ются* преподава́телем.

1. Инжене́ры *создаю́т* сло́жные маши́ны. 2. Учёные ра́зных стран *иссле́дуют* пробле́мы долголе́тия. 3. Эта гру́ппа инжене́ров *гото́вит* прое́кт но́вой ли́нии метро́. 4. Экскурсио́нное бюро́ *организу́ет* экску́рсии по го́роду. 5. Студе́нты на́шего факульте́та *изуча́ют* иностра́нные языки́. 6. Учёные э́того институ́та *реша́ют* ва́жные пробле́мы хи́мии. 7. Молоды́е кинорежиссёры *создаю́т* интере́сные фи́льмы. 8. Врачи́ э́той кли́ники *де́лают* сло́жные опера́ции на се́рдце.

Verbs with Middle Reflexive Meaning

В сосе́днем до́ме **откры́ли апте́ку**.
В сосе́днем до́ме **откры́лась апте́ка**.

! In this type of sentence, as distinct from the passive constructions, the performer of the action is not expressed.

Exercise 6. Read the sentences and write them out. Compare the sentences in the left and right-hand columns.

1. На на́шей у́лице *стро́ят поликли́нику.*
2. В э́том райо́не ско́ро *откро́ют но́вую библиоте́ку.*
3. В э́том кио́ске *продаю́т кни́ги* на иностра́нных языка́х.
4. В э́том кинотеа́тре *демонстри́руют де́тские фи́льмы.*

1. На на́шей у́лице *стро́ится поликли́ника.*
2. В э́том райо́не ско́ро *откро́ется но́вая библиоте́ка.*
3. В э́том кио́ске *продаю́тся кни́ги* на иностра́нных языка́х.
4. В э́том кинотеа́тре *демонстри́руются де́тские фи́льмы.*

Exercise 7. Do the exercise as shown in the model.

Model: На пе́рвом ку́рсе *изуча́ют* ру́сскую литерату́ру.
На пе́рвом ку́рсе *изуча́ется* ру́сская литерату́ра.

1. В на́шем райо́не *стро́ят* но́вую гости́ницу. 2. В э́том кинотеа́тре *демонстри́руют* но́вые фи́льмы. 3. В на́шем клу́бе *организу́ют* интере́сные вечера́. 4. В э́том магази́не *продаю́т* де́тскую литерату́ру. 5. В 9 часо́в по ра́дио *передаю́т* после́дние изве́стия. 6. В э́том за́ле *чита́ют* ле́кции.

Exercise 8. Replace the italicised verbs by verbs without the particle *-ся.*

Model: В э́том магази́не *продаётся* литерату́ра на ру́сском языке́.
В э́том магази́не *продаю́т* литерату́ру на ру́сском языке́.

1. Сейча́с в э́том зда́нии *гото́вится* вы́ставка молоды́х худо́жников. 2. В э́том райо́не *стро́ится* ещё одна́ шко́ла. 3. Ско́ро здесь *откро́ется* но́вая ста́нция метро́. 4. На э́том факульте́те *преподаю́тся* иностра́нные языки́. 5. В э́том кио́ске *продаю́тся* газе́ты на иностра́нных языка́х 6. В э́том институ́те *изуча́ется* кли́мат Земли́. 7. Сейча́с по ра́дио *передаю́тся* после́дние изве́стия.

Exercise 9. Replace the ilaliciscd verbs by verbs without the particle *-ся.*

1. Журна́лы и газе́ты *продаю́тся* в кио́ске. 2. Кни́ги *продаю́тся* в кни́жном магази́не. 3. Этот магази́н *открыва́ется* в 9 часо́в. 4. Ру́сская литерату́ра *изуча́ется* на тре́тьем ку́рсе. 5. Тако́е зда́ние *стро́ится* не́сколько ме́сяцев. 6. В на́шем университе́те ча́сто *организу́ются* экску́рсии. 7. На на́шей у́лице ско́ро *откро́ется* но́вый кинотеа́тр. 8. В клу́бе *гото́вится* но́вая фотовы́ставка. 9. Ка́ждый год в на́шем го́роде *прово́дится* кинофестива́ль.

Exercise 10. Answer the questions. Write down the answers to questions 1, 2, 3, 4, 5, 6 and 7.

1. Когда́ открыва́ются магази́ны? 2. Когда́ закрыва́ются магази́ны? 3. Когда́ открыва́ется по́чта? 4. Когда́ начина́ются спекта́кли? 5. Когда́ начина́ются конце́рты? 6. Когда́ у вас начина́ется учё́бный год? 7. Когда́ конча́ется учё́бный год? 8. Когда́ ко́нчится э́тот переры́в? 9. Ско́лько вре́мени продолжа́ется э́тот переры́в? 10. Ско́лько вре́мени продолжа́ются зи́мние кани́кулы в ва́шем университе́те? 11. Ско́лько вре́мени продолжа́ются ле́тние кани́кулы? 12. Где продаю́тся э́ти учё́бники? 13. Где остана́вливается авто́бус? 14. Где остана́вливается трамва́й?

Exercise 11. Make up questions, as in the model. Write down the questions in sentences 2 and 5 from Part I and to sentence 2 from Part II.

Model: (a) Мы бы́ли на ле́кции.
Когда́ *начала́сь* ле́кция?
Когда́ *ко́нчилась* ле́кция?
Ско́лько вре́мени *продолжа́лась* ле́кция?

I. 1. Мы бы́ли на конце́рте.
2. Мы бы́ли на собра́нии.
3. Мы бы́ли на футбо́льном ма́тче.
4. У нас была́ экску́рсия на конди́терскую фа́брику.
5. У студе́нтов бы́ли кани́кулы.

Model: (b) У нас бу́дет собра́ние.
Когда́ *начнё́тся* собра́ние?
Когда́ *ко́нчится* собра́ние?
Ско́лько вре́мени *бу́дет продолжа́ться* собра́ние?

II. 1. У нас в го́роде бу́дет кинофестива́ль.
2. За́втра в на́шем университе́те бу́дет встре́ча с арти́стами.
3. Ско́ро у нас бу́дут кани́кулы.

Exercise 12. Use the required forms of appropriate verbs.

1. Обы́чно на́ши ле́кции начина́ются в 9 часо́в, а сего́дня они́ ... в 10 часо́в. 2. Обы́чно ва́ши заня́тия конча́ются в 3 часа́ дня, а сего́дня они́ ... в 4 часа́. 3. Как пра́вило, на́ши собра́ния конча́ются ра́но, но вчера́шнее собра́ние ... по́здно. 4. Обы́чно э́тот магази́н открыва́ется в 8 часо́в утра́, а сего́дня он ... в 9 часо́в. 5. Обы́чно на́ша столо́вая закрыва́ется в 5 часо́в, а вчера́ она́ ... в 7 часо́в. 6. Как пра́вило, э́тот авто́бус не остана́вливается здесь, а сего́дня он ... .

Exercise 13. Do the exercise as shown in the model.

Model: о́тдых; рабо́та
Отдых *кончился*, и *начала́сь* рабо́та.

1. учёбный год; кани́кулы
2. заня́тия; переры́в
3. переры́в; ле́кция
4. ле́то; о́сень
5. антра́кт; конце́рт

Студе́нты **ко́нчили** сдава́ть экза́мены.
Экза́мены **ко́нчились**.

Exercise 14. Read the sentences and write them out. Compare the sentences in the left and right-hand columns. Explain the difference in their meaning.

1. Профе́ссор *ко́нчил* ле́кцию в 3 часа́.	1. Ле́кция *ко́нчилась* в 3 часа́.
2. Преподава́тель *на́чал* уро́к.	2. Уро́к *начался́*.
3. Конфере́нция *продолжа́ет* свою́ рабо́ту.	3. Рабо́та конфере́нции *продолжа́ется*.

MEMORIZE!

начина́ть нача́ть продолжа́ть конча́ть ко́нчить	(1) ч т о ? (acc.) рабо́ту, экза́мены, разгово́р, письмо́, etc. (2) + infinitive (imperf.) говори́ть, чита́ть, рабо́тать, писа́ть, etc.

Exercise 15. Use the required verb.

(a) *нача́ть – нача́ться*

1. Когда́ ... уро́к, мы ... писа́ть дикта́нт. 2. Когда́ вы ... изуча́ть ру́сский язы́к? 3. Вчера́ мы бы́ли на конце́рте. Конце́рт ... в 7 часо́в. На сце́ну вы́шел арти́ст и ... петь. 4. Мы ... сдава́ть экза́мены 10 января́. Когда́ мы сда́ли все экза́мены, у нас ... кани́кулы. 5. Мы гуля́ли по у́лице. Когда́ ... дождь, мы пошли́ домо́й и ... игра́ть в ша́хматы.

(b) *продолжа́ть – продолжа́ться*

1. По́сле переры́ва уро́к ... . Мы ... расска́зывать текст. 2. Пошёл дождь, но мы ... гуля́ть. Дождь ... полчаса́. 3. Собра́ние ... 3 часа́. Все уста́ли, но ... внима́тельно слу́шать выступле́ния. 4. Когда́ мы вошли́ в его́ ко́мнату, он не заме́тил нас и ... писа́ть. Пото́м мы разгова́ривали. Наш разгово́р ... час.

(c) *ко́нчить – ко́нчиться*

1. Мы ... писа́ть контро́льную рабо́ту и о́тдали тетра́ди преподава́телю. Уро́к ... , и мы вы́шли в коридо́р. Когда́ переры́в ... , мы верну́лись в класс. 2. Конце́рт ... в 10 часо́в. Мы до́лго аплоди́ровали, когда́ арти́сты ... выступа́ть. 3. Когда́ он ... занима́ться, он пришёл ко мне.

Exercise 16. Use the required verb.

1. Мы ... свою́ рабо́ту и пошли́ домо́й. Зима́ ... , и наступи́ла весна́.	ко́нчить – ко́нчиться
2. Эта де́вушка хорошо́ ... . Сейча́с она́ ... стихи́ Пу́шкина.	учи́ть – учи́ться
3. Де́вушка ... дверь и вошла́ в ко́мнату. Дверь ..., и в ко́мнату вошла́ де́вушка.	откры́ть – откры́ться
4. Эти рабо́чие ... на́шу шко́лу. Это зда́ние ... не́сколько лет.	стро́ить – стро́иться
5. Вчера́ я ... ча́шку. Ча́шка упа́ла со стола́ и	разби́ть – разби́ться
6. Я ... каранда́ш. Каранда́ш	слома́ть – слома́ться
7. Милиционе́р ... маши́ну. Маши́на подъе́хала к до́му и	останови́ть – останови́ться

Exercise 17. Use the required verb.

1. Рабо́чие ... стро́ить э́тот дом ле́том.	нача́ть – нача́ться
2. Экза́мены ..., и мы пое́хали в дом о́тдыха. Ма́льчик ... чита́ть журна́л и ушёл из библиоте́ки.	ко́нчить – ко́нчиться
3. Я уже́ ... кни́гу в библиоте́ку. Ве́чером мы бы́ли на конце́рте и по́здно ... отту́да. Когда́ ты ... мне слова́рь?	верну́ть – верну́ться
4. Когда́ я начина́ю занима́ться, я ... окно́. Вы не зна́ете, когда́ ... наш буфе́т?	открыва́ть – открыва́ться

5. Продаве́ц ... кио́ск и ушёл. Был си́льный ве́тер, и окно́	закры́ть – закры́ться
6. Мы ... на пя́тый этаж. Лифт ... нас на пя́тый эта́ж. Он ... чемода́н и поста́вил его́ на стул.	подня́ть – подня́ться
7. Шофёр ... авто́бус о́коло музе́я. Авто́бус ... на остано́вке. Я ... такси́, потому́ что мы опа́здывали в теа́тр.	останови́ть – останови́ться

Exercise 18. Use the required verb.

1. Я ... свою́ но́вую ру́чку. Моя́ ру́чка ... . Кто ... мой магнитофо́н? У меня́ ... часы́.	слома́ть – слома́ться
2. Сего́дня я ... ва́зу. Ва́за упа́ла со стола́ и ... . Ма́льчик бро́сил мяч и случа́йно ... окно́.	разби́ть – разби́ться
3. Он ... де́ньги в карма́н. Ма́льчик ... за две́рью. Куда́ ты ... мой ключ?	спря́тать – спря́таться
4. Ка́ждый день я ... дома́шнее зада́ние. Сейча́с я ... к контро́льной рабо́те. Студе́нты ... к экза́менам.	гото́вить – гото́виться
5. Когда́ я ... на ро́дину, я бу́ду рабо́тать в шко́ле. Мать спра́шивает в письме́, когда́ я ... домо́й. За́втра я ... вам ва́шу кни́гу.	верну́ть – верну́ться
6. Вчера́ я ... письмо́ свои́м роди́телям. Я написа́л письмо́ и ... на по́чту.	отпра́вить – отпра́виться
7. Вошёл преподава́тель, и мы ... разгово́ры. Вошёл преподава́тель, и разгово́ры	прекрати́ть – прекрати́ться

Exercise 19. Use the required verb.

1. Весна́ в э́том году́ (нача́ть – нача́ться) по́здно. 2. Зи́мние кани́кулы (продолжа́ть – продолжа́ться) две неде́ли. 3. Когда́ ты (ко́нчить – ко́нчиться) чита́ть газе́ту, принеси́ её мне. 4. Самолёт (подня́ть – подня́ться) и полете́л на юг. 5. Мы (спусти́ть – спусти́ться) в метро́. 6. Я не узна́л э́того челове́ка, потому́ что он о́чень (измени́ть – измени́ться). 7. В за́ле (собра́ть – собра́ться) студе́нты пе́рвого ку́рса. 8. Шофёр (останови́ть – останови́ться) маши́ну о́коло вокза́ла. 9. В воскресе́нье шёл дождь, и мы (измени́ть – измени́ться) свои́ пла́ны. 10. Ско́ро (нача́ть – нача́ться) экза́мены, и студе́нты (гото́вить – гото́виться) к ним.

Exercise 20. Complete the sentences.

1. Весь ве́чер он гото́вился ... . Ве́чером он гото́вил ... . 2. За́втра я верну́ тебе́ ... . В 10 часо́в он верну́лся ... . 3. Мы ко́нчили ... . Конце́рт ко́нчился ... . 4. Мой брат у́чит ... . Мой брат у́чится ... . 5. Ма́льчик спря́тал ... . Ма́льчик спря́тался ... . 6. Он по́днял ... . Он подня́лся ... .

Exercise 21. Answer the questions in the negative.

Model: – Вы по́мните, о чём расска́зывается в э́том фи́льме?
– Нет, я не по́мню, о чём расска́зывается в э́том фи́льме.

1. Вы зна́ете, о чём говори́тся в э́том расска́зе? 2. Вы зна́ете, о чём говори́тся в э́той статье́? 3. Вы по́мните, о чём расска́зывается в э́той кни́ге? 4. Вы зна́ете, о чём поётся в э́той пе́сне? 5. Вы по́мните, о чём расска́зывается в э́той телепереда́че? 6. Вы слы́шали, о чём сообща́ется в сего́дняшней газе́те?

Exercise 22. Make up answers to the questions, using the phrases given below, and write them down.

Model: – О чём расска́зывается в э́той телепереда́че?
– В э́той телепереда́че расска́зывается о жи́зни живо́тных.

1. О чём говори́тся в э́том расска́зе? 2. О чём сообща́ется в э́той статье́? 3. О чём расска́зывается в э́той кни́ге? 4. О чём поётся в э́той пе́сне? 5. О ком расска́зывается в э́том те́ксте? 6. О ком говори́тся в э́той кни́ге?

Phrases to be used: после́дние собы́тия в Евро́пе; пе́рвый косми́ческий полёт; моя́ ро́дина; столи́ца Росси́и Москва́; национа́льный геро́й; ва́жное нау́чное откры́тие; изве́стный ру́сский учёный.

Exercise 23. Complete the sentences.

Model: В э́той кни́ге расска́зывается о том, как ... .
В э́той кни́ге расска́зывается о том, как учёные ра́зных стран иссле́дуют мирово́й океа́н.

1. В э́той статье́ говори́тся о том, что ... . 2. В э́том рома́не расска́зывается о том, как ... . 3. В э́той кни́ге говори́тся о том вре́мени, когда́ ... . 4. В э́той пе́сне поётся о том, как ... . 5. В э́том фи́льме расска́зывается о том, как ... . 6. В э́том объявле́нии сообща́ется о том, когда́ ... .

Exercise 24. Read the questions and write them out. Memorise them.

1. Как пи́шется сло́во «Москва́»? 2. Что пи́шется в сло́ве «доска́» по́сле бу́квы «д»? 3. Что пи́шется на конце́ в сло́ве «тетра́дь»? 4. Как чита́ется сло́во «вода́»? 5. Как произно́сится э́тот звук? 6. Как изменя́ется (спряга́ется) э́тот глаго́л? 7. Как изменя́ется (склоня́ется) э́то сло́во? 8. Как реша́ется э́та зада́ча?

Verbs with the Meaning of Reciprocal Action

– Вы **ви́дели** вчера́ Бори́са?
– Да, мы **ви́делись** с ним.

! Memorise these verbs with reciprocal-reflexive meaning:

ви́деться – уви́деться встреча́ться – встре́титься догова́риваться – договори́ться знако́миться – познако́миться здоро́ваться – поздоро́ваться проща́ться – попроща́ться сове́товаться – посове́товаться ссо́риться – поссо́риться мири́ться – помири́ться	с к е м ? (instrumental)

Exercise 25. Make up questions to which the following sentences are the answers.

Model: В Москве́ я познако́мился *с Бори́сом.*
С кем вы познако́мились в Москве́?

1. Мы ча́сто встреча́емся *с друзья́ми*. 2. Я давно́ не ви́делся *с роди́телями*. 3. Студе́нты поздоро́вались *с преподава́телем* 4. Я договори́лся *с бра́том* пойти́ в кино́. 5. На ве́чере мы познако́мились *со студе́нтами* Моско́вского университе́та. 6. Мой това́рищ поссо́рился *со свои́м бра́том*. Неда́вно он помири́лся *с ним*. 7. Мы попроща́лись *с на́шими гостя́ми*. 8. Я всегда́ сове́туюсь *с отцо́м и с ма́терью*.

Exercise 26. Answer the questions.

1. Кого́ вы встре́тили вчера́ на у́лице? С кем вы встре́тились о́коло теа́тра?	одна́ знако́мая де́вушка
2. Кого́ вы ви́дели вчера́ в теа́тре? С кем вы ча́сто ви́дитесь?	наш шко́льный това́рищ
3. Кому́ он сове́тует посмотре́ть э́тот фильм? С кем он всегда́ сове́туется?	его́ ста́рший брат
4. Кого́ вы познако́мили со свои́ми роди́телями? С кем вы познако́мились на ве́чере в клу́бе?	моя́ но́вая подру́га

Exercise 27. Use the required verb.

1. Вчера́ на у́лице я ... дру́га. Мы ... с ним по́здно ве́чером. Брат написа́л мне, что́бы я ... его́ на вокза́ле. За́втра я хочу́ ... с ва́ми.	встре́тить – встре́титься
2. Я ... с ним в про́шлом году́. Я ... его́ со свое́й сестро́й. Где вы ... с э́той де́вушкой? Когда́ вы ... меня́ со свои́м бра́том?	познако́мить – познако́миться
3. Он говори́т, что он ... меня́ в клу́бе. Мы ... с ним ре́дко. Когда́ вы ... с ним в после́дний раз? Я ... его́ ме́сяц наза́д.	ви́деть – ви́деться
4. Неда́вно я поссо́рился с Анной. Мой друг ... нас. Я рад, что я ... с Анной.	помири́ть – помири́ться
5. Мой оте́ц ... мне вы́брать э́ту специа́льность. Когда́ мне тру́дно, я всегда́ ... с ним.	сове́товать – сове́товаться

Exercise 28. Use the required verb.

1. – Я не могу́ вспо́мнить, где я ... вас. – По-мо́ему, мы с ва́ми ... у на́шего дру́га. Вы ча́сто ... со свои́ми друзья́ми? – Нет, я давно́ с ни́ми не	ви́деть – ви́деться
2. Мы договори́лись ... у теа́тра в шесть часо́в. У вхо́да в теа́тр я ... свои́х ста́рых знако́мых. Роди́тели написа́ли мне, что́бы я ... их на вокза́ле. Где и когда́ мы ... ?	встре́тить – встре́титься

3. – Где вы с ним ... ? – Мы ... с ним в университе́те. Нас ... мой друг. – Я давно́ хоте́л ... с ним. Пожа́луйста, ... меня́ с э́тим челове́ком. – … , э́то наш но́вый студе́нт, а э́то мой друг.	познако́мить – познако́миться
4. В тру́дные мину́ты я всегда́ ... с дру́гом. Я хочу́ ... с ва́ми. Что вы ... мне купи́ть в пода́рок дру́гу? Како́й фильм вы ... нам посмотре́ть?	(по)сове́товать – (по)сове́товаться

Verbs with Proper Reflexive Meaning

Мать **мо́ет** ма́льчика.
Ма́льчик **мо́ется**.

Exercise 29. Use the required verb.

1. Я ... ру́ки. Мать ... посу́ду. Ма́льчик ... в ду́ше. Сестра́ ... ма́ленького ребёнка. Пе́ред обе́дом ну́жно ... ру́ки.	мыть – мы́ться
2. Она́ ... свою́ мла́дшую сестру́. Он ... о́чень ме́дленно. Медсестра́ ... больно́го.	одева́ть – одева́ться
3. Утром мы ... холо́дной водо́й. Мать ... своего́ ма́ленького сы́на.	умыва́ть – умыва́ться
4. Он ... ру́ки и лицо́. Он ... полоте́нцем.	вытира́ть – вытира́ться
5. Я люблю́ ... в мо́ре. Ка́ждый ве́чер мать ... дете́й. Когда́ мы отдыха́ли на мо́ре, мы ... три ра́за в день.	купа́ть – купа́ться

Exercise 30. Complele the sentences in writing, using the verbs of the required aspect.

1. Ка́ждое у́тро я встаю́, де́лаю заря́дку, умыва́юсь, одева́юсь, причёсываюсь, за́втракаю и отправля́юсь на рабо́ту. Сего́дня у́тром я встал, ...
2. По́сле трениро́вки спортсме́ны иду́т в душ, мо́ются, пото́м одева́ются, причёсываются и отправля́ются домо́й. Сего́дня по́сле трениро́вки спортсме́ны пошли́ в душ, ...

Verbs to be used: умыва́ться – умы́ться, мы́ться – вы́мыться, одева́ться – оде́ться, причёсываться – причеса́ться, отправля́ться – отпра́виться.

! Memorise these verbs which are never used without the particle **-ся**:

боя́ться	кого́ ? чего́?	*genitive*
горди́ться	кем? чем?	*instrumental*
относи́ться	к кому́? к чему́?	*dative*
наде́яться	на кого́? на что?	*accusative*
согласи́ться	с кем? с чем?	*instrumental*
смея́ться	над кем? над чем?	*instrumental*
сомнева́ться	в ком? в чём?	*prepositional*

Exercise 31. Read the sentences and write them out. Remember the meanings and uses of the italicised verbs.

1. Оте́ц *горди́тся* свои́м ста́ршим сы́ном. 2. Он пло́хо *отно́сится* к свои́м роди́телям. 3. Мы *наде́емся* на ва́шу по́мощь. (Мы *наде́емся*, что вы помо́жете нам.) 4. Я *не могу́ согласи́ться* с ва́ми. 5. Когда́ мы начина́ли наш о́пыт, мы *не сомнева́лись* в его́ результа́те. 6. Эта де́вочка *бои́тся* темноты́.

Revision Exercises

Exercise 32. Complete the sentences.

1. Кио́ск закрыва́ется ... . Продаве́ц закрыва́ет ... . 2. Студе́нты пе́рвого ку́рса изуча́ют ... . Эта систе́ма изуча́ется ... . 3. Челове́к по́днял ... . Тури́сты подняли́сь ... . 4. Я ча́сто встреча́ю ... . Я ча́сто встреча́юсь ... . 5. Вы давно́ не ви́делись ...? Вы давно́ не ви́дели ...? 6. Конце́рт ко́нчился ... . Арти́ст ко́нчил ... 7. Мой сосе́д верну́л ... . Мой сосе́д верну́лся ... . 8. Мой мла́дший брат у́чится ... Сейча́с он у́чит ... . 9. Я познако́мил ... . Я познако́мился ... . 10. Мы всегда́ сове́туемся ... . Мы сове́туем ... .

Exercise 33. Use the appropriate verbs chosen from those given below.

1. Ра́ньше мы не зна́ли друг дру́га, мы ... в Москве́. 2. Я не ... со свои́ми роди́телями полго́да. 3. Мы договори́лись ... у теа́тра в 6 часо́в. 4. Вчера́ я ... домо́й в 9 часо́в ве́чера. 5. Конце́рт ... 2 часа́. 6. Конце́рт ... , и мы с друзья́ми пошли́ домо́й. 7. Я не зна́ю, что мне де́лать, и хочу́ ... с ва́ми. 8. Я всегда́ ... , когда́ отвеча́ю на экза́мене. 9. Ка́ждая мать ... о свои́х де́тях. 10. Все ... , когда́ он расска́зывает весёлые исто́рии. 11. Мой друг ... радиофи́зикой. 12. Он хорошо́ ... к экза́мену по фи́зике.

Verbs to be used: продолжа́ться, ко́нчиться, посове́товаться, волнова́ться, забо́титься, подгото́виться, смея́ться, познако́миться, ви́деться, интересова́ться, верну́ться, встре́титься.

Exercise 34. Use the required question words.

1. ... вы поздоро́вались в коридо́ре? 2. ... интересу́ется ваш това́рищ? 3. ... он поссо́рился? 4. ... вы познако́мились на ве́чере? 5. ... вы договори́лись встре́титься? 6. ... он обы́чно сове́туется? 7. ... они́ встре́тились в теа́тре? 8. ... вы занима́етесь в свобо́дное вре́мя? 9. ... вы смеётесь?

Exercise 35. Complete the sentences.

1. Мы договори́лись ... . 2. Я не могу́ согласи́ться ... . 3. Вы должны́ подгото́виться ... . 4. Я сомнева́юсь ... . 5. Этот студе́нт занима́ется ... . 6. Я зна́ю, что он интересу́ется ... . 7. Над чем вы смеётесь ... ? 8. Почему́ вы не поздоро́вались ... ? 9. Как вы относи́тесь ... ? 10. Из-за чего́ вы поссо́рились ... ?

Exercise 36. Use the required forms of the words given in brackets.

1. Студе́нты поздоро́вались … (их преподава́тель). 2. Я договори́лся … (мои́ друзья́) встре́титься о́коло метро́. 3. Роди́тели забо́тятся … (их де́ти). 4. Мы хорошо́ подгото́вились … (после́дний экза́мен). 5. Мой брат всегда́ сове́туется … (я). 6. Я не люблю́ ссо́риться … (лю́ди). 7. Мы наде́емся … (ва́ша по́мощь). 8. Нехорошо́ смея́ться … (лю́ди). 9. Эта мать мо́жет горди́ться … (её сын). 10. Мой друг интересу́ется … (биоло́гия). 11. Он пло́хо отно́сится … (его́ брат).

Exercise 37. A. Read the text, using the appropriate verbs.

День моего́ бра́та

Мой брат (учи́ть – учи́ться) в шко́ле в 10-м кла́ссе. Обы́чно он встаёт в 7 часо́в утра́. Он (умыва́ть – умыва́ться), (одева́ть – одева́ться), (причёсывать – причёсываться) и сади́тся за́втракать. Шко́ла, где (учи́ть – учи́ться) мой брат, нахо́дится бли́зко. В 9 часо́в (начина́ть – начина́ться) пе́рвый уро́к. Уро́ки (продолжа́ть – продолжа́ться) до трёх часо́в. Когда́ уро́ки (конча́ть – конча́ться), мой брат идёт домо́й. Ве́чером он (гото́вить – гото́виться) дома́шнее зада́ние. Он мно́го занима́ется иностра́нным языко́м. Снача́ла он (учи́ть – учи́ться) слова́ и пра́вила, пото́м (де́лать – де́латься) упражне́ния. По́сле у́жина мой брат занима́ется свои́ми дела́ми. Он о́чень (интересова́ть – интересова́ться) фи́зикой и хи́мией. Когда́ он (ко́нчить – ко́нчиться) шко́лу, он бу́дет поступа́ть в университе́т. Сейча́с он (гото́вить – гото́виться) к экза́менам. Когда́ ему́ тру́дно, он всегда́ (сове́товать – сове́товаться) со мной.

B. Tell how you spend your working day. Use the verbs from the preceding text. Write down your story.

Verb Aspects

Principal Meanings of Perfective and Imperfective Verbs

The imperfective aspect denotes	The perfective aspect denotes
1. A prolonged action, an action viewed as a process: **Весь ве́чер** он **чита́л** кни́гу.	1. A completed action which took place on a single occasion, often having a result: Он **прочита́л** кни́гу.
2. A repeated action: Он **ча́сто получа́л** пи́сьма.	Вчера́ он **получи́л** два письма́.
3. The fact that the action has taken place: – **Что** ты **де́лал** вчера́? – Вчера́ я **писа́л** пи́сьма.	

Exercise 1. Read the sentences and write them out. Note that the imperfective verbs in them denote the fact that the action has taken place.

The Past Tense

1 – *Что* вы *де́лали* сего́дня на уро́ке? – Сего́дня на уро́ке мы *чита́ли, отвеча́ли* на вопро́сы, *повторя́ли* глаго́лы, *расска́зывали* диало́г, *писа́ли* дикта́нт.

2 – *Что* ты *дéлал* вчерá вéчером? – Вчерá вéчером я *готóвил* домáшнее задáние, *писáл* пи́сьма на рóдину, *слýшал* мýзыку, *ýжинал*.

The Present Tense

1. – *Что* вы *дéлаете* сейчáс? – Мы *слýшаем*, что говори́т преподавáтель, и *отвечáем* на егó вопрóсы.

2. – *Что дéлают* сейчáс вáши друзья́? – Они́ *готóвят* домáшнее задáние: *пи́шут* упражнéния, *читáют* текст, *повторя́ют* глагóлы.

The Future Tense

1. – *Что* ты *бýдешь дéлать* в воскресéнье? – В воскресéнье я *бýду отдыхáть, писáть* пи́сьма домóй, *читáть* газéты, *смотрéть* телеви́зор.

2. – *Что бýдет дéлать* зáвтра ваш друг? – Зáвтра мой друг *бýдет отдыхáть, игрáть* в шáхматы, *слýшать* мýзыку.

Exercise 2. Read the text and write it out. Note that the imperfective verbs merely denote the fact that the action has taken place, whereas the perfective verbs, while naming the action, also show its completion.

Сегóдня на урóке мы *писáли* диктáнт. Мы *написáли* диктáнт и нáчали читáть текст. Сначáла *читáл* преподавáтель. Когдá преподавáтель *читáл*, мы внимáтельно *слýшали*. Преподавáтель *прочитáл* текст и *спроси́л*: «Всё поня́тно?» Потóм преподавáтель *объясня́л* нóвые словá. Когдá он *объясни́л* слóва, мы нáчали расскáзывать э́тот текст.

Exercise 3. Read the sentences and write them out. Note that the imperfective verbs denote prolonged actions, whereas the perfective verbs denote completed actions. Also note the adverbs of time which stress the prolonged character of the action. Write out the aspect pairs of verbs (in the infinitive).

1. Олéг *дóлго писáл* письмó. Он *написáл* письмó и пошёл на пóчту.

2. Я *читáл* э́ту кни́гу *три дня*. Когдá я *прочитáл* её, я вернýл кни́гу в библиотéку.

3. Студéнтка *дóлго решáла* задáчу, наконéц онá *реши́ла* её.

4. Вчерá я *готóвил* домáшнее задáние *два часá*. Я *приготóвил* домáшнее задáние и пошёл в кинó.

5. Мы *писáли* контрóльную рабóту *полчасá*. Преподавáтель сказáл, что мы хорошó *написáли* контрóльную рабóту.

Exercise 4. Read the sentences and write them out. Explain the difference between the meanings of imperfective and perfective verbs. Write out the aspect pairs of verbs (in the infinitive).

1. Анто́н *писа́л* упражне́ния.	1. Он *написа́л* все упражне́ния.
2. На уро́ке мы *реша́ли* зада́чи.	2. Мы *реши́ли* пять зада́ч.
3. Вчера́ ве́чером Анна *чита́ла* журна́л.	3. Она́ *прочита́ла* три статьи́.
4. Утром Бори́с *пил* ко́фе.	4. Он *вы́пил* две ча́шки ко́фе.
5. Мы *повторя́ли* ста́рые те́ксты.	5. Мы *повтори́ли* все те́ксты.
6. Ты *переводи́л* те́ксты?	6. Ты *перевёл* все те́ксты?

Exercise 5. Read the sentences and write them out. Explain the difference between the meanings of imperfective and perfective verbs. Write out the aspect pairs of verbs (in the infinitive).

1. Вчера́ я *писа́л* письмо́.	1. Вчера́ я *написа́л* письмо́.
2. Мы *учи́ли* э́ти стихи́.	2. Мы *вы́учили* э́ти стихи́.
3. Студе́нты *реша́ли* зада́чи.	3. Студе́нты *реши́ли* зада́чи.
4. Мой брат *гото́вил* уро́ки.	4. Мой брат *пригото́вил* уро́ки.
5. Худо́жник *рисова́л* карти́ну.	5. Худо́жник *нарисова́л* карти́ну.
6. Студе́нт *расска́зывал* текст.	6. Студе́нт *рассказа́л* текст.
7. Преподава́тель *объясня́л* но́вую те́му.	7. Преподава́тель *объясни́л* но́вую те́му.

Exercise 6. Read the sentences and write them out. Explain the meanings of the imperfective and perfective verbs.

Вчера́ я *писал* пи́сьма домо́й. Я *писа́л* пи́сьма два часа́. Я *написа́л* два письма́. Я *написа́л* пи́сьма и пошёл у́жинать. Когда́ я *писа́л* пи́сьма, Па́вел *гото́вил* дома́шнее зада́ние. Он *гото́вил* дома́шнее зада́ние три часа́. Когда́ он *пригото́вил* дома́шнее зада́ние, он то́же пошёл у́жинать. Сего́дня на уро́ке преподава́тель сказа́л, что Па́вел хорошо́ *пригото́вил* дома́шнее зада́ние.

Exercise 7. Answer the questions.

1. Что вы де́лали вчера́, отдыха́ли и́ли писа́ли пи́сьма? 2. Вы до́лго писа́ли пи́сьма? 3. Вы написа́ли одно́ письмо́ и́ли два? 4. Куда́ вы пошли́, когда́ написа́ли пи́сьма? 5. Что де́лал Па́вел, когда́ вы писа́ли пи́сьма? 6. Он гото́вил дома́шнее зада́ние, когда́ вы писа́ли пи́сьма? 7. Куда́ пошёл Па́вел, когда́ пригото́вил дома́шнее зада́ние? 8. Па́вел хорошо́ пригото́вил дома́шнее зада́ние?

Exercise 8. Do the exercise as shown in the model, using the words *хорошо́, бы́стро, всё, пра́вильно, пло́хо.*

Model: Вчера́ он учи́л но́вые слова́.
Он *хорошо́ вы́учил* их.

1. Я *исправля́л* оши́бки. 2. Студе́нты *гото́вили* дома́шнее зада́ние. 3. Анна *реша́ла* зада́чи. 4. Бори́с *учи́л* стихи́. 5. Я *чита́л* расска́з. 6. Мой друг *переводи́л* статью́.

Exercise 9. Answer the questions.

Model: Почему́ вы *не пи́шете* упражне́ние?
– А я уже́ *написа́л* его́.

1. Почему́ ты *не исправля́ешь* оши́бки?
2. Почему́ вы *не у́чите* стихи́?
3. Почему́ они́ *не повторя́ют* глаго́лы?
4. Почему́ она́ *не реша́ет* зада́чу?
5. Почему́ вы *не чита́ете* расска́з?
6. Почему́ он *не пи́шет* предложе́ния?
7. Почему́ вы *не перево́дите* текст?
8. Почему́ ты *не гото́вишь* дома́шнее зада́ние?
9. Почему́ ты *не рису́ешь* ка́рту?

Exercise 10. Use ehe verb *писа́ть* or *написа́ть*.

– Что ты де́лал вчера́ ве́чером?
– Я ... пи́сьма.
– Ты до́лго ... пи́сьма?
– Да, я ... пи́сьма час.
– Ты ... пи́сьма домо́й?
– Да, я ... домо́й. Я ... три письма́.
– Что де́лал Па́вел, когда́ ты ... пи́сьма?
– Когда́ я ... пи́сьма, Па́вел ... упражне́ния. Когда́ Па́вел ... все упражне́ния, мы пошли́ в кино́.

Exercise 11. Use the verb *чита́ть* or *прочита́ть*.

– Что ты де́лал сего́дня у́тром?
– Снача́ла я за́втракал, а пото́м ... газе́ты.

– Каки́е газе́ты ты ... ?
– Я ... англи́йские и ру́сские газе́ты.
– Ско́лько вре́мени ты ... газе́ты?
– Я ... газе́ты час.
– Куда́ ты пошёл, когда́ ... газе́ты?
– Когда́ я ... газе́ты, я пошёл в университе́т

Exercise 12. Use the verb of the required aspect.

1. Вчера́ весь ве́чер мы ... телеви́зор.	смотре́ть – посмотре́ть
2. Я ... но́вые слова́ це́лый час.	учи́ть – вы́учить
3. Ты до́лго ... э́ту кни́гу?	чита́ть – прочита́ть
4. Мы ... э́ти зада́чи весь уро́к. Оле́г … все зада́чи пра́вильно.	реша́ть – реши́ть
5. Мой това́рищ ... ру́сский язы́к два го́да.	изуча́ть – изучи́ть

Exercise 13. Use the verb of the required aspect.

1. – Что вы де́лали вчера́ ве́чером? – Вчера́ ве́чером я ... уро́ки, пото́м ... письмо́ домо́й. – Вы зна́ете уро́к хорошо́? – Да, я ... уро́к хорошо́. – А вы ... письмо́? – Нет, я не ... письмо́, потому́ что ко мне пришли́ го́сти.	учи́ть – вы́учить писа́ть – написа́ть
2. – Что де́лал Анто́н ве́чером? – Ве́чером Анто́н ... журна́лы в библиоте́ке. Когда́ он ... журна́лы, он пошёл домо́й.	смотре́ть – посмотре́ть
3. – Что вы де́лали вчера́? – Вчера́ я ... кни́гу. – Вы ... кни́гу? – Нет, я ещё не ... э́ту кни́гу.	чита́ть – прочита́ть
4. – Что ты де́лал по́сле уро́ков? Ты ... зада́чи? – Да, я ... зада́чи. – Ты ... все зада́чи? – Нет, я ... то́лько одну́.	реша́ть – реши́ть

Exercise 14. Read the sentences and write them out Remember that the imperfective verbs are used here to denote simultaneous actions, and the perfective verbs arc used to denote consecutive actions.

1. Когда́ преподава́тель *объясня́л* но́вое пра́вило, он *писа́л* на доске́ приме́ры. Когда́ преподава́тель *объясни́л* но́вое пра́вило, мы *на́чали писа́ть* упражне́ние.

2. Когда́ на уро́ке Анто́н *расска́зывал* текст, мы внима́тельно *слу́шали*. Когда́ он *рассказа́л* текст, мы *на́чали задава́ть* вопро́сы.

3. Когда́ мы *осма́тривали* го́род, бы́ло о́чень хо́лодно. Когда́ мы *осмотре́ли* го́род, мы *верну́лись* в гости́ницу.

4. Когда́ я *у́жинал*, мой друг *сиде́л* ря́дом и *пил* ко́фе. Когда́ мы *поу́жинали*, мы *пошли́* в клуб.

5. Когда́ я *чита́л* текст, я *смотре́л* незнако́мые слова́ в словаре́. Когда́ я *прочита́л* текст, я *на́чал писа́ть* упражне́ние.

Exercise 15. Use the verb of the required aspect.

1. Когда́ Игорь ... уро́к, его́ това́рищ чита́л кни́гу. Когда́ Игорь ... уро́к, они пошли́ у́жинать.	учи́ть – вы́учить
2. Когда́ я ... , я слу́шал ра́дио. Когда́ я ..., я пошёл в университе́т.	за́втракать – поза́втракать
3. Когда́ преподава́тель ... но́вый текст, мы на́чали чита́ть его́. Когда́ преподава́тель ... но́вый текст, мы внима́тельно слу́шали.	объясня́ть – объясни́ть
4. Когда́ я ... упражне́ние, мой друг повторя́л глаго́лы. Когда́ я ... упражне́ние, я на́чал чита́ть текст.	писа́ть – написа́ть
5. Когда́ Анна ... уро́к, все слу́шали её отве́т. Когда́ Анна ... уро́к, мы на́чали писа́ть дикта́нт.	отвеча́ть – отве́тить
6. Когда́ я ... свою́ контро́льную рабо́ту, я показа́л её преподава́телю. Когда́ я ... свою́ контро́льную рабо́ту, я исправля́л оши́бки.	проверя́ть – прове́рить
7. Когда́ мы ... фильм, мы пошли́ домо́й. Когда́ мы ... фильм, мы о́чень смея́лись.	смотре́ть – посмотре́ть

Exercise 16. Complete the sentences.

Model: Когда́ он отдыха́л, *он слу́шал* му́зыку.
Когда́ он отдохну́л, *он на́чал занима́ться.*

1. Когда́ студе́нтка учи́ла уро́к, ...
   Когда́ студе́нтка вы́учила уро́к, ...
2. Когда́ мы за́втракали, … .
   Когда́ мы поза́втракали, … .
3. Когда́ де́ти посмотре́ли фильм, … .
   Когда́ де́ти смотре́ли фильм, ...
4. Когда́ врач осма́тривал больно́го, … .
   Когда́ врач осмотре́л больно́го, … .
5. Когда́ я написа́л письмо́, … .
   Когда́ я писа́л письмо́, ...
6. Когда́ Макси́м чита́л газе́ту, … .
   Когда́ Макси́м прочита́л газе́ту, … .
7. Когда́ Ле́на перевела́ текст, … .
   Когда́ Ле́на переводи́ла текст, … .

Exercise 17. Read the texts and compare them. Note the meanings of the imperfective and perfective verbs.

Ка́ждый день я *встреча́ю* Бори́са в библиоте́ке. Я *говорю́* ему́: «До́брый день». Он обы́чно *отвеча́ет*: «Здра́вствуй». Мы *берём* кни́ги и *начина́ем* занима́ться. В 2 часа́ мы *обе́даем*. В 7 часо́в Бори́с обы́чно *конча́ет* занима́ться и *говори́т*: «До свида́ния. Я иду́ домо́й».

Вчера́ я *встре́тил* Бори́са в библиоте́ке. Я *сказа́л* ему́: «До́брый день». Он *отве́тил*: «Здра́вствуй». Мы *взя́ли* кни́ги и *на́чали* занима́ться. В 2 часа́ мы *пообе́дали*. В 7 часо́в Бори́с *ко́нчил* занима́ться и *сказа́л*: «До свида́ния. Я иду́ домо́й».

Exercise 18. Read the lexis and compare them. Explain the difference between the meanings of the imperfective and perfective verbs.

В про́шлом году́ ка́ждый день мы *начина́ли* занима́ться в 9 часо́в. Преподава́тель *спра́шивал* нас: «Что вы де́лали до́ма?» Мы *отвеча́ли*: «До́ма мы писа́ли упражне́ния, чита́ли текст».

Вчера́ мы *на́чали* занима́ться в 9 часо́в. Преподава́тель *спроси́л* нас: «Что вы де́лали до́ма?» Мы *отве́тили*: «До́ма мы писа́ли упражне́ния, чита́ли текст».

Мы *проверя́ли* дома́шнее зада́ние. Пото́м преподава́тель *объясня́л* но́вый материа́л и *писа́л* на доске́ но́вые слова́. Мы *понима́ли* всё, что *объясня́л* преподава́тель. Иногда́ мы *писа́ли* дикта́нт. Ка́ждый день преподава́тель *брал* на́ши тетра́ди и *проверя́л* их. В 3 часа́ мы *конча́ли* занима́ться.

Мы *прове́рили* дома́шнее зада́ние. Пото́м преподава́тель *объясни́л* но́вый материа́л и *написа́л* на доске́ но́вые слова́. Мы *по́няли* всё, что *объясни́л* преподава́тель. Пото́м мы *написа́ли* дикта́нт. Преподава́тель *взял* на́ши тетра́ди и *прове́рил* их. В 3 часа́ мы *ко́нчили* занима́ться.

Exercise 19. Replace the imperfective verbs by perfective ones. Explain how the meaning of the sentences has changed.

Model: Этот студе́нт хорошо́ *реша́ет* зада́чи.
Сего́дня он *реши́л* все зада́чи пра́вильно.

1. Я ча́сто получа́ю пи́сьма.
2. Я посыла́ю бра́ту иностра́нные ма́рки.
3. Обы́чно я конча́ю гото́вить дома́шнее зада́ние в 7 часо́в.
4. Я ча́сто встреча́ю в библиоте́ке э́того челове́ка.
5. Ка́ждый день я звоню́ роди́телям.
6. Ка́ждое у́тро я покупа́ю газе́ты.

Exercise 20. Write out the sentences, replacing the imperfective verbs by perfective ones. Change the adverbial modifiers where necessary. Explain how meaning of the sentences has changed.

1. Студе́нты *входи́ли* в класс и *здоро́вались*. 2. Преподава́тель *приноси́л* на уро́к магнитофо́н. 3. Я ча́сто *встреча́л* э́того челове́ка в на́шем клу́бе. 4. Ка́ждую неде́лю Ми́ша *получа́л* пи́сьма от бра́та. 5. Брат *присыла́л* ему́ ру́сские журна́лы. 6. Я ча́сто *дари́л* мла́дшей сестре́ де́тские кни́ги. 7. Обы́чно я *покупа́л* кни́ги в на́шем кни́жном магази́не.

Exercise 21. Use the verb of the required aspect.

1. Ка́ждый день мы ... тру́дные глаго́лы. Когда́ мы ... тру́дные глаго́лы, мы на́чали писа́ть упражне́ние.	повторя́ть – повтори́ть
2. Сего́дня у́тром я ... газе́ты и пошёл на рабо́ту. Ка́ждое у́тро я ... све́жие газе́ты.	чита́ть – прочита́ть
3. Я ... у́жин и на́чал у́жинать. Ка́ждый ве́чер я ... у́жин.	гото́вить – пригото́вить

4. Сего́дня Андре́й хорошо́ ... все слова́. Он всегда́ хорошо́ ... слова́.	учи́ть – вы́учить
5. Она́ ча́сто ... на уро́ки. Но сего́дня она́ не ... на уро́к.	опа́здывать – опозда́ть
6. Ка́ждое воскресе́нье он ... пи́сьма домо́й. Вчера́ он ... два письма́.	посыла́ть – посла́ть
7. В суббо́ту мой сосе́д ... посы́лку. Он ча́сто ... посы́лки.	получа́ть – получи́ть

Exercise 22. Use the verb of the required aspect.

1. Ка́ждый день мой друг ... све́жие газе́ты. Сего́дня он ... две газе́ты.	покупа́ть – купи́ть
2. Обы́чно у́тром я ... ко́фе. Сего́дня у́тром я ... ча́шку ко́фе и пошёл на рабо́ту.	пить – выпить
3. Бори́с ча́сто ... пи́сьма. Сего́дня он сно́ва ... письмо́.	получа́ть – получи́ть
4. Ка́ждый день я ... в авто́бусе э́того челове́ка. Сего́дня я опя́ть ... его́.	встреча́ть – встре́тить
5. Обы́чно он ... рабо́тать в 5 часо́в. Вчера́ он ... рабо́тать в 3 часа́.	конча́ть – ко́нчить
6. Он всегда́ ... пи́сьма ве́чером. Вчера́ он ... три письма́.	писа́ть – написа́ть
7. Этот студе́нт ча́сто ... на уро́ки. Вчера́ он опя́ть	опа́здывать – опозда́ть

Exercise 23. Use the verb of the required aspect.

1. Рабо́чие ... шко́лу всё ле́то. Они́ ... шко́лу, и тепе́рь в ней у́чатся де́ти.	стро́ить – постро́ить
2. Врач до́лго ... больно́го. Когда́ он ... его́, он выпи́сал реце́пт.	осма́тривать – осмотре́ть
3. Утром я ... чай. Сего́дня у́тром я ... две ча́шки ча́я.	пить – вы́пить
4. Эту карти́ну ... мой това́рищ. Он ... её це́лый год.	рисова́ть – нарисова́ть
5. Сего́дня весь уро́к преподава́тель ... но́вый материа́л. Он ... текст, и мы на́чали чита́ть его́.	объясня́ть – объясни́ть
6. Мой ста́рший брат всегда́ ... мне. Вчера́ он ... мне реши́ть зада́чу.	помога́ть – помо́чь

Exercise 24. Use the verb of the required aspect.

1. – Что вы де́лали вчера́ ве́чером? – Я ... кни́гу. – Вы уже́ ... её? – Да, ...	чита́ть – прочита́ть
2. – Что де́лает ваш това́рищ? – Он ... уро́к. – Юра, ты уже́ ... уро́к? – Да, я уже́ всё	гото́вить – пригото́вить
3. Я ча́сто ... дру́гу пи́сьма и кни́ги. Вчера́ я ... ему́ письмо́ и кни́гу.	посыла́ть – посла́ть
4. Обы́чно мы ... проду́кты в э́том магази́не. Сего́дня я ... там са́хар, ма́сло и молоко́.	покупа́ть – купи́ть
5. Я ча́сто ... пи́сьма из до́ма. После́днее письмо́ я ... вчера́. А вы ча́сто ... пи́сьма из до́ма?	получа́ть – получи́ть
6. Вчера́ весь ве́чер Ви́ктор ... зада́чу. Он пло́хо зна́ет матема́тику, поэ́тому он не ... её. Я ... Ви́ктору, и он ... э́ту зада́чу.	реша́ть – реши́ть помога́ть – помо́чь

The Use of the Imperfective Aspect after the Verbs *начина́ть – нача́ть, продолжа́ть – продо́лжить, конча́ть – ко́нчить*

Я **на́чал изуча́ть** ру́сский язы́к два ме́сяца наза́д.

! Remember that the verbs *начина́ть – нача́ть, продолжа́ть – продо́лжить, конча́ть – ко́нчить* are followed only by imperfective verbs.

Exercise 25. Read the sentences and write them out. Note the aspect of the infinitives.

1. Мы *на́чали изуча́ть* ру́сский язы́к в сентябре́. 2. Анна *начала́ гото́вить* у́жин в 6 часо́в. 3. Мы *начина́ем рабо́тать* в 8 часо́в. 4. Я *продолжа́ю изуча́ть* францу́зский язы́к. 5. Друзья́ *продолжа́ли разгова́ривать*. 6. Я *ко́нчил рабо́тать* по́здно ве́чером. 7. Обы́чно мы *конча́ем занима́ться* в 3 часа́.

Exercise 26. Use the verb of the required aspect.

1. Он на́чал (рисова́ть – нарисова́ть), когда́ ему́ бы́ло 6 лет. 2. Рабо́чие ко́нчили (стро́ить – постро́ить) шко́лу в а́вгусте. 3. Я на́чал (переводи́ть – перевести́) интере́сный расска́з. 4. Анна начала́ хорошо́ (говори́ть – сказа́ть) по-ру́сски. 5. Мы ко́нчили (у́жинать – поу́жинать) в 7 часо́в. 6. По́сле у́жина мы продолжа́ли (игра́ть – сыгра́ть) в ша́хматы.

Exercise 27. Use the verb of the required aspect.

1. Ка́ждый день они́ ... рабо́тать в 9 часо́в утра. (начина́ть – нача́ть) 2. В суббо́ту мы ... чита́ть э́тот текст. (конча́ть – ко́нчить) 3. Вчера́ Андре́й ... занима́ться в 6 часо́в ве́чера. (начина́ть – нача́ть) 4. Ка́ждое у́тро в 7 часо́в я ... де́лать гимна́стику. (начина́ть – нача́ть) 5. Обы́чно по́сле за́втрака оте́ц ... чита́ть газе́ты. (начина́ть – нача́ть) 6. Бори́с пришёл домо́й, пообе́дал и … занима́ться. (начина́ть – нача́ть) 7. Он ... писа́ть письмо́ и пошёл на по́чту. (конча́ть – ко́нчить)

Exercise 28. Complete the sentences, using the verbs *нача́ть* and *ко́нчить*.

Model: (смотре́ть телеви́зор) ... , позвони́ мне.
Когда́ ты ко́нчишь смотре́ть телеви́зор, позвони́ мне.

1. (чита́ть кни́гу) … , дай её мне.
2. (слу́шать магнитофо́н) … , принеси́ его́ мне.
3. (обе́дать) ... , позови́те меня́.
4. (занима́ться) ... , скажи́ мне, и я помогу́ тебе́.
5. (переводи́ть текст) ... , дай мне слова́рь.
6. (рисова́ть карти́ну) ... , покажи́ её мне.
7. (печа́тать текст) … , скажи́ мне.

The Use of Imperfective and Perfective Verbs in the Future Tense

Imperfective	Perfective
За́втра я **бу́ду чита́ть** э́ту кни́гу. В 6 часо́в мы **бу́дем у́жинать**. The imperfective verbs merely name an action, which will take place in the future.	За́втра я **прочита́ю** э́ту кни́гу и дам её вам. Мы **поу́жинаем** и пойдём в кино́. The perfective verbs show that the action which will take place in the future will be completed.

Exercise 29. Read the sentences and write them out. Note the difference between the meanings of the imperfective and perfective verbs.

1. Сего́дня ве́чером Анна *бу́дет учи́ть* но́вые стихи́. Я зна́ю, что она́ хорошо́ *вы́учит* их. 2. За́втра на уро́ке мы *бу́дем реша́ть* тру́дные зада́чи. Я наде́юсь, что я *решу́* э́ти зада́чи. 3. Сейча́с Ви́ктор *бу́дет расска́зывать* текст. Я ду́маю, что он хорошо́ *расска́жет* его́. 4. Ве́чером мы *бу́дем смотре́ть* телеви́зор. Мы *посмо́трим* фильм и *пойдём* у́жинать. 5. Сего́дня на уро́ке мы *бу́дем писа́ть* дикта́нт. Мы *напи́шем* дикта́нт и *бу́дем чита́ть* но́вый текст. 6. Ве́чером я *бу́ду переводи́ть* текст. Когда́ я *переведу́* текст, я *дам* тебе́ прочита́ть его́.

Exercise 30. Read the sentences and write them out. Explain the difference between the meanings of the imperfective and perfective verbs.

1. – *Что* ты *бу́дешь де́лать* сего́дня ве́чером?
   – Я *бу́ду переводи́ть* статью́.
   – А что ты *бу́дешь де́лать*, когда́ ты *переведёшь* статью́?
   – Когда́ я *переведу́* статью́, я *пойду́ гуля́ть*.
2. – Что ты *бу́дешь де́лать* днём?
   – Я *бу́ду гото́вить* обе́д. Когда́ я *пригото́влю* обе́д, я *позвоню́* тебе́.

Exercise 31. Do the exercise us shown in the model.

Model: Анна *убира́ет* кварти́ру. Пото́м она́ *бу́дет гото́вить* обе́д.
Когда́ Анна *уберёт* кварти́ру, она́ *бу́дет гото́вить* обе́д.

1. Сейча́с Анна *гото́вит* обе́д. Пото́м мы *бу́дем обе́дать*.
2. Бори́с *чита́ет* газе́ту. Пото́м он *бу́дет помога́ть* Анне.
3. Де́ти *де́лают* уро́ки. Пото́м они́ *бу́дут игра́ть*.
4. Сейча́с я *перевожу́* расска́з. Пото́м я *бу́ду печа́тать* его́.
5. Я *печа́таю* расска́з. Пото́м я *бу́ду отдыха́ть*.
6. Сейча́с они́ *у́жинают*. Пото́м они́ *бу́дут смотре́ть* телеви́зор

Exercise 32. Replace the imperfective verbs by perfective ones. How has the meaning of he verbs changed.

Model: За́втра на уро́ке мы *бу́дем писа́ть* контро́льную рабо́ту, а пото́м *бу́дем чита́ть* расска́з.
За́втра на уро́ке мы *напи́шем* контро́льную рабо́ту, а пото́м *прочита́ем* расска́з.

1. По́сле уро́ков я *бу́ду обе́дать*, *отдыха́ть*, пото́м *бу́ду гото́вить* дома́шнее зада́ние. 2. Ве́чером Серге́й *бу́дет реша́ть* зада́чи, *переводи́ть* текст и *писа́ть* упражне́ния. 3. На уро́ке мы *бу́дем повторя́ть* глаго́лы и *расска́зывать* текст. 4. За́втра у́тром Серге́й *бу́дет за́втракать*, *чита́ть* газе́ты, *слу́шать* ра́дио, пото́м он пойдёт в университе́т. 5. Сего́дня ве́чером я *бу́ду учи́ть* стихи́, *чита́ть* текст и *смотре́ть* телеви́зор.

Exercise 33. Do the exercise as shown in the model.

Model: Никола́й *отдыха́ет*.
– Что бу́дет де́лать Никола́й, *когда́* он *отдохнёт*?

1. Бори́с *у́чит* стихи́. 2. Студе́нты *перево́дят* текст. 3. Мы *обе́даем*. 4. Я *чита́ю* статью́. 5. Они́ *у́жинают*. 6. Преподава́тель *проверя́ет* тетра́ди. 7. Мы *исправля́ем* оши́бки.

Exercise 34. Make up questions and answer them, using the words given in brackets.

Model: Я пишу́ письмо́. (переводи́ть текст)
– *Что* вы *бу́дете де́лать*, когда́ *напи́шете* письмо́?
– Когда́ я *напишу́* письмо́, я *бу́ду переводи́ть* текст.

1. Я *перевожу́* расска́з. (печа́тать расска́з) 2. Я *печа́таю* текст. (отдыха́ть) 3. Анна *гото́вит* у́жин. (у́жинать) 4. Мы *у́чим* стихи́. (чита́ть стихи́) 5. Мы *у́жинаем*. (игра́ть в ша́хматы) 6. Де́ти *мо́ют* ру́ки. (обе́дать)

Exercise 35. Use the verb of the required aspect in the future tense.

1. Сего́дня мы ... дикта́нт. Когда́ мы ... дикта́нт, мы пока́жем преподава́телю свои́ тетра́ди.	писа́ть – написа́ть
2. Мой брат ... мой портре́т. Когда́ он ... портре́т, он пода́рит его́ мне.	рисова́ть – нарисова́ть
3. По́сле обе́да я ... . Я немно́го ... и начну́ занима́ться.	отдыха́ть – отдохну́ть
4. Сего́дня мы ... ра́но, в 6 часо́в. Мы ... и пойдём в теа́тр.	у́жинать – поу́жинать
5. Когда́ вы ... э́ту кни́гу, принеси́те её в класс. Мы ... её все вме́сте.	чита́ть – прочита́ть

Exercise 36. Replace the past tense by the future. Write out the sentences.

Model: Мы *поу́жинали* и *пошли́* в кино́.
Мы *поу́жинаем* и *пойдём* в кино́.

1. Мой ста́рший брат *ко́нчил* шко́лу и *поступи́л* в университе́т. 2. Ста́роста *узна́л*, когда́ бу́дут экзамены, и *сообщи́л* об э́том студе́нтам. 3. Я *написа́л* вам записку и *оста́вил* её на столе́. 4. Студе́нты *реши́ли* все зада́чи и *показа́ли* их преподава́телю. 5. Я *взял* слова́рь и *посмотре́л* незнако́мые слова́. 6. Мы *пошли́* в библиоте́ку и *взя́ли* кни́ги. 7. Когда́ он *присла́л* мне письмо́, я *отве́тил* ему́.

The Use of the Aspect Pairs of Some Verbs
дава́ть – дать, встава́ть – встать

Exercise 37. Complete the sentences, using the required forms of the verb *дать*.

Model: Ра́ньше мой ста́рший брат *дава́л* мне свой мотоци́кл, а тепе́рь я иногда́ *даю́* ему́ свою́ маши́ну.

1. Иногда́ Ми́ша *даёт* мне свой магнитофо́н. В суббо́ту он то́же ... . 2. Ка́ждый день роди́тели *даю́т* де́тям де́ньги на за́втрак. Сего́дня они́ то́же ... . 3. Я всегда́ *даю́* мла́дшему бра́ту свой велосипе́д. Сего́дня я то́же ... . 4. Ты всегда́ *даёшь* мне слова́рь. А сего́дня ты ... его́? 5. Вы ча́сто *даёте* нам журна́лы. А в воскресе́нье вы ... их? 6. Ка́ждый день мы *даём* преподава́телю свои́ тетра́ди. Сего́дня мы то́же ... .

Exercise 38. Use the verb *дать* or *дава́ть* in the future or present tense.

1. Он ча́сто ... свой слова́рь дру́гу. 2. Иногда́ я ... това́рищу свой фотоаппара́т. 3. – Ты ... мне за́втра э́ту кни́гу? – Да, я ... её тебе́. 4. – Вы ... мне э́ти ди́ски? 5. Если ты пойдёшь на по́чту, мы ... тебе́ пи́сьма. 6. Обы́чно мой това́рищ ... мне свой магнитофо́н, но в э́то воскресе́нье он не ... мне его́, потому́ что у него́ бу́дут го́сти. 7. У меня́ нет уче́бника, и мой друг ... мне свой уче́бник. 8. Если у тебя́ нет тетра́дей, я ... тебе́ одну́ тетра́дь. 9. Вы ... мне э́ту газе́ту, когда́ прочита́ете её? 10. Ты ... мне свой а́дрес?

Exercise 39. Use the verb of the required aspect.

1. За́втра Па́вел ... мне свой магнитофо́н.	дава́ть – дать
2. Этот студе́нт пло́хо ... экза́мен по ру́сскому языку́, потому́ что он ма́ло занима́лся.	сдава́ть – сдать
3. Мы ... ста́рую маши́ну и купи́ли но́вую.	продава́ть – прода́ть
4. Я ... тебе́ э́ту кни́гу, когда́ мой брат прочита́ет её.	дава́ть – дать
5. За́втра Ми́ша ... экза́мен по фи́зике. Мы уве́рены, что он хорошо́ ... его́.	сдава́ть – сдать
6. Иногда́ я ... мла́дшему бра́ту свой фотоаппара́т.	дава́ть – дать
7. В э́том кио́ске ... ма́рки, конве́рты, бума́гу.	продава́ть – прода́ть

Exercise 40. Use the verbs *встава́ть – встать* in the required form.

Model: Обы́чно я ... ра́но, но сего́дня я ... по́здно.
Обы́чно я *встаю́* ра́но, но сего́дня я *встал* по́здно.

1. – Когда́ он обы́чно ... ? – Обы́чно он ... в 7 часо́в утра́. Сего́дня воскресе́нье, поэ́тому он ... в 9 часо́в. 2. – Когда́ ты ... за́втра? – За́втра я ... ра́но 3. – Когда́ вы ... вчера́? – Вчера́ я ... по́здно. 4. Утром она́ ... и де́лает заря́дку 5. За́втра мы ... , поза́втракаем и пойдём гуля́ть в лес. 6. Когда́ они́ жи́ли в дере́вне, они́ ... в 6 часо́в утра́. 7. Ра́ньше он ... о́чень ра́но, а тепе́рь ... по́здно. 8. У меня́ боли́т голова́, и я до́лжен отдохну́ть. Я ... че́рез час. 9. Если ты ... ра́но разбуди́ меня́.

ста́вить – поста́вить, ве́шать – пове́сить,
класть – положи́ть

Exercise 41. Use the required forms of the verbs *ста́вить – поста́вить, класть – положи́ть* and *ве́шать – пове́сить.*

Model: Обы́чно он ... кни́ги на ме́сто. Но в э́тот раз он забы́л, куда́ он ... э́ту кни́гу.
Обы́чно он *кладёт* кни́ги на ме́сто. Но в э́тот раз он забы́л, куда́ он *положи́л* э́ту кни́гу.

1. Обы́чно я ... своё пальто́ в шкаф. Я снял пальто́ и ... его́ в шкаф. 2. – Куда́ вы ... но́вый телеви́зор? – Пока́ мы ... его́ на стол о́коло окна́. 3. Обы́чно я ... свои́ кни́ги в стол. Кто ... свой слова́рь в мой стол? 4. Ни́на принесла́ цветы́ и ... их в ва́зу. Она́ всегда́ ... цветы́ в э́ту ва́зу. 5. Обы́чно ка́рту ... дежу́рный, но се

годня её ... преподава́тель. 6. Я не всегда́ ... ве́щи на ме́сто. Вчера́ я ... де́ньги в карма́н и забы́л об э́том, а пото́м до́лго иска́л их.

сади́ться – сесть, ложи́ться – лечь

Exercise 42. Use the verbs of the required aspect.

1. Ка́ждый день я ... спать в 11 часо́в ве́чера. Вчера́ у меня́ о́чень боле́ла голова́ и я ... спать в 9 часо́в.
2. Сего́дня я пло́хо себя́ чу́вствую, поэ́тому ... спать пора́ньше.
3. Обы́чно на ле́кциях он ... в пе́рвый ряд.
4. Она́ ... ря́дом со мной, и мы на́чали занима́ться.
5. Мы ... за стол и на́чали за́втракать.
6. Он ... в такси́ и пое́хал на вокза́л.
7. Мы вошли́ в столо́вую, ... за стол и на́чали обе́дать.
8. В кино́ он всегда́ ... в тре́тий и́ли четвёртый ряд.

ложи́ться – лечь
сади́ться – сесть

The Use of the Verbs *ви́деть – уви́деть, слы́шать – услы́шать, знать – узна́ть*

Exercise 43. Read the sentences and compare them.

1. Ра́ньше я ма́ло *знал* о жи́зни живо́тных.	1. Я прочита́л не́сколько книг и *узна́л* о них мно́го интере́сного.
2. –Ты *зна́ешь*, где бу́дет консульта́ция?	2. – Я посмотре́л расписа́ние и *узна́л*, что консульта́ция бу́дет в 25-й аудито́рии.
3. – Вы *зна́ете*, что у нас бу́дет экску́рсия	3. – Если вы *узна́ете*, когда́ и куда́ бу́дет экску́рсия, скажи́те нам.
4. Ра́ньше я *не ви́дел* э́ту маши́ну.	4. Я посмотре́л в окно́ и *уви́дел*, что маши́на стои́т о́коло до́ма.
5. Я никогда́ *не слы́шала* э́ту пе́сню.	5. Сего́дня я включи́ла ра́дио и *услы́шала* э́ту пе́сню.

! The perfective verbs *узна́ть, уви́деть* and *услы́шать* denote transition to a new state.

Exercise 44. Read the sentences and write them out. Note the meanings and uses of the verbs *узна́ть, уви́деть, услы́шать.*

1. Он *вошёл* в ко́мнату и *уви́дел* на столе́ письмо́. 2. Она́ *посмотре́ла* в окно́ и *уви́дела*, что на у́лице идёт дождь. 3. Вдруг мы *услы́шали* си́льный шум. 4. Когда́ я *узна́л* э́ту но́вость, я рассказа́л её свои́м това́рищам. 5. Когда́ я *подошёл* к две́ри, я *услы́шал*, что в ко́мнате говори́т ра́дио. 6. Мы *прочита́ли* газе́ты и *узна́ли* что в на́шей стране́ бу́дет кинофестива́ль.

Exercise 45. Read the sentences and write them out. Note the meanings and uses of the imperfective and perfective verbs.

ви́деть – уви́деть

1. – Ты *ви́дел* Ви́ктора?
   – Да, *ви́дел*.
   – Где ты *ви́дел* его́?
   – Я *ви́дел* его́ в библиоте́ке.
2. – Ты *ви́дел* мои́ но́вые фотогра́фии
   – *Ви́дел*.

1. Когда́ я *уви́дел* Ви́ктора, я поздоро́вался с ним.
2. Я вошёл в библиоте́ку и *уви́дел* Ви́ктора.
3. Я откры́л альбо́м и *уви́дел* но́вые фотогра́фии моего́ дру́га.

слы́шать – услы́шать

1. – Вы *слы́шали* э́ту но́вость?
   – *Слы́шал*.
2. – Я *слы́шал*, что за́втра бу́дет хоро́шая пого́да.

1. Когда́ я *услы́шал* э́ту но́вость, я о́чень удиви́лся.
2. Вдруг мы *услы́шали* шум.

Exercise 46. Use the verbs of the required aspect.

1. Вчера́ я ... на́шего преподава́теля. Когда́ я ... его́, я поздоро́вался с ним. 2. Ты не ... в магази́не италья́нско-ру́сский слова́рь? Если ты ... его́, купи́ мне, пожа́луйста. 3. Я вошёл в зал и ... там своего́ това́рища. Я был о́чень рад, потому́ что я давно́ не ... его́. (ви́деть – уви́деть)

4. – Вы ... но́вость? – Да, ... Когда́ я ... об э́том пе́рвый раз, я не пове́рил. 5. – Вы ... , как она́ поёт? – Да, ... 6. Вчера́ ве́чером, когда́ мы сиде́ли до́ма, вдруг мы ... шум в коридо́ре. (слы́шать – услы́шать)

7. – Вы … , когда́ у нас бу́дут экза́мены? – Нет, я не … . 8. – Вы давно́ … э́того челове́ка? – Я … его́ уже́ три го́да. 9. Вчера́ я получи́л письмо́ из до́ма. Я прочита́л его́ и … , что мой брат хо́чет пое́хать в Москву́. 10. – Вы … , где мо́жно купи́ть тако́й слова́рь? – Я не … , но могу́ … . – Если вы … , скажи́те мне об э́том. (знать – узна́ть)

Perfective Verbs with the Prefixes *по*- and *за*-

Я (немно́го) **почита́л** и лёг спать.

> ! Perfective verbs with the prefix **по-** denote actions of short duration: *порабо́тать, поговори́ть, посиде́ть, погуля́ть, потанцева́ть, покури́ть*, etc.

Exercise 47. Replace the imperfective verbs by perfective verbs with the prefix *по*-. Note how the meaning of the verbs has changed.

Model: Снача́ла я *чита́л* кни́гу, пото́м я стал писа́ть письмо́ домо́й.
Снача́ла я *почита́л* кни́гу, пото́м я стал писа́ть письмо́ домо́й.

1. Снача́ла мы *рабо́тали*, пото́м *гуля́ли* в па́рке. 2. Мы *сиде́ли, кури́ли, говори́ли* о свои́х дела́х. 3. Снача́ла они́ *танцева́ли*, пото́м ста́ли петь пе́сни. 4. Снача́ла мы *игра́ли* в футбо́л, пото́м пошли́ гуля́ть. 5. Мы пришли́ в кино́ ра́но, поэ́тому мы *сиде́ли* в фойе́ и *говори́ли* о фи́льмах.

Я взял кни́гу и **пошёл** в библиоте́ку.

> The verbs of motion *идти́, е́хать, лете́ть, нести́*, etc. with the prefix **по-** denote the beginning of movement.

Exercise 48. Complete the sentences, using the required forms of the *пойти́, пое́хать, побежа́ть, полете́ть, понести́, повести́.*

Model: Такси́ останови́лось на мину́ту и … .
Такси́ останови́лось на мину́ту и *пое́хало да́льше.*

1. Он сел в маши́ну и … . 2. Ма́льчик сел на велосипе́д и … . 3. Де́вушка вы́шла из до́ма и … на остано́вку. 4. Авто́бус постоя́л мину́ту, и … да́льше. 5. Самолёт подня́лся в во́здух и … . 6. Мужчи́на взял чемода́н и … его́ к ваго́ну. 7. Мать взяла́ сы́на за́ руку и … его́ в де́тский сад.

Арти́ст вы́шел на сце́ну и **запе́л**.

! Memorise these verbs in which the prefix **за-** denotes the beginning of the action:

заговори́ть	запе́ть
замолча́ть	зашуме́ть
засмея́ться	застуча́ть
запла́кать	зазвене́ть
закрича́ть	захло́пать

Exercise 49. Complete the sentences, using verbs with the prefix *за-*.

1. Де́вушка прочита́ла письмо́ и … . 2. Ма́ленький ма́льчик упа́л и … . 3. Когда́ арти́ст ко́нчил петь, зри́тели гро́мко … . 4. Когда́ ле́кция ко́нчилась, студе́нты в за́ле … . 5. Когда́ ма́ленькая де́вочка уви́дела соба́ку, она́ испуга́лась и … . 6. Ребёнок уви́дел мать и … . 7. Хор вы́шел на сце́ну и … .

Revision Exercises

Exercise 50. Use the verbs of the required aspect.

1. Я … письмо́ своему́ дру́гу и отпра́вил его́.	писа́ть – написа́ть
2. Мари́я до́лго … слова́ из те́кста. Когда́ она́ … их, она́ начала́ писа́ть упражне́ние.	учи́ть – вы́учить
3. Рабо́чие … шко́лу, и о́сенью в ней начали́сь заня́тия. Они́ … её полго́да.	стро́ить – постро́ить
4. Я … де́ньги и взял газе́ты.	плати́ть – заплати́ть
5. Мы … биле́ты и вошли́ в кинотеа́тр.	покупа́ть – купи́ть
6. Он … пра́вило и хорошо́ отве́тил на вопро́с преподава́теля.	вспомина́ть – вспо́мнить
7. Обы́чно я … кни́ги в университе́тской библиоте́ке. Эту кни́гу я … у своего́ дру́га.	брать – взять

8. Ка́ждый ме́сяц он … посы́лки свое́й ма́тери. Вчера́ он … ей посы́лку.	посыла́ть – посла́ть
9. Эта студе́нтка никогда́ не … . Но сего́дня она́ … на пять мину́т.	опа́здывать – опозда́ть
10. Обы́чно я … о́чень ра́но, но вчера́ я о́чень уста́л, поэ́тому сего́дня я … по́здно.	встава́ть – встать

Exercise 51. Use the verbs of the required aspect.

1. Худо́жник … карти́ну и посла́л её на вы́ставку. В де́тстве он хорошо́ …, и все говори́ли, что он бу́дет худо́жником. (рисова́ть – нарисова́ть). 2. Он … мне кни́гу, кото́рую я прочита́л с больши́м интере́сом. Когда́ я был ма́леньким, оте́ц ча́сто … мне кни́ги. (дари́ть – подари́ть). 3. За́втра я пойду́ в магази́н и … себе́ пальто́. – Где вы … э́тот плащ? – Все ве́щи я … в магази́не, кото́рый нахо́дится на на́шей у́лице. (покупа́ть – купи́ть). 4. Вчера́ ве́чером я смотре́л телеви́зор, а мой брат … письмо́. Когда́ он … письмо́, он пошёл на по́чту. (писа́ть – написа́ть). 5. Обы́чно он … кни́ги в на́шей библиоте́ке. Он … кни́гу и пошёл домо́й. (брать – взять). 6. Когда́ арти́ст … пе́сню, зри́тели до́лго аплоди́ровали. Вчера́ весь ве́чер мы … и танцева́ли в клу́бе. (петь – спеть). 7. Он … ча́шку ко́фе и сел занима́ться. (пить – вы́пить). 8. Рабо́чие … на на́шей улице большо́й дом, ско́ро он бу́дет гото́в. Сосе́дний дом … полго́да наза́д. (стро́ить – постро́ить)

Exercise 52. Complete the sentences, using the verbs given in brackets.

Model: Я потеря́л твой а́дрес, поэ́тому … (отвеча́ть – отве́тить)
Я потеря́л твой а́дрес, поэ́тому *не отве́тил на твоё письмо́*.

1. Я о́тдал кни́гу това́рищу, потому́ что … . (чита́ть – прочита́ть) 2. Зада́ча была́ лёгкая, поэ́тому … . (реша́ть – реши́ть). 3. Так как пришла́ зима́, я … . (покупа́ть – купи́ть). 4. Це́лый год оте́ц чу́вствовал себя́ пло́хо, поэ́тому не … . (рабо́тать – порабо́тать). 5. Я подари́л бра́ту альбо́м для ма́рок, так как … . (собира́ть – собра́ть). 6. Ви́ктор не пришёл сего́дня в университе́т, потому́ что … . (боле́ть – заболе́ть). 7. В ко́мнате бы́ло жа́рко, поэ́тому … . (открыва́ть – откры́ть). 8. Бы́ло уже́ темно́, поэ́тому … . (включа́ть – включи́ть)

Exercise 53. Replace the past tense verbs by future tense ones, changing the adverbs of time where necessary.

Model: Вчера́ я *прочита́л* кни́гу и *о́тдал* её в библиоте́ку.
За́втра я *прочита́ю* кни́гу и *отда́м* её в библиоте́ку.

1. Вчера́ я *написа́л* письмо́ и *посла́л* его́ авиапо́чтой. 2. Мы *рассказа́ли* преподава́телю о свое́й ро́дине и *показа́ли* ему́ фотогра́фии. 3. Худо́жник *написа́л* мой портре́т и *подари́л* его́ мне. 4. Мы *сда́ли* после́дний экза́мен и *пое́хали отдыха́ть*. 5. Я *купи́л* карти́ну и *пове́сил* её на сте́ну. 6. В суббо́ту я *пригото́вил* обе́д и *пригласи́л* свои́х друзе́й. 7. Я *сде́лал* фотогра́фии и *посла́л* их роди́телям. 8. Вчера́ мой това́рищ *позвони́л* мне и *сказа́л*, когда́ бу́дет экску́рсия.

Exercise 54. Complete the sentences, using the words given in brackets.

Model: Если я куплю́ биле́ты, … (позвони́ть).
Если я куплю́ биле́ты, *я позвоню́ вам*.

1. Если вы хорошо́ отве́тите на экза́мене, … (получи́ть). 2. Если оте́ц пришлёт мне телегра́мму, … (встре́тить). 3. Если наш клуб организу́ет ве́чер пе́сни, … (приня́ть уча́стие). 4. Если вы ско́ро вернётесь, … (подожда́ть). 5. Если за́втра бу́дет хо́лодно, … (наде́ть). 6. Если цветы́ бу́дут до́лго стоя́ть без воды́, … (поги́бнуть). 7. Если вы не бу́дете внима́тельно слу́шать объясне́ния преподава́теля, … (поня́ть). 8. Если вы не вы́учите э́ту теоре́му, … (смочь). 9. Если я не запишу́ его́ а́дрес, … (забы́ть).

Exercise 55. Replace the past tense verbs by future tense ones.

1. Когда́ фильм ко́нчился, зри́тели вы́шли из за́ла. 2. Конце́рт начался́ в шесть часо́в. 3. В на́шем райо́не откры́лась но́вая библиоте́ка. 4. Когда́ ко́нчились кани́кулы, студе́нты верну́лись в Москву́. 5. Мы хорошо́ подгото́вились к экза́менам и хорошо́ сда́ли их. 6. Когда́ дождь ко́нчился, я откры́л окно́. 7. В 7 часо́в я встре́тился о́коло метро́ с дру́гом, и мы пошли́ в кино́. 8. Ве́чером мы договори́лись, когда́ мы пойдём в бассе́йн. 9. Когда́ все студе́нты собра́лись в за́ле, начало́сь собра́ние. 10. Во второ́м семе́стре на́ше расписа́ние измени́лось.

Exercise 56. Replace the past tense verbs by future tense ones.

1. Мы сда́ли экза́мены, получи́ли стипе́ндию, купи́ли биле́ты и пое́хали в Крым. Там мы отдыха́ли, пла́вали, ходи́ли в го́ры. 2. Все пошли́ в кино́, а я оста́лся до́ма. Я взял журна́л и посмотре́л его́, а пото́м лёг спать. 3. В суббо́ту мой

друг прие́хал из Москвы́. Он привёз мне ру́сские сувени́ры. Ве́чером мы собрали́сь у меня́, наш друг рассказа́л нам о Москве́. 4. В воскресе́нье у́тром я встал, оде́лся, умы́лся и пошёл за́втракать. Я поза́втракал и пошёл к дру́гу. Мы взя́ли мяч и пошли́ игра́ть в футбо́л. 5. По́сле заня́тий я пришёл домо́й, отдохну́л и сел занима́ться. Я занима́лся 3 часа́. Когда́ я вы́учил всё, я стал игра́ть на гита́ре. 6. Сего́дня наш друг прие́хал из Пари́жа. Мы встре́тили его́ на вокза́ле и помогли́ ему́ дое́хать до гости́ницы. Пото́м мы показа́ли ему́ го́род и рассказа́ли о на́шей жи́зни.

Exercise 57. Use the verbs of the required aspect.

1. Ка́ждый день на́ши заня́тия … (конча́ться – ко́нчиться) в 3 часа́. Вчера́ по́сле заня́тий мой друг Ви́ктор пошёл в столо́вую. Он бы́стро … (обе́дать – пообе́дать), а пото́м це́лый час … (чита́ть – прочита́ть) газе́ты и … (смотре́ть – посмотре́ть) журна́лы. В 5 часо́в он на́чал … (гото́вить – пригото́вить) дома́шнее зада́ние по ру́сскому языку́. Снача́ла он … (де́лать – сде́лать) упражне́ние, пото́м полчаса́ … (учи́ть – вы́учить) но́вые слова́ и … (повторя́ть – повтори́ть) глаго́лы, а пото́м на́чал … (чита́ть – прочита́ть) но́вый текст. Когда́ Ви́ктор … (конча́ть – ко́нчить) де́лать дома́шнее зада́ние, он пошёл в клуб. Там он снача́ла … (танцева́ть – потанцева́ть), а пото́м … (смотре́ть – посмотре́ть) фильм. Он … (возвраща́ться – верну́ться) в общежи́тие в 11 часо́в и … (ложи́ться – лечь) спать.

COMPLEX SENTENCES

Complex Sentences Containing the Conjunctions and Conjunctive Words *кто, что, какóй, как, когдá, где, кудá, откýда, почемý, зачéм, скóлько*

Вы не знáете, Вы знáете,	**кто** э́тот человéк? **как** егó зовýт? **где** он живёт?

Exercise 1. Answer the questions. Note the structure of the sentences and the use of the conjunctive words.

Model: – Вы *не слы́шали, кудá* он поéдет лéтом?
– Лéтом он поéдет в Москвý.

1. *Вы не знáете, что* идёт в э́том кинотеáтре? 2. *Вы не скáжите, какóе* сегóдня числó? 3. *Вы не знáете, какáя* погóда бýдет зáвтра? 4. *Вы не скáжете, кудá* идёт э́тот автóбус? 5. *Вы не знáете, где* мóжно купи́ть áнгло-рýсский словáрь? 6. *Вы не слы́шали, кудá* Ни́на и Бори́с хотя́т пойти́ вéчером? 7. *Вы не знáете, кудá* они́ пойдýт в воскресéнье? 8. *Вы не пóмните, когдá* у нас бýдет экскýрсия?

Exercise 2. Use the appropriate conjunctive words *что, где, кудá, скóлько, почемý, как, откýда, какóй*.

Model: Я знáю, ... приéхал э́тот студéнт.
Я знáю, откýда приéхал э́тот студéнт.

1. Я знáю,... живёт Пáвел. 2. Мы ещё не знáем, ... поéдем лéтом. 3. Вы не слы́шали, ... погóда бýдет зáвтра? 4. Я не понимáю, ... вы говори́те. 5. Я не знáю, ... емý лет. 6. Вы не пóмните, ... зовýт э́того человéка? 7. Вы знáете, ... он приéхал? 8. Ты не знáешь, … он ýчится?

Exercise 3. Use the appropriate conjunctive words.

1. Мы ещё не знáем, ... у нас бýдут экзáмены.
2. Я не пóмню, ... лежи́т мой пáспорт.
3. Я не пóмню, ... её зовýт.

4. Вы зна́ете, ... э́тот челове́к?
5. Вы понима́ете, ... я говорю́?
6. Извини́те, я не слы́шал, ... вы сказа́ли.
7. Я зна́ю, ... э́та де́вушка.
8. Она́ не по́мнит, … сто́ит её компью́тер.
9. Он ещё не зна́ет, … он бу́дет де́лать по́сле оконча́ния университе́та.

Complex Sentences Containing the Conjunctions *потому́ что* and *по́этому*

Он хорошо́ сдал экза́мены, **потому́ что** мно́го занима́лся.
Он мно́го занима́лся, **по́этому** хорошо́ сдал экза́мены.

Exercise 4. A. Replace the simple sentences by complex ones, using the conjunction *потому́ что*.

Model: Я не пойду́ в кино́. Я уже́ смотре́л э́тот фильм.
Я не пойду́ в кино́, *потому́ что* я уже́ смотре́л э́тот фильм.

1. Андре́й не́ был в кла́ссе. Он был бо́лен. 2. Он не учи́л уро́к. У него́ боле́ла голова́. 3. Весь день мы сиде́ли до́ма. На у́лице шёл дождь. 4. Анна всегда́ хорошо́ отвеча́ет. Она́ мно́го занима́ется. 5. Он опозда́л вчера́ на уро́к. Он по́здно встал. 6. Я не смогу́ идти́ в теа́тр. Я занята́. 7. Я хочу́ есть. Я сего́дня ещё не обе́дал. 8. Джон хорошо́ говори́т по-ру́сски. Он жил два го́да в Москве́.

B. Replace the simple sentences by complex ones, using the conjunction *по́этому*. Pay attention to the sequence of the clauses in the complex sentences.

Model: Я не пойду́ в кино́. Я уже́ смотре́л э́тот фильм.
Я уже́ смотре́л э́тот фильм, по́этому я не пойду́ в кино́.

Exercise 5. Replace the conjunction *по́этому* by the conjunction *потому́ что*, changing the sequence of the clauses.

1. Анна мно́го занима́ется, по́этому она́ хорошо́ говори́т по-ру́сски. 2. Сего́дня он по́здно встал, по́этому он не успе́л поза́втракать. 3. Вчера́ я был за́нят, по́этому я не́ был на ве́чере. 4. Вчера́ была́ плоха́я пого́да, по́этому весь день мы

бы́ли до́ма. 5. У меня́ боли́т нога́, поэ́тому я не пойду́ игра́ть в футбо́л. 6. У меня́ не́ было с собо́й де́нег, поэ́тому я не купи́л биле́ты в теа́тр.

Exercise 6. Answer the questions. Write down the answers.

Model: – *Почему́* вы не́ были вчера́ на стадио́не?
– Я не́ был вчера́ на стадио́не, потому́ что у меня́ боле́ла нога́.

1. *Почему́* он не́ был на ле́кции? 2. *Почему́* вы не купи́ли э́тот уче́бник? 3. *Почему́* они́ по́здно верну́лись домо́й? 4. *Почему́* ты не позвони́л мне вчера́? 5. *Почему́* она́ пло́хо сдала́ экза́мен? 6. *Почему́* ты не́ был на ле́кции? 7. *Почему́* ты не пришёл к нам в суббо́ту?

Exercise 7. Answer the questions.

1. Почему́ он не пи́шет сейча́с? 2. Почему́ она́ так пло́хо чита́ет? 3. Почему́ вы не́ были вчера́ на уро́ке? 4. Почему́ вы мне не позвони́ли? 5. Почему́ она́ не хо́чет идти́ в кино́? 6. Почему́ он не хо́чет идти́ гуля́ть? 7. Почему́ он сего́дня тако́й гру́стный? 8. Почему́ она́ сего́дня така́я весёлая?

Exercise 8. Complete the sentences in writing.

1. Вчера́ он не́ был в бассе́йне, потому́ что ... . 2. Вчера́ он не́ был в университе́те, поэ́тому ... . 3. Он пло́хо говори́т по-ру́сски, потому́ что ... . 4. Он пло́хо сдал экза́мены, поэ́тому ... . 5. Мы изуча́ем ру́сский язы́к то́лько ме́сяц, поэ́тому ... . 6. Он хорошо́ говори́т по-францу́зски, потому́ что ... . 7. Она́ о́чень лю́бит бале́т, поэ́тому ... . 8. Вчера́ он не пошёл в теа́тр, потому́ что ... .

Complex Sentences Containing the Conjunctions *е́сли, е́сли бы*

Если за́втра бу́дет хоро́шая пого́да, мы поéдем на да́чу.
Я напишу́ ему́ письмо́, **е́сли** найду́ его́ а́дрес.

Exercise 9. Replace the simple sentences by complex ones, using the conjunction *е́сли*.

Model: В воскресе́нье бу́дет хоро́шая пого́да. Мы пое́дем в дере́вню.
Если в воскресе́нье бу́дет хоро́шая пого́да, мы пое́дем в дере́вню.

1. Вы приéдете ко мне. Я покажу́ вам свою́ библиотéку. 2. Ты дашь мне кни́гу сегóдня. Я верну́ её чéрез два дня. 3. Вы хоти́те изучáть ру́сский язы́к. Я помогу́ вам. 4. Вéчером ты бу́дешь дóма. Я позвоню́ тебé. 5. Сегóдня мы пойдём в кинó. Мы рáно кóнчим рабóтать. 6. Мы поéдем на вокзáл встречáть сестру́. Онá пришлёт телегрáмму. 7. Мы не пойдём в бассéйн. Зáвтра бу́дет хóлодно.

Exercise 10. Answer the questions.

1. Что вы бу́дете дéлать в воскресéнье, éсли бу́дет хорóшая погóда? 2. Что вы бу́дете дéлать, éсли бу́дет дождь? 3. Что ты бу́дешь дéлать вéчером, éсли у тебя́ бу́дет свобóдное врéмя? 4. Что вы бу́дете дéлать, éсли у вас бу́дет ли́шний билéт в теáтр? 5. Что вы бу́дете дéлать сегóдня вéчером, éсли зáвтра у вас бу́дет экзáмен? 6. Что ты бу́дешь дéлать, éсли не сдашь экзáмен?

Exercise 11. Complete the sentences in writing.

1. Если вéчером бу́дет дождь, ... 2. Если зáвтра бу́дет экску́рсия, ... 3. Если вы придёте к нам, ... 4. Если мой друг поéдет в Москву́, ... 5. Если я куплю́ э́ту кни́гу, ... 6. Если в нáшем клу́бе бу́дет вéчер, ... 7. Если у меня́ бу́дет ли́шний билéт на концéрт, ...

Exercise 12. Complete the sentences.

1. Я помогу́ тебé, éсли ... . 2. Он даст мне кни́гу, éсли ... . 3. Онá придёт к нам зáвтра, éсли ... . 4. Вéчером мы пойдём гуля́ть, éсли ... . 5. Я напишу́ ему́ письмó, éсли ... . 6. Я встрéчу тебя́ на вокзáле, éсли ... . 7. Я куплю́ вам билéт в кинó, éсли ... .

Exercise 13. Complete the sentences in writing.

Model: Если вы хоти́те хорошó сдать экзáмены, вам нáдо мнóго занимáться.

1. Если вы хоти́те хорошó говори́ть по-ру́сски, ... 2. Если вы хоти́те пойти́ в теáтр, ... 3. Если вы хоти́те хорошó отдохну́ть в воскресéнье, ... 4. Если вы хоти́те послу́шать му́зыку, ... 5. Если вы не знáете слóво, ... 6. Если вы плóхо себя́ чу́вствуете, ... 7. Если вы получи́ли письмó, ...

Exercise 14. Answer the questions.

1. Что ну́жно дéлать, éсли вы больны́? 2. Кудá нáдо пойти́, éсли вы плóхо себя́ чу́вствуете? 3. Кудá нáдо пойти́, éсли у вас нет ну́жной кни́ги? 4. Кудá ну́жно пойти́, éсли вы хоти́те купи́ть костю́м? 5. Кудá ну́жно пойти́, éсли вы хоти́те купи́ть лекáрство? 6. Кудá мóжно пойти́ вéчером, éсли у вас есть свобóдное

вре́мя? 7. Куда́ мо́жно поéхать, éсли у вас кани́кулы? 8. Куда́ мо́жно поéхать, éсли в воскресéнье бу́дет хоро́шая пого́да?

Exercise 15. Replace the simple sentences by complex ones, using the conjunctions *когда́*, *éсли*, *потому́ что*, *поэ́тому*.

1. За́втра бу́дет хоро́шая пого́да. Мы пойдём в парк. 2. У нас бу́дет свобо́дное вре́мя. Мы пойдём в кино́. 3. Он ко́нчит занима́ться. Мы пойдём в столо́вую. 4. Преподава́тель объясня́л уро́к. Мы внима́тельно слу́шали. 5. Он приéхал в Москву́ неда́вно. Он пло́хо зна́ет э́тот го́род. 6. Майкл жил в Москвé три го́да. Он хорошо́ говори́т по-ру́сски. 7. Мы бы́ли весь вéчер до́ма. На у́лице была́ плоха́я пого́да.

Если бы у меня́ был тала́нт, я бы стал худо́жником.

Remember that clauses introduced by the conjunction *éсли бы* express unreal conditions. In such clauses the verb takes the form of the past tense, as it does in the main clause.

Exercise 16. Read the sentences and write them out.

1. Если бы я умéл рисова́ть, я бы написа́л ваш портрéт. 2. Если бы у меня́ был ваш а́дрес, я бы посла́л вам телегра́мму. 3. Если бы у меня́ был го́лос, я стал бы о́перным певцо́м. 4. Если бы ты попроси́л меня́, я бы по́мог тебé. 5. Если бы ты пришёл ко мне в воскресéнье, я познако́мил бы тебя́ с о́чень интерéсным человéком. 6. Если бы я знал, что вы придёте, я бы оста́лся до́ма. 7. Если бы у нас бы́ли дéньги, мы бы поéхали на мо́ре.

Exercise 17. Complete the sentences.

1. Если бы у меня́ бы́ло свобо́дное вре́мя, …
2. Если бы сейча́с бы́ли кани́кулы, …
3. Если бы у меня́ бы́ли дéньги, …
4. Если бы ты позвони́л мне, …
5. Если бы вы мно́го занима́лись, …
6. Если бы я знал, что ты хо́чешь послу́шать кассéту, …

Complex Sentences Containing the Conjunction *чтóбы*

Мы хоти́м хорошó говори́ть по-рýсски.
Преподава́тель хóчет, **чтóбы мы** хорошó **говори́ли** по-рýсски.

! Remember that the verb of a subordinate clause introduced by the conjunction *чтóбы* invariably takes the form of the past tense if the actions of the verbs of the main and the subordinate clause relate to different agents, e. g.: **Я** хочý, *чтóбы* **ты** позвони́л мне.

Exercise 18. Read the sentences and write them out.

The actions relate to one and the same agent.	The actions relate to different agents.
1. *Я* хочý прочитáть э́ту кни́гу.	1. *Я* хочý, чтóбы *вы* прочитáли э́ту кни́гу.
2. *Я* хочý прочитáть вам стихи́.	2. *Я* хочý, чтóбы *вы* прочитáли мои́ стихи́.
3. *Я* хочý позвони́ть Ви́ктору.	3. *Я* хочý, чтóбы *Ви́ктор* позвони́л мне.
4. *Отéц* хóчет посмотрéть э́тот фильм.	4. *Отéц* хóчет, чтóбы *мы* посмотрéли э́тот фильм.
5. *Вы* хоти́те купи́ть сегóдняшнюю газéту?	5. *Вы* хоти́те, чтóбы *я* купи́л вам сегóдняшнюю газéту?
6. *Мы* хоти́м рассказáть вам о своéй поéздке.	6. *Мы* хоти́м, чтóбы *вы* рассказáли нам о своéй поéздке.

Exercise 19. Answer the questions.

1. *Вы* хоти́те прочитáть э́ту кни́гу? *Вы* хоти́те, чтóбы *я* прочитáл э́ту кни́гу? 2. *Вы* хоти́те позвони́ть Олéгу? *Вы* хоти́те, чтóбы мы позвони́ли Олéгу? 3. *Вы* хоти́те купи́ть билéты в кинó? *Вы* хоти́те, чтóбы *я* купи́л вам билéты в кинó? 4. *Вы* хоти́те отвéтить на э́тот вопрóс? *Вы* хоти́те, чтóбы *он* отвéтил на э́тот вопрóс? 5. *Вы* хоти́те пойти́ с нáми в кинó? *Вы* хоти́те, чтóбы *мы* пошли́ с вáми в кинó?

Exercise 20. Use the verbs in the required form.

1. Оте́ц хо́чет, что́бы я ... на заво́де.	рабо́тать
2. Роди́тели хотя́т, что́бы ле́том мы ... в дере́вне.	жить
3. Она́ хо́чет, что́бы я ... ей уче́бник.	дать
4. Я хочу́, что́бы вы ... к нам.	прийти́
5. Вы хоти́те, что́бы он ... вам?	позвони́ть
6. Вы хоти́те, что́бы я ... вам?	помо́чь
7. Вы хоти́те, что́бы я ... вам но́вый журна́л?	принести́
8. Вы хоти́те, что́бы мы ... вам биле́ты в кино́?	купи́ть
9. Вы хоти́те, что́бы я ... вас?	подожда́ть

Exercise 21. Complete the sentences.

1. Мы хоти́м, что́бы вы ... . 2. Он хо́чет, что́бы я ... . 3. Она́ хо́чет, что́бы он ... . 4. Они хотя́т, что́бы мы ... . 5. Вы хоти́те, что́бы я ... . 6. Вы хоти́те, что́бы они́ ... .

– **Заче́м** к тебе́ приходи́л Серге́й?
– Серге́й приходи́л ко мне, **что́бы я помо́г ему́** перевести́ статью́.

Exercise 22. Complete the sentences.

1. Он пришёл к нам, что́бы мы ... . 2. Я пришёл к дру́гу, что́бы он ... . 3. Мы пришли́ к отцу́, что́бы он ... . 4. Моя́ сестра́ прие́хала ко мне, что́бы я ... . 5. Студе́нт пришёл к врачу́, что́бы он ... . 6. Моя́ подру́га приходи́ла ко мне, что́бы я ... .

Complex Sentences Containing the Conjunction *хотя́*

Хотя́ все слова́ в предложе́нии бы́ли знако́мые, я не мог перевести́ его́.

Exercise 23. Compare the sentences in the left and right-hand columns. Note the use of the conjunction *хотя́*.

1. На у́лице бы́ло хо́лодно, *но* мы пошли́ гуля́ть.	1. *Хотя́* на у́лице бы́ло хо́лодно, мы пошли́ гуля́ть.

2. Он изуча́ет ру́сский язы́к то́лько три ме́сяца, *но* уже́ непло́хо говори́т по-ру́сски.
3. Рабо́та была́ тру́дная, *но* мы бы́стро вы́полнили её.
4. Я уже́ ви́дел э́тот фильм, *но* я с удово́льствием посмотрю́ его́ ещё раз.

2. *Хотя́* он изуча́ет ру́сский язы́к то́лько три ме́сяца, он уже́ непло́хо говори́т по-ру́сски.
3. *Хотя́* рабо́та была́ тру́дная, мы бы́стро вы́полнили её.
4. *Хотя́* я уже́ ви́дел э́тот фильм, я с удово́льствием посмотрю́ его́ ещё раз.

Exercise 24. Replace the conjunction *но* by *хотя́*.

Model: Я неда́вно чита́л э́ту кни́гу, *но* не по́мню, как она́ называ́ется.
Хотя́ я неда́вно чита́л э́ту кни́гу, я не по́мню, как она́ называ́ется.

1. Он неда́вно на́чал изуча́ть ру́сский язы́к, *но* уже́ непло́хо говори́т по-ру́сски. 2. В те́ксте бы́ло мно́го незнако́мых слов, *но* мы по́няли его́. 3. Я неда́вно чита́л э́ту кни́гу, *но* я пло́хо по́мню её. 4. Доро́га была́ тру́дная, *но* тури́сты продолжа́ли идти́ вперёд. 5. Этот врач рабо́тает неда́вно, *но* уже́ де́лает сло́жные опера́ции. 6. Мы уже́ бы́ли на вы́ставке цвето́в, *но* с удово́льствием пойдём туда́ ещё раз. 7. Я смотре́л э́тот фильм, *но* с удово́льствием посмотрю́ его́ ещё раз.

Exercise 25. Write out the sentences, replacing the simple sentences by complex ones. Use the conjunction *хотя́*.

Model: *Я* уже́ смотре́л э́тот фильм. Я хочу́ посмотре́ть его́ ещё раз.
Хотя́ я уже́ смотре́л э́тот фильм, я хочу́ посмотре́ть его́ ещё раз.

1. У неё хоро́ший го́лос. Она́ никогда́ не поёт. 2. Вчера́ в на́шем клу́бе был хоро́ший конце́рт. Я не пошёл в клуб. 3. Моя́ сестра́ ещё ма́ленькая. Она́ непло́хо игра́ет в ша́хматы. 4. Все слова́ в те́ксте бы́ли знако́мые. Я не смог перевести́ его́. 5. Пошёл дождь. Мы продолжа́ли игра́ть в футбо́л. 6. Он до́лго учи́л стихотворе́ние. Он не запо́мнил его́.

Exercise 26. Complete the sentences.

1. Хотя́ он неда́вно прие́хал в Москву́, ... 2. Хотя́ они́ не́сколько лет изуча́ли ру́сский язы́к, ... 3. Хотя́ никто́ не говори́л мне об э́том, ... 4. Хотя́ моему́ мла́дшему бра́ту то́лько 10 лет, ... 5. Хотя́ они́ о́чень уста́ли, ... 6. Хотя́ э́тому челове́ку 60 лет,... . 7. Хотя́ фильм был не о́чень интере́сный, ... 8. Хотя́ студе́нт знал все слова́ в те́ксте, ... 9. Хотя́ вы не́сколько раз повтори́ли но́мер своего́ телефо́на, ...

Complex Sentences Containing the Correlative Words *том, то*

Я принёс вам **то,** что обеща́л.
Я до́лго ду́мал **о том**, что вы сказа́ли.
Я не зна́ю **того́,** о ком вы говори́те.

Exercise 27. Use the pronoun *то* in the required form.

1. Вы принесли́ ..., что обеща́ли? 2. Вы купи́ли ..., что хоте́ли купи́ть? 3. Я расскажу́ вам ..., что не зна́ют други́е. 4. Мне понра́вилось ..., что мы ви́дели на вы́ставке. 5. Иногда́ она́ говори́т не ..., что ду́мает. 6. Иногда́ я де́лаю не ..., что на́до. 7. Я сказа́л не ..., что хоте́л. 8. Библиоте́карь дал мне не ..., что я проси́л. 9. Мы дово́льны ..., как сда́ли экза́мен.

Exercise 28. Use the pronoun *том* or *то* in the required form.

I. 1. Здесь нет ..., кто вам ну́жен. 2. У нас нет ..., что вам ну́жно. 3. Я не зна́ю ..., о ком вы говори́те.

II. 1. Вам на́до пойти́ к ..., кто мо́жет вам помо́чь. 2. Позвони́те ..., кто не зна́ет, что за́втра бу́дет собра́ние. 3. Переведи́те э́ти слова́ ..., кто не́ был на уро́ке. 4. Преподава́тель ещё раз объясни́л пра́вило ..., кто не по́нял его́.

III. 1. Прия́тно разгова́ривать с ..., кто хорошо́ слу́шает. 2. Тру́дно спо́рить с ..., кто не уме́ет слу́шать други́х. 3. Я занима́юсь ..., что меня́ интересу́ет. 4. Преподава́тель дово́лен ..., как мы занима́емся.

IV. 1. Я до́лго ду́мал о ..., что вы сказа́ли. 2. Расскажи́те мне о ..., что вы ви́дели на экску́рсии. 3. Напиши́ мне о ..., как ты живёшь. 4. Расскажи́ нам о ..., что бы́ло на ве́чере.

Exercise 29. Write out the sentences, using the pronouns *том* and *то* in the required form.

1. Мне нра́вится ..., что вы купи́ли. 2. Я не зна́ю ..., о ком вы говори́те. 3. Он нашёл ..., что иска́л. 4. Я ду́маю ..., что вы мне рассказа́ли. 5. Я всегда́ бу́ду по́мнить ..., что вы сде́лали для меня́. 6. Мы по́няли ..., что вы сказа́ли. 7. Наконе́ц он уви́дел ..., кого́ иска́л.

Complex Sentences Containing the Conjunctive Word *кото́рый*

Мне позвони́л **друг**. Я встре́тил **дру́га**. Я позвони́л **дру́гу**. Я разгова́ривал **с дру́гом**.	**Он** неда́вно прие́хал из Москвы́.
Мне позвони́л **друг**, Я встре́тил **дру́га**, Я позвони́л **дру́гу**, Я разгова́ривал **с дру́гом**,	**кото́рый** неда́вно прие́хал из Москвы́.

! Note that the case of the conjunctive word *кото́рый* depends not on the word it agrees with in gender and number, but on what part of the subordinate clause it is. In the sentence Я встре́тил дру́га, *кото́рый* неда́вно прие́хал из Москвы́ the word *кото́рый* is the subject and takes the nominative.

Exercise 30. Replace the simple sentences by complex ones, using *кото́рый* in the required form.

Model: Вы ви́дели но́вую преподава́тельницу? *Она́* бу́дет преподава́ть у нас ру́сский язы́к.
Вы ви́дели но́вую преподава́тельницу, *кото́рая* бу́дет преподава́ть у нас ру́сский язы́к?

1. Вы ви́дели но́вый фильм? *Он* шёл у нас в клу́бе. 2. Вы зна́ете мою́ сосе́дку? *Она́* рабо́тает в на́шей библиоте́ке. 3. Я зна́ю преподава́теля. *Он* учи́лся в Моско́вском университе́те. 4. Где письмо́? *Оно́* лежа́ло в э́той па́пке. 5. В Москву́ прие́хали неме́цкие студе́нты. *Они́* изуча́ют ру́сский язы́к. 6. Я отдыха́л в санато́рии. *Он* нахо́дится на Кавка́зе.

Я зна́ю **э́того** студе́нта.	**Этот студе́нт** учи́лся в Бо́стоне. (**Он** учи́лся в Бо́стоне).
Я зна́ю сту́дента, **кото́рый** учи́лся в Бо́стоне.	

! Note that in the complex sentence the pronoun *э́тот* is dropped.

Exercise 31. Replace the simple sentences by complex ones, using *кото́рый* in the required form.

Model: Мой брат у́чится в шко́ле. *Эта шко́ла* нахо́дится на на́шей у́лице.
Мой брат у́чится в шко́ле, *кото́рая* нахо́дится на на́шей у́лице.

1. Мы бы́ли в кинотеа́тре. *Этот кинотеа́тр* нахо́дится на сосе́дней у́лице. 2. Вы бы́ли вчера́ на конце́рте? *Этот конце́рт* был в клу́бе. 3. Анна была́ на ве́чере. *Этот ве́чер* был в суббо́ту. 4. Вы ви́дели э́то письмо́? *Оно́* лежа́ло в кни́ге. 5. Вы зна́ете э́ту студе́нтку? *Она́* неда́вно прие́хала из Ла́твии. 6. Вы зна́ете э́того студе́нта? *Он* у́чится на второ́м ку́рсе. 7. Я не зна́ю э́того челове́ка. *Он* стои́т на остано́вке.

Exercise 32. Use *кото́рый* in the required form.

1. Сейча́с мы чита́ем расска́з, ... мы чита́ли до́ма. 2. За́втра мы бу́дем расска́зывать текст, ... сего́дня мы писа́ли в кла́ссе. 3. Я не зна́ю сло́во, ... вы сейча́с сказа́ли. 4. Студе́нты были на экску́рсии в шко́ле, ... нахо́дится недалеко́ от университе́та. 5. Мы покупа́ем газе́ты в кио́ске, ... нахо́дится на на́шей у́лице. 6. Он чита́ет письмо́, ... он получи́л из до́ма. 7. Мы зна́ем все слова́, ... бы́ли в после́днем те́ксте. 8. До́ма мы должны́ вы́учить глаго́лы, ... мы писа́ли на уро́ке.

Вчера́ я получи́л письмо́. **В э́том письме́** оте́ц пи́шет о на́шей семье́.

Вчера́ я получи́л письмо́, **в кото́ром** оте́ц пи́шет о на́шей семье́.

Exercise 33. Replace the simple sentences by complex ones, using *кото́рый.* Remember that *кото́рый* takes the same case as the word it replaces.

Model: Вчера́ я купи́л слова́рь. Я говори́л вам *об э́том словаре́.*
Вчера́ я купи́л слова́рь, *о кото́ром я* говори́л вам.

1. Мы бы́ли в до́ме. *В э́том до́ме* жил вели́кий писа́тель. 2. Я рабо́таю в шко́ле. *В э́той шко́ле* учи́лся мой брат. 3. Я чита́ю газе́ту. *В э́той газе́те* Оле́г напеча́тал свои́ стихи́. 4. Мне нра́вится э́та у́лица. *На э́той у́лице* живу́т мои́ роди́тели. 5. Сего́дня я ви́дел де́вушку. Я расска́зывал тебе́ *об э́той де́вушке.* 6. Неда́вно я прочита́л кни́гу. Ты писа́л мне *об э́той кни́ге.* 7. Утром я встре́тил дру́га. Я говори́л вам *об э́том дру́ге.*

Exercise 34. Replace the word *где* by *кото́рый* in the required form.

Model: – Ты зна́ешь дом, *где я* живу́?
– Ты зна́ешь дом, *в кото́ром* я живу́?

1. Вы зна́ете кио́ск, *где* мы покупа́ем газе́ты? 2. Вы бы́ли в за́ле, *где* мы слу́шаем ле́кции? 3. Я зна́ю го́род, *где* он жил ра́ньше. 4. Я потеря́л тетра́дь, *где* я писа́л слова́. 5. Я был на фа́брике, *где* рабо́тает мой оте́ц. 6. Вчера́ мы бы́ли на пло́щади, *где* нахо́дится Большо́й теа́тр. 7. Как называ́ется го́род, *где* ты роди́лся?

Exercise 35. Replace the simple sentences by complex ones, using *кото́рый* in the required form.

1. Студе́нт купи́л газе́ты в кио́ске.	(a) Кио́ск нахо́дится на на́шей у́лице. (b) В э́том кио́ске ча́сто быва́ют газе́ты на ру́сском языке́.
2. Вчера́ мы чита́ли текст.	(a) Этот текст нахо́дится на деся́той страни́це. (b) В э́том те́ксте бы́ло мно́го незнако́мых слов.
3. Мы с дру́гом бы́ли в теа́тре.	(a) Этот теа́тр нахо́дится в це́нтре. (b) В э́том теа́тре рабо́тает мой брат.
4. Ма́льчик потеря́л рюкза́к.	(a) В рюкза́ке бы́ли тетра́ди и кни́ги. (b) Этот рюкза́к он купи́л неда́вно.
5. Мы идём в зал.	(a) Там мы бу́дем слу́шать ле́кцию. (b) Этот зал нахо́дится на второ́м этаже́.
6. Где чемода́н?	(a) В чемода́не лежа́т мои́ ве́щи. (b) Он стоя́л здесь.

Exercise 36. Write out the sentences, using *кото́рый* in the required form. Pay attention to prepositions.

Model: Мне нра́вится кни́га, ... вы говори́те.
Мне нра́вится кни́га, *о кото́рой* вы говори́те.

1. Я смотре́л фильм, ... ты мне расска́зывал. 2. Ле́том я был в дере́вне, ... живу́т мои́ роди́тели. 3. Я живу́ на у́лице, ... нахо́дится ста́нция метро́. 4. Я не по́мню го́род, ... я роди́лся. 5. Брат купи́л мотоци́кл, ... давно́ мечта́л. 6. Зимо́й я ви́дел спекта́кль, ... игра́ла знамени́тая актри́са.

Exercise 37. Complete the sentences in writing.

1. Я зна́ю де́вушку, о кото́рой ... . 2. Я чита́л кни́гу, о кото́рой ... . 3. Он живёт в го́роде, в кото́ром ... . 4. Мне нра́вится ю́ноша, о кото́ром ... . 5. Мне нра́вится зда́ние, в кото́ром ... . 6. Вчера́ он был в теа́тре, в кото́ром ... . 7. Мне нра́вится у́лица, на кото́рой ... .

Exercise 38. Complete the sentences.

1. Я зна́ю студе́нтов, о кото́рых ... . 2. Я чита́л кни́ги, о кото́рых ... . 3. Я зна́ю заво́ды, на кото́рых ... . 4. Он был в города́х, о кото́рых ... . 5. Мы зна́ем писа́телей, о кото́рых ... . 6. Я ви́дел у́лицы, на кото́рых ... . 7. Они́ бы́ли в музе́ях, в кото́рых ... .

Где газе́та? Я купи́л **её** вчера́.
Где газе́та, **кото́рую** я купи́л вчера́?

Exercise 39. Replace the simple sentences by complex ones, using *кото́рый* in the required form.

Model: В э́том до́ме живёт семья́. *Эту семью́* я зна́ю давно́.
В э́том до́ме живёт семья́, *кото́рую* я зна́ю давно́.

1. На столе́ лежи́т кни́га. *Её* подари́л мне мой оте́ц 2. Я уже́ ви́дел э́тот фильм. *Этот фильм* вы сове́туете посмотре́ть. 3. Мы говори́м о статье́. *Эту статью́* мы чита́ли вчера́. 4. Я зна́ю расска́з. Вы переводи́ли *его́.* 5. Я зна́ю студе́нта. *Этого студе́нта* мы встре́тили в теа́тре. 6. Вы зна́ете пе́сню? *Эту пе́сню* пел наш хор. 7. Вы нашли́ у́лицу? *Эту* у́лицу вы иска́ли. 8. Вчера́ я встре́тил челове́ка. Я не ви́дел *его́* мно́го лет.

Exercise 40. Replace the simple sentences by complex ones, using *кото́рый* in the required form.

Model: Я прочита́л *кни́ги*. Я взял *их* в библиоте́ке.
Я прочита́л *кни́ги*, *кото́рые* я взял в библиоте́ке.
Вчера́ у меня́ бы́ли *друзья́*. Вы зна́ете *их*.
Вчера́ у меня́ бы́ли *друзья́*, *кото́рых* вы зна́ете.

1. Как называ́ются *журна́лы*? Ты взял *их* в библиоте́ке. 2. Мне нра́вятся *пе́сни*. *Их* поёт наш хор. 3. Я пригласи́л в го́сти *друзе́й*. Ты *их* хорошо́ зна́ешь.

4. Где *газе́ты*? Я купи́л *их* сего́дня у́тром. 5. Ско́ро должны́ прие́хать *мой брат и сестра́*. Я давно́ *их* не ви́дел. 6. Где живу́т *ва́ши знако́мые*? Мы встре́тили *их* на ры́нке.

Exercise 41. Use *кото́рый* in the required form.

1. Я чита́л кни́гу, ... вы сове́туете мне прочита́ть.
   ... лежи́т на столе́.
   ... вы расска́зываете.
2. Я зна́ю студе́нтку, ... хорошо́ игра́ет в волейбо́л.
   ... вы ждёте.
   ... вы говори́ли.
3. Я ви́дел студе́нта, ... живёт в э́той ко́мнате.
   ... вы хорошо́ зна́ете.
   ... вы спра́шиваете.
4. Он зна́ет всех студе́нтов, ... у́чатся на на́шем факульте́те.
   ... вы пригласи́ли на ве́чер.
   ... вы расска́зываете.

Exercise 42. Complete the sentences in writing.

1. Я зна́ю де́вушку, кото́рая ... .
   кото́рую ... .
   о кото́рой ... .
2. Я ви́дел дом, кото́рый ... .
   в кото́ром... .
   о кото́ром ... .
   в кото́рый ... .
3. Я зна́ю челове́ка, кото́рый ... .
   кото́рого ... .
   о кото́ром ... .
4. Я зна́ю люде́й, кото́рые ... .
   кото́рых ... .
   о кото́рых ... .

Где живёт твой друг? Ты пи́шешь **ему́** письмо́.
Где живёт твой друг, **кото́рому** ты пи́шешь письмо́?

Exercise 43. Replace the simple sentences by complex ones, using *котóрый* in the required form.

1. Как зову́т твоегó знакóмого? Ты звони́л *ему́*. 2. Где рабóтает твой товáрищ? Ты чáсто хóдишь *к нему́*. 3. Где живу́т вáши знакóмые? Зáвтра мы пойдём *к ним* в гóсти. 4. Я не знáю студéнта. Я дал *ему́* свой словáрь. 5. Как зову́т дéвушку? Вы принесли́ *ей* кни́гу. 6. Это мой друг. Я помогáю *ему́* изучáть ру́сский я́зык.

Где рабóтает дéвушка? Ты недáвно познакóмился **с ней.**

Где рабóтает дéвушка, **с котóрой** ты недáвно познакóмился?

Exercise 44. Replace the simple sentences by complex ones, using *котóрый* in the required form.

1. Я чáсто вспоминáю своегó товáрища. *С э́тим товáрищем* я был на прáктике. 2. Я получи́л письмó от дру́га. *С э́тим дру́гом* я не ви́делся мнóго лет. 3. Как зову́т э́ту дéвушку? Вы танцевáли с *ней.* 4. Мои́ роди́тели знакóмы с инженéром. С *э́тим инженéром* я рабóтаю. 5. В какóй гру́ппе у́чится э́тот студéнт? Вы стоя́ли *с ним* в коридóре. 6. Как зову́т врачá? Вы разговáривали *с ним* по телефóну. 7. Я иду́ к преподавáтелю. Я занимáюсь *с ним* ру́сским языкóм.

Как зову́т э́ту дéвушку? Ты брал **у неё** кни́ги на ру́сском языкé.

Как зову́т дéвушку, у **котóрой** ты брал кни́ги на ру́сском языкé?

Exercise 45. Replace the simple sentences by complex ones, using *котóрый* in the required form.

1. Как зову́т вáшего товáрища? Вы бы́ли *у негó* вчерá. 2. Когдá принимáет врач? Вы бы́ли *у негó* сегóдня у́тром. 3. Где живёт студéнт? *Вы* брáли *у негó* магнитофóн. 4. Преподавáтель спроси́л о студéнте. *Этого студéнта* нé было на урóке. 5. Я знáю одну́ студéнтку. У *неё* мнóго книг на ру́сском языкé. 6. Я купи́л кни́гу. *Этой кни́ги* нет в нáшей библиотéке.

Exercise 46. Combine the sentences in the left and right-hand columns into complex sentences, using *кото́рый* in the required form.

1. В на́шей гру́ппе у́чится студе́нтка.	(a) Она́ прие́хала из Да́нии. (b) Её зову́т Инга. (c) Она́ хорошо́ говори́т по-неме́цки. (d) У неё мно́го друзе́й.
2. У меня́ есть това́рищ.	(a) Его́ зову́т Воло́дя. (b) Он у́чится в медици́нском институ́те. (c) Я познако́мился с ним в Москве́. (d) Я помога́ю ему́ изуча́ть англи́йский язы́к.
3. Сего́дня на уро́ке мы чита́ли расска́з.	(a) Расска́з нам о́чень понра́вился. (b) Мы мно́го спо́рили об э́том расска́зе. (c) Его́ написа́л изве́стный ру́сский писа́тель.
4. Как зову́т ва́шего дру́га?	(a) Он рабо́тает в ба́нке. (b) Вы ча́сто звони́те ему́. (c) Я ви́дел его́ у вас до́ма. (d) Вы бы́ли с ним у нас на ве́чере.

Exercise 47. Complete the sentences.

1. В на́шей гру́ппе у́чится студе́нтка, кото́рая ... .
у кото́рой ... .
кото́рую ... .
с кото́рой ... .
о кото́рой ... .

2. Мой друг живёт в до́ме, кото́рый ... .
о́коло кото́рого ... .
к кото́рому ... .
ря́дом с кото́рым ... .
в кото́ром ... .

3. Мы говори́ли о кни́ге, кото́рая ... .
о кото́рой ... .
в кото́рой ... .
кото́рую ... .

Exercise 48. Answer the questions, using *котóрый.* Write down the answers.

Model: – Кто такóй шкóльник?'
– Шкóльник – э́то мáльчик, *котóрый* ýчится в шкóле.

I. 1. Кто такáя шкóльница? 2. Кто такóй студéнт? 3. Кто такáя студéнтка? 4. Кто такóй преподавáтель? 5. Кто такóй писáтель? 6. Кто такóй худóжник? 7. Кто такóй продавéц? 8. Кто такóй покупáтель?
II. 1. Что такóе аудитóрия? 2. Что такóе столóвая? 3. Что такóе студéнческое общежи́тие? 4. Что такóе словáрь? 5. Что такóе аптéка?

Exercise 49. How can you explain these groups of words?

Model: Знакóмая студéнтка – э́то студéнтка, *котóрую я знáю.*

Знакóмый гóрод, люби́мый писáтель, шкóльный товáрищ, сосéдняя ýлица, роднáя дерéвня, кни́жный магази́н, настóльная лáмпа, настéнный календáрь, чéстный человéк.

DIRECT AND INDIRECT SPEECH

1. Direct Speech in the Form of a Statement

Сергéй сказáл дрýгу: **«Я позвоню́ тебé вéчером».**
Сергéй сказáл другу, **что он позвони́т емý вéчером.**

Exercise 50. Replace the direct speech by indirect.

1. Я сказáл Пáвлу: «У меня́ есть два билéта в теáтр». 2. Он сказáл мне: «Я ужé ви́дел э́тот спектáкль». 3. Анна написáла свои́м роди́телям: «Я скóро приéду домóй». 4. Роди́тели отвéтили ей: «Мы давнó ждём тебя́». 5. Мой брат позвони́л мне и сказáл: «Вéчером я бýду у тебя́». 6. Ми́ша написáл отцý: «Я сдал все экзá-мены». 7. Я сказáл сестрé: «Ты должнá посмотрéть э́тот фильм». 8. Онá отвéтила мне: «Я ужé смотрéла егó».

Exercise 51. Replace the direct speech by indirect. Write out sentences 1, 2, 4 and 5.

1. Андрéй сказáл нам: «Зáвтра у нас в клýбе бýдет концéрт». 2. Друзья́ сказá-ли емý: «Мы хоти́м пойти́ на э́тот концéрт». 3. Он отвéтил нам: «В кáссе ужé нет билéтов». 4. Мы сказáли емý: «Ты дóлжен помóчь нам купи́ть билéты». 5. Мой

това́рищ сказа́л мне: «Я не ви́дел э́тот фильм». 6. Я сказа́л ему́: «У меня́ есть ли́шний биле́т». 7. Он сказа́л мне: «Мне ну́жно два биле́та». 8. Преподава́тель сказа́л студе́нтам: «За́втра вы начнёте чита́ть но́вый расска́з». 9. Студе́нты отве́тили: «У нас в кни́ге нет э́того расска́за». 10. Преподава́тель сказа́л им: «Вы мо́жете взять э́тот расска́з в библиоте́ке».

2. Direct Speech in the Form of a Question with a Question Word

---

Оле́г спроси́л меня́: **«Куда́ ты пое́дешь ле́том?»**
Оле́г спроси́л меня́, **куда́ я пое́ду ле́том.**

Exercise 52. Replace the direct speech by indirect. Write out sentences 6, 7, 8 and 9.

1. Анна спроси́ла меня́: «Где нахо́дится кни́жный магази́н?» 2. Я спроси́л продавца́: «Ско́лько сто́ит э́та кни́га?» 3. Я спроси́л де́вушку: «Где вы живёте?» 4. Мари́я спроси́ла нас: «Куда́ вы идёте?» 5. Михаи́л спроси́л меня́: «Кому́ ты обеща́л дать кни́гу?» 6. Мой друг спроси́л меня́: «Почему́ ты не идёшь с на́ми?» 7. Мать спроси́ла сы́на: «Когда́ ты вернёшься домо́й?» 8. Мы спроси́ли но́вого студе́нта: «Отку́да ты прие́хал?» 9. Ма́льчик спроси́л меня́: «Как вас зову́т?»

3. Direct Speech in the Form of a Question without a Question Word

---

Я спроси́л дру́га: «Ты **виде́л** но́вый фильм?»
Я спроси́л дру́га, **виде́л ли** он но́вый фильм.

Note that in indirect speech the word containing the question takes the initial position. The particle **ли** is placed immediately after that word.

Exercise 53. Replace the direct speech by indirect. Write out the sentences.

1. Ни́на спроси́ла меня́: «Ты *чита́л* сего́дняшнюю газе́ту?» 2. Я спроси́л его́: «Ты *был* сего́дня на стадио́не?» 3. Мы спроси́ли их: «Вы *бы́ли* на вы́ставке?»

4. Анна спроси́ла меня́: «Ты *получа́ешь* пи́сьма из до́ма?» 5. Я спроси́л его́: «Твоя́ сестра́ *пойдёт с* на́ми в теа́тр?» 6. Мы спроси́ли преподава́теля: «За́втра *бу́дет* ле́кция по исто́рии?» 7. Он спроси́л нас: «Вы *понима́ете* то, что я говорю́?» 8. Я спроси́л бра́та: «Ты *бу́дешь* чита́ть э́ту кни́гу?»

Я спроси́л Анто́на: «Ты **ча́сто** хо́дишь в кино́?»
Я спроси́л Анто́на**, ча́сто ли** он хо́дит в кино́.

Exercise 54. Replace the direct speech by indirect. Write out the sentences.

1. Наш знако́мый спроси́л нас: «Вы *давно́* прие́хали сюда́?» 2. Врач спроси́л меня́: «Вы *хорошо́* себя́ чу́вствуете?» 3. Студе́нты спроси́ли преподава́теля: «Мы *пра́вильно* реши́ли зада́чи?» 4. Анна спроси́ла свою́ подру́гу: *«Интере́сно* бы́ло на ве́чере?» 5. Я спроси́л своего́ дру́га: «Ты *до́лго* ждал меня́?» 6. Я спроси́л Джо́на: «Ты *давно́* изуча́ешь ру́сский язы́к?»

4. Direct Speech in the Form of an Injunction with the Predicate in the Imperative Mood

---

Я сказа́л дру́гу: «**Посмотри́** э́тот фильм».
Я сказа́л дру́гу, **что́бы он посмотре́л** э́тот фильм.

! Note that after the conjunction *что́бы* the verb in the indirect speech takes the form of the past tense.

Exercise 55. Replace the direct speech by indirect. Write out the sentences.

1. Преподава́тель сказа́л нам: «Откро́йте тетра́ди и пиши́те». 2. Мы попроси́ли преподава́теля: «Повтори́те, пожа́луйста[1], после́днее предложе́ние». 3. Он сказа́л бра́ту: «Прочита́й э́тот расска́з». 4. Роди́тели написа́ли до́чери: «Пиши́

[1] When converting direct speech into indirect, the words *да, нет* and *пожа́луйста* are dropped.

нам ча́ще». 5. Ви́ктор написа́л роди́телям: «Пришли́те мне кни́ги на францу́зском языке́». 6. Друзья́ попроси́ли Анто́на: «Расскажи́ нам, как ты учи́лся в Москве́». 7. Я попроси́л дру́га: «Купи́ мне, пожа́луйста, кни́гу».

Exercise 56. Replace the direct speech by indirect.

1. Преподава́тель сказа́л студе́нтам: «Вы́учите стихотворе́ние наизу́сть». 2. Брат сказа́л мне: «Прочита́й э́ту кни́гу». 3. Мать сказа́ла сы́ну: «Не кури́ в ко́мнате». 4. Я сказа́л ему́: «Принеси́ мне мою́ кни́гу». 5. Он сказа́л мне: «Верни́ мне газе́ту, кото́рую ты взял». 6. Де́вочка сказа́ла отцу́: «Помоги́ мне реши́ть зада́чи». 7. Я сказа́л сестре́: «Отнеси́ кни́ги в библиоте́ку». 8. Анна сказа́ла Андре́ю: «Купи́ биле́ты в кино́».

Exercise 57. Use the conjunction *что* or *что́бы.*

1. Преподава́тель сказа́л нам, ... мы прочита́ли э́ту кни́гу. Он сказа́л, ... э́та кни́га о́чень интере́сная. 2. Врач сказа́л больно́му, ... у него́ неопа́сная боле́знь. Он сказа́л, ... больно́й принима́л лека́рство. 3. Оте́ц написа́л мне, ... ле́том я прие́хал до́мой. Он написа́л, ... они́ с ма́мой о́чень хотя́т ви́деть меня́. Я написа́л роди́телям, ... ле́том я обяза́тельно прие́ду к ним. 4. Я сказа́л Ви́ктору, ... я куплю́ ему́ биле́т в кино́. Ви́ктор сказа́л мне, ... я купи́л ему́ два биле́та. 5. Преподава́тель сказа́л, ... сего́дня мы бу́дем писа́ть сочине́ние. Он сказа́л, ... мы писа́ли внима́тельно. 6. Мой друг сказа́л мне, ... я посмотре́л бале́т «Лебеди́ное о́зеро». Он сказа́л, ... он смотре́л э́тот бале́т в Большо́м теа́тре.

Revision Exercises

Exercise 58. Replace the direct speech by indirect.

1. Мой друг спроси́л меня́: «Почему́ ты не́ был вчера́ на ве́чере?» 2. Он спроси́л нас: «Вы пойдёте за́втра в теа́тр?» 3. Анна сказа́ла Па́влу: «Позво́ни мне сего́дня ве́чером». 4. Я сказа́л ей: «Подожди́ меня́ здесь». 5. Она́ спроси́ла бра́та: «Ты мо́жешь помо́чь мне?» 6. Он спроси́л меня́: «Ты по́мнишь э́того челове́ка?» 7. Мой друг спроси́л меня́: «Куда́ ты положи́л мой журна́л?» 8. Я спроси́л Ви́ктора: «Ты приходи́л ко мне вчера́?» 9. Он попроси́л меня́: «Помоги́ мне, пожа́луйста». 10. Оле́г спроси́л меня́: «Ты прочита́ешь э́ту кни́гу до суббо́ты?»

Exercise 59. Replace the direct speech by indirect. Write out the sentences.

1. Он спроси́л нас: «Куда́ вы идёте?» Мы отве́тили: «Мы идём в кино́». 2. Он спроси́л меня́: «Ты чита́л э́ту кни́гу?» Я отве́тил: «Нет, не чита́л». 3. Мать спроси́ла сы́на: «Ты был вчера́ в кино́? Сын отве́тил: «Да, был». Мать спроси́ла: «С кем ты ходи́л в кино́?» Он отве́тил: «Я ходи́л с това́рищем». 4. Това́рищ попроси́л меня́: «Объясни́ мне э́ту зада́чу». Я сказа́л ему́: «Попроси́ Анто́на, потому́ что я сам не зна́ю, как реша́ть её». 5. Я попроси́л друга́: «Расскажи́ мне, как е́хать в теа́тр». Он сказа́л: «Спроси́ Анну, потому́ что она́ была́ в э́том теа́тре».

Exercise 60. Replace the direct speech by indirect.

Model: Ива́н сказа́л: «Аня, я получи́л письмо́ от роди́телей»
Ива́н сказа́л Ане, что он получи́л письмо́ от роди́телей.

1. Ни́на спроси́ла: «Мари́я, где ты купи́ла э́ту кассе́ту?»
2. Мать спроси́ла: «Дени́с, ты купи́л проду́кты?»
3. Студе́нты спроси́ли: «Ве́ра Петро́вна, когда́ у нас бу́дет экза́мен?»
4. Са́ша сказа́л: «Анто́н, позвони́ мне в суббо́ту ве́чером».
5. Ольга сказа́ла: «Ми́ша, покажи́ мне свои́ после́дние фотогра́фии».
6. Они́ спроси́ли: «Влади́мир Никола́евич, вы придёте к нам на ве́чер?»

Exercise 61. Retell the dialogues, replacing the direct speech by indirect and using the verbs *спроси́л, отве́тил, сказа́л*, etc.

1. Я спроси́л Ви́ктора:
   – Ты был вчера́ на ле́кции?
   – Нет, не́ был.
   – Почему́ ты не́ был на ле́кции?
   – Я не́ был, потому́ что был бо́лен. Интере́сная была́ ле́кция?
   – Да, о́чень интере́сная.
2. Вчера́ я был у врача́. Врач спроси́л меня́:
   – Что у вас боли́т?
   – У меня́ боли́т голова́.
   – Кака́я температу́ра была́ у вас у́тром?
   – Я не зна́ю.
   – Покажи́те го́рло. Го́рло боли́т?
   – Нет, не боли́т.
   – Принима́йте э́то лека́рство и приди́те ко мне че́рез 2 дня.

3. Михаи́л спроси́л Анну:

– Ты свобо́дна в суббо́ту?

– Да, свобо́дна. А почему́ ты спра́шиваешь?

– Я хочу́ пригласи́ть тебя́ в теа́тр.

– В како́й теа́тр?

– В музыка́льный.

– А како́й бу́дет спекта́кль?

– «Сон в ле́тнюю ночь». Ну как, пойдёшь?

– С удово́льствием.

– Где встретимся? Я предлага́ю встре́титься о́коло теа́тра. В полседьмо́го. Не опа́здывай.

– Постара́юсь.

Exercise 62. Replace the direct speech by indirect. Write out the verbs introducing the direct speech.

1. Друг *спроси́л* меня́: «Что ты де́лал вчера́ ве́чером?» Я *отве́тил:* «Вчера́ ве́чером я ходи́л в кино́».
2. Преподава́тель *сообщи́л* нам: «Послеза́втра у вас бу́дет контро́льная рабо́та». Мы *спроси́ли:* «Контро́льная рабо́та бу́дет тру́дная?»
3. «Каку́ю книгу ты чита́ешь?» – *поинтересова́лась* моя́ сестра́. «Я чита́ю рома́н Шо́лохова», – *отве́тил* я.
4. «Почему́ ты так спеши́шь?» – *удиви́лся* мой друг. «Спешу́, потому́ что опа́здываю в теа́тр», – *объясни́л* я ему́.
5. «Как пройти́ к ста́нции метро́?» – *спроси́л* меня́ на у́лице незнако́мый мужчи́на. Я *сказа́л:* «Иди́те пря́мо, пото́м нале́во».
6. «Ты ско́ро пойдёшь обе́дать?» – *спроси́ла* меня́ Та́ня. «Я пойду́ обе́дать че́рез час», – *отве́тил* я.
7. «Посмотри́ но́вый фильм», – *посове́товал* мне мой друг.
8. «С кем ты ходи́л вчера́ на стади́он?» – *спроси́л* меня́ брат.
9. «Принеси́ мне из апте́ки лека́рство», – *попроси́ла* мать своего́ сы́на.
10. «Я до́лжен ко́нчить э́ту рабо́ту сего́дня», – *реши́л* Воло́дя.
11. В письме́ брат *написа́л* мне: «Купи́ и пришли́ мне но́вые ма́рки».

SENTENCES CONTAINING PARTICIPIAL AND VERBAL ADVERB CONSTRUCTIONS

THE PARTICIPLE

Active Participles

Exercise 1. Read the sentences and write them out. Compare the sentences in the left and right-hand columns.

The Present Tense

I.	1. В аудито́рию вошёл профе́ссор, *кото́рый чита́ет* ле́кции по исто́рии.	1. В аудито́рию вошёл профе́ссор, *чита́ющий* ле́кции по исто́рии.

Како́й профе́ссор вошёл в аудито́рию?

2. Вчера́ к нам приходи́ла студе́нтка, *кото́рая изуча́ет* ара́бский язы́к.	2. Вчера́ к нам приходи́ла студе́нтка, *изуча́ющая* ара́бский язы́к.

Кака́я студе́нтка приходи́ла к нам вчера́?

3. В коридо́ре стоя́т студе́нты, *кото́рые* сего́дня *сда́ют* экза́мен.	3. В коридо́ре стоя́т студе́нты, *сда́ющие* сего́дня экза́мен.

Каки́е студе́нты стоя́т в коридо́ре?

The Past Tense

II.	1. *Я* спроси́л де́вушку, *кото́рая стоя́ла* на остано́вке, где нахо́дится теа́тр.	1. Я спроси́л де́вушку, *стоя́вшую* на остано́вке, где нахо́дится теа́тр.

Каку́ю де́вушку вы спроси́ли о том, где нахо́дится теа́тр?

2. Мы пригласи́ли на ве́чер студе́нтов, *кото́рые прие́хали* из Фра́нции.	2. Мы пригласи́ли на ве́чер студе́нтов, *прие́хавших* из Фра́нции

Каки́х студе́нтов вы пригласи́ли на свой ве́чер?

3. Мой брат знако́м с писа́телем, *кото́рый написа́л* книгу о космона́втах.	3. Мой брат знако́м с писа́телем, *написа́вшим* книгу о космона́втах.

С каки́м писа́телем знако́м ваш брат?

Exercise 2. Make up questions to which the participial constructions are the answers and write them down.

Model: Мы разгова́ривали с учёными, *рабо́тающими в институ́те фи́зики.*
С каки́ми учёными вы разгова́ривали?

1. Де́вушка, *чита́ющая сейча́с письмо́,* у́чится в на́шей гру́ппе. 2. Я познако́мился с инжене́ром, *рабо́тающим на большо́м заво́де.* 3. Я ча́сто пишу́ друзья́м, *живу́щим в Австрии.* 4. Профе́ссор разгова́ривает со студе́нтами, *изуча́ющими медици́ну.* 5. Шко́льники, *жела́ющие поступи́ть в техни́ческие институ́ты,* должны́ хорошо́ знать фи́зику и матема́тику. 6. В газе́те писа́ли о челове́ке, *говоря́щем на восемна́дцати языка́х.* 7. Я знако́м с де́вушками, *рабо́тающими в на́шей библиоте́ке.* 8. Я помога́ю студе́нту, *изуча́ющему ру́сский язы́к.*

Exercise 3. Make up questions to which the participial constructions are the answers.

Model: В теа́тре мы встре́тили писа́теля, *выступа́вшего у нас в клу́бе.*
Како́го писа́теля вы встре́тили в теа́тре?

1. Студе́нты, *сда́вшие экза́мены,* уе́хали на пра́ктику. 2. Мы пригласи́ли на ве́чер писа́тельницу, *написа́вшую кни́гу о молодёжи.* 3. Я спроси́л о результа́тах о́пыта лабора́нтку, *проводи́вшую э́тот о́пыт.* 4. Зри́тели встре́тились с арти́стами, *игра́вшими в фи́льме «Га́млет».* 5. Сего́дня я был у врача́, *лечи́вшего меня́ в про́шлом году́.* 6. Мы чита́ли расска́з об учёном, *созда́вшем пе́рвую моде́ль раке́ты.* 7. На́ши футболи́сты игра́ли с кома́ндой, *прие́хавшей из друго́го го́рода.*

Exercise 4. Use the required forms of the participles given in brackets.

1. Челове́к, (чита́ющий) газе́ту, рабо́тает в на́шей библиоте́ке. 2. Этот учébник напи́сан для студе́нтов, (изуча́ющие) ру́сский язы́к. 3. В на́шем клу́бе была́ встре́ча студе́нтов с журнали́стом, (рабо́тающий) в газе́те «Пра́вда». 4. Я хорошо́ понима́ю люде́й, (говоря́щие) по-ру́сски. 5. Я знако́м с одно́й семьёй, (живу́щая) в э́том до́ме. 6. Ка́ждый день я ви́жу рабо́чих, (стро́ящие) дом на на́шей у́лице.

Exercise 5. Complete the sentences, using the participial constructions given on the right.

1. Зал внима́тельно слу́шал профе́ссора, ... Мы посла́ли запи́ску профе́ссору, ... По́сле ле́кции мы разгова́ривали с профе́ссором, ... Вы слы́шали ра́ньше о профе́ссоре, ... ?	чита́вший ле́кцию о ко́смосе

2. Я чита́л кни́гу изве́стного фи́зика,... . К нам в университе́т прие́хал изве́стный фи́зик, ... В газе́тах писа́ли об изве́стном фи́зике, ... В До́ме учёных состоя́лась встре́ча с изве́стным фи́зиком, ...	получи́вший Госуда́рственную пре́мию
3. В лаборато́рии рабо́тают молоды́е учёные, ... Я познако́мился с молоды́ми учёными, ... На конфере́нцию в Жене́ву посла́ли молоды́х учёных, … .	око́нчившие Моско́вский университéт
4. В на́шей гру́ппе у́чатся студе́нты, ... В клу́бе я встре́тил студе́нтов, ... Я познако́мился со студе́нтами, ... К студе́нтам, ..., пришли́ их друзья́.	прие́хавшие из Кана́ды

Exercise 6. Complete the sentences, using the constructions preceding them. Write out the sentences from Part I.

I. *врач, рабо́тающий в на́шей поликли́нике*

1. Вче́ра я был ... .
2. За́втра я опя́ть пойду́ ... .
3. Мы встре́тили в па́рке ... .
4. Мне на́до посове́товаться ... .

II. *челове́к, иду́щий нам навстре́чу*

1. Обрати́ внима́ние ... .
2. Ты знако́м ... .
3. Ты зна́ешь ... ?
4. Если хо́чешь, я расскажу́ тебе́ … .

III. *учёный, откры́вший но́вый хими́ческий элеме́нт*

1. Вы слы́шали ... ?
2. Эту статью́ написа́л ... .
3. Вы зна́ете фами́лию ... ?
4. Мы хоти́м обсуди́ть э́ту пробле́му … .

IV. *худо́жники, организова́вшие вы́ставку*

1. Студе́нты пригласи́ли в клуб … .
2. На́ша газе́та писа́ла ... .
3. Не́которые студе́нты показа́ли свои́ карти́ны ... .
4. Мы знако́мы ... .

The Formation of Active Participles
The Present Tense

Present participles are formed only from imperfective verbs:

Infinitive	Present Tense Stem	Participle
чита́ть рисова́ть дава́ть нести́ писа́ть говори́ть лежа́ть встреча́ться	чита́-**ют** рису́-**ют** да-**ю́т** нес-**у́т** пи́ш-**ут** говор-**я́т** леж-**а́т** встреча́-**ют**-ся	чита́-**ющ**-ий, -ая, -ее, -ие рису́-**ющ**-ий, -ая, -ее, -ие да-**ю́щ**-ий, -ая, -ее, -ие нес-**у́щ**-ий, -ая, -ее, -ие пи́ш-**ущ**-ий, -ая, -ее, -ие говор-**я́щ**-ий, -ая, -ее, -ие леж-**а́щ**-ий, -ая, -ее, -ие встреча́-**ющ**-ий-ся, -ая -ся; -ее -ся; -ие -ся

The Past Tense

Past participles are formed from both imperfective and perfective verbs:

Infinitive	Past Tense Stem	Participle
(про)чита́ть говори́ть	(про)чита́-л говори́-л	(про)чита́-**вш**-ий говори́-**вш**-ий
нести́ привы́кнуть	нёс привы́к	нёс-**ш**-ий привы́к-**ш**-ий
встре́титься	встре́ти-л-ся	встре́ти-**вш**-ий-ся

Exercise 7. Give the verbs from which the following participles are formed.

Model: ду́мающий – ду́мать

1. реша́ющий, получа́ющий, конча́ющий, говоря́щий, смотря́щий, живу́щий, рису́ющий, организу́ющий, сдаю́щий, создаю́щий, занима́ющийся, интересу́ющийся, уча́щийся;

2. реша́вший, реши́вший, проверя́вший, прове́ривший, изуча́вший, изучи́вший, сда́вший, сдава́вший, получа́вший, получи́вший, объясня́вший, объясни́вший, вы́росший, встре́тившийся, откры́вшийся, нача́вшийся, подня́вшийся.

Exercise 8. Replace the participial constructions by clauses introduced by *кото́рый*. Remember that active participial constructions are replaced by clauses introduced by *кото́рый* in the nominative.

Model: Мы сдава́ли экза́мен профе́ссору, *чита́ющему* нам ле́кции.
Мы сдава́ли экза́мен профе́ссору, *кото́рый* чита́ет нам ле́кции.

1. Я хочу́ пойти́ к дру́гу, живу́щему в общежи́тии.
   У моего́ дру́га, живу́щего в общежи́тии, мно́го хоро́ших ди́сков.
2. Я зна́ю де́вушку, иду́щую нам навстре́чу.
   Де́вушка, иду́щая нам навстре́чу, рабо́тает в библиоте́ке.
3. Студе́нты, сидя́щие ря́дом со мной, у́чатся в на́шей гру́ппе. Ты зна́ешь студе́нтов, сидя́щих ря́дом со мной?

Exercise 9. Replace the participial constructions by clauses introduced by *кото́рый*.

1. Вчера́ я разгова́ривал с ру́сским студе́нтом, изуча́ющим англи́йский язы́к. 2. К нам в университе́т приезжа́л журнали́ст, рабо́тающий в журна́ле «Но́вое вре́мя». 3. Студе́нтам, жела́ющим пое́хать на экску́рсию, ну́жно прийти́ на вокза́л в 8 часо́в утра́. 4. Я познако́мился с де́вушкой, хорошо́ говоря́щей по-ру́сски. 5. Преподава́тель фи́зики рассказа́л нам об учёных, изуча́ющих ко́смос. 6. Я ча́сто пишу́ сестре́, живу́щей в Австрии.

Exercise 10. Replace the participial constructions by clauses introduced by *кото́рый*. Write out the sentences.

1. Я люблю́ кни́ги писа́теля, написа́вшего э́тот рома́н. 2. Этот учéбник нужéн студе́нтам, изуча́ющим ру́сский язы́к. 3. Преподава́тель, рабо́тающий в на́шей гру́ппе, ра́ньше преподава́л в друго́м университе́те. 4. Лю́ди, хорошо́ зна́ющие иностра́нный язы́к, понима́ют люде́й, говоря́щих на э́том языке́. 5. Челове́к, чита́вший газе́ты, вы́шел из библиоте́ки. 6. Я поблагодари́л това́рища, купи́вшего мне учéбник. 7. Зри́тели с удово́льствием слу́шали арти́стов, исполня́вших наро́дные пе́сни.

Exercise 11. Replace the participial constructions by clauses introduced by *кото́рый*.

1. Дека́н поздра́вил студе́нтов, хорошо́ сда́вших экза́мены. 2. Я спроси́л де́вушку, сиде́вшую ря́дом, давно́ ли начался́ фильм. 3. Студе́нт, опозда́вший на ле́кцию, реши́л не входи́ть в аудито́рию. 4. Арти́ст, вы́шедший на сце́ну, объяви́л о нача́ле конце́рта. 5. Мы встре́тили тури́стов, прие́хавших в Москву́ из ра́з-

ных стран. 6. Я сказа́л това́рищу, позвони́вшему мне, что ве́чером бу́ду до́ма. 7. Моя́ сестра́, мечта́вшая стать арти́сткой, поступи́ла в театра́льный институ́т.

Exercise 12. Replace the participial constructions by clauses introduced by *кото́рый*.

1. Гео́логи, находи́вшиеся в гора́х, два ме́сяца не получа́ли пи́сем. 2. В гора́х мы встре́тили альпини́стов, поднима́вшихся на са́мую высо́кую верши́ну. 3. Милиционе́р подошёл к маши́не, останови́вшейся посреди́не у́лицы. 4. Челове́к, появи́вшийся на экра́не, был похо́ж на Ча́рли Ча́плина. 5. На вы́ставку пришли́ лю́ди, интересу́ющиеся фотогра́фией. 6. Зри́тели, собра́вшиеся в за́ле, жда́ли, когда́ начнётся ле́кция. 7. Мне нра́вятся лю́ди, интересу́ющиеся нау́кой.

Exercise 13. Form active present participles from the following verbs.

1. *слу́шать – слу́шающий*
   чита́ть, получа́ть, посыла́ть, изуча́ть, знать, жела́ть, расска́зывать, реша́ть, начина́ть, покупа́ть, встреча́ть, занима́ться, встреча́ться, собира́ться
2. *рисова́ть – рису́ющий*
   бесе́довать, критикова́ть, организова́ть, танцева́ть, интересова́ться
3. *сдава́ть – сдаю́щий*
   продава́ть, передава́ть, встава́ть
4. *сиде́ть – сидя́щий*
   смотре́ть, ви́деть, ненави́деть, зави́сеть
5. *писа́ть – пи́шущий*
   иска́ть, пла́кать, пря́тать

MEMORISE!

брать – беру́щий
жить – живу́щий
идти́ – иду́щий
е́хать – е́дущий
бежа́ть – бегу́щий

Exercise 14. Form active past participles from the following verbs.

Model: написа́ть – написа́вший

прочита́ть, посла́ть, переда́ть, брать, взять, узнава́ть, узна́ть, рассказа́ть, покупа́ть, купи́ть, измени́ть, получа́ть, получи́ть, начина́ть, нача́ть, сдать, сдава́ть, реши́ть, ко́нчить, вы́ступить, объясни́ть, откры́ть, открыва́ть.

Exercise 15. Complete the sentences, using participial constructions. Write out the sentences from Part I.

Model: Я посла́л письмо́ дру́гу. Друг око́нчил университе́т.
Я посла́л письмо́ дру́гу, *око́нчившему университе́т.*

I. 1. Мы ходи́ли к това́рищу, ... 2. Я говори́л вам о това́рище, ... 3. Вы зна́ете моего́ това́рища, ... ? 4. Вчера́ у меня́ до́ма был това́рищ, ... 5. Я познако́млю вас с това́рищем, ...	Това́рищ рабо́тает перево́дчиком.
II. 1. В буфе́те мы ви́дели де́вушку, ... 2. Я знако́м с де́вушкой, ... 3. Мой друг спра́шивал меня́ о де́вушке, ... 4. Мне нра́вится де́вушка, ...	Эта де́вушка рабо́тает в на́шей библиоте́ке.
III. 1. В на́шей гру́ппе есть студе́нт, ... 2. Джон занима́ется италья́нским языко́м со студе́нтом, ... 3. Ве́чером мы пойдём в го́сти к студе́нту, ... 4. В общежи́тии я встре́тил студе́нта, ... 5. Вы расска́зывали мне о студе́нте, ...	Этот студе́нт прие́хал из Росси́и.

Exercise 16. Replace the clauses introduced by *кото́рый* by participial constructions.

Model: Худо́жник, *кото́рый нарисова́л* э́ту карти́ну, жил в про́шлом ве́ке.
Худо́жник, *нарисова́вший* э́ту карти́ну, жил в про́шлом ве́ке.

1. В па́рке сиде́ла де́вушка, кото́рая чита́ла кни́гу. 2. Студе́нты, кото́рые изуча́ют ру́сский язы́к, гото́вятся к экза́мену. 3. Преподава́тель, кото́рый посети́л города́ Росси́и, расска́зывал о Москве́. 4. Студе́нты, кото́рые зна́ют ру́сский язы́к, ходи́ли по музе́ю без перево́дчика. 5. Кни́ги, кото́рые лежа́т на по́лке, нужны́ мне для рабо́ты. 6. Ма́стер, кото́рый проверя́л наш телеви́зор, сказа́л, что телеви́зор рабо́тает отли́чно. 7. Писа́тель, кото́рый написа́л э́ту кни́гу, живёт в Швейца́рии.

Exercise 17. Replace the clauses introduced by *кото́рый* by participial constructions.

1. Тури́сты, кото́рые прие́хали в Москву́, посети́ли Кремль. 2. Я получи́л письмо́ от бра́та, кото́рый живёт в Волгогра́де. 3. Мой оте́ц е́здил на заво́д, кото́рый стро́ится в сосе́днем го́роде. 4. Все говори́ли о ма́льчике, кото́рый выступа́л вчера́ на конце́рте. 5. Худо́жник, кото́рый написа́л э́ту карти́ну, живёт в Шотла́ндии. 6. Студе́нты, кото́рые реши́ли пое́хать на экску́рсию, собрали́сь о́коло авто́буса.

Exercise 18. Replace the clauses introduced by *кото́рый* by participial constructions.

1. Я зна́ю писа́теля, кото́рый написа́л э́ту кни́гу. 2. Мы разгова́ривали с учёным, кото́рый рабо́тает в институ́те фи́зики. 3. Газе́ты писа́ли о теа́тре, кото́рый прие́хал на гастро́ли в Ло́ндон. 4. Экскурсово́д рассказа́л нам о худо́жнике, кото́рый написа́л э́ту карти́ну. 5. Я спроси́л челове́ка, кото́рый проходи́л ми́мо меня́, как пройти́ к Большо́му теа́тру. 6. Вы зна́ете арти́ста, кото́рый исполня́л в э́том фи́льме гла́вную роль. 7. Ребя́та, кото́рые игра́ли во дворе́ в футбо́л, гро́мко крича́ли и меша́ли мне рабо́тать.

Passive Participles

Exercise 19. Read the sentences and write them out. Compare the sentences in the left and right-hand columns.

1. Я верну́л в библиоте́ку журна́л, *кото́рый я прочита́л.*	1. Я верну́л в библиоте́ку журна́л, *прочи́танный мной.*
2. Я не́сколько раз прочита́л письмо́, *кото́рое написа́л мой оте́ц.*	2. Я не́сколько раз прочита́л письмо́, *напи́санное мои́м отцо́м.*
3. Кни́га, *кото́рую я купи́л сего́дня,* сто́ит сто рубле́й.	3. Кни́га, *ку́пленная мной сего́дня,* сто́ит сто рубле́й.
4. Врач, *кото́рого пригласи́ли к больно́му,* рабо́тает в городско́й больни́це.	4. Врач, *приглашённый к больно́му,* рабо́тает в городско́й больни́це.
5. Студе́нты, *кото́рых мы встре́тили на у́лице,* спеши́ли в клуб.	5. Студе́нты, *встре́ченные на́ми на у́лице,* спеши́ли в клуб.

The Formation of Passive Participles

Passive participles are formed only from transitive verbs.

The Past Tense

Infinitive	Past Tense Stem	Participle
прочита́ть	прочита́-л	прочи́та-**нн**-ый, -ая, -ое, -ые
получи́ть	получи́-**л**	полу́ч-**енн**-ый, -ая, -ое, -ые
встре́тить	встре́ти-**л**	встре́ч-**енн**-ый, -ая, -ое, -ые
купи́ть	купи́-**л**	ку́пл-**енн**-ый, -ая, -ое, -ые
закры́ть	закры-**л**	закры-**т**-ый, -ая, -ое, -ые

Exercise 20. Give the verbs from which the following participles are formed.

1. *расска́занный – рассказа́ть*
прочи́танный –
напи́санный –
про́данный –
по́сланный –
со́зданный –
организо́ванный –

2. *изу́ченный – изучи́ть*
полу́ченный –
прове́ренный –
постро́енный –
решённый –
ку́пленный –
подгото́вленный –
испра́вленный –
переведённый –

3. *откры́тый – откры́ть*
закры́тый –
забы́тый –
наде́тый –
спе́тый –
по́нятый –
при́нятый –
уби́тый –

Exercise 21. Complete the sentences, using passive participial constructions. Write out the sentences from Part III.

I. 1. Мы живём в до́ме, ... 2. На́ша семья́ перее́хала в дом, ... 3. Маши́на стои́т о́коло до́ма, ... 4. Остано́вка нахо́дится ря́дом с до́мом, ... — постро́енный в про́шлом году́

II. 1. Вчера́ мы бы́ли на конце́рте, ... 2. Мы по́здно верну́лись с конце́рта, ... 3. Студе́нты ста́рших ку́рсов то́же уча́ствовали в конце́рте, ... 4. Они́ то́же гото́вились к конце́рту, ... 5. Вам понра́вился конце́рт, ... ? — организо́ванный студе́нтами консервато́рии

III. 1. Вы чита́ли статью́, ... ? 2. Я говорю́ о статье́, ... 3. В статье́, ... , есть интере́сные фа́кты. 4. Что вы ска́жете о статье́, ... ?	напеча́танная в сего́дняшней газе́те

Exercise 22. Complete the sentences, using the constructions given on the right.

I. 1. Мы внима́тельно слу́шали ... . 2. Преподава́тель разгова́ривал ... . 3. Мы аплоди́ровали ... . 4. Мы говори́ли	ле́ктор, приглашённый в наш университе́т
II. 1. Я чита́л ... . 2. У меня́ нет ... . 3. В газе́те писа́ли	кни́га, напи́санная э́тим писа́телем
III. 1. Мы показа́ли преподава́телю ... . 2. На уро́ке мы прове́рили не́сколько … .	зада́чи, решённые на́ми

Exercise 23. Compare the sentences in the left and right-hand columns. Note that the passive constructions correspond to clauses introduced by *кото́рый* in the accusative

I. 1. Мне нра́вится кни́га, *напи́санная э́тим а́втором.* 2. Мы изуча́ем фи́зику по кни́ге, *напи́санной э́тим а́втором.* 3. Где мо́жно купи́ть кни́гу, *напи́санную э́тим а́втором!* 4. Преподава́тель говори́л нам о кни́ге, *напи́санной э́тим а́втором.*	1. Мне нра́вится кни́га, *кото́рую написа́л э́тот а́втор.* 2. Мы изуча́ем фи́зику по кни́ге, *кото́рую написа́л э́тот а́втор.* 3. Где мо́жно купи́ть кни́гу, *кото́рую написа́л э́тот а́втор!* 4. Преподава́тель говори́л нам о кни́ге, *кото́рую написа́л э́тот а́втор.*
II. 1. Интере́сно выступа́л журнали́ст, *приглашённый на́ми на ве́чер.* 2. Мы познако́мились с журнали́стом, *приглашённым на́ми на ве́чер.* 3. Вы зна́ете журнали́ста, *приглашённого на́ми на ве́чер!* 4. На сле́дующий день все говори́ли о журнали́сте, *приглашённом на́ми на ве́чер.*	1. Интере́сно выступа́л журнали́ст, *кото́рого мы пригласи́ли на ве́чер.* 2. Мы познако́мились с журнали́стом, *кото́рого мы пригласи́ли на ве́чер.* 3. Вы зна́ете журнали́ста, *кото́рого мы пригласи́ли на ве́чер!* 4. На сле́дующий день все говори́ли о журнали́сте, *кото́рого мы пригласи́ли на ве́чер.*

Exercise 24. Replace the participial constructions by clauses introduced by *кото́рый.*

Model: Мы бы́ли на вы́ставке, *организо́ванной молоды́ми худо́жниками.*
Мы бы́ли на вы́ставке, *кото́рую организова́ли молоды́е худо́жники.*

1. Нам понра́вился ве́чер, организо́ванный студе́нтами ста́рших ку́рсов. 2. Опера́ция, сде́ланная молоды́м врачо́м, прошла́ успе́шно. 3. Я пове́сил на сте-

ну карти́ну, пода́ренную мне мои́ми друзья́ми. 4. Анто́н не по́нял предложе́ние, напи́санное преподава́телем на доске́. 5. В фойе́ клу́ба вися́т карти́ны, нарисо́ванные на́шими худо́жниками. 6. Мы принесли́ на уро́к газе́ты, ку́пленные на́ми вчера́. 7. По́сле фи́льма выступа́ли арти́сты, тепло́ встре́ченные зри́телями.

Exercise 25. Write out the sentences, replacing the participial constructions by clauses introduced by *кото́рый.*

1. Фильм, пока́занный нам в клу́бе, был о́чень весёлый. 2. Челове́к, встре́ченный на́ми на у́лице, показа́лся мне знако́мым. 3. В музе́е мы ви́дели карти́ны, со́зданные вели́кими худо́жниками. 4. Мы живём в до́ме, постро́енном неда́вно. 5. Он чита́ет кни́гу, пода́ренную ему́ дру́гом. 6. Я посмотре́л на фотогра́фию, при́сланную мне отцо́м, и вспо́мнил на́шу семью́. 7. Хор пел пе́сни, напи́санные моско́вскими компози́торами. 8. Студе́нты, по́сланные на пра́ктику, уе́хали сего́дня у́тром.

Exercise 26. Replace the participial constructions by clauses introduced by *кото́рый.*

1. В клу́бе собрали́сь студе́нты, приглашённые на ве́чер. 2. Дека́н разгова́ривал со студе́нтами, при́нятыми на пе́рвый курс. 3. Юноша, встре́ченный на́ми на у́лице, у́чится в на́шем университе́те. 4. Де́ти, оста́вленные роди́телями до́ма, смотре́ли телеви́зор. 5. Гео́логи, по́сланные на се́вер, нашли́ там о́лово. 6. Спортсме́н, хорошо́ подгото́вленный тре́нером, за́нял пе́рвое ме́сто.

The Present Tense

Infinitive	Present Tense Stem	Participle
чита́ть организова́ть проводи́ть	чита́-**ем** организу́-**ем** прово́д-**им**	чита́-**ем**-ый, -ая, -ое, -ые организу́-**ем**-ый, -ая, -ое, -ые провод-**и́м**-ый, -ая, -ое, -ые

Exercise 27. Replace the participial constructions by clauses introduced by *кото́рый.*

Model: Мы смотре́ли все фи́льмы, *демонстри́руемые в э́том кинотеа́тре.*
Мы смотре́ли все фи́льмы, *кото́рые демонстри́руют в э́том кинотеа́тре.*

1. Мы должны́ опи́сывать о́пыты, проводи́мые на уро́ках хи́мии. 2. Спу́тники, посыла́емые людьми́ в ко́смос, име́ют постоя́нную связь с Землёй. 3. Кислоро́д, выделя́емый расте́ниями, де́лает во́здух чи́стым и све́жим. 4. Ка́ждый день мы слу́шаем после́дние изве́стия, передава́емые по ра́дио. 5. Из всех предме́тов, изуча́емых в университе́те, бо́льше всего́ я люблю́ исто́рию. 6. Мы с интере́сом узнаём но́вости, сообща́емые газе́тами и ра́дио. 7. Пробле́мы, реша́емые э́тим институ́том, игра́ют огро́мную роль в разви́тии фи́зики.

Exercise 28. Form passive past participles from the following verbs.

1. *нарисова́ть – нарисо́ванный*
   прочита́ть, написа́ть, показа́ть, рассказа́ть, сде́лать, созда́ть, прода́ть
2. *подари́ть – пода́ренный, купи́ть – ку́пленный*
   изучи́ть, получи́ть, прове́рить, реши́ть, измени́ть, объясни́ть, пригото́вить, поста́вить, испра́вить
3. *взять – взя́тый*
   откры́ть, закры́ть, забы́ть, вы́мыть, разби́ть, уби́ть, наде́ть, спеть, поня́ть, приня́ть

Exercise 29. Compare the sentences in the left and right-hand columns. Explain the difference between the meanings of the active and passive participles. Replace the participial constructions by clauses introduced by *кото́рый.*

Model: Я зна́ю писа́теля, *написа́вшего* э́ту кни́гу. Я зна́ю писа́теля, *кото́рый* написа́л э́ту кни́гу	У меня́ есть кни́га, *напи́санная* э́тим писа́телем. У меня́ есть кни́га, *кото́рую* написа́л э́тот писа́тель.
1. Мой друг, *присла́вший* мне письмо́, живёт в Та́ллине.	1. Я чита́ю письмо́, *при́сланное* мне дру́гом из Та́ллина.
2. Студе́нты, *организова́вшие* ве́чер, о́чень волнова́лись во вре́мя конце́рта.	2. Ве́чер, *организо́ванный* студе́нтами, был о́чень интере́сным.
3. Учёный, *откры́вший* э́тот зако́н, жил в XIX ве́ке.	3. Зако́н, *откры́тый* э́тим учёным, сыгра́л огро́мную роль в разви́тии нау́ки.
4. Студе́нтка, *забы́вшая* па́пку, верну́лась в аудито́рию.	4. Па́пка, *забы́тая* студе́нткой, лежи́т в аудито́рии.
5. Студе́нт, *пригласи́вший* нас в го́сти, у́чится в на́шем университе́те.	5. Студе́нт, *приглашённый* на́ми в го́сти, у́чится в на́шем университе́те.

Exercise 30. Use the required participles.

1. Я чита́ю письмо́, (присла́вшее – при́сланное) мне отцо́м. 2. В письме́, (получи́вшем – полу́ченном) мной из до́ма, была́ фотогра́фия. 3. Расписа́ние заня́тий, (сде́лавшее – сде́ланное) декана́том, виси́т на пе́рвом этаже́. 4. Я разгова́ривал с врачо́м, (сде́лавшим – сде́ланным) опера́цию моему́ бра́ту. 5. Опера́ция, (сде́лавшая – сде́ланная) моему́ бра́ту, прошла́ успе́шно. 6. Брат благодари́л врача́, (вы́лечившего – вы́леченного) его́. 7. Вы чита́ли статью́, (напеча́тавшую – напеча́танную) в после́днем но́мере журна́ла? 8. Мы обсужда́ли фильм, (показа́вший – пока́занный) нам на уро́ке.

Exercise 31. Use the required forms of the appropriate participles. Replace the sentences you have obtained by sentences containing clauses introduced by *кото́рый*.

1. Писа́тель, ... э́ти кни́ги, живёт в на́шем го́роде. Я прочита́л все кни́ги, ... э́тим писа́телем.	написа́вший – напи́санный
2. Я прочита́л письмо́, ... мне дру́гом. Друг, ... э́то письмо́, ско́ро прие́дет ко мне.	присла́вший – при́сланный
3. Мы чита́ли об учёных, ... пе́рвый спу́тник Земли́. Лю́ди изуча́ют ко́смос с по́мощью спу́тников, ... учёными.	созда́вший – со́зданный
4. На по́чте я встре́тил студе́нта, ... не́сколько пи́сем из до́ма. Он о́чень обра́довался пи́сьмам, ... из до́ма.	получи́вший – полу́ченный
5. Я чита́ю кни́гу, ... мне знако́мым студе́нтом. Студе́нт, ... мне кни́гу, привёз её из Москвы́.	подари́вший – пода́ренный
6. Макси́м принёс мне слова́рь, ... им для меня́. Я о́чень благода́рен дру́гу, ... мне слова́рь.	купи́вший – ку́пленный

Exercise 32. Use the required forms of the appropriate participles.

1. Вчера́ я разгова́ривал с челове́ком, (сде́лавший – сде́ланный) э́ту рабо́ту. 2. Вчера́ на вокза́ле я встреча́л друзе́й, (присла́вший – при́сланный) мне телегра́мму. 3. На столе́ лежи́т кни́га, (забы́вший – забы́тый) преподава́телем. 4. Мы у́чимся в университе́те, (основа́вший – осно́ванный) сто лет наза́д. 5. Я о́чень обра́довался посы́лке, (получи́вший – полу́ченный) от роди́телей. 6. Журнали́ст написа́л расска́з о лю́дях, (соверши́вший – совершённый) по́двиг.

Exercise 33. Use the required forms of the appropriate participles.

1. В письме́, … мной из до́ма, бы́ли фотогра́фии.	получи́вший – полу́ченный

2. Я говори́л с врачо́м, … опера́цию моему́ отцу́.	сде́лавший – сде́ланный
3. Мы говори́ли о фи́льме, … нам на заня́тии.	показа́вший – пока́занный
4. Худо́жник, … э́ту карти́ну, получи́л пре́мию.	нарисова́вший – нарисо́ванный
5. Мы у́чимся в университе́те, … сто лет наза́д.	основа́вший – осно́ванный
6. Здесь лежа́т ве́щи, … пассажи́рами.	забы́вший – забы́тый
7. Преподава́тель провери́л сочине́ния, … ученика́ми.	написа́вший – напи́санный
8. Кни́га расска́зывает об изобрета́теле, … пе́рвую печа́тную маши́ну.	созда́вший – со́зданный

Exercise 34. Replace the clauses introduced by *кото́рый* by participial constructions.

Model: Преподава́тель посмотре́л зада́чу, *кото́рую я реши́л.*
Преподава́тель посмотре́л зада́чу, *решённую мной.*

1. Пе́сни, кото́рые написа́л э́тот компози́тор, о́чень популя́рны. 2. Де́ти, кото́рых роди́тели оста́вили до́ма, игра́ли в мяч. 3. Я покажу́ вам кни́гу, кото́рую мне подари́ли. 4. Мой оте́ц купи́л карти́ну, кото́рую нарисова́л э́тот худо́жник. 5. Кни́ги стоя́т на по́лке, кото́рую сде́лал мой брат. 6. Челове́к, кото́рого мы встре́тили вчера́ на у́лице, прие́хал в наш го́род неда́вно. 7. Го́сти, кото́рых мы пригласи́ли, уже́ собрали́сь.

Exercise 35. Replace the clauses introduced by *кото́рый* by participial constructions. Write out the sentences.

1. Студе́нт, кото́рый получи́л письмо́, у́чится в на́шей гру́ппе. 2. Письмо́, кото́рое получи́л студе́нт, написа́л его́ оте́ц. 3. На вы́ставке мы познако́мились с худо́жником, кото́рый нарисова́л э́тот портре́т. 4. Портре́т, кото́рый нарисова́л э́тот худо́жник, виси́т в фойе́ на́шего клу́ба. 5. Около до́ма мы встре́тились с челове́ком, кото́рый пригласи́л нас к себе́. 6. Хозя́ин до́ма вы́шел встреча́ть госте́й, кото́рых он пригласи́л на день рожде́ния. 7. Преподава́тель, кото́рый показа́л нам о́пыт, попроси́л студе́нта помо́чь ему́. 8. Опыт, кото́рый показа́л нам преподава́тель, был о́чень интере́сен. 9. На встре́че с писа́телем бы́ло мно́го студе́нтов, кото́рые прочита́ли его́ рома́н.

Short-Form Passive Participles

Эту карти́ну нарисова́л мой друг.	Эта карти́на **нарисо́вана** мои́м дру́гом.
Эту шко́лу постро́или в про́шлом году́.	Эта шко́ла **постро́ена** в про́шлом году́.

Exercise 36. Replace the passive constructions by active ones.

Model: Это письмо́ *напи́сано* мои́м отцо́м.
Это письмо́ *написа́л* мой оте́ц.

1. Этот портре́т нарисо́ван изве́стным худо́жником. 2. Эти фотогра́фии сде́ланы мои́м бра́том. 3. Газ в э́том райо́не откры́т молоды́ми гео́логами. 4. Это письмо́ полу́чено мной позавчера́. 5. Этот заво́д постро́ен в 1956 году́. 6. Эта исто́рия расска́зана мне неда́вно. 7. Эта кни́га переведена́ на англи́йский язы́к. 8. На на́шей у́лице откры́т большо́й магази́н. 9. Этот зако́н при́нят в про́шлом году́.

Exercise 37. Replace the passive constructions by active ones.

Model: Кем *нарисо́вана* э́та карти́на?
Кто *нарисова́л* э́ту карти́ну?
Где *постро́ена* но́вая ли́ния метро́?
Где *постро́или* но́вую ли́нию метро́?

1. Кем нарисо́ван э́тот портре́т? 2. Кем подпи́саны докуме́нты? 3. Кем напи́сана э́та кни́га? 4. Кем откры́т газ в э́том райо́не? 5. На како́м заво́де сде́ланы э́ти часы́? 6. В како́м магази́не ку́плена э́та карти́на? 7. Когда́ постро́ен э́тот заво́д? 8. Когда́ полу́чено э́то письмо́?

Exercise 38. Give the verbs from which the following short-form passive participles are formed.

1. *сде́лан – сде́лать*
напи́сан –
прочи́тан –
пока́зан –
расска́зан –
по́слан –
про́дан –
со́здан –
организо́ван –

2. *изу́чен – изучи́ть*
полу́чен –
прове́рен –
постро́ен –
решён –
ку́плен –
пригото́влен –
испра́влен –
переведён –

3. *откры́т – откры́ть*
закры́т –
забы́т –
вы́мыт –
наде́т –
уби́т –
при́нят –
по́днят –

Exercise 39. Write out the sentences, replacing the active constructions by passive ones.

Model: Эти фотогра́фии сде́лал мой това́рищ.
Эти фотогра́фии сде́ланы мои́м това́рищем.

1. Эту карти́ну нарисова́л изве́стный худо́жник 2. Эту кни́гу присла́ла мне сестра́. 3. Эту запи́ску написа́л мой однокла́ссник. 4. Мой брат собра́л большу́ю колле́кцию ма́рок. 5. Это зда́ние постро́или неда́вно. 6. Этот уче́бник написа́ли для неру́сских студе́нтов. 7. Этот рома́н перевели́ на францу́зский язы́к. 8. В клу́бе организова́ли вы́ставку карти́н.

Сего́дня вы́ставка **откры́та.**
Вчера́ вы́ставка **была́ откры́та.**
За́втра вы́ставка бу́дет **откры́та.**

Exercise 40. Replace the following sentences by sentences with short-form participles.

Model: Неда́вно здесь *откры́ли* фотовы́ставку.
Неда́вно здесь *была́ откры́та* фотовы́ставка.

1. На ве́чере студе́нтам показа́ли интере́сный фильм. 2. В после́дние го́ды в Москве́ постро́или мно́го но́вых ста́нций метро́. 3. После́днее письмо́ оте́ц написа́л в конце́ января́. 4. Это письмо́ я получи́л в середи́не февраля́ 5. Для стенгазе́ты нарисова́ли не́сколько карикату́р. 6. В э́том году́ в на́шем го́роде откро́ют ещё оди́н кинотеа́тр. 7. В бу́дущем году́ здесь постро́ят шко́лу. 8. В сле́дующем но́мере журна́ла напеча́тают мои́ стихи́.

Exercise 41. Do the exercise as shown in the model.

Model: (a) – Вы купи́ли уче́бник?
– Да, уче́бник *ку́плен*.

1. Вы уже́ посла́ли телегра́мму? 2. Вы прочита́ли кни́гу? 3. Вы зако́нчили рабо́ту? 4. Вы уже́ купи́ли биле́ты? 5. Вы уже́ собра́ли ве́щи? 6. Ты сдал экза́мены? 7. Ты получи́л ви́зу?

Model: (b) – Где вы купи́ли э́ту ша́пку?
– Эта ша́пка *ку́плена* мной в Москве́.

1. Кто сде́лал э́ту фотогра́фию? 2. Кто написа́л э́тот рома́н? 3. Кто перевёл э́ти стихи́? 4. Кто рассказа́л э́ту исто́рию? 5. Когда́ они́ получи́ли э́то письмо́? 6. Когда́ постро́или э́тот стадио́н? 7. Когда́ сде́лали э́ту опера́цию?

Long-Form and Short-Form Participles

Фотовы́ставка, **организо́ванная** в на́шем клу́бе, прошла́ с больши́м успе́хом. В на́шем клу́бе **была́ организо́вана** фотовы́ставка.

Remember that long-form participles are used in a sentence as attributes, and short-form participles as predicates.

Exercise 42. Read the sentences in the left and right-hand columns and write them out. Compare the sentences and state what parts of the sentence the long-form and short-form participles are.

1. Нам понра́вился ве́чер, *подгото́вленный* на́шими студе́нтами.	1. Ве́чер *подгото́влен* на́шими студе́нтами.
2. Мы живём в общежи́тии, *постро́енном* для студе́нтов на́шего университе́та.	2. Общежи́тие *постро́ено* для студе́нтов на́шего университе́та.
3. В э́той па́пке лежа́т фотогра́фии, *сде́ланные* мои́м бра́том.	3. Фотогра́фии *сде́ланы* мои́м бра́том.

Exercise 43. Use the required participles.

1. Анна чита́ет письмо́, ... из до́ма. Это письмо́ ... неде́лю наза́д.	полу́ченное – полу́чено
2. Докуме́нты ... ре́ктором. Докуме́нты, ... ре́ктором, лежа́т в па́пке.	подпи́санные – подпи́саны
3. Наш дом ... неда́вно. На́ша семья́ живёт в до́ме, ...полго́да наза́д.	постро́енный – постро́ен

4. Мы бы́ли на вы́ставке, ... молоды́ми худо́жниками. Вы́ставка ... в клу́бе университе́та.	организо́ванная – организо́вана
5. Наш университе́т ... в 1960 году́. Мы у́чимся в университе́те, ... в 1960 году́.	осно́ванный – осно́ван
6. Вы прочита́ли статью,... в после́днем но́мере журна́ла? Эта статья́ ... в после́днем но́мере журна́ла.	напеча́танная – напеча́тана
7. Кни́ги, ... мной, я сдал в библиоте́ку. Эти кни́ги уже́ ... мной.	прочи́танные – прочи́таны

Exercise 44. Use the required participles.

1. Брат показа́л мне ма́рки, (ку́пленные – ку́плены) в Москве́. 2. Когда́ (постро́енное – постро́ено) э́то зда́ние? 3. Я забы́л до́ма письмо́, (напи́санное – напи́сано) мной вчера́. 4. Ви́ктор показа́л нам фотогра́фии, (при́сланные – при́сланы) ему́ из до́ма. 5. Шко́ла, в кото́рой у́чится моя́ сестра́, (постро́енная – постро́ена) в 1958 году́. 6. На сце́ну вы́шел арти́ст, тепло́ (встре́ченный – встре́чен) зри́телями. 7. Эти пи́сьма (при́сланные – при́сланы) из ра́зных стран. 8. Мне нра́вится кинотеа́тр, (откры́тый – откры́т) неда́вно на на́шей у́лице.

Exercise 45. Use the required participles.

1. Когда́ Андрей вошёл в аудито́рию, в рука́х он держа́л письмо́, (полу́чен – полу́ченный) им у́тром. Это письмо́ (при́слан – при́сланный) из Москвы́. Оно́ (напи́сан – напи́санный) дру́гом Андре́я. 2. Вчера́ на уро́ке фи́зики нам (был пока́зан – пока́занный) о́пыт. Опыт, (был пока́зан – пока́занный) преподава́телем, мы ви́дели пе́рвый раз. Пото́м мы реша́ли зада́чу. По́сле того́ как зада́ча (был решён – решённый), мы попроси́ли преподава́теля дать нам ещё одну́ зада́чу. Втора́я зада́ча, (был дан – да́нный) преподава́телем, оказа́лась о́чень тру́дной. 3. Сейча́с в на́шем клу́бе (организо́ван – организо́ванный) вы́ставка фотогра́фий. Фотогра́фии (при́слан – при́сланный) из ра́зных университе́тов страны́. Они́ (сде́лан – сде́ланный) фото́графами-люби́телями. Осо́бенно мне понра́вились фотогра́фии, (сде́лан – сде́ланный) студе́нтами на́шего университе́та. 4. Я чита́ю рома́н, (напи́сан – напи́санный) одни́м францу́зским писа́телем. Рома́н (был напи́сан – напи́санный) в 1955 году́. Не́сколько лет наза́д он (был переведён – переведённый) на ру́сский язы́к. Собы́тия, (опи́сан – опи́санный) в рома́не, происходи́ли во Фра́нции.

The Verbal Adverb

Imperfective Verbal Adverbs

Мы **шли и разгова́ривали** о свои́х дела́х.
Мы шли, **разгова́ривая** о свои́х дела́х.
Когда́ я чита́ю текст, я выпи́сываю незнако́мые слова́.
Чита́я текст, я выпи́сываю незнако́мые слова́.

! Note that imperfective verbal adverbs denote actions simultaneous with that of the predicate verbs.

The Formation of Imperfective Verbal Adverbs

Infinitive	Present Tense Stem	Verbal Adverb
чита́ть	чита́-ют	чита́-**я**
рисова́ть	рису́-ют	рису́-**я**
идти́	ид-у́т	ид-**я́**
стуча́ть	сту-ча́т	стуч-**а́**
встреча́ться	встреча́-ют-ся	встреча́-**я**-сь

! Remember that the imperfective verbal adverbs of verbs of the *дава́ть* (продава́ть, передава́ть, etc.) and *встава́ть* (устава́ть, etc.) types are formed from the infinitive stem: дава́ть – *дава́я,* встава́ть – *встава́я.*

Объясня́я но́вый уро́к, преподава́тель писа́л слова́ на доске́.
Когда́ **преподава́тель** объясня́л но́вый уро́к, **он** писа́л слова́ на доске́.

! When replacing sentences with verbal adverb constructions by sentences with subordinate clauses, one should remember that the subject which is a noun must precede the subject which is a pronoun (the first subject is *преподава́тель,* and the second *он).*

🗝 **Exercise 1.** Change the sentences, replacing the verbal adverbs by verbs.

Model: *Чита́я но́вый текст,* студе́нт *смотре́л* в слова́рь.
Студе́нт *чита́л* но́вый текст и *смотре́л* в слова́рь.
Or: *Когда́ студе́нт чита́л но́вый текст,* он *смотре́л* в слова́рь.

1. *Расска́зывая о своём путеше́ствии*, брат *пока́зывал* нам фотогра́фии. 2. *Чита́я письмо́ отца́*, я *ду́мал* о свои́х роди́телях. 3. *Слу́шая ра́дио*, мы *узнаём* о том, что происхо́дит в ми́ре. 4. *Начина́я э́ту рабо́ту*, я не *ду́мал*, что она́ бу́дет тако́й тру́дной. 5. *Открыва́я окно́*, ма́льчик *разби́л* стекло́. 6. Преподава́тель *объясня́л* но́вую те́му, *пока́зывая о́пыты*. 7. Бори́с *стоя́л* в коридо́ре, *разгова́ривая с това́рищем*.

🗝 **Exercise 2.** Replace the verbal adverbs by verbs.

1. Они́ сиде́ли за столо́м, разгова́ривая о свои́х дела́х. 2. Слу́шая радиопереда́чи на ру́сском языке́, я стара́юсь поня́ть, что говори́т ди́ктор. 3. Отдыха́я на ю́ге, сестра́ ре́дко писа́ла домо́й. 4. Дава́я мне кни́гу, библиоте́карь попроси́л меня́ верну́ть её че́рез три дня. 5. Выходя́ из до́ма, я ча́сто встреча́ю э́того челове́ка. 6. Гуля́я по го́роду, тури́сты покупа́ли сувени́ры.

🗝 **Exercise 3.** Replace the verbal adverbs by verbs.

1. Встреча́ясь с друзья́ми и́ли знако́мыми, лю́ди говоря́т друг дру́гу: «Здра́вствуйте!» 2. Занима́ясь спо́ртом, лю́ди укрепля́ют своё здоро́вье. 3. Уча́сь в институ́те, мой брат одновре́менно рабо́тал на заво́де. 4. Возвраща́ясь из университе́та, я встре́тил на у́лице своего́ знако́мого. 5. Встреча́ясь, мы расска́зываем друг дру́гу все но́вости. 6. Поднима́ясь в го́ры, мы встре́тили гру́ппу тури́стов.

Perfective Verbal Adverbs

Я написа́л письмо́ и пошёл на по́чту.
Написа́в письмо́, я пошёл на по́чту.
Когда́ я уви́дел дру́га, я подошёл к нему́.
Уви́дев дру́га, я подошёл к нему́.
Мы **попроща́лись** с друзья́ми и вы́шли на у́лицу.
Попроща́вшись с друзья́ми, мы вы́шли на у́лицу.

! Note that perfective verbal adverbs denote actions preceding that of the predicate verb (first I wrote the letter and then went to the post office).

Exercise 4. Change the sentences, replacing the verbal adverbs by verbs.

Model: *Зако́нчив рабо́ту,* я пошёл домо́й.
Я *зако́нчил* рабо́ту и пошёл домо́й.
Or: *Когда́ я зако́нчил рабо́ту,* я пошёл домо́й.

1. *Поу́жинав*, мы ста́ли смотре́ть телеви́зор. 2. *Собра́в кни́ги и тетра́ди*, студе́нтка вы́шла из кла́сса. 3. *Око́нчив медици́нский институ́т*, мой друг бу́дет врачо́м. 4. *Верну́вшись на ро́дину*, я бу́ду рабо́тать инжене́ром. 5. *Повтори́в весь материа́л*, мы пошли́ сдава́ть экза́мены. 6. *Сдав экза́мены*, студе́нты пое́хали отдыха́ть. 7. *Позвони́в на вокза́л*, мы узна́ли, когда́ ухо́дит по́езд в Дре́зден. 8. *Вы́йдя из аудито́рии*, я встре́тил свою́ подру́гу. 9. *Придя́ домо́й*, Михаи́л уви́дел на столе́ письмо́.

The Formation of Perfective Verbal Adverbs

Infinitive	Verbal Adverb
прочита́-ть уви́де-ть встре́ти-ть-ся	прочита́-**в** уви́де-**в** встре́ти-**вши**-сь

! Remember that the perfective verbal adverbs of prefixed verbs of the *идти́* type (прийти́, уйти́, принести́, etc.) are formed by means of the suffix **-я**: прийти́ – *придя́,* принести́ – *принеся́,* etc.

Exercise 5. Wrile out the sentences, replacing the italicised verbs by verbal adverbs.

Model: Бори́с *уви́дел* меня́ и поздоро́вался.
Уви́дев меня́, Бори́с поздоро́вался.

1. Мы *посмотре́ли* фильм и пошли́ домо́й. 2. Я *заплати́л* де́ньги, взял кни́гу и вы́шел из магази́на. 3. Моя́ сестра́ *око́нчила* шко́лу и поступи́ла в медици́нский

институ́т. 4. Я *попроща́лся* с друзья́ми и пошёл домо́й. 5. Оте́ц *прочита́л* газе́ту и дал её мне. 6. Мы немно́го *отдохну́ли* и сно́ва на́чали рабо́тать. 7. Я *наде́л* пальто́ и вы́шел на у́лицу. 8. Профе́ссор *ко́нчил* чита́ть ле́кцию и спроси́л, есть ли у нас вопро́сы.

Exercise 6. Read the sentences and write them out. Note that verbal adverb constructions can replace subordinate clauses of time, reason and condition.

1. *По́сле того́ как ма́стер зако́нчил рабо́ту,* он пошёл домо́й.	1. *Зако́нчив рабо́ту,* ма́стер пошёл домо́й.
2. *Как то́лько оте́ц получи́л письмо́,* он сра́зу отве́тил на него́.	2. *Получи́в письмо́,* оте́ц сра́зу отве́тил на него́.
3. *Если вы не по́няли теоре́му,* вы не смо́жете реши́ть зада́чу.	3. *Не поня́в теоре́му,* вы не смо́жете реши́ть зада́чу.
4. *Если ваш друг хорошо́ бу́дет знать ру́сский язы́к,* он смо́жет рабо́тать перево́дчиком.	4. *Хорошо́ зна́я ру́сский язы́к,* ваш друг смо́жет рабо́тать перево́дчиком.
5. *Так как мой брат заболе́л,* он лёг в больни́цу.	5. *Заболе́в,* мой брат лёг в больни́цу.
6. Я не могу́ помо́чь вам, *потому́ что пло́хо зна́ю францу́зский язы́к.*	6. *Пло́хо зна́я францу́зский язы́к,* я не могу́ помо́чь вам.
7. *Если бы ты не сдал экза́мен*, ты не получи́л бы дипло́м перево́дчика.	7. *Не сдав экза́мена*, ты не получи́л бы дипло́м перево́дчика.
8. *Если бы она́ получи́ла дипло́м ме́неджера,* она́ могла́ бы найти́ хоро́шую рабо́ту.	8. *Получи́в дипло́м ме́неджера,* она́ могла́ бы найти́ хоро́шую рабо́ту.

Exercise 7. Replace the sentences with verbal constructions by complex sentences containing the conjunctions *когда́, е́сли, потому́ что, так как, е́сли бы, хотя́.*

1. Успе́шно око́нчив институ́т, он смо́жет занима́ться нау́чной де́ятельностью. 2. Мы гото́вимся к экза́менам, повторя́я те́ксты и де́лая упражне́ния. 3. Не понима́я, о чём мы говори́м, он не уча́ствовал в на́шем разгово́ре. 4. Написа́в письмо́, я пошёл на по́чту. 5. Потеря́в ваш телефо́н, я не смог позвони́ть вам. 6. Прожи́в пять лет в Москве́, он пло́хо говори́т по-ру́сски. 7. Верну́вшись домо́й, я узна́л, что ко мне приходи́л мой сосе́д. 8. Подходя́ к университе́ту, он встре́тил свои́х друзе́й. 9. Войдя́ в ко́мнату, ма́льчик поздоро́вался с на́ми. 10. Встре́тив Тама́ру на у́лице, я не узна́л бы её.

Exercise 8. Write out the sentences, replacing the complex sentences by sentences with verbal adverb constructions.

Model: Как то́лько я уви́дел э́того челове́ка, я сра́зу узна́л его́.
Уви́дев э́того челове́ка, я сра́зу узна́л его́.

1. Как то́лько я получи́л письмо́, я сра́зу на́чал чита́ть его́. 2. По́сле того́ как мы повтори́ли теоре́мы, мы ста́ли реша́ть зада́чи. 3. По́сле того́ как мы купи́ли биле́ты в кино́, мы вошли́ в фойе́ кинотеа́тра. 4. Когда́ мои́ друзья́ прие́хали в Москву́, они́ написа́ли мне письмо́. 5. Когда́ мы подняли́сь на́ гору, мы уви́дели мо́ре. 6. Когда́ мой друг уви́дел меня́, он подошёл ко мне. 7. Как то́лько студе́нты сдаду́т экза́мены, они́ пое́дут на пра́ктику.

Exercise 9. Replace the complex sentences by sentences with verbal adverb constructions.

1. Если вы вы́учите ру́сский язы́к, вы смо́жете рабо́тать перево́дчиком. 2. Так как он не зна́ет ру́сского языка́, он не по́нял на́шего разгово́ра. 3. Если вы хорошо́ отдохнёте ле́том, вы бу́дете успе́шно занима́ться в бу́дущем году́. 4. Если вы по́няли э́ту теоре́му, вы смо́жете реши́ть зада́чи. 5. Так как Майкл пло́хо зна́ет ру́сский язы́к, он не по́нял, о чём говори́л профе́ссор. 6. Я до́лжен был лежа́ть в посте́ли, так как я заболе́л. 7. Так как я интересу́юсь ру́сской литерату́рой, я покупа́ю кни́ги ру́сских писа́телей.

Exercise 10. Change the sentences, replacing one of the verbs by a verbal adverb.

1. Студе́нтка поду́мала немно́го и начала́ отвеча́ть. 2. Мы попроща́лись с хозя́евами и вы́шли на у́лицу. 3. Я узна́л, что ле́том мо́жно пое́хать на Ура́л и в Сиби́рь, и реши́л поговори́ть об э́том со свои́м отцо́м. 4. Моя́ сестра́ прожила́ в Москве́ три го́да и хорошо́ вы́учила ру́сский язы́к. 5. Я посмотре́л на часы́ и уви́дел, что пора́ е́хать на вокза́л. 6. Преподава́тель просмотре́л газе́ты и ушёл из библиоте́ки.

Exercise 11. Read the sentences and write them out. Remember that the replacemet of a subordinate clause by a verbal adverb constructions is possible only if the actions of the main and subordinate clauses relate to one and the same agent (a person or an object).

I. 1. Когда́ *профе́ссор* чита́л ле́кцию, *он* писа́л фо́рмулы на доске́.	1. Чита́я ле́кцию, профе́ссор писа́л фо́рмулы на доске́.
2. Когда́ *профе́ссор* чита́л ле́кцию, *ассисте́нт* писа́л фо́рмулы на доске́.	2. No replacement is possible.

II. 1. Когда́ *тури́сты* подняли́сь на́ гору, *они́* уви́дели вдали́ мо́ре.	1. Подня́вшись на́ гору, тури́сты уви́дели вдали́ мо́ре.
2. Когда́ *тури́сты* подняли́сь на́ гору, *со́лнце* бы́ло уже́ высоко́.	2. No replacement is possible.
III. 1. По́сле того́, как мой брат сдаст экза́мены, он поє́дет в Ита́лию.	1. Сдав экза́мены, мой брат поє́дет в Ита́лию.
2. По́сле того́, как мой брат сдаст экза́мены, мы пое́дем во Фра́нцию.	2. No replacement is possible.

Exercise 12. Replace the subordinate clauses by verbal adverb constructions wherever possible.

1. Как то́лько я вы́шел из до́ма, пошёл дождь. Как то́лько я вы́шел из до́ма, я наде́л плащ, так как пошёл дождь. 2. Когда́ я уви́дел э́того челове́ка, я поду́мал, что его́ лицо́ мне знако́мо. Когда́ я уви́дел э́того челове́ка, его́ лицо́ показа́лось мне знако́мым. 3. Когда́ я прочи́тал кни́гу, мне захоте́лось познако́миться с её а́втором. Когда́ я прочита́л кни́гу, я реши́л познако́миться с её а́втором. 4. Когда́ мы око́нчим тре́тий курс, мы пое́дем на пра́ктику. Когда́ мы око́нчим тре́тий курс, у нас бу́дет пра́ктика. 5. Когда́ мой сын око́нчит университе́т, он бу́дет врачо́м. Когда́ мой сын око́нчит университе́т, ему́ бу́дет два́дцать четы́ре го́да.

Exercise 13. Replace the subordinate clauses by verbal adverb constructions wherever possible.

1. Когда́ мы купи́ли биле́ты, мы пошли́ в кино́.
   Когда́ мы купи́ли биле́ты, фильм уже́ начался́.
   Когда́ мы купи́ли биле́ты, на́ши това́рищи уже́ сиде́ли в за́ле.
2. Когда́ я верну́лся домо́й, я уви́дел на столе́ письмо́.
   Когда́ я верну́лся домо́й, в до́ме уже́ все спа́ли.
   Когда́ я верну́лся домо́й, бы́ло уже́ по́здно.
3. Когда́ я уезжа́л в Москву́, меня́ провожа́ли друзья́.
   Когда́ я уезжа́л в Москву́, мои́ друзья́ проси́ли меня́ написа́ть им.
   Когда́ я уезжа́л в Москву́, я обеща́л друзья́м написа́ть им.

Exercise 14. Read the sentences and write them out. Compare the sentences in the left and right-hand columns. Remember that imperfeetive verbal adverbs denote actions simultaneous with that of the predicate verb and perfective verbal adverbs denote actions preceding that of the predicate verb.

1. *Конча́я* шко́лу, я уже́ знал, где я бу́ду учи́ться да́льше.	1. *Ко́нчив* шко́лу, я поступи́л в университе́т.

2. *Объясня́я* уро́к, преподава́тель писа́л на доске́ но́вые слова́.	2. *Объясни́в* уро́к, преподава́тель стал спра́шивать студе́нтов.
3. *Ужиная,* мы разгова́ривали о том, как мы провели́ день.	3. *Поу́жинав,* мы пошли́ в кино́.
4. *Чита́я* кни́гу, он о́чень смея́лся.	4. *Прочита́в* кни́гу, он верну́л её в библиоте́ку.

Exercise 15. Use the verbal adverbs of the required aspect.

1. ... по у́лице, я смотре́л на витри́ны магази́нов. ... домо́й, я сра́зу же позвони́л на рабо́ту.	идя́ – придя́
2. ... учи́ться в Москву́, сын обеща́л ча́сто писа́ть домо́й. ... в Москву́, сын ча́сто писа́л домо́й.	уезжа́я – уе́хав
3. ... уро́к, учени́к сел на своё ме́сто. ... уро́к, учени́к говори́л гро́мко и я́сно.	отвеча́я – отве́тив
4. ... письмо́ сы́на, оте́ц переда́л его́ ма́тери. ... письмо́ сы́на, оте́ц улыба́лся.	чита́я – прочита́в
5. … , мы говори́ли о свои́х дела́х. … мы пошли́ пить ко́фе.	обе́дая – пообе́дав
6. ... но́вый уро́к, преподава́тель писа́л на доске́. ... но́вый уро́к, преподава́тель стал задава́ть вопро́сы студе́нтам.	объясня́я – объясни́в
7 ... музе́й, мы реши́ли погуля́ть по па́рку. ... музе́й, мы ходи́ли из одного́ за́ла в друго́й.	осма́тривая – осмотре́в
8. ... , тури́сты пе́ли пе́сни. … , тури́сты продолжа́ли свой путь.	отдыха́я – отдохну́в
9. ... домо́й, я узна́л, что ко мне приходи́л мой друг. ... домо́й, я встре́тил своего́ дру́га.	возвраща́ясь – верну́вшись

Exercise 16. Complete the sentences in writing.

1. Написа́в письмо́, ... 2. Вы́йдя на у́лицу, ... 3. Сдав экза́мены, … . 4. Откры́в кни́гу, ... 5. Увидев това́рища, ... 6. Верну́вшись домо́й, ... 7. Встре́тившись с дру́зья́ми́, ... 8. Услы́шав но́вость, ... 9. Получи́в стипе́ндию, … . 10. Отдохну́в в санато́рии, ...

Exercise 17. Complete the sentences in writing, adding verbal adverb construclions.

Model: ... , я пошёл в кино́.

Пригото́вив дома́шнее зада́ние, я пошёл в кино́.

1. ... , я написа́л отцу́ отве́т. 2. ... , мы пое́дем в дом о́тдыха. 3. ... , я уви́дел портре́т а́втора кни́ги. 4. … , мы поздоро́вались. 5. ... , мы рассказа́ли друг другу́ все но́вости. 6. … , мы пошли́ домо́й. 7. ... , мой друг бу́дет гео́логом. 8. ... , я обеща́л друзья́м ча́сто писа́ть пи́сьма. 9. … , мы вы́шли из до́ма.

Exercise 18. Replace the verbal adverb constructions by subordinate clauses. Retell the text.

Узна́в, что в одно́м из кинотеа́тров Москвы́ идёт но́вый францу́зский фильм, Джон и его́ друзья́ реши́ли посмотре́ть э́тот фильм по́сле заня́тий. Пообе́дав, они́ пое́хали в кинотеа́тр. Си́дя в авто́бусе, они́ разгова́ривали о свои́х дела́х. Идя́ от авто́бусной остано́вки к кинотеа́тру, они́ не́сколько раз слы́шали оди́н и тот же вопро́с: «У вас нет ли́шнего биле́та?» Подойдя́ к ка́ссе, они́ не заме́тили объявле́ния: «На сего́дня все биле́ты про́даны».

Доста́в из карма́на де́ньги, Джон попроси́л касси́ра: «Да́йте, пожа́луйста, четы́ре биле́та». Касси́р, посмотре́в с удивле́нием на Джо́на, отве́тила: «На сего́дня все биле́ты про́даны». Не поня́в отве́та касси́ра, Джон повтори́л: «Да́йте, пожа́луйста, четы́ре биле́та». «Я могу́ дать вам четы́ре биле́та на за́втра», – сказа́ла касси́р. Посове́товавшись, друзья́ реши́ли, что они́ пойду́т в кино́ за́втра.

Заплати́в де́ньги и взяв биле́ты, друзья́ пое́хали домо́й.

KEY TO THE EXERCISES

Part One. An Introductory Lexical and Grammatical Course

Exercise 4. 1. Нет, э́то не студе́нт. Это студе́нтка. 2. Нет, э́то не тетра́дь. Это кни́га. 3. Нет, э́то не газе́та. Это журна́л. 4. Нет, э́то не стол. Это стул. 5. Нет, э́то не окно́. Это дверь. 6. Нет, э́то не ва́за. Это ла́мпа. 7. Нет, э́то не шкаф. Это стол. 8. Нет, э́то не преподава́тель. Это студе́нт. 9. Нет, э́то не ма́льчик. Это де́вочка.

Exercise 5. 1. Что э́то? Это стул. 2. Кто э́то? Это преподава́тель. 3. Что э́то? Это авто́бус. 4. Что э́то? Это тетра́дь. 5. Кто э́то? Это врач. 6. Что э́то? Это дом. 7. Кто э́то? Это ма́льчик. 8. Что э́то? Это шкаф. 9. Что э́то? Это шко́ла. 10. Кто э́то? Это де́вочка. 11. Что э́то? Это письмо́. 12. Что э́то? Это ру́чка. 13. Кто э́то? Это ко́шка. 14. Кто э́то? Это соба́ка.

Exercise 7. 1. чита́ешь. 2. чита́ем. 3. чита́ет. 4. чита́ет. 5. чита́ют. 6. чита́ю. 7. чита́ет. 8. чита́ете. 9. чита́ют.

Exercise 8. 1. он (она́). 2. я. 3. вы. 4. ты. 5. они́. 6. она́ (он). 7. мы. 8. они́.

Exercise 9. 1. повторя́ем. 2. повторя́ю. 3. повторя́ет. 4. повторя́ет. 5. повторя́ете. 6. повторя́ют.

Exercise 13. 1. Да, он слу́шает ра́дио. (Нет, он не слу́шает ра́дио). 2. Нет, она́ не чита́ет письмо́. (Да, она́ чита́ет письмо́), etc.

Exercise 15. 1. Нет, Мари́я чита́ет письмо́. 2. Да, Джон чита́ет журна́л. 3. Нет. Джон и Мари́я обе́дают. 4. Да, они́ слу́шают ра́дио. 5. Нет, Андре́й отдыха́ет.

Exercise 16. B. 1. Да, э́то Анна. Да, она́ студе́нтка. Нет, она́ чита́ет письмо́. 2. Это Ве́ра. Она́ студе́нтка. Да, она́ слу́шает ра́дио.

Exercise 17. 1. Да, Ве́ра говори́т по-францу́зски. (Нет, Ве́ра не говори́т по-францу́зски). 2. Да, Жан говори́т по-англи́йски, etc.

Exercise 18. 1. Анна чита́ет текст. 2. Анна и Джон хорошо́ чита́ют текст. 3. Я зна́ю диало́г. 4. Студе́нт и студе́нтка хорошо́ зна́ют диало́г. 5. Они́ хорошо́ говоря́т по-ру́сски. 6. Мы сейча́с говори́м по-ру́сски. 7. Мы изуча́ем ру́сский язы́к.

Exercise 19. 3. Кто говори́т по-ру́сски? 4. Кто говори́т по-англи́йски? 5. Кто рабо́тает? 6. Кто изуча́ет ру́сский язы́к? 7. Кто чита́ет письмо́?

Exercise 20. 1. Я не зна́ю, кто он. 2. Я не зна́ю, кто она́. 5. Я не зна́ю, кто они́, etc.

Exercise 23. 1. ...отвеча́ет ти́хо. 2. говори́т ме́дленно. 3. чита́ет гро́мко. 4. говори́т по-ру́сски хорошо́. 5. слу́шает невнима́тельно. 6. зна́ешь уро́к пло́хо. 7. расска́зывают текст непра́вильно. 8. говори́т по-ру́сски бы́стро.

Exercise 24. 1. Как студе́нты чита́ют? 2. Как Ви́ктор чита́ет? 3. Как они́ говоря́т по-англи́йски? 6. Как расска́зывает Ни́на? 7. Как рабо́тает Бори́с?

Exercise 26. 1. Да, я зна́ю, как он говори́т по-ру́сски. Он говори́т по-ру́сски хорошо́. (Я не зна́ , как он говори́т по-ру́сски), etc.

Exercise 28. Сейча́с уро́к. Это преподава́тель. Это студе́нт и студе́нтка. Преподава́тель чита́ет, а студе́нт и студе́нтка слу́шают. Они́ слу́шают внима́тельно. Джим и Мэри понима́ют текст хорошо́. Пото́м чита́ет Джим. Он чита́ет бы́стро и пра́вильно. Преподава́тель говори́т: «Джим, вы чита́ете хорошо́». Пото́м они́ говоря́т по-ру́сски.

Exercise 33. 1. Когда́ вы занима́етесь? (Когда́ ты занима́ешься?) 2. Когда́ вы обе́даете? 3. Когда́ Па́вел слу́шает ра́дио? 4. Когда́ Анна рабо́тает 5. Когда́ вы чита́ете газе́ты? (Когда́ ты чита́ешь газе́ты?) 6. Когда́ вы у́жинаете? 7. Когда́ они́ гото́вят дома́шнее зада́ние?

Exercise 34. 1. Я не зна́ю, когда́ он рабо́тает. 2. Я не зна́ю, когда́ она́ отдыха́ет, etc,

Exercise 38. 1. Ве́чером я у́жинаю и отдыха́ю. (Ве́чером мы у́жинаем и отдыха́ем). 4. Утром я за́втракаю и слу́шаю ра́дио. (Утром мы за́втракаем и слу́шаем ра́дио). 7. Ве́чером они́ гуля́ют, чита́ют и смо́трят телеви́зор.

Exercise 40. 1. Что де́лает Бори́с у́тром? 2. Что вы де́лаете ве́чером? 3. Что де́лает Анна сейча́с? 4. Что они́ де́лают сейча́с? 5. Что вы де́лаете ве́чером (Что ты де́лаешь ве́чером?) 6. Что вы де́лаете днём? 7. Что вы де́лаете сейча́с? 8. Что де́лает Ни́на сейча́с?

Exercise 42. 1. Я не зна́ю, что он де́лает днём. 2. Я не зна́ю, что он де́лает ве́чером, etc.

Exercise 43. B. 1. Это Па́вел. Он студе́нт. Сейча́с он смо́трит телеви́зор. Он занима́ется днём. По́сле у́жина он отдыха́ет. 2. Кто она́? Как она́ говори́т по-англи́йски? Что она́ де́лает сейча́с? Что она́ де́лает по́сле обе́да?

Exercise 44. 1. за́втракаем. 2. рабо́таю. 3. смо́трите, etc.

Exercise 45. 1. чита́ю, слу́шаю, де́лаете. 2. говори́т, говори́те. 3. чита́ет, де́лают, слу́шают. 4. пи́шет, де́лает, у́чит. 5. зна́ет, зна́ете.

Exercise 47. 1. Кто э́то? Кто она́? Как Анна говори́т по-ру́сски? Что она́ де́лает сейча́с? 2. Кто э́то? Что они́ де́лают сейча́с? 3. Кто э́то? Кто он? Что он де́лает у́тром? Когда́ он отдыха́ет? Что он де́лает сейча́с?

Exercise 48. 1. Да, зна́ю. Он рабо́тает днём. Нет, я не зна́ю, когда́ он рабо́тает. 2. Да, зна́ю. Ве́чером он отдыха́ет. Нет, я не зна́ю, что он де́лает ве́чером. etc.

Exercise 49. 1. Я не знаю́, кто о́на. 2. Я не зна́ю, как она́ говори́т по-ру́сски. 3. Я не зна́ю, когда́ он рабо́тает. 4. Я не зна́ю, кто он. 5. Я не зна́ю, что он де́лает сейча́с. 6. Я не зна́ю, когда́ они́ занима́ются. 7. Я не зна́ю, кто они́. 8. Я не зна́ю, как они́ понима́ют по-англи́йски.

Exercise 51. (a) 1. мой. 2. моя́. 3. мой. 4. моё. 5. моя́. 6. мой. 7. мой. (b)1. на́ша. 2. наш. 3. на́ше. 4. на́ша. 5. наш. 6. наш. 7. на́ше. 8. на́ша.

Exercise 52. (a) 1. твой. 2. твоя́. 3. твоё. 4. твоя́. 5. твой. 6. твой. 7. твоя́. (b) 1. ва́ше. 2. ва́ша. 3. ва́ша. 4. ваш. 5. ва́ше. 6. ваш. 7. ваш.

Exercise 53. m.: каранда́ш, уче́бник, день, стул, шкаф, портфе́ль, костю́м, слова́рь, дом, журна́л, магнитофо́н, телеви́зор, пле́ер, компью́тер, брат, оте́ц, друг, това́рищ, преподава́тель; f.: ла́мпа, газе́та, ка́рта, тетра́дь, па́пка, крова́ть, карти́на, кни́га, маши́на, мать, сестра́, дочь, ко́шка; n.: ра́дио, пальто́, общежи́тие, окно́, сло́во, упражне́ние, ме́сто.

Exercise 56. 1. Что вы де́лали днём? 2. Что вы де́лали ве́чером? 3. Что она́ де́лала у́тром? 6. Что вы де́лали днём? (Что ты де́лал днём?) 7. Что они́ де́лали по́сле у́жина?

Exercise 57. 1. он рабо́тал, она́ рабо́тала, они́ рабо́тали, etc.; 2. он говори́л, она́ говори́ла, они́ говори́ли, etc.; 3. он писа́л, она́ писа́ла, они́ писа́ли; 4. он смотре́л, она́ смотре́ла, они́ смотре́ли; 5. он занима́лся, она́ занима́лась, они́ занима́лись.

Exercise 59. 1. отвеча́ла. 2. за́втракал (за́втракать). 3. гуля́ли. 4. чита́ли, etc.

Exercise 60. 1. писа́л. 2. смотре́ла. 3. говори́л. 4. учи́ли. 5. сиде́л(а). 6. занима́лись

Exercise 62. Что мы де́лали на уро́ке? ...чита́ли, спра́шивал, отвеча́ли, расска́зывал, знал, отвеча́л, слу́шали, объясня́л, понима́ли, говори́л, повторя́ли, писа́ли, говори́ли, занима́лись.

Exercise 63. Что я де́лал ве́чером? ...обе́дал, отдыха́л, чита́л, занима́лся, гото́вил, учи́л, повторя́л, писа́л, гото́вил, у́жинали, игра́ли, смотре́ли, слу́шали.

Exercise 64. 1. Утром я за́втракал, чита́л газе́ты и слу́шал ра́дио. 2. Днём мы рабо́тали, а сейча́с мы отдыха́ем. Я чита́ю журна́л, а Мэ́ри пи́шет письмо́. 3. Вчера́ ве́чером мы смотре́ли телеви́зор.

Exercise 65. 1. Кто слу́шал ра́дио? 2. Кто чита́л газе́ты? 3. Кто писа́л письмо́? 4. Кто слу́шал магнитофо́н? 5. Кто смотре́л фильм? 6. Кто смотре́л телеви́зор?

Exercise 66. 1. Кто занима́лся у́тром? 2. Кто писа́л дикта́нт? 3. Кто чита́л текст? 4. Кто хорошо́ знал уро́к? 5. Кто отвеча́л отли́чно? 6. Кто говори́л по-ру́сски? 7. Кто изуча́л ру́сский язы́к?

Exercise 74. По́сле обе́да я бу́ду отдыха́ть, чита́ть, etc.

Exercise 75. На уро́ке мы бу́дем проверя́ть; etc.

Exercise 79. шкафы́, столы́ и сту́лья; това́рищи и друзья́; сёстры, бра́тья и сыновья́; студе́нты, студе́нтки и преподава́тели; кни́ги, тетра́ди и словари́; карандаши́ и ру́чки;

сады́ и па́рки; журна́лы и газе́ты; конве́рты и пи́сьма; уро́ки, ле́кции и экску́рсии; бу́квы, слова́ и предложе́ния; города́ и дере́вни; у́лицы и дома́; фа́брики и заво́ды; магази́ны и кио́ски; стадио́ны и бассе́йны; ло́жки. ви́лки, ножи́, ча́шки, стака́ны, таре́лки; дни, неде́ли, ме́сяцы, го́ды.

Exercise 80. 1. аудито́рии. 13. дома́. 16. лю́ди. 17. де́ти.

Exercise 83. 1. Преподава́тель чита́ет, студе́нты слу́шают. 2. Преподава́тель и студе́нты говоря́т по-ру́сски. 3. Утром я чита́ю газе́ты и журна́лы. Сейча́с я чита́ю журна́л. 4. Я изуча́ю ру́сский язы́к, я учу́ слова́, повторя́ю глаго́лы, пишу́ упражне́ния, чита́ю те́ксты. 5. Это уче́бники, тетра́ди, слова́рь и каранда́ши.

Exercise 86. I. 1. Чей э́то слова́рь? II. 1. Чья э́то ко́мната? III. 1. Чьё э́то письмо́? IV. 1. Чьи э́то часы́?

Exercise 87. 1. – Где на́ша аудито́рия? – Вот ва́ша аудито́рия. 2. – Где мой уче́бник? – Вот твой (ваш) уче́бник. 3. – Где наш преподава́тель? – Вот ваш преподава́тель. 4. – Где моё пальто́? – Вот твоё (ва́ше) пальто́. 5. – Где твой шарф? – Вот мой шарф. 6. – Где твоя́ ша́пка? – Вот моя́ ша́пка. 7. – Где моя́ ру́чка? – Вот ва́ша (твоя́) ру́чка. 8. – Где моё ме́сто? – Вот ва́ше (твоё) ме́сто. 9. – Где ваш (твой) па́спорт? – Вот мой па́спорт. 10. – Где ва́ши ве́щи? – Вот на́ши ве́щи. 11. – Где твой компью́тер? – Вот мой компью́тер. 12. – Где твоё (ва́ше) общежи́тие? – Вот моё (на́ше) общежи́тие.

Exercise 88. 1. Чья э́то маши́на? 2. Чей э́то магнитофо́н? 3. Чьи э́то часы́? 4. Чья э́то ко́мната? etc.

Exercise 89. 1. его́. 2. мой. 3. ва́ша. 4. твой. 5. его́. 6. на́ша. 7. его́. 8. их.

Exercise 92. 1. Чьи э́то сигаре́ты? 2. Чьи э́то де́ньги? 3. Чьё э́то письмо́? 4. Чей э́то слова́рь? 5. Чьи э́то очки́? 6. Чья э́то ру́чка? 7. Чьи э́то часы́? 8. Чья э́то газе́та? 9. Чей э́то ключ?

Exercise 93. 1. Это мой друг Анто́н. Его́ брат изуча́ет ру́сский язы́к. 2. Это моя́ ко́мната. Это мои́ кни́ги. Это мои́ фотогра́фии. 3. – Чья э́то маши́на? – Это её маши́на. 4. – Чей э́то журна́л? Это ваш журна́л. 5. – Чьи э́то ве́щи? – Я не зна́ю, чьи э́то ве́щи. 6. – Где мой слова́рь? – Твой слова́рь здесь.

Exercise 103. 1. У тебя́ есть слова́рь? 2. У тебя́ есть газе́та? 3. У него́ есть маши́на? 4. У него́ есть магнитофо́н? 5. У него́ есть де́ньги? 6. У неё есть семья́? 7. У вас есть друзья́? 8. У вас есть бра́тья?

Exercise 104. 1. У Мари́ны есть часы́... 2. У Серге́я есть чемода́н... 3. У Серге́я и Мари́ны есть сын…, etc.

Exercise 105. 1. мой. 2. на́ша. 3. её. 4. их. 5. их. 6. ваш. 7. её. 8. их. 9. твоя́. 10. ваш. 11. их.

Exercise 107. 1. был. 2. был. 3. была́. 4. был. 5. была́. 6. была́. 7. бы́ли. 8. была́.

Exercise 110. (a) Ско́лько сто́ит э́та ша́пка?... э́та руба́шка, э́то пальто́, э́тот телефо́н, э́тот фотоаппара́т, э́та кассе́та, э́та кни́га. (b) Ско́лько сто́ят э́ти часы́? etc.

Exercise 113. 1. – Кто э́то? – Это студе́нтка. Эта студе́нтка изуча́ет ру́сский язы́к. – Где живёт э́та студе́нтка? 2. – Что э́то? – Это мой слова́рь. Я купи́л э́тот слова́рь неда́вно. 3. ...э́то, э́то, э́ти. 4. э́то, э́то, э́тот. 5. э́то, э́то, э́тот.

Exercise 114. 1. э́тот. 2. э́тот. 3. э́тот. 4. э́тот. 5. э́та. 6. э́ти. 7. э́ти. 8. э́то. 9. э́то. 10. э́ти. 11. э́ти. 12. э́та.

Exercise 117. 1. но́вый дом, но́вая у́лица, но́вое зда́ние, но́вые магази́ны. 2. ста́рый, ста́рая, ста́рое, ста́рые. 3. бе́лый, бе́лая, бе́лое, бе́лые. 4. чёрный, чёрная, чёрное, чёрные.

Exercise 118. Где мой кори́чневый плащ? Ско́лько сто́ит э́тот кори́чневый плащ? Где моё чёрное пальто́? Ско́лько сто́ит э́то чёрное пальто́? etc.

Exercise 119. 1. после́дний авто́бус, после́дняя страни́ца, после́днее письмо́, после́дние слова́. 2. вчера́шний, вчера́шняя, вчера́шнее, вчера́шние. 3. сосе́дний, сосе́дняя, сосе́днее, сосе́дние, etc.

Exercise 121. 1. ти́хий, ти́хая, ти́хое, ти́хие. 2. плохо́й, плоха́я, плохо́е, плохи́е. 3. дорого́й, дорога́я, дорого́е, дороги́е.

Exercise 123. 1. ста́рший, ста́ршая, ста́ршие. 2. све́жий, све́жая, све́жее, све́жие. 3. горя́чий, горя́чая, горя́чее, горя́чие. 4. чужо́й, чужа́я, чужо́е, чужи́е. 5. бу́дущий, бу́дущая, бу́дущее, бу́дущие, etc.

Exercise 125. больши́е дома́, но́вые магази́ны, интере́сные фи́льмы, ру́сские пе́сни, незнако́мые слова́, широ́кие у́лицы, хоро́шие друзья́, италья́нские газе́ты, коро́ткие расска́зы, ста́рые города́, после́дние пи́сьма, высо́кие зда́ния, ста́ршие сёстры, све́тлые костю́мы, неме́цкие писа́тели, газе́тные кио́ски, иностра́нные языки́, ле́тние ме́сяцы.

Exercise 127. 1. холо́дный. 2. плохо́й. 3. неинтере́сная. 4. коро́ткое. 5. но́вая. 6. молодо́й. 7. здоро́вый. 8. све́тлая. 9. горя́чая. 10. большо́й. 11. лёгкое. 12. тяжёлый. 13. мла́дшая. 14. лёгкая.

Exercise 128. 1. ма́ленький. 2. у́зкая. 3. но́вое. 4. тёмная. 5. дли́нное. 6. тру́дный. 7. лёгкое. 8. плохо́й. 9. но́вое. 10. хоро́шая. 11. мла́дший. 12. ста́ршая.

Exercise 131. 1. а́нгло-ру́сские и ру́сско-англи́йские. 2. ру́сские. 3. коро́ткие. 4. сего́дняшние. 5. неме́цкие. 6. иностра́нные. 7. дороги́е.

Exercise 133. 1. Како́й язы́к вы изуча́ете? 2. Како́е расписа́ние вы смо́трите? 3. Каки́е газе́ты вы чита́ете? 4. Како́й фильм вы смотре́ли? 5. Каки́е пе́сни вы лю́бите? 6. Како́е предложе́ние вы не по́няли? 7. Каки́е упражне́ния мы проверя́ли? 8. Како́й язы́к изуча́ет твой друг?

Exercise 134. 1. Вы зна́ете, како́й журна́л чита́ет Бори́с? 2. Вы зна́ете, каки́е пе́сни он лю́бит? etc.

Exercise 137. У меня́ есть ста́ршая сестра́ Мари́я. Она́ студе́нтка. Мари́я изуча́ет ру́сский язы́к. Она́ уже́ хорошо́ говори́т и пи́шет по-ру́сски. Мари́я чита́ет ру́сские газе́ты и журна́лы. Она́ лю́бит ру́сские наро́дные пе́сни.

Exercise 138. 1. краси́во, краси́вый. 2. пло́хо, пло́хо, плохо́й. 3. ти́хо, ти́хий. 4. хорошо́, хоро́ший. 5. интере́сный, интере́сно, интере́сная.

Exercise 139. 1. ру́сский, по-ру́сски. 2. по-ру́сски, ру́сский. 3. ру́сские, по-ру́сски. 4. по-ру́сски, ру́сский. 5. англи́йский, по-англи́йски, англи́йские, по-англи́йски, англи́йский. 6. по-францу́зски, францу́зские, по-францу́зски, францу́зские, францу́зские.

Exercise 142. 1. Я уже́ прочита́л. 2. Я уже́ вы́учил. 3. Я повтори́л. 4. Я сде́лал. 5. Я испра́вил. 6. Я прове́рил.

Exercise 149. 1. лю́бим. 2. лю́бят. 3. лю́бит. 4. люблю́. 5. лю́бите. 6. лю́бишь, etc.

Exercise 151. 1. могу́. 2. мо́жет. 3. мо́жем. 4. мо́гут. 8. мо́жете. 9. мо́жешь.

Exercise 152. 1. должны́. 2. должна́. 3. должны́. 4. должны́. 5. до́лжен (должна́). 6. до́лжен. 7. должна́. 8. должны́.

Exercise 156. 1. у́читесь, учу́сь, у́чится, у́чится. 2. учи́лись, учи́лся (учи́лась). 3. у́чится, у́чится. 4. у́чится, у́чится. 5. учу́, у́чите, учу́.

Exercise 157. 1. у́читесь, учу́сь. 2. у́читесь, учу́сь, учу́. 3. у́чится, у́чится. 4. учи́ли, учи́ли, учи́ли, учи́л. 5. у́чится, у́чится, у́чит, учи́ть, у́чит, у́чит.

Part Two. The Main Course

THE USES OF THE CASES

The Prepositional Case

Exercise 4. 1. на столе́. 2. в ко́мнате. 3. на доске́. 4. в кио́ске. 5. на стене́. 6. на по́лке. 7. в Москве́. 8. на окне́. 9. в па́пке.

Exercise 5. I. 1. в су́мке. 2. в библиоте́ке. 3. в университе́те, etc. II. 1. на по́лке. 2. на столе́. 3. на стене́, etc.

Exercise 6. Газе́та и каранда́ш лежа́т на столе́. Цветы́ стоя́т на окне́. Ва́за стои́т на столе́. Часы́, карти́на и фотогра́фия вися́т на стене́.

Exercise 8. 1. Андре́й рабо́тает в институ́те. 2. ...в теа́тре. 3. на заво́де 4. в больни́це. 5. на по́чте. 6. в шко́ле.

Exercise 9. 1. на заво́де. 2. на фа́брике. 3. в шко́ле 4. на у́лице. 5. в па́рке. 6. в кла́ссе. 7. на стадио́не. 8. на по́чте. 9. в магази́не. 10. на ро́дине.

Exercise 10. 1. не на заво́де, а в теа́тре. 6. на ры́нке.

Exercise 12. 1. в саду́ и́ли в па́рке. 2. в шкафу́ и́ли в чемода́не. 3. на по́лке и́ли в шкафу́. 4. в лесу́ и́ли в па́рке.

Exercise 13. 1. в общежи́тии. 2. в аудито́рии. 3. на ле́кции. 4. на собра́нии. 5. на экску́рсии. 6. в Да́нии. 7. в Англии. 8. в Ита́лии.

Exercise 14. 1. в Испа́нии. 2. в Ита́лии. 3. во Фра́нции. 4. в Швейца́рии. 5. в Австрии. 6. в Потуга́лии. 7. в Япо́нии. 8. в Ту́рции. 9. в Индии.

Exercise 16. 1. в аудито́рии. 2. на стене́.3. на окне́. 4. на столе́ 5. в шкафу́. 6. на доске́. 7. в тетра́ди. 8. в словаре́.

Exercise 17. 1. А мы бы́ли на вы́ставке. 2. ...на конце́рте. 3. на стадио́не. 4. в Болга́рии.

Exercise 18. 1. в Москве́, в общежи́тии. 2. в институ́те. 3. в аудито́рии. 4. в библио́теке. 5. в клу́бе и́ли в бассе́йне. 6. на заво́де, в лаборато́рии. 7. в Белору́ссии. 8. в го́роде Бре́сте. 9. в Ми́нске. 10. на заво́де.

Exercise 21. 1. Где вы у́читесь? 2. Где вы живёте? 3. Где живёт ва́ша семья́? 4. Где рабо́тает оте́ц Ви́ктора? 5. Где рабо́тает сестра́ Анны? 6. Где вы бу́дете рабо́тать?

Exercise 24. 1. Мой ста́рший брат Серге́й живёт в Смоле́нске. Он у́чится в университе́те. Ра́ньше он рабо́тал на фа́брике. По́сле университе́та он бу́дет рабо́тать в музе́е 2. Ле́том англи́йские тури́сты бы́ли в Москве́. Они́ бы́ли в шко́ле, в теа́тре, в музе́е, на заво́де. 3. Сего́дня я был в магази́не и на по́чте. В магази́не я купи́л кни́ги, а на по́чте – конве́рты и ма́рки.

Exercise 26. 1. о фи́льме. 2. о ро́дине. 3. о Москве́. 4. о телегра́мме. 5. о сестре́. 6. о писа́теле. 7. о дру́ге. 8. о бра́те. 9. о ма́тери.

Exercise 28. 1. Андре́й ду́мает о футбо́ле. 2. ...о маши́не. 3. о де́вушке. 4. о мо́ре. 5. о соба́ке.

Exercise 30. 1. О ком спра́шивала Анна в письме́? 2. О чём ты ду́маешь сейча́с? etc.

Exercise 32. 1. о ней. 2. о нём. 3. о них. 4. о вас. 5. о нём. 6. о тебе́. 7. обо мне́.

Exercise 33. 1. о нём и о ней. 2. о них 3. о нас 4. о тебе́ и обо мне́. 5. о ней. 6. обо мне и о вас.

Exercise 35. 1. в большо́м ю́жном го́роде. 2. в ста́ром краси́вом до́ме. 3. на второ́м этаже́. 4. на хими́ческом заво́де. 5. в студе́нческом клу́бе. 6. в сосе́днем кни́жном магази́не. 7. в но́вом кинотеа́тре.

Exercise 37. 1. на ти́хой зелёной у́лице. 2. в большо́й све́тлой ко́мнате. 3. в на́шей студе́нческой столо́вой. 4. в на́шей университе́тской библиоте́ке. 5. в музыка́льной шко́ле. 6. в дома́шней тетра́ди.

Exercise 38. 1. в сосе́днем до́ме. 2. в студе́нческом. 3. в деся́той. 4. в медици́нском 5. в сре́дней. 6. на истори́ческом. 7. на физи́ческом. 8. в университе́тской.

Exercise 39. 1. в на́шем го́роде, на сосе́дней у́лице. 2. в университе́те, на хими́ческом факульте́те. 3. в университе́тской библиоте́ке, в чита́льном за́ле. 4. об интере́сной рабо́те. 5. в институ́те, в хими́ческой лаборато́рии. 6. об одно́й небольшо́й статье́. 7. в журна́ле «Хи́мия», в после́днем но́мере.

Exercise 41. 1. на пя́том. 2. на тре́тьем. 5. в тридца́той.

Exercise 43. 1. Я не зна́ю, в како́м магази́не он купи́л слова́рь. 2. … , в како́м институ́те она́ у́чится. 3. на како́м заво́де. 4. в како́м музе́е. 5. в како́й больни́це. 6. в како́й апте́ке.

Exercise 45. 1. В како́м общежи́тии вы живёте? 2. На како́м факульте́те вы у́читесь? 3. На како́м ку́рсе у́чится Са́ша? 4. В како́й лаборато́рии рабо́тает Оле́г? 5. В како́й шко́ле рабо́тает его́ оте́ц?

Exercise 50. 1. В моём рюкзаке́... 2. В на́шем кла́ссе... 3. В её ко́мнате... 4. В их клу́бе... 5. В его́ тетра́ди... 6. На моём столе́… 7. В на́шем саду́…

Exercise 53. 1. о свое́й сестре́. 2. о своём до́ме. 3. о свое́й рабо́те. 4. о своём дру́ге. 5. в своём кабине́те. 6. в свое́й тетра́ди. 7. о своём бра́те.

Exercise 54. 1. в его́ ко́мнате. 2. о свое́й сестре́. 3. о свое́й семье́. 4. в свое́й аудито́рии. 5. о своём дру́ге, о моём дру́ге. 6. о свое́й подру́ге. 7. о его́ бра́те.

Exercise 55. 1. о своём лу́чшем дру́ге. 2. о свое́й но́вой рабо́те. 3. о своём но́вом това́рище. 4. о свое́й бу́дущей рабо́те. 5. о своём ста́ром профе́ссоре. 6. о своём родно́м го́роде.

Exercise 56. 1. Анна пи́шет в свое́й тетра́ди. В её тетра́ди есть оши́бки. 2. Па́вел сиди́т в свое́й ко́мнате. Мы сиди́м в его́ ко́мнате. 3. Бори́с говори́т о свое́й сестре́. Мы говори́м о его́ сестре́. 4. Ни́на расска́зывает о свое́й семье́. Мы говори́м о её семье́.

Exercise 59. 1. У меня́ в ко́мнате... 2. У него́ в контро́льной рабо́те... 3. У них в ко́мнате... 4. У тебя́ на столе́... 5. ...у нас на факульте́те. 6. У нас в клу́бе... 7. У вас в кио́ске... 8. У неё в ко́мнате… 9. У меня́ на столе́…

Exercise 61. I. 1. на фа́бриках и на заво́дах. 2. в магази́нах и в кио́сках. 3. в музе́ях и в теа́трах. 4. в пи́сьмах. 5. в газе́тах. II. 1. в общежи́тиях. 2. в санато́риях. 3. на экску́рсиях в музе́ях. 4. в словаря́х.

Exercise 62. 1. о бра́тьях и сёстрах. 2. о друзья́х. 2. о худо́жниках. 4. о геро́ях. 5. о фи́льмах. 6. о кни́гах.

Exercise 63. 1. в больши́х города́х. 2. на ра́зных заво́дах и фа́бриках. 3. в но́вых шко́лах. 4. в больши́х све́тлых кла́ссах. 5. в де́тских кинотеа́трах. 6. в спорти́вных лагеря́х.

Exercise 64. 1. в ра́зных институ́тах и университе́тах. 2. в больши́х аудито́риях. 3. на стадио́нах и в спорти́вных за́лах. 4. в больши́х но́вых общежи́тиях. 5. в студе́нческих клу́бах. 6. на ра́зных заво́дах и фа́бриках. 7. в кни́жных магази́нах. 8. в газе́тных кио́сках.

Exercise 65. 1. в моско́вских институ́тах. 2. в но́вых общежи́тиях. 3. в ю́жных савато́риях 4. в физи́ческих лаборато́риях. 5. в моско́вских теа́трах. 6. о после́дних росси́йских фи́льмах. 7. о косми́ческих полётах.

Exercise 68. 1. Уче́бный год в университе́те начина́ется в сентябре́. 2. ...в ию́не. 3. в январе́, etc.

Exercise 70. 1. Джон был в Санкт-Петербу́рге в про́шлом году́. 2. ...в э́том году́. 3. в бу́дущем году́. 4. в про́шлом году́. 5. в бу́дущем году́. 6. в э́том году́.

Exercise 71. 1. Ива́н роди́лся в ты́сяча девятьсо́т девяно́сто пе́рвом году́. 2. ...в ты́сяча девятьсо́т шестьдеся́т второ́м году́. 3. в ты́сяча девятьсо́т шестьдеся́т восьмо́м году́. 4. в две ты́сячи седьмо́м году́. 5. в две ты́сячи двена́дцатом году́.

Exercise 73. ...роди́лся в ты́сяча девятьсо́т во́семьдесят девя́том году, в Сиби́ри, в небольшо́м го́роде. ...живёт в Ирку́тске. ...рабо́тает на желе́зной доро́ге, ...рабо́тает на автомоби́льном заво́де. ...учи́лся в сре́дней шко́ле, ...рабо́тал на заво́де... В про́шлом году́... на́чал учи́ться в Ирку́тском медици́нском институ́те. ...у́чится на второ́м ку́рсе. ...занима́ется в лаборато́рии и́ли в библиоте́ке, ...быва́ет на конце́ртах, в теа́трах, в музе́ях, на вы́ставках. ...рабо́тает в поликли́нике.

The Accusative Case

Exercise 2. (a) Я ви́жу теа́тр, библиоте́ку, кио́ск, зда́ние, больни́цу. (b) Я чита́ю письмо́ кни́гу, газе́ту, расска́з, уче́бник, статью́, (c) Я слу́шаю магнитофо́н, му́зыку, пе́сню, ле́кцию.

Exercise 3. I. 1. у́лицу. 2. кио́ск. 3. библиоте́ку. 4. теа́тр. 5. поликли́нику. 6. апте́ку II. 1. кни́гу. 2. журна́л. 3. газе́ту. 4. статью́. 5. рекла́му. III. 1. ла́мпу. 2. магнитофо́н 3. карти́ну. 4. кассе́ту. 5. компью́тер.

Exercise 5. 1. Мы ви́дим на у́лице авто́бус, трамва́й, маши́ну, ста́нцию метро́ 2. ... кни́гу, газе́ту и́ли журна́л. 3. ле́кцию, конце́рт, му́зыку. 4. кни́гу, газе́ту, тетра́дь ру́чку, каранда́ш, бума́гу. 5. хлеб, мя́со, сыр, колбасу́, са́хар, молоко́, ры́бу. 6. мя́со, ры́бу, колбасу́, сыр. 7. ко́фе, молоко́ и́ли чай.

Exercise 6. 1. ...кни́гу, газе́ту, рома́н, расска́з, текст, журна́л. 2. письмо́, упражне́ние запи́ску, etc.

Exercise 7. 1. Я был в магази́не. Я купи́л там хлеб, ма́сло, ры́бу. 2. Я был в библиоте́ке. Я взял там кни́гу. etc.

Exercise 9. 1. Студе́нты слу́шают ле́кцию, ра́дио, конце́рт, му́зыку, пе́сню, etc.

Exercise 10. 1. банк и апте́ку, остано́вку и авто́бус. 2. джи́нсы и ку́ртку 3. Бори́са и Ни́ну. 5. мать и отца́. 7. сы́на И́горя и дочь Зо́ю. 8. бра́та и сестру́.

Exercise 11. 1. Что вы купи́ли в кио́ске? 2. Кого́ вы ви́дели у́тром? 3. Что изуча́ет Анна? 4. Что она́ лю́бит? 5. Кого́ вы ждёте? 6. Кого́ вы встре́тили сего́дня у́тром?

Exercise 12. 1. в университе́те, об университе́те, университе́т. 2. кни́гу, в (на) кни́ге, кни́га, о кни́ге. 3. студе́нт, студе́нта, о студе́нте. 4. мать и сестру́, о ма́тери и о сестре́, мать и сестра́.

Exercise 13. 1. в тетра́ди, тетра́дь, тетра́дь. 2. слова́рь, в словаре́, слова́рь. 3. преподава́тель, преподава́теля, о преподава́теле.

Exercise 14. 1. Я был в магази́не. Я купи́л уче́бник, ру́чку и тетра́дь. 2. Мой друг у́чится в университе́те. Он изуча́ет ру́сский язы́к и литерату́ру. 3. В четве́рг я был в клу́бе. Там я ви́дел Ви́ктора и Анну. Ви́ктор сказа́л, что он купи́л маши́ну. 4. Сего́дня мы слу́шали ле́кцию. Ле́кция была́ о́чень интере́сная.

Exercise 15. 1. Я не зна́ю его́. Я не встреча́л его́ ра́ньше. 2. её, её. 5. их, их.

Exercise 16. 1. его́. 2. её. 3. тебя́. 4. их. 5. его́. 6. вас. 7. нас. 8. их, меня́. 9. нас.

Exercise 19. 1. Мы смотре́ли но́вый англи́йский фильм.2. ...сего́дняшнюю газе́ту. 3. совреме́нную му́зыку. 4. незнако́мого молодо́го челове́ка. 5. ста́ршего бра́та. 6. изве́стного арти́ста.

Exercise 21. 1. Како́й костю́м вы купи́ли (ты купи́л)? 2. Како́е пла́тье она́ купи́ла? 3. Каку́ю газе́ту он чита́ет? 4. Како́го преподава́теля они́ встре́тили в теа́тре? 5. Како́го журнали́ста пригласи́ли студе́нты? 6. Каку́ю сестру́ вы встреча́ли на вокза́ле?

Exercise 24. I. 1. – Ты зна́ешь мою́ сестру́? – Да, я зна́ю твою́ сестру́. 2. моя́, мою́, твою́. 3. моего́, ва́шего. 4. ва́шу (твою́). 5. ваш (твой). II. 1. моего́, твоего́ (ва́шего). 2. на́шу, ва́шу. 3. ва́шего (твоего́). 4. ва́шу (твою́). 5. ва́шу (твою́). 6. ва́шу (твою́).

Exercise 25. 1. своего́ отца́ и свою́ мать. 2. своего́. 3. своего́. 4. свою́. 5. свою́. 6. свою́. 7. свой.

Exercise 26. 1. свою́ сестру́, о его́ сестре́, его́ сестру́. 2. свою́ ру́чку, мою́ ру́чку. 3. мою́ кни́гу, моя́ кни́га. 4. их а́дрес. 5. её расска́з, свой но́вый расска́з.

Exercise 27. 1. своего́ сы́на, о своём сы́не, их сын. 2. своего́ му́жа, о своём му́же. 3. своего́ дру́га, о своём дру́ге, мой друг. 4. свою́ сестру́, их сестра́, о свое́й сестре́. 5. в свое́й тетра́ди, свою́ тетра́дь, моя́ тетра́дь.

Exercise 29. 1. Чей слова́рь он взял? 2. Чей уче́бник она́ потеря́ла? 3. Чью дочь вы зна́ете? 4. Чью маши́ну вы ви́дели? 5. Чей телефо́н они́ зна́ют?

Exercise 30. 1. краси́вую ва́зу. 2. францу́зский фильм. 3. неме́цко-ру́сский слова́рь. 4. но́вый кинотеа́тр и ста́нцию метро́. 5. ста́ринную ру́сскую му́зыку. 6. сего́дняшнюю газе́ту.

Exercise 31. 1. Ви́ктора и его́ знако́мую де́вушку. 2. ста́ршего бра́та Бори́са и его́ жену́. 3. ва́шего ста́ршего бра́та Никола́я и ва́шу мла́дшую сестру́ Ни́ну. 4. на́шего преподава́теля и на́шу преподава́тельницу. 5. ста́рого дру́га и его́ сестру́.

Exercise 32. 1. своего́ (моего́) ста́рого дру́га. 2. после́днюю статью́. 3. на́шего ста́рого профе́ссора. 4. э́ту изве́стную арти́стку. 5. контро́льную рабо́ту. 6. своего́ (моего́) ста́ршего бра́та. 7. на́шего глазно́го врача́. 8. интере́сную но́вость.

Exercise 34. 1. вчера́шняя газе́та, вчера́шнюю газе́ту, во вчера́шней газе́те. 2. одну́ интере́сную статью́, об одно́й интере́сной статье́. 3. оди́н мой хоро́ший друг, одного́ моего́ хоро́шего дру́га, об одно́м моём хоро́шем дру́ге. 4. э́тот изве́стный арти́ст, об э́том изве́стном арти́сте, э́того изве́стного арти́ста.

Exercise 35. 1. Что он пи́шет? 2. Что она́ чита́ет? 3. Кого́ ты ждёшь? 4. Кого́ она́ встре́тила в теа́тре? 5. Каку́ю де́вушку он пригласи́л в кино́? 6. Како́го бра́та вы зна́ете? 7. Чью кни́гу она́ потеря́ла? 8. Чей телефо́н вы зна́ете? 9. Кого́ вы ви́дели в па́рке? 10. Чьего́ сы́на вы зна́ете? 11. Кого́ вы встре́тили в метро́?

Exercise 36. 1. э́тот журна́л, в э́том журна́ле, об э́том журна́ле. 2. большо́й се́рый дом в большо́м се́ром до́ме. 3. ста́рший брат, ста́ршего бра́та, о ста́ршем бра́те. 4. э́ту де́вушку, э́та де́вушка, об э́той де́вушке.

Exercise 37. 1. В воскресе́нье мы бы́ли в теа́тре. Мы слу́шали о́перу «Бори́с Годуно́в». В теа́тре мы встре́тили на́шего студе́нта Ви́ктора и его́ жену́ Ни́ну. 2. Я зна́ю, что в э́том журна́ле есть интере́сная статья́. Я хочу́ прочита́ть э́ту статью́. 3. – Где моя́ ру́чка? Наве́рное, я забы́л свою́ ру́чку в аудито́рии. Мо́жно взять ва́шу ру́чку? 4. – Кого́ вы ждёте? – Я жду своего́ ста́ршего бра́та Игоря. Вы зна́ете его́? – Нет, я не зна́ю ва́шего бра́та.

Exercise 43. 1. Мы встреча́ем в университе́те студе́нтов, студе́нток, профессоро́в, преподава́телей. 2. ...арти́стов, арти́сток, писа́телей, поэ́тов. 3. друзе́й, подру́г, това́рищей, сосе́дей. 4. конце́рты, ле́кции, докла́ды. 5. газе́ты, журна́лы, откры́тки, ру́чки, каранда́ши, конве́рты.

Exercise 44. 1. ...роди́телей, бра́тьев, сестёр, подру́г, друзе́й, това́рищей. 2. инжене́ров, враче́й, гео́логов, фило́логов, исто́риков, юри́стов, экономи́стов. 3. инжене́ров, те́хников, лабора́нтов.

Exercise 45. 1. Я люблю́ чита́ть ра́зные кни́ги. 2. ...спорти́вные переда́чи. 3. по́льские и францу́зские фи́льмы. 4. коро́ткие пи́сьма. 5. нового́дние. 6. незнако́мые слова́.

Exercise 47. 1. на́ших но́вых студе́нтов. 2. мои́х шко́льных друзе́й. 3. на́ших молоды́х преподава́телей. 4. свои́х знако́мых де́вушек. 5. росси́йских и америка́нских космона́втов.

Exercise 48. 1. свои́х ста́рых това́рищей. 2. э́тих но́вых студе́нтов. 3. знако́мых студе́нток. 4. на́ших но́вых друзе́й. 5. молоды́х преподава́телей. 6. свои́х ста́рых роди́телей. 7. свои́х мла́дших бра́тьев и ста́рших сестёр.

Exercise 50. 1. Каки́е журна́лы вы прочита́ли? 2. Каки́е пе́сни вы пе́ли? 3. Каки́х това́рищей он встре́тил в кино́? 4. Каки́х поэ́тов и писа́телей студе́нты пригласи́ли в клуб? etc.

Exercise 51. 1. сего́дняшние газе́ты, сего́дняшние газе́ты, в сего́дняшних газе́тах. 2. большо́й ара́бский слова́рь, большо́й ара́бский слова́рь, в большо́м ара́бском словаре́. 3. интере́сная ле́кция, об интере́сной ле́кции, интере́сную ле́кцию. 4. э́тот небольшо́й чемода́н, э́тот небольшо́й чемода́н, в э́том небольшо́м чемода́не. 5. на́ши но́вые студе́нты, на́ших но́вых студе́нтов, о на́ших но́вых студе́нтах.

Exercise 57. 1. в кино́, в теа́тр, в клуб, в музе́й, в цирк, на ве́чер, на конце́рт. 2. на вы́ставку, в библиоте́ку, в поликли́нику, на стадио́н. 3. в зал, в аудито́рию, в буфе́т, в столо́вую, в библиоте́ку, в лаборато́рию.

Exercise 59. 1. в клуб. 2. в лаборато́рию. 3. в библиоте́ку. 4. на стадио́н. 5. на вы́ставку. 6. в дере́вню. 7. в цирк. 8. в теа́тр. 9. в зоопа́рк. 10. на ры́нок.

Exercise 60. 1. Куда вы идёте сейча́с? 2. Куда́ вы пойдёте по́сле обе́да? 3. Куда́ вы пойдёте сего́дня ве́чером? 4. Куда́ они́ ходи́ли вчера́? 5. Куда́ вы ходи́ли в суббо́ту? 6. Куда́ ты е́здил в про́шлом году́? 7. Куда́ ва́ша семья́ е́здила ле́том?

Exercise 61. 1. в на́шу библиоте́ку. 2. на но́вый стадио́н. 3. в на́шу райо́нную поликли́нику. 4. в городску́ю библиоте́ку. 5. в студе́нческий клуб. 6. в Истори́ческий музе́й. 7. на францу́зскую фотовы́ставку.

Exercise 62. 1. в городску́ю библиоте́ку. 2. в Моско́вский университе́т. 3. в родну́ю дере́вню. 4. в Политехни́ческий музе́й. 5. в Болга́рию. 6. в родно́й го́род. 7. в За́падную Евро́пу и в Южную Аме́рику.

Exercise 63. 1. в большо́й зал на ле́кцию. 2. в аудито́рию на заня́тие. 3. в больни́цу на рабо́ту. 4. в клуб на конце́рт. 5. в клуб на дискоте́ку. 6. на ро́дину в дере́вню. 7. в сосе́дний го́род на пра́ктику.

Exercise 65. 1. бы́ли в кино́, в клу́бе, в теа́тре, в библиоте́ке, в музе́е; ходи́ли в кино́, в клуб, в теа́тр, в библиоте́ку, в музе́й. 2. отдыха́ют на ю́ге, в санато́рии, в дере́вне, в Приба́лтике; мо́жем пое́хать на юг, в санато́рий, в дере́вню, в Приба́лтику, etc.

Exercise 66. 1. на вы́ставку, на вы́ставке. 2. на заво́д, на заво́де. 3. на ве́чер, на ве́чере. 4. в поликли́нику, в поликли́нике. 5. в библиоте́ке, в библиоте́ку. 6. в столо́вой, в столо́вую. 7. на по́чту, на по́чте. 8. в магази́н, в магази́не. 9. на пра́ктике, на пра́ктику.

Exercise 67. 1. в на́шем но́вом клу́бе на интере́сном ве́чере, в наш но́вый клуб на интере́сный ве́чер. 2. на стадио́н, на футбо́льный матч; на стадио́не, на футбо́льном ма́тче. 3. в де́тской городско́й больни́це, в де́тскую городску́ю больни́цу. 4. в на́шем университе́те, на филологи́ческом факульте́те, в наш университе́т, на филологи́ческий факульте́т, etc.

Exercise 68. 1. в большо́й аудито́рии, в большу́ю аудито́рию. 2. в медици́нский институ́т, в медици́нском институ́те. 3. в на́шей но́вой столо́вой, в на́шу но́вую столо́вую. 4. в оди́н небольшо́й ю́жный го́род, в одно́м небольшо́м ю́жном го́роде. 5. в музыка́льный теа́тр, в музыка́льном теа́тре. 6. в Моско́вский университе́т, в Моско́вском университе́те.

Exercise 69. 1. ходи́л в университе́т. 2. е́здили на стадио́н. 3. ходи́ли в планета́рий. 4. ходи́ла в поликли́нику. 5. е́здили в дере́вню. 6. е́здили в Росси́ю.

Exercise 70. 1. Да. я был сего́дня на ле́кции. 2. …был(и) на конце́рте, etc.

Exercise 71. 1. В суббо́ту мы ходи́ли... 2. Сего́дня мы ходи́ли... 3. ходи́ли 4. е́здил(и) 5. е́здили. 6. ходи́л.

Exercise 72. 1. Где вы бы́ли вчера́? 2. Куда́ ты ходи́л у́тром? 3. Куда́ е́здили студе́нты в ма́е? 4. Где он учи́лся ра́ньше? 5. Где бы́ли ва́ши друзья́ в про́шлом году́? 6. Куда́ вы е́здили в про́шлом году́?

Exercise 74. Андре́й поста́вил часы́ на кни́жный шкаф, кни́ги на по́лку, ла́мпу на стол, телефо́н на телефо́нный сто́лик.

Exercise 75. I. 1. на стол. 2. в су́мку. 3. в чемода́н. 4. на по́лку. 5. в па́пку. 6. в большо́й конве́рт. 7. в кошелёк. II. 1. в ва́зу. 2. на стол. 3. на по́лку. 4. на шкаф. 5. на окно́. III. 1–2. на э́ту сте́ну. 3. на ве́шалку. 4. в шкаф. 5. на э́ту сте́ну.

Exercise 76. 1. кни́гу на стол, письмо́ в конве́рт, де́ньги в кошелёк, портфе́ль на стул. 2. ва́зу на окно́, кни́гу на по́лку, кре́сло в у́гол, стака́н на стол, цветы́ в ва́зу. 3. пальто́ в шкаф, табли́цу на до́ску, карти́ну на сте́ну. 4. тетра́ди в рюкза́к, кни́ги на стол, ве́щи в чемода́н. 5. ла́мпу на стол, кни́ги на по́лку, цветы́ в ва́зу. 6. костю́мы в шкаф, пальто́ на ве́шалку. 7. карти́ны на сте́ны.

Exercise 77. 1. Поста́вь цветы́ в э́ту ва́зу 2. Положи́ письмо́ на пи́сьменный стол. 3. Положи́ па́спорт в мою́ су́мку. 4. Пове́сь календа́рь на э́ту сте́ну. 5. Положи́ ди́ски на по́лку. 6. Поста́вь часы́ на стол. 7. Положи́ докуме́нты в стол, в ве́рхний я́щик.

Exercise 78. 1. на кни́жной по́лке, на кни́жную по́лку. 2. в пра́вый карма́н, в пра́вом карма́не. 3. на её пи́сьменном столе́, на свой пи́сьменный стол. 4. в большо́й си́ней ва́зе, в большу́ю си́нюю ва́зу. 5. в э́тот большо́й шкаф, в э́том большо́м шкафу́. 6. в пи́сьменном столе́, в ве́рхнем я́щике, в пи́сьменный стол, в ве́рхний я́щик.

Exercise 79. 1. Где стоя́т цветы́? 2. Куда́ вы поста́вили цветы́? 3. Куда́ И́горь положи́л газе́ты? 4. Где лежа́т газе́ты? 5. Куда́ А́нна пове́сила фотогра́фию? 6. Где виси́т её фотогра́фия?

Exercise 81. 1. Я приглаша́ю тебя́ в клуб на дискоте́ку. 2. вас на экску́рсию в сосе́дний го́род. 3. свои́х друзе́й в кафе́ на у́жин. 4. преподава́теля на студе́нческий ве́чер. 5. знако́мую де́вушку в теа́тр на бале́т. 6. вас на конце́рт в наш клуб.

Exercise 82. 1. Мы бы́ли в теа́тре во вто́рник. 2. ...в суббо́ту. 3. в сре́ду.4. в суббо́ту и в воскресе́нье. 5. в понеде́льник. 6. в четве́рг. 7. в пя́тницу.

Exercise 83. 1. в э́тот четве́рг. 2. в сле́дующую пя́тницу. 3. в про́шлую сре́ду. 4. в э́тот вто́рник. 5. в бу́дущее воскресе́нье. 6. в бу́дущий понеде́льник. 7. в про́шлый четве́рг. 8. в сле́дующий вто́рник.

Exercise 84. 1. Я дам тебе́ слова́рь че́рез мину́ту. 2. ...че́рез час. 3. че́рез неде́лю. 4. че́рез полго́да. 5. че́рез ме́сяц. 6. че́рез год.

Exercise 86. 1. Я купи́л э́ту кни́гу неде́лю наза́д. 2. ...мину́ту наза́д. 3. час наза́д. 4. полго́да наза́д, etc.

Exercise 87. I. 1. Ско́лько вре́мени вы жда́ли меня́? 2. Как до́лго (ско́лько вре́мени) он был в библиоте́ке? 3. Как до́лго (ско́лько вре́мени) вы отдыха́ли на ю́ге? 4. Ско́лько вре́мени (как до́лго) он боле́л? 5. Ско́лько вре́мени вы рабо́тали? II. 1. Как до́лго вы разгова́ривали? 2. Как до́лго вы меня́ жда́ли? 3. Ско́лько вре́мени они́ жи́ли в Москве́? 4. Ско́лько вре́мени студе́нты бы́ли на пра́ктике? 5. Как до́лго он занима́лся?

Exercise 88. 1. Как ча́сто вы ходи́ли на стадио́н ле́том? 2. Как ча́сто вы смо́трите фи́льмы? 3. Как ча́сто он де́лает гимна́стику? 4. Как ча́сто вы быва́ете на дискоте́ке? 5. Как ча́сто она́ получа́ет пи́сьма? 6. Как ча́сто вы е́здили ра́ньше в дере́вню? 7. Как ча́сто студе́нты получа́ют стипе́ндию?

Exercise 92. 1. Я бу́ду чита́ть кни́гу неде́лю. 2. Она́ бу́дет чита́ть журна́л оди́н день. 3. Они́ бу́дут слу́шать магнитофо́н весь ве́чер. 4. Они́ бу́дут в на́шей стране́ полго́да. 5. Тури́сты бу́дут в Яросла́вле неде́лю. 6. Она́ бу́дет в санато́рии ме́сяц.

The Dative Case

Exercise 2. 1. писа́ть бра́ту, дру́гу, това́рищу, сестре́, подру́ге, де́вушке. 2. звони́ть Вади́му, Бори́су, Ви́ктору, Никола́ю, Серге́ю, Анне, Ли́де, Ни́не, Мари́и. 3. расска́зывать сосе́ду, преподава́телю, профе́ссору, писа́телю, журнали́сту, врачу́. 4. объясня́ть студе́нту, студе́нтке, ученику́, сы́ну, до́чери.

Exercise 3. I. 1. Я написа́л письмо́ бра́ту. 2. ...дру́гу. 3. това́рищу. 4. профе́ссору. 5. преподава́телю. 6. врачу́. II. 1. Преподава́тель объясни́л зада́чу студе́нтке. 2. ...сестре́. 3. ма́тери. 4. до́чери.

Exercise 4. 1. Я даю́ свой магнитофо́н дру́гу, etc.

Exercise 5. 1. Я обеща́л ча́сто писа́ть пи́сьма отцу́ и ма́тери, etc.

Exercise 8. I. 1. оте́ц. 2. отцу́. 3. отца́. 4. об отце́. II. 1. подру́ге. 2. о подру́ге. 3. подру́гу. 4. подру́га. III. 1. Бори́са и Анну. 2. Бори́су и Анне. 3. Бори́с и Анна. 4. о Бори́се и об Анне.

Exercise 9. 1. сестре́, о сестре́, сестру́, сестра́. 2. друг, о дру́ге, дру́га, дру́гу.

Exercise 10. 1. Что подари́ли роди́тели сы́ну? 2. Что купи́ла мать до́чери? 3. Кому́ вы купи́ли ди́ски? 4. Кому́ он посла́л фотогра́фии? 5. Кому́ вы сдава́ли экза́мен? 6. Кому́ вы о́тдали уче́бник? 7. Что вы о́тдали сосе́ду?

Exercise 12. 1. ...Ты говори́л ему́ об э́том? 2. ...Ты звони́л ей? 3. Ты купи́л им биле́ты? 4. Ты написа́л им об э́том? 5. Ты сообщи́л им свой но́вый а́дрес?

Exercise 13. 1. им. 2. ему́. 3. ей. 4. ей. 5. нам. 6. вам. 7. тебе́. 8. мне.

Exercise 17. I. 1. Мы рассказа́ли о Москве́ но́вому преподава́телю. 2. ...изве́стному худо́жнику. 3. знако́мому журнали́сту. 4. ру́сскому студе́нту. 5. больно́му ма́льчику. 6. мла́дшему бра́ту. 7. ста́ршему бра́ту. II. 1. но́вой студе́нтке. 2. больно́й де́вочке. 3. знако́мой де́вушке. 4. ста́ршей сестре́. 5. мла́дшей сестре́.

Exercise 19. 1. Како́му дру́гу вы написа́ли письмо́? 2. Како́й де́вочке врач сде́лал опера́цию? etc.

Exercise 20. 1. свое́й мла́дшей до́чери. 2. свое́й (мое́й) ста́ршей сестре́. 3. одному́ но́вому студе́нту. 4. своему́ (моему́) дру́гу Па́влу. 5. э́тому больно́му студе́нту. 6. своему́ (моему́) сосе́ду. 7. своему́ (моему́) бли́зкому дру́гу.

Exercise 21. 1. э́тому студе́нту и э́той студе́нтке. 2. на́шему преподава́телю. 3. своему́ това́рищу. 4. свое́й семье́, своему́ отцу́, своему́ бра́ту и свое́й сестре́. 5. свое́й ма́тери. 6. мне и моему́ дру́гу.

Exercise 22. 1. на́шего преподава́теля, на́шему преподава́телю. 2. своего́ ста́рого дру́га, своему́ ста́рому дру́гу. 3. знако́мого студе́нта, знако́мому студе́нту. 4. на́шего библиоте́каря, на́шему библиоте́карю. 5. одного́ незнако́мого челове́ка, одному́ незнако́мому челове́ку. 6. своего́ отца́, свою́ мать, свою́ сестру́ и своего́ бра́та; своему́ отцу́, свое́й ма́тери, свое́й сестре́ и своему́ бра́ту.

Exercise 23. 1. студе́нтам. 2. това́рищам. 3. сёстрам. 4. друзья́м. 5. бра́тьям. 6. сыновья́м. 7. роди́телям.

Exercise 24. 1. студе́нтам. 2. тури́стам. 3. друзья́м. 4. роди́телям. 5. бра́тьям. 6. подру́гам. 7. де́тям.

Exercise 25. 1. подари́л. 2. сообщи́л. 3. меша́ете. 4. чита́ет. 5. даю́т (пока́зывают). 6. даёт. 7. помога́ет. 8. посла́л. 9. сове́тую. 10. показа́л. 11 обеща́л.

Exercise 26. 1. подру́гам откры́тки. 2. ученика́м их оши́бки. 3. сосе́дям газе́ты. 4. дру́гу телегра́мму. 5. студе́нтам ле́кцию. 6. ма́тери насто́льную ла́мпу. 7. шко́льникам свои но́вые карти́ны.

Exercise 27. 1. друзья́м о на́шем университе́те. 2. студе́нтам об экза́менах. 3. това́рищам об экску́рсии. 4. врачу́ о свое́й боле́зни. 5. отцу́ о свое́й жи́зни. 6. бра́ту о свои́х друзья́х и подру́гах. 7. преподава́телю о кани́кулах.

Exercise 29. 1. Серге́еву Анато́лию Па́вловичу и Серге́евой Ли́дии Никола́евне 2. Смирно́вой Анне Петро́вне и Соколо́ву Бори́су Васи́льевичу. 3. Си́монову Влади́миру Фёдоровичу и Ники́тиной Ольге Бори́совне.

Exercise 30. 1. но́вым. 2. иностра́нным. 3. ста́ршим. 4. мла́дшим. 5. бли́зким.

Exercise 31. 1. свои́м роди́телям. 2. свои́м ма́леньким де́тям. 3. свои́м хоро́шим знако́мым. 4. свои́м знако́мым де́вушкам. 5. свои́м мла́дшим бра́тьям. 6. иностра́нным тури́стам.

Exercise 34. 1. Мне нра́вятся э́ти уче́бники. 2. Нам нра́вятся но́вые ста́нции метро́. 3. Им нра́вятся э́ти пе́сни. 4. Тебе́ нра́вятся э́ти де́вушки? 5. Вам нра́вятся э́ти преподава́тели? 6. Мне нра́вятся на́ши но́вые студе́нты.

Exercise 36. 1. Мне и моему́ бра́ту понра́вилась Москва́. 2. моему́ отцу́. 3. нам. 4. моему́ дру́гу. 5. ва́шей сестре́. 6. вам.

Exercise 43. 1. лет. 2. лет. 3. го́да. 4. лет. 5. го́да. 6. год. 7. лет. 8. лет. 9. го́да. 10. лет.

Exercise 44. 1. лет, го́да, лет. 4. год, лет.

Exercise 47. 1. Макси́му два́дцать два го́да. 2. Ири́не пятна́дцать лет. 3. Серге́ю Никола́евичу три́дцать семь лет. 4. Ни́не Петро́вне со́рок два го́да. 5. Ле́не де́вять лет. 6. Воло́де два́дцать оди́н год. 7. Ве́ре Алексе́евне три́дцать четы́ре го́да.

Exercise 49. 1. Моему́ дру́гу два́дцать лет. 2. э́тому студе́нту. 3. мое́й ста́ршей сестре́. 4. на́шему профе́ссору. 5. мое́й ма́тери. 6. моему́ отцу́.

Exercise 50. 1. мне. 2. ей. 3. ей. 4. ему́. 5. ему́. 6. тебе́. 7. ей.

Exercise 51. ...Ему́ се́мьдесят четы́ре го́да. ...Ему́ со́рок шесть лет. ... Ей три́дцать де́вять лет. ...Ей два́дцать оди́н год. …Ему́ шестна́дцать лет. …Мне девятна́дцать лет.

Exercise 52. 1. легко́. 2. легко́. 3.тру́дно. 4. тру́дно. 5. неинтере́сно. 6. неприя́тно.

Exercise 53. I. 1. вам. 2. ей 3. нам. 4 ему́. 5. студе́нту. 6. спортсме́ну. 7. де́вочке. 8. им. II. 1– 5. мне.

Exercise 55. 1. Мне на́до пойти́ на по́чту. 2. мне на́до. 3. им на́до. 4. больно́му на́до. 5. мне на́до. 6. моему́ бра́ту на́до. 7. всем студе́нтам на́до. 8. мне на́до.

Exercise 56. 1. Вам мо́жно идти́ отдыха́ть: вы уже́ ко́нчили рабо́ту. 2. Ей мо́жно не покупа́ть слова́рь... 3. Вам мо́жно не писа́ть э́то упражне́ние. 4. ...ей мо́жно занима́ться спо́ртом. 5. Вам мо́жно не повторя́ть э́то пра́вило. 6. им мо́жно идти́ домо́й.

Exercise 61. 1. Сего́дня мне ну́жно пойти́ к глазно́му врачу́. 2. ...к отцу́ и ма́тери. 3. к свое́й ста́рой учи́тельнице. 4. к больно́му това́рищу. 5. к своему́ ста́ршему бра́ту. 6. к свое́й лу́чшей подру́ге.

Exercise 62. 1. Я иду́ в поликли́нику к зубно́му врачу́ 2. в лаборато́рию к на́шему профе́ссору. 3. …на да́чу к свое́й ба́бушке. 4. в дере́вню к свое́й сестре́. 5. … в общежи́тие к свои́м друзья́м. 6. в медици́нский институ́т к преподава́телю. 7. на ро́дину к свои́м роди́телям.

Exercise 64. 1. к ней. 2. к нему́. 3. к ней. 4. к ним. 5. к нам. 6. к нему́. 7. к вам. 8. ко мне.

Exercise 65. 1. Куда́ вы е́здили? К кому́ вы е́здили? 2. К кому́ идёт студе́нт? Куда́ иду́т студе́нты? 3. Куда́ он поéдет ле́том? К кому́ он поéдет?

Exercise 66. 1. к незнако́мому челове́ку. 2. к нам. 3. к кио́ску. 4. к две́ри. 5. к доске́. 6. к телефо́ну. 7. к ма́ленькой дере́вне.

Exercise 67. 1. к глазно́му врачу́, глазно́му врачу́. 2. изве́стному худо́жнику, к изве́стному худо́жнику. 3. к знако́мой де́вушке, знако́мой де́вушке. 4. роди́телям, к роди́телям. 5. к на́шим друзья́м, на́шим друзья́м.

Exercise 69. 1. по Москве́. 2. по э́той у́лице. 3. по музе́ю. 4. по коридо́ру. 5. по па́рку. 6. по Моско́вскому университе́ту.

Exercise 70. 1. по стране́. 2. по коридо́ру 3. по заво́ду. 4. по э́той у́лице. 5. по ко́мнате. 6. по го́роду.

Exercise 72. 1. За́втра мы бу́дем сдава́ть экза́мен по исто́рии. 2. Вчера́ мы слу́шали ле́кцию по хи́мии. 3. по англи́йскому языку́. 4. по фи́зике. 5. по матема́тике. 6. по ру́сскому языку́. 7. по биоло́гии. 8. по литерату́ре.

The Genitive Case

Exercise 2. 1. В на́шем го́роде есть стадио́н. 2. …есть лифт. 3. есть телефо́н. 4. есть шко́ла. 5. есть апте́ка. 6. есть библиоте́ка. 7. есть гости́ница.

Exercise 3. 1. У меня́ нет словаря́. 2. ...нет фотоаппара́та. 3. нет компью́тера.4. нет телеви́зора. 5. нет уче́бника исто́рии. 6. нет собра́ния 7. нет экза́мена.

Exercise 4. 1. У меня́ нет ру́чки. 2. ...нет лине́йки. 3. нет тетра́ди. 4. нет ло́дки. 5. нет да́чи. 6. нет сестры́. 7. нет до́чери. 8. нет подру́ги

Exercise 5. – У вас есть уче́бник? – У меня́ нет уче́бника. – У вас есть ру́чка? – У меня́ нет ру́чки. – У вас есть бума́га? – У меня́ нет бума́ги. – У вас есть конве́рт? – У меня́ нет конве́рта. etc.

Exercise 6. 1. Нет, у него́ нет магнитофо́на. 2. ...у него́ нет кинока́меры. 3. у неё нет телефо́на. 4. у неё нет фотоаппара́та. 5. у него́ нет семьи́. 6. у неё нет сы́на. 7. у неё нет до́чери.

Exercise 8. (a) не́ было экза́мена, не́ было зачёта, не́ было конце́рта, не́ было переры́ва, не́ было ве́чера, не́ было собра́ния, не́ было заня́тия;

(b) не́ было экску́рсии, не́ было консульта́ции, не́ было встре́чи, не́ было репети́ции.

(c) не́ было фи́зики, матема́тики, хи́мии, биоло́гии, геогра́фии, исто́рии, литерату́ры.

Exercise 11. 1. Он не пригото́вил дома́шнее зада́ние, потому́ что у него́ не́ было уче́бника. 2. …потому́ что у меня́ не́ было де́нег. 3. не́ было биле́та. 4. не́ было вре́мени. 5. не́ было журна́ла. 6. не́ было словаря́. 7. нет портфе́ля. 8. нет уро́ка. 9. не́ было конве́рта. 10. нет су́мки. 11. нет компью́тера.

Exercise 12. 1. Нет, его́ нет до́ма. 2. ...его́ нет в университе́те. 3. её нет в кла́ссе. 4. её нет в библиоте́ке. 5. их нет в столо́вой. 6. их нет в аудито́рии. 7. их нет на стадио́не.

Exercise 14. 1. Нет, её не́ было на ле́кции. 2. ...её не́ было вчера́ ве́чером до́ма 3. его́ не́ было. 4. меня́ не́ было. 5. их не́ было. 6. его́ не́ было.

Exercise 15. (a) 1. Вади́м бо́лен, поэ́тому его́ нет на ле́кции. 2. ...поэ́тому их нет на заня́тии. 3. её нет на рабо́те. 4. их нет в Москве́. (b) 1. Мы звони́ли тебе́, но тебя́ не́ было на рабо́те. 2. ...но вас не́ было в университе́те. 3. меня́ не́ было. 4. его́ не́ было в кабине́те. 5. тебя́ не́ было в аудито́рии.

Exercise 16. 1. У меня́ нет э́того журна́ла. 2. ...нет э́того словаря́. 3. нет э́той газе́ты. 4. нет э́той откры́тки. etc.

Exercise 17. 1. Да, у него́ есть маши́на. Нет, у него́ нет маши́ны. 2. ...у него́ есть э́та кни́га; ... у него́ нет э́той кни́ги. 3. у неё есть э́тот уче́бник; у неё нет э́того уче́бника. etc.

Exercise 18. 1. У э́того студе́нта и у э́той студе́нтки есть но́вый уче́бник. 2. у на́шего преподава́теля. 3. у на́шей сосе́дки. 4. у моего́ сосе́да Андре́я. 5. у моего́ дру́га Никола́я. 6. у моего́ мла́дшего бра́та Игоря.

Exercise 21. I. 1. Нет, у меня́ нет ру́сско-испа́нского словаря́. 2. У меня́ нет после́днего журна́ла «Но́вый мир». 3. У меня́ нет спорти́вного костю́ма. etc. II. 1. Нет, у меня́ нет чи́стой тетра́ди. 2. У него́ нет сего́дняшней газе́ты. 3. У меня́ нет э́той францу́зской ма́рки. 4. У меня́ нет кра́сной ру́чки. 5. У меня́ нет мла́дшей сестры́. 6. У меня́ нет тако́й фотогра́фии.

Exercise 22. 1. У меня́ нет си́него карандаша́. 2. ...а́нгло-ру́сского словаря́ 3. большо́го чемода́на. 4. спорти́вного велосипе́да. 5. свобо́дного вре́мени. 6. дома́шнего зада́ния. 7. большо́го телеви́зора.

Exercise 24. 1. В э́том го́роде нет о́перного теа́тра, ботани́ческого са́да, истори́ческого музе́я. 2. ...авто́бусной остано́вки, кни́жного магази́на. 3. студе́нческого клу́ба, медици́нского факульте́та. 4. чита́льного за́ла. 5. большо́й аудито́рии.

Exercise 25. 1. На уро́ке нет Ни́ны и Бори́са. 2. Сего́дня на уро́ке фоне́тики не́ было Андре́я и Анны. 3. ...больно́го студе́нта. 4. но́вой студе́нтки. 5. моего́ дру́га. 6. одного́ преподава́теля.

Exercise 27. 1. Да, у меня́ есть два журна́ла. 2. ...два уче́бника матема́тики. 3. два словаря́. 4. два конве́рта и две ма́рки. 5. два вопро́са. 6. два биле́та. 7. два дру́га. 8. две подру́ги. 9. два бра́та. 10. две сестры́.

Exercise 29. 1. четы́ре сту́ла, два стола́, две ла́мпы. 2. три этажа́. 3. четы́ре ме́сяца. 4. две кни́ги, два журна́ла. 5. два бра́та, две сестры́. 6. два биле́та. 7. два ра́за. 8. девяно́сто три рубля́, etc.

Exercise 30. 1. В на́шей гру́ппе шесть студе́нтов. 2. ...де́вять преподава́телей. 3. пять бра́тьев. 4. со́рок враче́й. 5. пять друзе́й. 6. во́семь сту́льев. 7. шесть уче́бников.

Exercise 34. 1. Нет, я написа́л пять пи́сем. 2. ...пять упражне́ний. 3. шесть о́кон. 4. шесть кре́сел. 5. пять я́блок.

Exercise 38. 1. Ка́ждый день я занима́юсь шесть часо́в. 2. ...во́семь часо́в. 3. двена́дцать дней. 4. во́семь ме́сяцев. 5. де́вять дней. 6. три дня. 7. пятна́дцать мину́т. 8. де́сять лет.

Exercise 39. 1. Ка́ждый день я занима́юсь шесть часо́в. 2. ...три часа́. 3. пять дней. 4. де́сять дней. 5. три неде́ли. 6. две неде́ли. 7. шесть ме́сяцев. 8. два ме́сяца. 9. два́дцать лет. 10. три го́да.

Exercise 40. 1. буты́лка воды́, со́ка, вина́, пи́ва, ма́сла. 2. стака́н ча́я, ко́фе, молока́, кефи́ра, лимона́да, со́ка, воды́. 3. килогра́мм хле́ба, ма́сла, мя́са, са́хара, со́ли, ры́бы, сы́ра, конфе́т, я́блок. 4. кусо́к хле́ба, са́хара, то́рта, мя́са, ма́сла, сы́ра, ме́ла, мы́ла.

Exercise 43. 1. Ско́лько студе́нтов у вас в гру́ппе? 2. Ско́лько ме́сяцев вы изуча́ете ру́сский язы́к? 3. Ско́лько у вас бу́дет экза́менов? 4. Ско́лько лет вы живёте в э́том го́роде? 5. Ско́лько уче́бников на́до взять в библиоте́ке? 6. Ско́лько раз вы чита́ли э́тот текст? 7. Ско́лько мину́т вы жда́ли авто́бус?

Exercise 44. 1. у́чится. 2. бы́ло. 3. рабо́тает. 4. пое́дет. 5. рабо́тает. 6. сиди́т. 7. лежи́т. 8. стои́т. 9. живёт.

Exercise 45. 1. у́лиц, площаде́й, теа́тров, музе́ев, гости́ниц, рестора́нов. 2. маши́н, авто́бусов, трамва́ев. 3. враче́й и сестёр. 4. профессоро́в, преподава́телей и студе́нтов. 5. пи́сем, откры́ток, посы́лок и телегра́мм. 6. уче́бников, книг и журна́лов. 7. тетра́дей, блокно́тов, конве́ртов и ма́рок.

Exercise 46. 1. бра́тьев, сестёр, друзе́й и това́рищей. 2. книг и ди́сков. 3. па́рков, садо́в и бульва́ров. 4. за́лов, аудито́рий, кабине́тов, лаборато́рий. 5. дере́вьев и цвето́в. 6. заво́дов и фа́брик. 7. газе́т, журна́лов, пи́сем, откры́ток, телегра́мм.

Exercise 47. 1. сы́ра, мя́са, ры́бы. 2. молока́ и кефи́ра. 3. со́ли. 4. желе́за и угля́. 5. зо́лота и не́фти.

Exercise 48. 1. городо́в. 2. воды́. 3. фи́льмов. 4. карти́н. 5. киломе́тров. 6. сне́га. 7. зада́ч. 8. вре́мени. 9. мя́са, ма́сла, са́хара, хле́ба и фру́ктов.

Exercise 49. ...в шесть часо́в утра́, в час но́чи; девяно́сто секу́нд; две-три мину́ты; два́дцать гра́дусов; шестна́дцать – восе́мнадцать гра́дусов; шестьдеся́т киломе́тров; девяно́сто киломе́тров; шесть с полови́ной миллио́нов; де́сять ста́нций; сто три́дцать ста́нций, сто се́мьдесят.

Exercise 51. 1. ру́сских книг. 2. иностра́нных языко́в. 3. молоды́х преподава́телей. 4. сре́дних школ и де́тских садо́в. 5. но́вых домо́в. 6. ру́сских пе́сен. 7. больши́х магази́нов.

Exercise 52. 1. В э́том го́роде нет истори́ческих па́мятников. 2. ...нет высо́ких зда́ний. 3. нет больши́х магази́нов. 4. нет ру́сских газе́т. 5. нет свобо́дных мест. 6. нет тру́дных упражне́ний. 7. нет незнако́мых слов.

Exercise 53. У меня́ есть болга́рские ма́рки, а у моего́ бра́та нет болга́рских ма́рок. 2. ...нет това́рищей в университе́те. 3. нет бли́зких друзе́й в Москве́. 4. нет ста́рших бра́тьев. 5. не бу́дет за́втра экза́менов. 6. не́ было вчера́ уро́ков. 7. нет журна́лов. 8. не́ было а́нгло-ру́сских словаре́й. 9. не бу́дет свобо́дного вре́мени.

Exercise 55. 1. Это ко́мната сестры́. 2. Это кре́сло отца́. 3. Это портре́т ма́тери. 4. Это кни́ги Анны. 5. Около до́ма стои́т маши́на Игоря. 6. В теа́тре рабо́тает брат Мари́и. 7. В университе́те у́чится сестра́ Бори́са. 8. Роди́тели Жа́на живу́т в Пари́же. 9. В Москве́ у́чится друг Ни́ны.

Exercise 56. 1. Это ко́мната моего́ ста́ршего бра́та. 2. ...велосипе́д на́шего сосе́да. 3. маши́на на́шего но́вого врача́. 4. кабине́т на́шего профе́ссора. 5. газе́та на́шей препода-ва́тельницы. 6. компью́тер одного́ моего́ дру́га. 7. фотоаппара́т мое́й мла́дшей сестры́.

Exercise 57. 1. – Чья э́то маши́на? – Это маши́на на́шего профе́ссора Никола́я Петро́вича. 2. Это портфе́ль на́шего врача́ Влади́мира Па́вловича. 3. Это соба́ка моего́ сы́на Ди́мы. 4. Это пти́ца на́шей сосе́дки Ни́ны Ива́новны. 5. Это часы́ мое́й сестры́ Мари́ны. 6. Это кре́сло на́шего де́душки.

Exercise 58. 1. Нет, э́то лы́жи моего́ мла́дшего бра́та. 2. ...мотоци́кл моего́ това́рища. 3. кни́ги одно́й знако́мой де́вушки. 4. плащ моего́ дру́га Серге́я. 5. ко́мната мое́й ста́р-шей сестры́ Ли́ды.

Exercise 59. 1. Нет, э́то ко́мната мои́х роди́телей. 2. ...маши́на на́ших сосе́дей. 3. маг-нитофо́н мои́х друзе́й. 4. кни́ги на́ших преподава́телей. 5. уче́бники мои́х това́рищей. 6. ве́щи мои́х мла́дших бра́тьев.

Exercise 60. 1. уче́бник на́шего студе́нта Бори́са. 2. тетра́ди на́ших студе́нтов и на́шей преподава́тельницы. 3. маши́на на́шего профе́ссора. 4. велосипе́ды мои́х бра́тьев. 5. кни́-гу одно́й на́шей студе́нтки. 6. слова́рь одного́ на́шего студе́нта.

Exercise 61. 1. Мы слу́шали пе́сни одного́ молодо́го неме́цкого компози́тора. 2. ...рома́н изве́стного ру́сского писа́теля. 3. статью́ изве́стного да́тского фи́зика. 4. вы́-ставка молоды́х грузи́нских худо́жников. 5. стихи́ совреме́нных испа́нских поэ́тов. 6. рису́нки кита́йских шко́льников.

Exercise 62. 1. Чьи ве́щи лежа́т на столе́? 2. Чьи роди́тели бы́ли у вас в гостя́х? 3. Чья маши́на стои́т внизу́? 4. Чья фотогра́фия виси́т у тебя́ в ко́мнате? 5. Чьи рабо́ты чита́ет преподава́тель?

Exercise 63. 1. дире́ктор заво́да, фа́брики, ци́рка, шко́лы, Большо́го теа́тра, кни́жного магази́на. 2. а́втор рома́на, расска́за, уче́бника, пе́сни, му́зыки. 3. преподава́тель фи́зики, матема́тики, литерату́ры, исто́рии, геогра́фии, ру́сского языка́, иностра́нного языка́. 4. хозя́ин, хозя́йка до́ма, кварти́ры, са́да, соба́ки, магази́на, гости́ницы

Exercise 64. 1. Мы слу́шали ле́кцию на́шего профе́ссора; выступле́ние на́шего хо́ра; объясне́ние на́шего преподава́теля; отве́ты на́ших студе́нтов. 2. Я чита́ю письмо́ моего́ шко́льного дру́га; запи́ску моего́ университе́тского това́рища; сочине́ние на́шего но́вого студе́нта. 3. Мне нра́вятся пе́сни э́того компози́тора; рома́ны э́того ру́сского писа́теля; стихи́ одного́ молодо́го поэ́та; карти́ны одного́ неизве́стного худо́жника; фи́льмы э́того по́льского режиссёра.

Exercise 65. 1. Вы по́мните фами́лию э́той студе́нтки, э́того студе́нта, э́того писа́теля, э́той арти́стки, э́того челове́ка? 2. Вы по́мните назва́ние э́того журна́ла, э́той газе́ты, э́той кни́ги, э́того фи́льма, э́той у́лицы, э́той пло́щади? 3. Вы видели новое зда́ние на́шего университе́та, э́того музе́я, на́шей библиоте́ки, на́шего общежи́тия?

Exercise 68. 1. расска́зы ру́сских и украи́нских писа́телей. 2. на вы́ставке совреме́нных францу́зских худо́жников. 3. на конце́рте Берли́нского симфони́ческого орке́стра. 4. студе́нты ста́рших ку́рсов. 5. статью́ на́шего профе́ссора исто́рии. 6. стихи́ болга́рских поэ́тов. 7. города́ Се́верной Ита́лии.

Exercise 69. 1. ста́рого го́рода. 2. Чёрного мо́ря. 3. Моско́вского университе́та. 4. городско́й больни́цы. 5. моско́вского ци́рка. 6. э́того компози́тора. 7. свои́х ста́рых студе́нтов.

Exercise 70. 1. Пари́ж – столи́ца Фра́нции. 2. ... По́льши. 3. Норве́гии. 4. Ве́нгрии. 5. Кана́ды. 6. Япо́нии. 7. Австрии. 8. Англии. 9. Ита́лии. 10. Герма́нии. 11. Испа́нии. 12. Финля́ндии. 13. Португа́лии.

Exercise 71. 1. Минск – столи́ца Белору́ссии. 2. ... Молда́вии. 3. Арме́нии. 4. Гру́зии. 5. Азербайджа́на. 6. Туркме́нии. 7. Кирги́зии. 8. Таджикиста́на. 9. Узбекиста́на. 10. Казахста́на. 11. Ла́твии. 12. Эсто́нии. 13. Литвы́.

Exercise 72. 1. ма́тери. 2. отца́. 3. Бори́са. 4. на́шей кварти́ры. 5. ва́шего дома́. 6. зимы́. 7. мое́й рабо́ты. 8. пе́рвого упражне́ния. 9. други́х студе́нтов. 10. всех на́ших спортсме́нов.

Exercise 73. 1. Анна ста́рше своего́ бра́та. 2. Мой друг говори́т по-ру́сски лу́чше меня́. 3. Я чита́ю по-ру́сски ме́дленнее тебя́. 4. Это упражне́ние коро́че пе́рвого. 5. Биле́ты в теа́тр доро́же биле́тов в кино́. 6. На́ша у́лица краси́вее сосе́дней. 7. Сего́дняшняя ле́кция была́ интере́снее вчера́шней.

Exercise 74. 1. 22/I 1999. 2. 15/V 1972. 3. 3/IX 1967. 4. 9/X 1948. 5. 31/VII 1988. 6. 12/04 2000. 7. 19/08 2006.

Exercise 75. пе́рвое января́ ты́сяча девятьсо́т три́дцать девя́того го́да; деся́тое ию́ля ты́сяча девятьсо́т шестьдеся́т пе́рвого го́да; два́дцать восьмо́е ноября́ ты́сяча девятьсо́т со́рок пе́рвого го́да; двена́дцатое мая ты́сяча девятьсо́т два́дцать пе́рвого го́да; два́дцать четвёртое сентября́ ты́сяча девятьсо́т со́рок седьмо́го года; девятна́дцатое ию́ня тысяча девятьсо́т пятьдеся́т пя́того го́да; девя́тое октября́ ты́сяча девятьсо́т се́мьдесят второ́го го́да; оди́ннадцатое декабря́ ты́сяча девятьсо́т во́семьдесят четвёртого го́да; два́дцать пе́рвое а́вгуста двухты́сячного го́да; тре́тье февраля́ две ты́сячи тре́тьего го́да; четвёртое ма́рта две ты́сячи седьмо́го го́да.

Exercise 76. 1. Пе́рвую ли́нию метро́ в Москве́ откры́ли пятна́дцатого ма́я ты́сяча девятьсо́т три́дцать пя́того го́да. 2. ...второ́го сентября́ ты́сяча девятьсо́т со́рок пя́того го́да. 3. двена́дцатого апре́ля ты́сяча девятьсо́т шестьдеся́т пе́рвого го́да. 4. шесто́го ию́ня ты́сяча семьсо́т девяно́сто девя́того го́да.

Exercise 80. 1. с девяти́ часо́в утра́ до трёх часо́в дня. 2. с десяти́ часо́в утра́ до семи́ часо́в ве́чера. 3. с шести́ часо́в утра́ до ча́су но́чи. 4. с девяти́ часо́в утра́ до девяти́ часо́в ве́чера. 5. с семи́ часо́в ве́чера до десяти́ часо́в ве́чера.

Exercise 83. 1. из кла́сса, из теа́тра, из музе́я, из па́рка, из библиоте́ки, из лаборато́рии, из са́да, из кинотеа́тра. 2. из Ита́лии, из Шве́ции, из Австрии, из Япо́нии, из Швейца́рии, из Герма́нии, из Кана́ды, из Алжи́ра. 3. из Ло́ндона, из Ри́ма, из Варша́вы, из Москвы́, из Белгра́да, из Брюссе́ля, из Пра́ги, из Бо́нна, из Берли́на.

Exercise 84. 1. с экза́мена, с консульта́ции, с собра́ния, с ми́тинга, с экску́рсии, с ве́чера, с конце́рта, с бале́та, со спекта́кля, с вы́ставки. 2. с фа́брики, с вокза́ла, со ста́нции, со стадио́на, с по́чты.

Exercise 86. 1. из клу́ба с конце́рта. 2. из за́ла с собра́ния. 3. из Приба́лтики с пра́ктики. 4. из шко́лы с экску́рсии. 5. с рабо́ты из больни́цы. 6. из посо́льства с ве́чера.

Exercise 87. 1. из Ри́ги и Та́ллина. 2. с конце́рта. 3. с экску́рсии. 4. с да́чи. 5. из университе́та. 6. с рабо́ты.

Exercise 89. 1. в сосе́дний го́род, в сосе́днем го́роде, из сосе́днего го́рода. 2. в истори́ческую библиоте́ку, в истори́ческой библиоте́ке, из истори́ческой библиоте́ки. 3. в Ю́жную Ита́лию, в Ю́жной Ита́лии, из Ю́жной Ита́лии. 4. в медици́нский институ́т на ле́кцию, в медици́нском институ́те на ле́кции, из медици́нского институ́та с ле́кции. 5. на экску́рсию в шко́лу, на экску́рсии в шко́ле, с экску́рсии из шко́лы. 6. на большо́й автомоби́льный заво́д на пра́ктику, на большо́м автомоби́льном заво́де на пра́ктике, с большо́го автомоби́льного заво́да с пра́ктики. 7. в Шотла́ндию в ма́ленькую дере́вню, в Шотла́ндии в ма́ленькой дере́вне, из Шотла́ндии из ма́ленькой дере́вни.

Exercise 90. 1. ...Возьми́ бума́гу из мое́й па́пки. 2. ...из конве́рта. 3. из тетра́ди. 4. со стола́. 5. с по́лки. 6. из лаборато́рии. 7. со стены́. 8. из холоди́льника. 9. из почто́вого я́щика.

Exercise 91. 1. положи́л в конве́рт, лежа́ло в конве́рте, вы́нул из конве́рта. 2. в чемода́н, в чемода́не, из чемода́на. 3. в паке́т, в паке́те, из паке́та. 4. на сте́ну, на стене́, со стены́. 5. в шкаф, в шкафу́, из шка́фа. 6. на стол, на столе́, со стола́.

Exercise 92. 1. у моего́ шко́льного това́рища. 2. у на́шего профе́ссора. 3. у свое́й подру́ги. 4. у своего́ ста́ршего бра́та. 5. у на́шего сосе́да. 6. у знако́мого библиоте́каря.

Exercise 93. 1. в поликли́нике у глазно́го врача́. 2. в дере́вне у роди́телей. 3. в университе́те у на́шего преподава́теля. 4. в лаборато́рии у своего́ нау́чного руководи́теля. 5. на да́че у мое́й ста́ршей сестры́.

Exercise 94. 1. Где вы бы́ли сего́дня? У кого́ вы бы́ли сего́дня? 2. Где вы жи́ли ле́том? У кого́ вы жи́ли ле́том? 3. Где вы взя́ли э́ту кни́гу? У кого́ вы взя́ли э́ту кни́гу? 4. Где был ваш брат? У кого́ был ваш брат? 5. Где вы вчера́ занима́лись? У кого́ вы бы́ли вчера́?

Exercise 95. 1. ...был в поликли́нике у глазно́го врача́. 2. бы́ли в больни́це у больно́го дру́га. 3. бы́ли у профе́ссора на консульта́ции. 4. был в Ки́еве у ста́ршей сестры́. 5. бы́ли в общежи́тии у свои́х друзе́й. 6. были на ро́дине у свои́х роди́телей. 7. была́ в Оде́ссе у свое́й ма́тери. 8. был в Моско́вском университе́те у свои́х това́рищей.

Exercise 96. 1. у одно́й знако́мой де́вушки, к одно́й знако́мой де́вушке, от одно́й знако́мой де́вушки. 2. к на́шим ста́рым друзья́м, у на́ших ста́рых друзе́й, от на́ших ста́рых друзе́й. 3. к своему́ шко́льному това́рищу, у своего́ шко́льного това́рища, от своего́ шко́льного това́рища.

Exercise 97. 1. Я получа́ю пи́сьма от роди́телей и от ста́ршего бра́та. 2. ...от своего́ ста́рого дру́га. 3. от на́шего сосе́да. 4. от свое́й подру́ги. 5. от свое́й ста́ршей сестры́.

Exercise 99. 1. недалеко́ от университе́та, от шко́лы, от ста́нции метро́, от авто́бусной остано́вки, от вокза́ла, от го́рода. 2. о́коло окна́, стены́, ле́са, кинотеа́тра, библиоте́ки; 3. напро́тив две́ри, окна́, зда́ния, магази́на, шко́лы.

Exercise 100. 1. вокза́ла. 2. це́нтра го́рода. 3. на́шего университе́та. 4. большо́го о́зера. 5. городско́го па́рка. 6. истори́ческого музе́я. 7. на́шего до́ма.

Exercise 102. 1. Ско́лько киломе́тров от Москвы́ до Мадри́да? 2. Ско́лько киломе́тров от Ви́льнюса до Ми́нска? 3. от Москвы́ до Пари́жа? 4. от Ки́ева до Оде́ссы? 5. от Ло́ндона до Москвы́? 6. от Санкт-Петербу́рга до Берли́на?

The Instrumental Case

Exercise 2. 1. с бра́том, с това́рищем, с сестро́й, с подру́гой, с отцо́м и с ма́терью. 2. с Ви́ктором, с Серге́ем, с Игорем, с Мари́ной, с Га́лей, с Ни́ной, с Та́ней. 3. с профе́ссором, с медсестро́й, с преподава́телем, с преподава́тельницей, с ма́терью, с отцо́м.

Exercise 3. 1. с дру́гом. 2. с дека́ном. 3. с учи́телем. 4. с преподава́телем. 5. с подру́гой. 6. с ма́терью. 7. с до́черью.

Exercise 4. 1. с Мари́ей и Игорем. 2. с писа́телем. 3. с ре́ктором. 4. с ма́терью. 5. с сестро́й. 6. с Бори́сом. 7. с отцо́м.

Exercise 5. ...надо посове́товаться с врачо́м, с преподава́телем, с ма́терью, с меха́ником.

Exercise 7. 1. с бра́том. 2. со студе́нткой из Пари́жа. 3. с Оле́гом и Ири́ной. 4. с тре́нером. 5. с профе́ссором и врачо́м. 6. с прия́телем и сестро́й. 7. с Па́влом и Ни́ной.

Exercise 9. 1. С кем вы поздоро́вались? 2. С кем вы встре́тились о́коло метро́? 3. С кем вы познако́мились в Москве́? 4. С кем вы обы́чно хо́дите в кино́? 5. С кем она́ всегда́ сове́туется? 6. С кем он разгова́ривает по телефо́ну?

Exercise 10. I. 1. бра́та. 2. к бра́ту. 3. с бра́том. 4. брат. 5. о бра́те. II. 1. сестре́. 2. с сестро́й. 3. от сестры́. 4. сестру́. 5. о сестре́. III. 1. у врача́. 2. с врачо́м. 3. к врачу́. 4. врачу́. 5. врача́.

Exercise 12. 1. с ним, с ним. 2. с ней, с ней. 3. с ни́ми, с ни́ми. 4. с на́ми. 5. с ва́ми. 6. с тобо́й. 7. со мной.

Exercise 16. 1. с мои́м (со свои́м) бра́том. 2. с мои́м (со свои́м) дру́гом. 3. с на́шим профе́ссором. 4. с э́той студе́нткой. 5. с э́тим челове́ком. 6. с э́той де́вушкой. 7. с мое́й (со свое́й) ма́терью.

Exercise 17. 1. с но́вым. 2. с больны́м. 3. с о́пытным. 4. с молоды́м. 5. с де́тским. 6. со ста́ршим. 7. с неме́цким.

Exercise 18. 1. с но́вой. 2. с больно́й. 3. с изве́стной. 4. с францу́зской. 5. с неме́цкой. 6. с мла́дшей. 7. со знако́мой.

Exercise 19. 1. с на́шим но́вым преподава́телем. 2. со свои́м хоро́шим дру́гом. 3. с одно́й шве́дской студе́нткой. 4. с изве́стным кирги́зским писа́телем. 5. с одни́м интере́сным челове́ком 6. с твои́м мла́дшим бра́том. 7. со свое́й ста́ршей сестро́й.

Exercise 20. I. 1. с мои́м (со свои́м) ста́рым дру́гом. 2. своему́ ста́рому дру́гу. 3. своего́ ста́рого дру́га. 4. у своего́ ста́рого дру́га. 5. мой ста́рый друг. II. 1. со свои́м хоро́шим това́рищем. 2. своему́ хоро́шему това́рищу. 3. мой хоро́ший това́рищ. III. 1. одну́ знако́мую де́вушку. 2. с одно́й знако́мой де́вушкой. 3. одно́й знако́мой де́вушке. 4. от одно́й знако́мой де́вушки. 5. одна́ знако́мая де́вушка. IV. 1. э́того францу́зского студе́нта. 2. с э́тим францу́зским студе́нтом. 3. э́тому францу́зскому студе́нту. 4. от э́того францу́зского студе́нта. V. 1. у свое́й ста́ршей сестры́. 2. свое́й ста́ршей сестре́. 3. моя́ ста́ршая сестра́. 4. со свое́й ста́ршей сестро́й. 5. свою́ ста́ршу́ю сестру́. VI. 1. на́шего но́вого преподава́теля. 2. к на́шему но́вому преподава́телю. 3. с на́шим но́вым преподава́телем.

Exercise 21. 1. с това́рищами. 2. с космона́втами. 3. с роди́телями. 4. с инжене́рами. 5. с преподава́телями. 6. с друзья́ми. 7. со студе́нтами. 8. с бра́тьями.

Exercise 22. 1. с на́шими студе́нтами. 2. с на́шими хоро́шими друзья́ми. 3. с прия́тными людьми́. 4. со свои́ми ста́ршими сёстрами. 5. со свои́ми мла́дшими бра́тьями. 6. со свои́ми ма́ленькими детьми́.

Exercise 23. 1. со свое́й подру́гой. 2. со свои́м това́рищем. 3. с изве́стным журнали́стом. 4. со свои́м дру́гом. 5. со ста́ршим бра́том. 6. с на́шим преподава́телем. 7. с твое́й но́вой подру́гой. 8. со свое́й знако́мой де́вушкой.

Exercise 24. 1. со свои́ми ста́рыми друзья́ми. 2. с украи́нскими студе́нтками. 3. со ста́ршими бра́тьями. 4. со свои́ми мла́дшими сёстрами. 5. с изве́стными худо́жниками. 6. с о́пытными врача́ми.

Exercise 26. I. 1. своего́ ста́ршего бра́та. 2. своему́ ста́ршему бра́ту. 3. от своего́ ста́ршего бра́та. 4. со свои́м ста́ршим бра́том. 5. к своему́ ста́ршему бра́ту. 6. мой ста́рший брат. II. 1. на́шу но́вую студе́нтку. 2. с на́шей но́вой студе́нткой. 3. на́шей но́вой студе́нтке. 4. на́шей но́вой студе́нтки. 5. на́ша но́вая студе́нтка. III. 1. меня́ и мои́х това́рищей. 2. ко мне и мои́м това́рищам. 3. со мной и мои́ми това́рищами. IV. 1. от мои́х роди́телей. 2. мои́м (свои́м) роди́телям. 3. мои́х (свои́х) роди́телей. 4. со свои́ми роди́телями. V. 1. э́ти молоды́е арти́сты. 2. э́тих молоды́х арти́стов. 3. э́тих молоды́х арти́стов. 4. э́тим молоды́м арти́стам. 5. с э́тими молоды́ми арти́стами.

Exercise 27. 1. был, бу́дет инжене́ром. 2. был, бу́дет студе́нтом. 3. была́, бу́дет дире́ктором шко́лы. 4. был, бу́дет писа́телем. 5. была́, бу́дет хоро́шим де́тским врачо́м. 6. была́, бу́дет изве́стной арти́сткой.

Exercise 28. 1. она́ учи́тельница. 2. брат врач. 3. она́ журнали́стка. 4. сосе́д геоло́г. 5. брат агроно́м. 6. сестра́ арти́стка. 7. я инжене́р. 8. друг перево́дчик.

Exercise 29. 1. инжене́ром. 2. аспира́нткой. 3. студе́нткой консервато́рии. 4. де́тским врачо́м. 5. дире́ктором шко́лы. 6. ма́стером.

Exercise 30. 1. физи́ком. 2. инжене́ром. 3. хи́миком. 4. био́логом. 5. фило́логом. 6. исто́риком. 7. врачо́м. 8. юри́стом.

Exercise 36. 1. литерату́рой. 2. биоло́гией. 3. астроно́мией. 4. та́нцами. 5. спо́ртом.

Exercise 37. 1. литерату́рой. 2. медици́ной. 3. матема́тикой. 4. теа́тром. 5. ма́рками. 6. ша́хматами. 7. иску́сством.

Exercise 38. 1. Чем вы интересу́етесь? (ты интересу́ешься?) 2. Чем они́ интересу́ются? 3. Чем интересу́ется э́тот студе́нт? 4. Чем они́ интересу́ются? 5. Чем он интересова́лся ра́ньше и чем интересу́ется тепе́рь? 6. Чем она́ интересу́ется? 7. Чем вы интересу́етесь?

Exercise 39. 1. ...потому́ что он интересу́ется биоло́гией. 2. ... интересу́ется футбо́лом. 3. бале́том. 4. исто́рией. 5. симфони́ческой му́зыкой. 6. фи́зикой. 7. жи́вописью.

Exercise 40. 1. Я занима́юсь те́ннисом. 2. Сестра́ занима́ется гимна́стикой. 3. ...ру́сским языко́м. 4. испа́нским языко́м. 5. лы́жным спо́ртом. 6. ру́сской исто́рией. 7. ру́сской литерату́рой.

Exercise 41. 1. Моя́ сестра́ интересу́ется медици́ной. 2. Она́ ста́ла глазны́м врачо́м. 3. Ра́ньше она́ была́ медсестро́й. 4. ...занима́лся хи́мией. 5. рабо́тает гла́вным инжене́ром. 6. занима́ется биоло́гией. 7. интересу́ется жи́знью морски́х птиц.

Exercise 42. 1. Да, мы дово́льны э́тим ве́чером дру́жбы. 2. ...дово́лен (дово́льна, дово́льны) э́тим конце́ртом. 3. друзья́ дово́льны пое́здкой. 4. брат дово́лен свое́й но́вой рабо́той. 5. друг дово́лен свое́й жи́знью в Москве́. 6. сестра́ дово́льна свое́й но́вой кварти́рой. 7. друг дово́лен свое́й специа́льностью.

Exercise 44. 1. над пи́сьменным столо́м. 2. под кни́жным шка́фом. 3. под ва́шей тетра́дью 4. под э́тим сту́лом. 5. пе́ред на́шим до́мом. 6. пе́ред Моско́вским университе́том 7. ря́дом с кни́жным магази́ном.

Exercise 46. 1. Кем напи́сана э́та карти́на? 2. Кем переведены́ э́ти стихи́? 3. Кем со́здан э́тот фильм? 4. Кем напи́сана э́та пе́сня? 5. Кем со́здана э́та тео́рия? 6. Кем откры́т э́тот зако́н?

Exercise 47. 1. Это письмо́ напи́сано её ста́ршим бра́том. 2. ...неизве́стным худо́жником. 3. одни́м молоды́м учёным. 4. мои́м ста́рым дру́гом. 5. изве́стным францу́зским писа́телем. 6. совреме́нным неме́цким компози́тором. 7. изве́стным ру́сским хи́миком.

Exercise 48. 1. Я пишу́ в тетра́ди ру́чкой. 2. ...ме́лом. 3. кра́сным карандашо́м. 4. ло́жкой и ви́лкой. 5. ножо́м. 6. зубно́й щёткой. 7. фотоаппара́том. 8. термо́метром. 9. баро́метром.

Exercise 49. 1. Как вы переводи́ли э́тот текст? 2. Как студе́нты слу́шали ле́кцию? etc.

Exercise 51. 1. с ма́слом и с сы́ром. 2. с карто́фелем и́ли с ри́сом. 3. с са́харом и с лимо́ном. 4. с молоко́м и с са́харом. 5. с мя́сом и́ли с ры́бой. 6. с хле́бом.

Exercise 52. 1. пе́ред Но́вым го́дом. 2. пе́ред экза́менами. 3. пе́ред пра́здником. 4. пе́ред нача́лом фи́льма. 5. пе́ред конце́ртом. 6. пе́ред отъе́здом.

Exercise 53. 1. Мать пошла́ в магази́н за мя́сом и овоща́ми. 2. ... за кни́гами. 3. за посы́лкой. 4. за но́выми ди́сками. 5. за биле́тами. 6. за све́жими газе́тами. 7. за лека́рством.

Exercise 54. 1. с дру́гом. 2. чёрным карандашо́м. 3. термо́метром. 4. с интере́сом. 5. над го́родом. 6. за до́мом. 7. с оши́бками. 8. над мои́м столо́м. 9. за газе́тами. 10. спо́ртом. 11. ру́сским худо́жником.

Exercise 55. 1. С кем вы поздоро́вались? 2. Кем рабо́тает его́ мать? 3. С кем вы сиде́ли на собра́нии? 4. Как хозя́ин встре́тил госте́й? 5. За чем сестра́ пошла́ в апте́ку? 6. С кем Ни́на была́ в теа́тре? 7. Чем интересу́ется ваш друг? 8. Где стои́т маши́на? 9. Где вы живёте? 10. Когда́ они́ прие́хали в Москву́?

Exercise 56. I. 1. на ро́дине. 2. с ро́дины. 3. на ро́дину. 4. ро́дину. II. 1. това́рищу. 2. това́рищ. 3. с това́рищем. 4. това́рища. 5. к това́рищу. III. 1. исто́рией. 2. исто́рию. 3. кни́гу по исто́рии. 4. исто́рия.

Exercise 57. I. 1. в библиоте́ке. 2. в библиоте́ку. 3. из библиоте́ки. 4. библиоте́ку. 5. библиоте́ка. II. 1. сестра́. 2. от сестры́. 3. сестре́. 4. письмо́ сестры́. 5. к сестре́. III. 1. с тре́нером. 2. тре́нера. 3. у тре́нера. IV. 1. спо́ртом. 2. спорт. 3. о спо́рте. V. 1. подру́гу. 2. подру́ге. 3. с подру́гой. 4. у подру́ги. 5. о подру́ге. VI. 1. врачо́м. 2. у врача́. 3. к врачу́. 4. врач.

Exercise 58. 1. его́ и её. 2. их, с ни́ми, им. 3. ей. 4. тебя́, мне. 5. нам. 6. вас, к вам. 7. тебе́, со мной. 8. мне.

Exercise 59. 1. её, она́, от неё, ей, к ней. 2. его́, он, с ним, его, от него́, к нему́. 3. с ней, её, ей, её, она́. 4. их, от них, они́, им, их.

Exercise 60. 1. её. 2. его́. 3. с ним. 4. с ней. 5. у них. 6. ему́. 7. к ним. 8. от него́. 9. ей. 10. к нему́. 11. его́ и её (их). 12. с ним.

Exercise 61. I. 1. одного́ изве́стного ру́сского худо́жника. 2. с одни́м изве́стным ру́сским худо́жником. 3. оди́н изве́стный ру́сский худо́жник. 4. одному́ изве́стному ру́сскому худо́жнику. 5. одного́ изве́стного ру́сского худо́жника. 6. об одно́м изве́стном ру́сском худо́жнике. II. 1. моя́ ста́ршая сестра́. 2. свою́ ста́ршую сестру́. 3. со свое́й ста́ршей сестро́й. 4. свое́й ста́ршей сестре́. 5. мое́й ста́ршей сестры́. 6. о свое́й ста́ршей сестре́.

Exercise 62. I. 1. о своём ста́ром шко́льном това́рище. 2. со свои́м ста́рым шко́льным това́рищем. 3. от своего́ ста́рого шко́льного това́рища. 4. мой ста́рый шко́льный това́рищ. 5. своего́ ста́рого шко́льного това́рища. 6. своему́ ста́рому шко́льному това́рищу. II. 1. свое́й лу́чшей подру́ге. 2. её лу́чшую подру́гу. 3. свое́й лу́чшей подру́ги. 4. о свое́й лу́чшей подру́ге. 5. со свое́й лу́чшей подру́гой.

Exercise 63. I. 1. от друзе́й. 2. друзья́м. 3. друзе́й. 4. друзья́. 5. с друзья́ми. II. 1. музе́ев. 2. в музе́и. 3. в музе́ях. 4. о музе́ях. III. 1. тури́сты из Москвы́. 2. с тури́стами из Москвы́. 3. тури́стов из Москвы́.

Exercise 64. 1. свои́м ста́рым друзья́м. 2. со свои́ми ста́рыми друзья́ми. 3. мои́ ста́рые друзья́. 4. свои́х ста́рых друзе́й. 5. у свои́х ста́рых друзе́й. 6. мои́х ста́рых друзе́й. 7. о свои́х ста́рых друзья́х.

Exercise 65. 1. свои́х роди́телей. 2. о свои́х роди́телях. 3. со свои́ми роди́телями. 4. свои́м роди́телям. 5. у свои́х роди́телей. 6. к свои́м роди́телям. 7. мои́ роди́тели. 8. мои́х роди́телей.

THE VERB

Verbs of Motion

Exercise 1. 1. иду́. 2. идёт. 3. иду́т. 4. идёт. 5. идём. 6. идёт. 7. иду́т. 8. идёшь. 9. идёте. 10. иду́т.

Exercise 2. 1. в клуб. 2. в библиоте́ку. 3. в теа́тр. 4. в поликли́нику. 5. в магази́н 6. в шко́лу 7. в лаборато́рию.

Exercise 3. 1. на по́чту. 2. на стадио́н. 3. на фа́брику. 4. на ры́нок. 5. на вокза́л. 6. на уро́к. 7. на конце́рт.

Exercise 4. 1. иду́т, иду́т, иду́т. 2. идёт, идёт, идёте, иду́. 3. идёте, иду́, идёте, иду́ 4. идёте, идём.

Exercise 5. 1. ходи́л. 2. ходи́ли. 3. ходи́ли. 4. ходи́л. 5. ходи́ли. 6. ходи́л. 7. ходи́ла.

Exercise 7. 1. Где вы бы́ли вчера́? Куда́ вы ходи́ли вчера́? 2. Куда́ ходи́ла Анна? Где была́ Анна? etc.

Exercise 8. 1. Вчера́ мы бы́ли на ве́чере. 2. Вчера́ моя́ сестра́ была́ в консервато́рии. 3. ...был в музе́е. 4. была́ на по́чте. 5. был в библиоте́ке. 6. бы́ли в рестора́не.

Exercise 9. 1. Позавчера́ Оле́г был на студе́нческом ве́чере. 2. ...была́ в о́перном теа́тре. 3. был в кни́жном магази́не. 4. бы́ли на интере́сной ле́кции. 5. была́ в Моско́вском университе́те. 6. бы́ли в медици́нском институ́те. 7. бы́ли на футбо́льном ма́тче.

Exercise 10. 1. Неда́вно мы ходи́ли в Истори́ческий музе́й. 2. ходи́ли на Кра́сную пло́щадь. 3. ходи́ли в Моско́вский Кремль. 4. ходи́ли в Большо́й теа́тр. 5. ходи́ла в Моско́вский университе́т. 6. ходи́л в кни́жный магази́н.

Exercise 11. 1. Вчера́ ве́чером я ходи́л на конце́рт. 2. ...ходи́л в бассе́йн. 3. ходи́л на стадио́н. 4. ходи́ла в библиоте́ку. 5. ходи́ли в рестора́н. 6. ходи́ли в парк.

Exercise 13. 1. ходи́ли, ходи́л, ходи́ли, ходи́ли. 2. ходи́л, ходи́ла. 3. ходи́л, ходи́л, ходи́л.

Exercise 14. 1. пойдёт. 2. пойдём. 3. пойду́т. 4. пойду́. 5. пойдёт. 6. пойдём. 7. пойду́т.

Exercise 16. 1. пойду́т, пойду́т, пойдёшь, пойду́, пойду́. 2. пойдёт, пойду́т, пойдёт, пойду́т. 3. пойдёте, пойдём. 4. пойти́, пойти́.

Exercise 17. 1. ходи́л (ходи́ла), пойду́. 2. ходи́ли, пойду́т. 3. ходи́ли, пойдём. 4. ходи́ли, пойдёте. 5. ходи́л, пойдёшь. 6. ходи́ла, пойдёт.

Exercise 18. 1. идёте, иду́, идёте, идём. 2. пойдёте, пойдём, пойду́т, пойду́т. 3. ходи́л. 4. ходи́ли, ходи́ли.

Exercise 19. 1. идёшь, иду́, пойдёшь, пойду́. 2. ходи́л, ходи́л, ходи́ли. 3. пойду́, пойдём, пойдёте, пойдём. 4. идёшь, иду́, идёте, ходи́ли, идём.

Exercise 20. 1. е́дете, е́ду, е́дет. 2. е́дешь, е́ду. 3. е́дет, е́дем. 4. е́дете, е́дем. 5. е́дут, е́дут.

Exercise 21. 1. Я е́ду (мы е́дем) на рабо́ту. 2. ...на пра́ктику. 3. на заво́д. 4. на стадио́н. 5. в дом о́тдыха. 6. в дере́вню.

Exercise 24. 1. Нет, мы е́здили туда́ на маши́не. 2. ... е́здили на вокза́л на авто́бусе. 3. е́здил в больни́цу на трамва́е. 4. е́здил в дере́вню на мотоци́кле. 5. е́здил в Су́здаль на по́езде.

Exercise 25. 1. на стадио́н, на маши́не. 2. в музе́й, на трамва́е. 3. в дере́вню, на велосипе́де. 4. в Санкт-Петербу́рг на по́езде. 5. на пра́ктику на авто́бусе.

Exercise 26. 1. Где была́ ле́том ва́ша семья́? Куда́ е́здила ле́том ва́ша семья́? 2. Где вы бы́ли в а́вгусте? Куда́ вы е́здили в а́вгусте? etc.

Exercise 27. 1. Сего́дня у́тром я был в поликли́нике. 2. ...бы́ли в лесу́. 3. бы́ли на да́че. 4. был в Индии. 5. бы́ли в Ташке́нте. 6. была́ в Ту́рции.

Exercise 28. 1. Ле́том я е́здил во Фра́нцию. 2. ...е́здил в Финля́ндию. 3. е́здила в Минск. 4. е́здил в Ита́лию. 5. е́здили в Рим. 6. е́здила на ро́дину. 7. е́здили в По́льшу. 8. е́здили в Москву́.

Exercise 29. 1. Ле́том мои́ роди́тели е́здили в санато́рий. 2. ... е́здила в Сиби́рь. 3. е́здили на пра́ктику. 4. е́здила на да́чу. 5. е́здили на экску́рсию. 6. е́здил на стадио́н.

Exercise 30. 1. е́дете, е́дем, е́здили. 2. е́дет, е́дет, е́здил. 3. е́дут, е́дут, е́здили.

Exercise 32. 1. е́дете, е́дем, е́здили. 2. е́здил, е́здил, е́здили, е́здил, пое́ду. 3. е́дешь, е́ду, пое́ду, е́дешь, е́ду. 4. пое́хать, пое́дем.

Exercise 34. 1. ...я пое́ду к нему́ на авто́бусе (на по́езде). 2. я пое́ду туда́ на авто́бусе. 3. я пойду́ в библиоте́ку пешко́м. 4. я пойду́ (мы пойдём) в парк пешко́м. 5. я пойду́ на по́чту пешко́м. 6. я пое́ду в музе́й на метро́ (на авто́бусе).

Exercise 35. 1. е́здил, пое́ду. 2. е́здил, пое́дет. 3. идёшь, иду́, ходи́л. 4. пое́дешь, пое́ду, е́здил, пое́ду, пое́дешь, е́здил. 5. идёшь, иду́, пойду́.

Exercise 39. 1. Я ча́сто хожу́ на стадио́н. 2. ...хо́дит в консервато́рию. 3. хо́дят в бассе́йн. 4. хо́дим на ры́нок. 5. хожу́ в библиоте́ку.

Exercise 40. 1. идёшь, иду́. 2. идёшь, иду́, хо́дишь, хожу́. 3. идёшь, иду́, хо́дишь, хожу́. 4. идёшь, иду́, хо́дишь, хожу́, идёшь, иду́.

Exercise 41. 1. иду́т, иду́т, хо́дят, хо́дят. 2. ходи́л, ходи́л, хо́дишь, хожу́, идёшь, иду́. 3. идёте, идём, хо́дите, хо́дим. 4. идёте, иду́, хо́дите, хожу́.

Exercise 43. 1. ходи́л, шёл. 2. ходи́ли, шли. 3. ходи́ли, шли. 4. ходи́л, шёл.

Exercise 44. 1. ходи́ли. 2. шли. 3. шли. 4. ходи́л. 5. ходи́л. 6. шёл. 7. шли. 8. ходи́ли.

Exercise 47. 1. е́дешь, е́ду, е́здишь, е́зжу. 2. е́дете, е́дем, е́здили. 3. е́здил, е́здил, е́дешь, е́ду. 4. е́дешь, е́ду, е́дешь.

Exercise 49. 1. е́здила. 2. е́хала. 3. е́хали. 4. е́здили. 5. е́здила. 6. е́хала. 7. е́хал. 8. е́здил.

Exercise 50. 1. е́здили, е́хали, е́хали. 2. е́здили, е́хали, е́хали. 3. е́здили, е́хали, е́хали. 4. е́здили, е́хали, е́хали. 5. е́здили, е́хали, е́хали.

Exercise 51. 1. хожу́. 2. е́здит. 3. е́здим. 4. хо́дим. 5. е́зжу. 6. хожу́.

Exercise 53. 1. е́здил, е́хал. 2. е́зжу, хожу́. 3. е́здить, е́здит, е́здил, е́хал. 4. е́зжу, е́здил. 5. хо́дим, е́здим, е́здили, е́хали, е́здите. 6. хо́дит, шёл.

Exercise 56. 1. Де́вушка несёт цветы́. 2. Маши́на везёт молоко́. 3. Авто́бус везёт пассажи́ров. 4. Мужчина несёт чемода́н. 5. Мать везёт ребёнка. 6. Мужчина везёт соба́ку.

Exercise 57. 1. несёт, но́сит. 2. несёт, но́сит. 3. везёт, во́зит. 4. везёт. 5. во́зит. 6. во́зит.

Exercise 58. I. несёшь, несу́. 2. везёте, везу́. 3. несёт, несёт. 4. везёшь, везу́.

Exercise 59. 1. Я несу́ кни́ги в библиоте́ку. 2. Студе́нт несёт слова́рь. 3. Же́нщина везёт фру́кты. 4. Де́вушка несёт цветы́. 5. Мужчи́на несёт чемода́н. 6. Авто́бус везёт тури́стов на экску́рсию. 7. Мужчи́на везёт сы́на домо́й. 8. Же́нщина несёт ребёнка в больни́цу.

Exercise 60. 1. несла́. 2. вёз. 3. несла́. 4. вёз. 5. несла́. 6. нёс.

Exercise 61. 1. нёс, носи́л. 2. но́сит, нёс. 3. вози́л, вёз. 4. во́зит, вёз.

Exercise 63. 1. пошёл. 2. пошли́. 3. пошли́. 4. пое́хал. 5. пошла́. 6. пое́хали. 7. пошёл.

Exercise 64. 1. пошли́, пошли́, пое́хали. 2. пошёл, пошли́, пошли́, пошли́, пошли́.

Exercise 69. 1. Отку́да прие́хал ваш това́рищ? 2. Отку́да прие́хали э́ти студе́нты? etc.

Exercise 70. 1. пришёл (придёт). 2. придёт. 3. прие́хал. 4. пришли́. 5. прие́хал. 6. прие́дет. 7. пришёл. 8. пришли́.

Exercise 71. 1. прихожу́, приду́. 2. прихо́дит, придёт. 3. прихо́дит, пришёл. 4. прихо́дит, пришла́. 5. приезжа́ет, прие́дет. 6. приезжа́ют, прие́дут.

Exercise 73. 1. ушёл, ушёл, ушёл. 2. ушёл. 3. ушла́, ушла́. 4. уе́хал, уе́хал. 5. ушла́.

Exercise 74. 1. уе́хал. 2. ушли́. 3. уйдём. 4. уе́хали. 5. уе́хали (уе́дут). 6. ушла́ (уе́хала). 7. ушёл.

Exercise 75. 1. Студе́нты ушли́ из аудито́рии. 2. Моя́ подру́га ушла́ с ве́чера. 3. Че́рез час мой друг уйдёт из лаборато́рии. 4. Че́рез полчаса́ я уйду́ из библиоте́ки. 5. Ви́ктор уе́хал из Москвы́ в друго́й го́род. 6. Мой брат уе́хал из Симферо́поля в Ки́ев.7.Че́рез ме́сяц моя́ сестра́ уе́дет из Москвы́.

Exercise 76. (a) 1. ухо́дит, уйдёт (ушла́). 2. ухо́дит, ушёл. 3. ухожу́, уйду́ (ушёл). (b) 1. уезжа́ют, уе́хали (уе́дут). 2. уезжа́ет, уе́хали. 3. уезжа́ет, уе́хал.

Exercise 77. 1. Мы ушли́ из лаборато́рии. 2. ...уе́хал в санато́рий. 3. прие́хала с ро́дины. 4. уе́хал из университе́та. 5. ушёл на рабо́ту. 6. пришёл с по́чты. 7. ушла́ в магази́н. 8. пришли́ из шко́лы.

Exercise 78. 1. прихожу́, ухожу́, пришёл. 2. уе́хал, прие́дет. 3. ушли́, приду́т. 4. уе́дут (уе́хали, уезжа́ют), прие́дут (прие́хали, приезжа́ют). 5. ушёл, пришёл. 6. уезжа́ет, приезжа́ет.

Exercise 79. (a) 1. в А́нглию из Росси́и. 2. в Москву́ из Ве́ны. 3. в Ки́ев из Да́нии. 4. в Росси́ю из Ме́ксики. 5. в Мю́нхен из По́льши. (b) 1. из Ло́ндона в Ливерпу́ль. 2. из Пари́жа в Ита́лию. 3. с рабо́ты в поликли́нику. 4. из университе́та на стадио́н.

Exercise 80. 1. ко мне. 2. к вам. 3. к тебе́. 4. к вам. 5. ко мне. 6. ко мне. 7. к ним.

Exercise 81. 1. принесли́. 2. принёс. 3. принесла́. 4. привёз. 5. привезли́. 6. привезла́. 7. унёс. 8. унёс. 9. увезла́.

Exercise 82. 1. принесли́. 2. привёз. 3. приноси́л. 4. приезжа́ла, привози́ла. 5. приходи́л, приноси́л.

Exercise 83. 1. отнёс. 2. отнесла́. 3. отнёс. 4. отнесли́. 5. отнёс. 6. отнесёт. 7. отнести́. 8. отнёс. 9. отнесла́.

Exercise 84. 1. Студе́нты вошли́ в аудито́рию. 2. вошла́. 3. вошли́. 4. вошёл. 5. вошли́. 6. вошёл. 7. вошли́.

Exercise 85. 1. Преподава́тель вы́шел из аудито́рии в холл. 2. вы́шли из магази́на на у́лицу. 3. вы́шел из ваго́на на платфо́рму. 4. вы́шел из кабине́та в коридо́р. 5. вы́шли из теа́тра на у́лицу.

Exercise 86. 1. вы́шел из магази́на. 2. вы́шла из ба́нка. 3. вы́шли из кинотеа́тра. 4. вы́шли из теа́тра. 5. вы́шли из аудито́рии. 6. вы́шла из апте́ки.

Exercise 87. 1. вошли́. 2. вы́йти. 3. вы́шла. 4. вошёл. 5. вошли́. 6. вошла́. 7. вы́шел.

Exercise 92. 1. подошёл. 2. подошли́. 3. подошёл (подъе́хал). 4. подошёл. 5. подъе́хали. 6. подъе́хали.

Exercise 93. I. 1. отошла́ от окна́. 2. подошёл к ста́нции. 3. отошёл от остано́вки. 4. отъе́хало от вокза́ла. 5. подошёл к доске́. 6. подъе́хала к больни́це. II. 1. подхо́дит к платфо́рме. 2. отъезжа́ет от по́чты. 3. отхо́дит от остано́вки.

Exercise 96. 1. до теа́тра. 2. до музе́я. 3. до стадио́на. 4. до э́того го́рода. 5. до больни́цы. 6. до ста́нции. 7. до бе́рега реки́.

Exercise 100. 1. в аудито́рию. 2. из кинотеа́тра, к авто́бусной остано́вке. 3. в поликли́нику. 4. к до́му. 5. к окну́. 6. от окна́. 7. из университе́та.

Exercise 101. 1. Оте́ц вы́шел из ко́мнаты. 2. ...прие́хали с пра́ктики. 3. отошёл от окна́. 4. вошёл в библиоте́ку. 5. пришёл к своему́ дру́гу. 6. уе́хали из го́рода. 7. вы́шел из до́ма. 8. подошёл к доске́. 9. вошли́ в ваго́н.

Exercise 104. пойти́, вы́шли, пошли́, шли, зайти́, вы́шли, пошли́, перешли́, вошли́, подошли́, вы́йти, дошли́.

Exercise 105. пойти́, вы́шел, шёл (пошёл), зайти́, подошёл, зашёл, вы́шла, пошёл, вы́шел, пошёл, шёл, пошёл, дошёл, вошёл, пошёл, обошёл, вы́шел, пошёл.

Exercise 106. пойти́, вы́шли, доéхать, подошли́, поéхали, доéхали, вы́шли, вошли́ вошли́, éхали, вы́шли, пошли́, подошли́, пришли́, вошли́, пошли́.

Exercise 107. ходи́ли, вы́шли, подошли́, подошёл, вы́шли, вошли́, отошёл, шёл, доéхали, вы́шли, пошли́, пошёл (побежа́л, зашёл), вошёл (пришёл), вошёл.

Exercise 108. хóдим, выхóдим, подхóдим, éдем (доезжáем), идёт, выхóдим, перехóдим, вхóдим, идём (вхóдим), выхóдим, идём, идём.

Exercise 109. éздит, выхóдит, идёт, выхóдит, идёт, éдет, выхóдит, идёт, прихóдит.

Exercise 110. вы́шел, пошёл, пойти́, подошёл, войти́, вошёл, пришёл, придёт, прихóдит, придёт, пошёл, вы́шел, пошёл, подошёл, вы́шел, подошёл.

Exercise 111. ездили, вы́шли, поéхали, éхали, вы́ехали, поéхали, проéхали, поéхали (подъéхали), вы́шли, пошли́ (побежáли), ходи́ли, поéхали, приéхали.

Exercise 112. поéхать, вы́шли, поéхали, приéхали, подошли́, отошёл, вы́шли, подошёл (пришёл), вошли́, отошёл, éхали, вы́шли, пройти́, идти́, пошли́, шли, прошли́, пришли́.

Exercise 113. приéхала, вы́ехали, éздила, приéхали, éхали, приéхали, ходи́ли, приéхали, пойду́т, пойду́т.

Verbs with the Particle -ся

Exercise 2. 1. Антаркти́ду изучáют учёные мнóгих стран. 2. ... гóрод посещáют тури́сты. 3. литерату́ру изучáют студéнты. 4. влáжность измеря́ют прибóры. 5. корабли́ создаю́т рабóчие и инженéры. 6. больны́х осмáтривают óпытные врачи́. 7. планéты исслéдуют учёные.

Exercise 3. 1. Наш университéт организу́ет междунарóдные конферéнции. 2. ...профессорá дéлают оперáции. 3. клуб готóвит фотовы́ставку. 4. спу́тники посылáют сигнáлы. 5. рáдио передаёт извéстия. 6. студéнты выполня́ют задáния. 7. факультéт провóдит встрéчи.

Exercise 4. 1. создаю́тся. 2. создаю́т. 3. изучáется. 4. изучáют. 5. принимáет. 6. принимáются. 7. измеря́ется. 8. измеря́ет. 9. готóвят. 10. готóвится. 11. проверя́ются. 12. проверя́ют.

Exercise 5. 1. Инженéрами создаю́тся слóжные маши́ны. 2. учёными исслéдуются проблéмы. 3. гру́ппой инженéров готóвится проéкт. 4. экскурсиóнным бюрó организу́ются экску́рсии. 5. студéнтами изучáются инострáнные языки́. 6. учёными решáются проблéмы. 7. молоды́ми кинорежиссёрами создаю́тся фи́льмы. 8. врачáми дéлаются оперáции.

Exercise 7. 1. строи́тся нóвая гости́ница. 2. демонстри́руются нóвые фи́льмы. 3. организу́ются интерéсные вечерá. 4. продаётся дéтская литерату́ра. 5. передаю́тся послéдние извéстия. 6. читáются лéкции.

Exercise 8. 1. готóвят вы́ставку. 2. стрóят шкóлу. 3. открóют нóвую стáнцию. 4. преподаю́т иностра́нные языки́. 5. продаю́т газе́ты. 6. изуча́ют кли́мат. 7. передаю́т после́дние изве́стия.

Exercise 9. 1. журна́лы и газе́ты продаю́т. 2. кни́ги продаю́т. 3. магази́н открыва́ют. 4. ру́сскую литерату́ру изуча́ют. 5. зда́ние стро́ят. 6. организу́ют экску́рсии. 7. откро́ют кинотеа́тр. 8. гото́вят фотовы́ставку. 9. прово́дят кинофестива́ль.

Exercise 15. (a) 1. начался́, на́чали. 2. на́чали. 3. начался́, на́чал. 4. на́чали, начали́сь. 5. начался́, на́чали. (b) 1. продолжа́лся, продолжа́ли. 2. продолжа́ли, продолжа́лся. 3. продолжа́лось, продолжа́ли. 4. продолжа́л, продолжа́лся, (c) 1. ко́нчили, ко́нчился, ко́нчился. 2. ко́нчился, ко́нчили. 3. ко́нчил.

Exercise 16. 1. ко́нчили, ко́нчилась. 2. у́чится, у́чит. 3. откры́ла, откры́лась. 4. стро́ят, стро́илось. 5. разби́л, разби́лась. 6. слома́л, слома́лся. 7. останови́л, останови́лась.

Exercise 17. 1. на́чали. 2. ко́нчились, ко́нчил. 3. верну́л, верну́лись, вернёшь. 4. открыва́ю, открыва́ется. 5. закры́л, закры́лось. 6. подняли́сь, по́днял, по́днял. 7. останови́л, останови́лся, останови́л.

Exercise 18. 1. слома́л, слома́лась, слома́л, слома́лись. 2. разби́л, разби́лась, разби́л. 3. спря́тал, спря́тался, спря́тал. 4. гото́влю, гото́влюсь, гото́вятся. 5. верну́сь, верну́сь, верну́. 6. отпра́вил, отпра́вился. 7. прекрати́ли, прекрати́лись.

Exercise 19. 1. начала́сь. 2. продолжа́ются. 3. ко́нчишь. 4. подня́лся. 5. спусти́лись. 6. измени́лся. 7. собрали́сь. 8. останови́л. 9. измени́ли. 10. начну́тся, гото́вятся.

Exercise 25. 1. С кем вы ча́сто встреча́етесь? 2. С кем вы давно́ не ви́делись? etc.

Exercise 27. 1. встре́тил, встре́тились, встре́тил, встре́титься. 2. познако́мился, познако́мил, познако́мились, познако́мите: 3. ви́дел, ви́димся, ви́делись, ви́дел. 4. помири́л, помири́лся. 5. сове́тует, сове́туюсь.

Exercise 29. 1. мо́ю, мо́ет, мо́ется, мо́ет, мыть. 2. одева́ет, одева́ется, одева́ет. 3. умыва́емся, умыва́ет. 4. вытира́ет, вытира́ется. 5. купа́ться, купа́ет, купа́лись.

Exercise 30. 1. ...сде́лал заря́дку, умы́лся, оде́лся, причеса́лся, поза́втракал, отпра́вился. 2. ...вы́мылись, оде́лись, причеса́лись, отпра́вились.

Exercise 33. 1. познако́мились. 2. ви́делся. 3. встре́титься. 4. верну́лся. 5. продолжа́лся. 6. ко́нчился. 7. посове́товаться. 8. волну́юсь. 9. забо́тится. 10. смею́тся. 11. интересу́ется. 12. подгото́вился.

Exercise 34. 1. с кем. 2. чем. 3. с кем. 4. с кем. 5. с кем. 6. с кем. 7. с кем. 8. чем. 9. почему́ (над чем).

Exercise 36. 1. со свои́м преподава́телем. 2. со свои́ми друзья́ми. 3. о свои́х де́тях. 4. к после́днему экза́мену. 5. со мной. 6. с людьми́. 7. на ва́шу по́мощь. 8. над людьми́. 9. свои́м сы́ном. 10. биоло́гией. 11. к своему́ бра́ту.

Exercise 37. A. у́чится, умыва́ется, одева́ется, причёсывается, у́чится, начина́ется, продолжа́ются, конча́ются, гото́вит, у́чит, де́лает, интересу́ется, ко́нчит, гото́вится, сове́туется.

Verb Aspects

Exercise 3. 1. писа́ть – написа́ть. 2. чита́ть – прочита́ть. 3. реша́ть – реши́ть. 4. гото́вить – пригото́вить. 5. писа́ть – написа́ть.

Exercise 4. 1. писа́ть – написа́ть. 2. реша́ть – реши́ть. 3. чита́ть – прочита́ть. 4. пить – вы́пить. 5. повторя́ть – повтори́ть. 6. переводи́л – перевёл.

Exercise 5. 1. писа́ть – написа́ть. 2. учи́ть – вы́учить. 3. реша́ть – реши́ть. 4. гото́вить – пригото́вить. 5. рисова́ть – нарисова́ть. 6. расска́зывать – рассказа́ть. 7. объясня́ть – объясни́ть.

Exercise 10. писа́л, писа́л, писа́л, писа́л, писа́л, написа́л, писа́л, писа́л, писа́л, написа́л.

Exercise 11. чита́л, чита́л, чита́л, чита́л, чита́л, прочита́л, прочита́л.

Exercise 12. 1. смотре́ли. 2. учи́л. 3. чита́л. 4. реша́ли, реши́л. 5. изуча́л.

Exercise 13. 1. учи́л, писа́л, вы́учил, написа́ли, написа́л. 2. смотре́л, посмотре́л. 3. чита́л, прочита́ли, прочита́л. 4. реша́л, реша́л, реши́л, реши́л.

Exercise 15. 1. учи́л, вы́учил. 2. за́втракал, поза́втракал. 3. объясни́л, объясня́л. 4. писа́л, написа́л. 5. отвеча́ла, отве́тила. 6. прове́рил, проверя́л. 7. посмотре́ли, смотре́ли.

Exercise 20. 1. Студе́нты вошли́ в класс и поздоро́вались. 2. Преподава́тель принёс на уро́к магнитофо́н. etc.

Exercise 21. 1. повторя́ем, повтори́ли. 2. прочита́л, чита́ю. 3. пригото́вил, гото́влю. 4. вы́учил, у́чит. 5. опа́здывает, опозда́ла. 6. посыла́ет, посла́л. 7. получи́л, получа́ет.

Exercise 23. 1. стро́или, постро́или. 2. осма́тривал, осмотре́л. 3. пью, вы́пил. 4. нарисова́л, рисова́л. 5. объясня́л, объясни́л. 6. помога́ет, помо́г.

Exercise 24. 1. чита́л, прочита́ли, прочита́л. 2. гото́вит, пригото́вил, пригото́вил. 3. посыла́ю, посла́л. 4. покупа́ем, купи́л. 5. получа́ю, получи́л, получа́ете. 6. реша́л, реши́л, помо́г, реши́л.

Exercise 26. 1. рисова́ть. 2. стро́ить. 3. переводи́ть. 4. говори́ть. 5. у́жинать. 6. игра́ть.

Exercise 31. 1. Когда́ Анна пригото́вит обе́д... 2. ... прочита́ет. 3. сде́лают. 4. переведу́. 5. напеча́таю. 6. поу́жинают.

Exercise 32. 1. ... пообе́даю, отдохну́, пригото́влю. 2. реши́т, переведёт, напи́шет.

3. повтори́м, расска́жем. 4. поза́втракает, почита́ет, послу́шает. 5. вы́учу, прочита́ю, посмотрю́.

Exercise 33. 1. Что бу́дет де́лать Бори́с, когда́ вы́учит стихи́? 2. ... переведу́т. 3. пообе́даем. 4. прочи́таю. 5. поу́жинают. 6. прове́рит. 7. испра́вим.

Exercise 35. 1. бу́дем писа́ть, напи́шем. 2. бу́дем рисова́ть, нарису́ет. 3. бу́дем отдыха́ть, отдохну́. 4. бу́дем у́жинать, поу́жинаем. 5. прочита́ете, бу́дем чита́ть.

Exercise 36. 1. ... ко́нчит, посту́пит. 2. узна́ет, сообщи́т. 3. напишу́, оста́влю. 4. реша́т, пока́жут. 5. возьму́, посмотрю́. 6. пойдём, возьмём. 7. пришлёт, отве́чу.

Exercise 37. 1. даст. 2. да́ли. 3. дал. 4. дашь. 5. дади́те. 6. дади́м.

Exercise 38. 1. даёт. 2. даю́. 3. дашь, дам. 4. дади́те. 5. дади́м. 6. даёт, даст. 7. даст. 8. дам. 9. дади́те. 10. дашь.

Exercise 39. 1. даст. 2. сдал. 3. про́дали. 4. дам. 5. бу́дет сдава́ть, сдаст. 6. даю́. 7. продаю́т.

Exercise 40. 1. встаёт, встаёт, встал. 2. вста́нешь, вста́ну. 3. вста́ли, встал. 4. встаёт. 5. вста́нем. 6. встава́ли. 7. встава́л, встаёт. 8. вста́ну. 9. вста́нешь.

Exercise 41. 1. ве́шаю, пове́сил. 2. поста́вили, поста́вили. 3. кладу́, положи́л. 4. поста́вила, ста́вит. 5. ве́шает, пове́сил. 6. кладу́, положи́л.

Exercise 42. 1. ложу́сь, лёг. 2. ля́гу. 3. сади́тся. 4. се́ла. 5. се́ли. 6. сел. 7. се́ли. 8. сади́тся.

Exercise 46. 1. ви́дел, уви́дел. 2. ви́дел, уви́дишь. 3. уви́дел, ви́дел. 4. слы́шали, слы́шал, услы́шал. 5. слы́шали, слы́шал. 6. услы́шали. 7. зна́ете, зна́ю. 8. зна́ете, зна́ю. 9. узна́л. 10. зна́ете, зна́ю, узна́ть, узна́ете.

Exercise 48. 1. пое́хал. 2. пое́хал. 3. пошла́. 4. пое́хал. 5. полете́л. 6. понёс. 7. повела́.

Exercise 50. 1. написа́л. 2. учи́ла, вы́учила. 3. постро́или, стро́или. 4. заплати́л. 5. купи́ли. 6. вспо́мнил. 7. беру́, взял. 8. посыла́ет, посла́л. 9. опа́здывает, опозда́ла. 10. встаю́, встал.

Exercise 51. 1. нарисова́л, рисова́л. 2. подари́л, дари́л. 3. куплю́, купи́ли, покупа́ю. 4. писа́л, написа́л. 5. берёт, взял. 6. спел, пе́ли. 7. вы́пил. 8. стро́ят, постро́или.

Exercise 52. 1. прочита́л. 2. реши́л. 3. купи́л. 4. рабо́тал. 5. собира́ет. 6. заболе́л. 7. откры́л. 8. включи́л.

Exercise 53. 1. За́втра я напишу́ письмо́ и пошлю́ его́ авиапо́чтой. 2. ... расска́жем, пока́жем. 3. напи́шет, пода́рит. 4. сдади́м, пое́дем. 5. куплю́, пове́шу. 6. пригото́влю, приглашу́. 7. сде́лаю, пошлю́. 8. позвони́т, ска́жет.

Exercise 54. 1. ... вы полу́чите. 2. я встре́чу. 3. мы при́мем уча́стие. 4. я подожду́. 5. я наде́ну. 6. они́ поги́бнут. 7. вы не поймёте. 8. вы не смо́жете. 9. я забу́ду.

Exercise 55. 1. ко́нчится, вы́йдут. 2. начнётся. 3. откро́ется. 4. ко́нчатся, верну́тся. 5. подгото́вимся, сдади́м. 6. ко́нчится, откро́ю. 7. встре́чусь, пойдём. 8. договори́мся. 9. соберу́тся, начнётся. 10. изме́нится.

Exercise 56. 1. сдади́м, полу́чим, ку́пим, пое́дем, бу́дем отдыха́ть, пла́вать, ходи́ть в го́ры. 2. пойду́т в кино́, оста́нусь до́ма, возьму́ журна́л, посмотрю́ его́, ля́гу спать. 3. прие́дет, привезёт, соберёмся, расска́жет. 4. вста́ну, оде́нусь, умо́юсь, пойду́ за́втракать, поза́втракаю, пойду́ к дру́гу, возьмём, пойдём. 5. приду́, отдохну́, ся́ду занима́ться, вы́учу, бу́ду смотре́ть. 6. прие́дет, встре́тим, помо́жем, пока́жем, расска́жем.

Exercise 57. конча́ются, пообе́дал, чита́л, смотре́л, гото́вить, сде́лал, учи́л, повторя́л, чита́ть, ко́нчил, танцева́л, смотре́л, верну́лся, лёг.

COMPLEX SENTENCES

Exercise 2. 1. где. 2. куда́. 3. кака́я. 4. что. 5. ско́лько. 6. как. 7. когда́ (отку́да). 8. как (где).

Exercise 3. 1. когда́. 2. где. 3. как. 4. кто. 5. что. 6. что. 7. кто. 8. ско́лько. 9. что.

Exercise 5. 1. Анна хорошо́ говори́т по-ру́сски, потому́ что она́ мно́го занима́ется. 2. Он не успе́л поза́втракать сего́дня, потому́ что по́здно встал. 3. Я не́ был вчера́ на ве́чере, потому́ что был за́нят. etc.

Exercise 15. 1. е́сли. 2. е́сли. 3. когда́. 4. когда́. 5. по̀этому. 6. по̀этому. 7. потому́ что.

Exercise 27. 1. то. 2. то, etc.

Exercise 28. I. 1. того́. 2. того́. 3. того́. II. 1. к тому́. 2. тому́. 3. тем. 4. тем. III. 1. с тем. 2. с тем. 3. тем. 4. тем. IV. 1. о том. 2. о том, etc.

Exercise 29. 1. то. 2. того́. 3. то. 4. о том. 5. о том. 6. то. 7. того́.

Exercise 30. 1. Вы ви́дели но́вый фильм, кото́рый шёл у нас в клу́бе? 2. кото́рая. 3. кото́рый. 4. кото́рое. 5. кото́рые. 6. кото́рый.

Exercise 31. 1. Мы бы́ли в кинотеа́тре, кото́рый нахо́дится на сосе́дней у́лице. 2. ... на конце́рте, кото́рый. 3. на ве́чере, кото́рый. 4. письмо́, кото́рое. 5. студе́нтку, кото́рая. 6. студе́нта, кото́рый. 7. челове́ка, кото́рый.

Exercise 32. 1. кото́рый. 2. кото́рый. 3. кото́рое. 4. кото́рая. 5. кото́рый. 6. кото́рое. 7. кото́рые. 8. кото́рые.

Exercise 33. 1. Мы бы́ли в до́ме, в кото́ром жил вели́кий писа́тель. 2. в шко́ле, в кото́рой... 3. газе́ту, в кото́рой. 4. у́лица, на кото́рой. 5. де́вушку, о кото́рой. 6. кни́гу, о кото́рой. 7. дру́га, о кото́ром.

Exercise 34. 1. Вы зна́ете кио́ск, в кото́ром мы покупа́ем газе́ты? 2. ...в за́ле, в кото́ром. 3. го́род, в кото́ром. 4. тетра́дь, в кото́рой. 5. на фа́брике, на кото́рой. 6. на пло́щади, на кото́рой. 7. го́род, в кото́ром.

Exercise 35. 1. (a) в кио́ске, кото́рый. (b) в кио́ске, в кото́ром. 2. (a) текст, кото́рый. (b) текст, в кото́ром. 3. (a) в теа́тре, кото́рый. (b) в теа́тре, в кото́ром. 4. (a) рюкза́к, в кото́ром. (b) рюкза́к, кото́рый. 5. (a) в зал, в кото́ром. (b) зал, кото́рый. 6. (a) чемода́н, в кото́ром. (b) чемода́н, кото́рый.

Exercise 36. 1. о кото́ром. 2. в кото́рой. 3. на кото́рой. 4. в кото́ром. 5. о кото́ром. 6. в кото́ром.

Exercise 39. 1. кни́га, кото́рую. 2. фильм, кото́рый. 3. о статье́, кото́рую. 4. расска́з, кото́рый. 5. студе́нта, кото́рого. 6. пе́сню, кото́рую. 7. у́лицу, кото́рую. 8. челове́ка, кото́рого.

Exercise 40. 1. журна́лы, кото́рые. 2. пе́сни, кото́рые. 3. друзе́й, кото́рых. 4. газе́ты, кото́рые. 5. брат и сестра́, кото́рых. 6. знако́мые, кото́рых.

Exercise 41. 1. кото́рую, кото́рая, о кото́рой. 2. кото́рая, кото́рую, о кото́рой. 3. кото́рый, кото́рого, о кото́ром. 4. кото́рые, кото́рых, о кото́рых.

Exercise 43. 1. знако́мого, кото́рому. 2. това́рищ, к кото́рому. 3. знако́мые, к кото́рым. 4. студе́нта, кото́рому. 5. де́вушку, кото́рой. 6. друг, кото́рому.

Exercise 44. 1. това́рища, с кото́рым. 2. от дру́га, с кото́рым. 3. де́вушку, с кото́рой, etc.

Exercise 45. 1. това́рища, у кото́рого. 2. врач, у кото́рого. 3. студе́нт, у кото́рого. 4. о студе́нте, кото́рого. 5. студе́нтку, у кото́рой. 6. кни́гу, кото́рой.

Exercise 46. 1. (a) кото́рая. (b) кото́рую. (c) кото́рая. (d) у кото́рой. 2. (a) кото́рого. (b) кото́рый, (c) с кото́рым, (d) кото́рому. 3. (a) кото́рый. (b) о кото́ром. (c) кото́рый. 4. (a) кото́рый. (b) кото́рому. (c) кото́рого. (d) с кото́рым.

Direct and Indirect Speech

Exercise 50. 1. Я сказа́л Па́влу, что у меня́ есть два биле́та в теа́тр. 2. Он сказа́л мне, что он уже́ ви́дел э́тот спекта́кль. 3. Анна написа́ла свои́м роди́телям, что она́ ско́ро прие́дет домо́й. 4. Роди́тели отве́тили ей, что они́ давно́ ждут её. 5. Мой брат позвони́л мне и сказа́л, что ве́чером он бу́дет у меня́. 6. Ми́ша написа́л отцу́, что он сдал все экза́-

мены. 7. Я сказа́л сестре́, что она́ должна́ посмотре́ть э́тот фильм. 8. Она́ отве́тила мне, что она́ уже́ смотре́ла его́.

Exercise 51. 1. Андре́й сказа́л нам, что за́втра у нас в клу́бе бу́дет конце́рт. 2. ...что они́ хотя́т пойти́ на э́тот конце́рт. 3. ...что в ка́ссе уже́ нет биле́тов. 4. ...что он до́лжен помо́чь нам купи́ть биле́ты. 5. ...что он не ви́дел э́тот фильм. 6. ...что у меня́ есть ли́шний биле́т. 7. ...что ему́ ну́жно два биле́та. 8. ...что за́втра они́ начну́т чита́ть но́вый расска́з. 9. ...что у них в кни́ге нет э́того расска́за. 10. ...что они́ мо́гут взять э́тот расска́з в библиоте́ке.

Exercise 52. 1. Анна спроси́ла меня́, где нахо́дится кни́жный магази́н. 2. Я спроси́л продавца́, ско́лько сто́ит э́та книга. 3. Я спроси́л де́вушку, где она́ живёт. 4. Мари́я спроси́ла нас, куда́ мы идём. 5. Михаи́л спроси́л меня́, кому́ я обеща́л дать кни́гу. 6. Мой друг спроси́л меня́, почему́ я не иду́ с ни́ми. 7. Мать спроси́ла сы́на, когда́ он вернётся домо́й. 8. Мы спроси́ли но́вого студе́нта, отку́да он прие́хал. 9. Ма́льчик спроси́л меня́, как меня́ зову́т.

Exercise 53. 1. Ни́на спроси́ла меня́, чита́л ли я сего́дняшнюю газе́ту. 2. ...был ли он. 3. бы́ли ли они́. 4. получа́ю ли я. 5. пойдёт ли его́ сестра́. 6. бу́дет ли за́втра ле́кция. 7. понима́ем ли мы, что он говори́т. 8. бу́дет ли он чита́ть.

Exercise 54. 1. Наш знако́мый спроси́л нас, давно́ ли мы прие́хали сюда́. 2. ...хорошо́ ли я чу́вствую себя́. 3. пра́вильно ли они́ реши́ли. 4. интере́сно ли бы́ло. 5. до́лго ли он ждал. 6. давно́ ли он изуча́ет.

Exercise 55. 1. Преподава́тель сказа́л нам, что́бы мы откры́ли тетра́ди и писа́ли. 2. ...что́бы он повтори́л. 3. что́бы он прочита́л. 4. что́бы она́ писа́ла. 5. что́бы они́ присла́ли ему́. 6. что́бы он рассказа́л им, как он. 7. что́бы он купи́л мне.

Exercise 56. 1. ...что́бы они вы́учили. 2. что́бы я прочита́л. 3. что́бы он не кури́л. 4. что́бы он принёс. 5. что́бы я верну́л ему́ газе́ту, кото́рую я взял. 6. что́бы он помо́г ей. 7. что́бы она́ отнесла́. 8. что́бы он купи́л.

Exercise 57. 1. что́бы, что. 2. что, что́бы. 3. что́бы, что, что. 4. что, что́бы. 5. что, что́бы. 6. что́бы, что.

Exercise 58. 1. ...почему́ я не́ был. 2. пойдём ли мы. 3. что́бы он позвони́л ей. 4. что́бы она́ подождала́ меня́. 5. мо́жет ли он помо́чь ей. 6. по́мню ли я. 7. куда́ я положи́л его́ журна́л. 8. приходи́л ли он ко мне. 9. что́бы я помо́г ему́. 10. прочита́ю ли я.

Exercise 59. 1. куда́ мы идём; что мы идём. 2. чита́л ли я; что не чита́л. 3. был ли он; что был; с кем он ходи́л; что ходи́л с това́рищем. 4. что́бы я объясни́л ему́; что́бы он попроси́л Анто́на. 5. что́бы он рассказа́л мне; что́бы я спроси́л Анну.

Exercise 61. 1. Я спроси́л Ви́ктора, был ли он вчера́ на ле́кции. Ви́ктор отве́тил мне, что он не́ был на ле́кции. Я спроси́л его́, почему́ он не́ был на ле́кции. Он отве́тил, что он не́ был на ле́кции, потому́ что был бо́лен. Ви́ктор спроси́л меня́, интере́сная ли была́ ле́кция. Я отве́тил, что о́чень интере́сная, etc.

Sentences Containing Participial and Verbal Adverb Constructions

The Participle

Exercise 2. 1. Кака́я де́вушка у́чится в ва́шей гру́ппе? 2. С каки́м инжене́ром вы познако́мились? 3. Каки́м друзья́м вы ча́сто пи́шете? 4. С каки́ми студе́нтами разгова́ривает профе́ссор? 5. Каки́е шко́льники должны́ хорошо́ знать фи́зику и матема́тику? 6. О како́м челове́ке писа́ли в газе́те? 7. С каки́ми де́вушками вы знако́мы? 8. Како́му студе́нту вы помога́ете?

Exercise 3. 1. Каки́е студе́нты уе́хали на пра́ктику? 2. Каку́ю писа́тельницу вы пригласи́ли на ве́чер? 3. Каку́ю лабора́нтку вы спроси́ли о результа́тах о́пыта? 4. С каки́ми арти́стами встре́тились зри́тели? 5. У како́го врача́ вы бы́ли сего́дня? 6. О како́м учёном чита́ли вы расска́з? 7. С како́й кома́ндой игра́ли ва́ши футболи́сты?

Exercise 4. 1. чита́ющий. 2. изуча́ющих. 3. рабо́тающим. 4. говоря́щих. 5. живу́щей. 6. строя́щих.

Exercise 5. 1. чита́вшего ле́кцию о ко́смосе, чита́вшему, чита́вшим, чита́вшем. 2. получи́вшего, получи́вший, получи́вшем, получи́вшим. 3. око́нчившие, око́нчившими, око́нчивших. 4. прие́хавшие, прие́хавших, прие́хавшими, прие́хавшим.

Exercise 6. I. 1. у врача́, рабо́тающего в на́шей поликли́нике. 2. к врачу, рабо́тающему. 3. врача́, рабо́тающего. 4. с врачо́м, рабо́тающим. II. 1. на челове́ка, иду́щего нам навстре́чу. 2. с челове́ком, иду́щим. 3. челове́ка, иду́щего. 4. о челове́ке, иду́щем. III. 1. об учёном, откры́вшем но́вый хими́ческий элеме́нт. 2. учёный, откры́вший. 3. учёного, откры́вшего. 4. с учёным, откры́вшим. IV. 1. худо́жников, организова́вших вы́ставку. 2. о худо́жниках, организова́вших. 3. худо́жникам, организова́вшим. 4. с худо́жниками, организова́вшими.

Exercise 7. 1. реша́ть, получа́ть, конча́ть, говори́ть, смотре́ть, жить, рисова́ть, организова́ть, сдава́ть, создава́ть, занима́ться, интересова́ться, учи́ться. 2. реша́ть, реши́ть, проверя́ть, прове́рить, изуча́ть, изучи́ть, сдать, сдава́ть, получа́ть, получи́ть, объясня́ть, объясни́ть, вы́расти, встре́титься, откры́ться, нача́ться, подня́ться.

Exercise 8. 1. кото́рый живёт; кото́рый живёт. 2. кото́рая идёт; кото́рая идёт. 3. кото́рые сидя́т; кото́рые сидя́т.

Exercise 9. 1. кото́рый изуча́ет. 2. кото́рый рабо́тает. 3. кото́рые жела́ют, etc.

Exercise 10. 1. кото́рый написа́л. 2. кото́рые изуча́ют. 3. кото́рый рабо́тает. 4. кото́рые хорошо́ зна́ют, кото́рые говоря́т. 5. кото́рый чита́л. 6. кото́рый купи́л. 7. кото́рые исполня́ли.

Exercise 11. I. кото́рые хорошо́ сда́ли. 2. кото́рая сиде́ла. 3. кото́рый опозда́л. 4. кото́рый вы́шел. 5. кото́рые прие́хали. 6. кото́рый позвони́л. 7. кото́рая мечта́ла.

Exercise 12. 1. кото́рые находи́лись. 2. кото́рые поднима́лись. 3. кото́рая останови́лась. 4. кото́рый появи́лся. 5. кото́рые интересу́ются. 6. кото́рые собрали́сь. 7. кото́рые интересу́ются.

Exercise 13. 1. чита́ющий, получа́ющий, посыла́ющий, изуча́ющий, зна́ющий, жела́ющий, расска́зывающий, реша́ющий, начина́ющий, покупа́ющий, встреча́ющий, занима́ющийся, встреча́ющийся, собира́ющийся. 2. бесе́дующий, критику́ющий, организу́ющий, танцу́ющий, интересу́ющийся. 3. продаю́щий, передаю́щий, встаю́щий. 4. смотря́щий, ви́дящий, ненави́дящий, зави́сящий. 5. и́щущий, пла́чущий, пря́чущий.

Exercise 14. прочита́вший, посла́вший, переда́вший, бра́вший, взя́вший, узнава́вший; узна́вший, рассказа́вший, покупа́вший, купи́вший, измени́вший, получа́вший, получи́вший, начина́вший, нача́вший, сда́вший, сдава́вший, реши́вший, ко́нчивший, вы́ступивший, объясни́вший, откры́вший, открыва́вший.

Exercise 15. I. 1. рабо́тающему перево́дчиком. 2. рабо́тающем... 3. рабо́тающего... 4. рабо́тающий... 5. рабо́тающим... II. 1. рабо́тающую в на́шей библиоте́ке. 2. рабо́тающей... 3. рабо́тающей... 4. рабо́тающая. III. 1. прие́хавший из Росси́и. 2. прие́хавшим... 3. прие́хавшему... 4. прие́хавшего... 5. приехавшем...

Exercise 16. 1. чита́вшая кни́гу. 2. изуча́ющие ру́сский язы́к. 3. посети́вший города́ Росси́и. 4. зна́ющие ру́сский язы́к. 5. лежа́щие на по́лке. 6. проверя́вший наш телеви́зор. 7. написа́вший э́ту кни́гу.

Exercise 17. 1. прие́хавшие в Москву́. 2. живу́щего в Волгогра́де. 3. стро́ящийся в сосе́днем го́роде. 4. выступа́вшем вчера́ на конце́рте. 5. написа́вший э́ту карти́ну. 6. реши́вшие пое́хать на экску́рсию.

Exercise 18. 1. написа́вшего э́ту кни́гу. 2. рабо́тающим в институ́те фи́зики. 3. прие́хавшем на гастро́ли. 4. написа́вшем э́ту карти́ну. 5. проходи́вшего ми́мо меня́. 6. исполня́вшего гла́вную роль. 7. игра́вшие во дворе́.

Exercise 20. 1. прочита́ть, написа́ть, прода́ть, посла́ть, созда́ть, организова́ть. 2. получи́ть, прове́рить, постро́ить, реши́ть, купи́ть, подгото́вить, испра́вить, перевести́. 3. закры́ть, забы́ть, наде́ть, спеть, поня́ть, приня́ть, уби́ть.

Exercise 21. I. 1. Мы живём в до́ме, постро́енном в про́шлом году́. 2. ...постро́енный в про́шлом году́. 3. постро́енного в про́шлом году́. 4. постро́енном в про́шлом году́. II. 1. ...организо́ванном студе́нтами консервато́рии. 2. организо́ванного. 3. организо́ванном. 4. организо́ванному. 5. организо́ванный. III. 1. ...напеча́танную в сего́дняшней газе́те. 2. напеча́танной. 3. напеча́танной. 4. напеча́танной.

Exercise 22. I. 1. ле́ктора, приглашённого... 2. с ле́ктором, приглашённым... 3. ле́ктору, приглашённому... 4. о ле́кторе, приглашённом. II. 1. кни́гу, напи́санную... 2. кни́ги, напи́санной... 3. о кни́ге, напи́санной... III. 1. зада́чи, решённые... 2. зада́ч, решённых...

Exercise 24. 1. Нам понра́вился ве́чер, кото́рый организова́ли студе́нты ста́рших ку́рсов. 2. опера́ция, кото́рую сде́лал молодо́й врач. 3. карти́ну, кото́рую подари́ли мне мои́ друзья́. 4. предложе́ние, кото́рое преподава́тель написа́л на доске́. 5. карти́ны, кото́рые нарисова́ли на́ши худо́жники. 6. газе́ты, кото́рые мы купи́ли вчера́. 7. арти́сты, кото́рых тепло́ встре́тили зри́тели.

Exercise 25. 1. фильм, кото́рый показа́ли. 2. челове́к, кото́рого мы встре́тили. 3. карти́ны, кото́рые со́здали. 4. в до́ме, кото́рый постро́или. 5. кни́гу, кото́рую подари́л друг. 6. на фотогра́фию, кото́рую присла́л оте́ц. 7. пе́сни, кото́рые написа́ли. 8. студе́нты, кото́рых посла́ли на пра́ктику.

Exercise 26. 1. студе́нты, кото́рых пригласи́ли. 2. со студе́нтами, кото́рых при́няли. 3. ю́ноша, кото́рого мы встре́тили. 4. де́ти, кото́рых роди́тели оста́вили. 5. гео́логи, кото́рых посла́ли на се́вер. 6. спортсме́н, кото́рого хорошо́ подгото́вил тре́нер.

Exercise 27. 1. о́пыты, кото́рые прово́дим. 2. спу́тники, кото́рые лю́ди посыла́ют. 3. кислоро́д, кото́рый выделя́ют расте́ния. 4. изве́стия, кото́рые передаю́т по ра́дио. 5. предме́тов, кото́рые изуча́ют в университе́те. 6. но́вости, кото́рые сообща́ют газе́ты и ра́дио. 7. пробле́мы, кото́рые реша́ет э́тот институ́т.

Exercise 28. 1. прочи́танный, напи́санный, пока́занный, расска́занный, сде́ланный, со́зданный, про́данный. 2. изу́ченный, полу́ченный, прове́ренный, решённый, изменённый, объяснённый, пригото́вленный, поста́вленный, испра́вленный. 3. откры́тый, закры́тый, забы́тый, вы́мытый, разби́тый, уби́тый, наде́тый, спе́тый, по́нятый, при́нятый.

Exercise 29. 1. друг, кото́рый присла́л; письмо́, кото́рое присла́л. 2. студе́нты, кото́рые организова́ли; ве́чер, кото́рый организова́ли. 3. учёный, кото́рый откры́л; зако́н кото́рый откры́л. 4. студе́нтка, кото́рая забы́ла; па́пка, кото́рую забы́ла. 5. студе́нт, кото́рый пригласи́л нас; студе́нт, кото́рого мы пригласи́ли.

Exercise 30. 1. при́сланное. 2. полу́ченном. 3. сде́ланное. 4. сде́лавшим. 5. сде́ланная 6. вы́лечившего. 7. напеча́танную. 8. пока́занный.

Exercise 34. 1. пе́сни, напи́санные э́тим компози́тором. 2. де́ти, оста́вленные роди́телями. 3. кни́гу, пода́ренную мне. 4. карти́ну, нарисо́ванную э́тим худо́жником. 5. на по́лке сде́ланной мои́м бра́том. 6. челове́к, встре́ченный на́ми. 7. го́сти, приглашённые на́ми.

Exercise 35. 1. студе́нт, получи́вший письмо́. 2. письмо́, полу́ченное студе́нтом

3. с худо́жником, нарисова́вшим э́тот портре́т. 4. портре́т, нарисо́ванный э́тим худо́жником. 5. с челове́ком, пригласи́вшим нас. 6. госте́й, приглашённых на день рожде́ния. 7. преподава́тель, показа́вший о́пыт. 8. о́пыт, пока́занный нам преподава́телем. 9. студе́нтов, прочита́вших его́ рома́н.

Exercise 36. 1. Этот портре́т нарисова́л изве́стный худо́жник. 2. фотогра́фии сде́лал мой брат. 3. газ откры́ли молоды́е гео́логи. 4. э́то письмо́ я получи́л. 5. заво́д постро́или в 1956 году́. 6. э́ту исто́рию рассказа́ли мне. 7. э́ту кни́гу перевели́. 8. на на́шей у́лице откры́ли. 9. э́тот зако́н при́няли.

Exercise 37. 1. Кто нарисовал э́тот портре́т? 2. Кто подписа́л докуме́нты? 3. Кто написа́л э́ту кни́гу? 4. Кто откры́л газ в э́том райо́не? 5. На како́м заво́де сде́лали э́ти часы́? 6. В како́м магази́не купи́ли э́ту карти́ну? 7. Когда́ постро́или э́тот заво́д? 8. Когда́ получи́ли э́то письмо́?

Exercise 38. 1. написа́ть, прочита́ть, показа́ть, рассказа́ть, посла́ть, прода́ть, созда́ть, организова́ть. 2. получи́ть, прове́рить, постро́ить, реши́ть, купи́ть, пригото́вить, испра́вить, перевести́. 3. закры́ть, забы́ть, вы́мыть, наде́ть, уби́ть, приня́ть, подня́ть.

Exercise 39. 1. Эта карти́на нарисо́вана изве́стным худо́жником. 2. карти́на при́слана мне сестро́й. 3. записка напи́сана мои́м одноќла́ссником. 4. бра́том со́брана больша́я колле́кция. 5. зда́ние постро́ено. 6. уче́бник напи́сан. 7. рома́н переведён. 8. организо́вана вы́ставка.

Exercise 40. 1. студе́нтам был пока́зан фильм. 2. постро́ено мно́го ста́нций. 3. письмо́ напи́сано отцо́м. 4. письмо́ полу́чено мно́ю. 5. нарисо́вано не́сколько карикату́р. 6. бу́дет откры́т кинотеа́тр. 7. бу́дет постро́ена шко́ла. 8. бу́дут напеча́таны стихи́.

Exercise 41. (a) 1. Да, я посла́л телегра́мму. Да, телегра́мма по́слана. 2. прочита́л кни́гу; кни́га прочи́тана. 3. зако́нчил рабо́ту; рабо́та зако́нчена. 4. купи́л биле́ты; биле́ты ку́плены. 5. собра́л ве́щи; ве́щи со́браны. 6. сдал экза́мены; экза́мены сданы́. 7. получи́л ви́зу; ви́за полу́чена.

Exercise 43. 1. полу́ченное, полу́чено. 2. подпи́саны ре́ктором, подпи́санные. 3. постро́ен, постро́енном. 4. организо́ванной, организо́вана. 5. осно́ван, осно́ванном. 6. напеча́танную, напеча́тана. 7. прочи́танные, прочи́таны.

Exercise 45. 1. полу́ченное, при́слано, напи́сано. 2. был пока́зан, пока́занный, была́ решена́, да́нная. 3. организо́вана, при́сланы, сде́ланы, сде́ланные. 4. напи́санный, был напи́сан, был переведён, опи́санные.

The Verbal Adverb

Exercise 1. 1. Брат расска́зывал нам о своём путеше́ствии и пока́зывал фотогра́фии. 2. Я чита́л письмо́ отца́ и ду́мал о свои́х роди́телях. 3. Когда́ мы слу́шаем ра́дио, мы узнаём... 4. Когда́ я начина́л э́ту рабо́ту, я не ду́мал... 5. Когда́ ма́льчик открыва́л окно́, он разби́л... 6. Когда́ преподава́тель объясня́л но́вую те́му, он пока́зывал... 7. Бори́с стоя́л в коридо́ре и разгова́ривал...

Exercise 2. 1. Они́ сиде́ли и разгова́ривали. 2. Когда́ я слу́шаю, я стара́юсь. 3. Когда́ сестра́ отдыха́ла, она́ ре́дко писа́ла. 4. Когда́ библиоте́карь дава́л, он попроси́л. 5. Когда́ я выхожу́ из до́ма, я встреча́ю. 6. Тури́сты гуля́ли и покупа́ли.

Exercise 3. 1. Когда́ лю́ди встреча́ются, они́ говоря́т. 2. Когда́ лю́ди занима́ются спо́ртом, они́ укрепля́ют. 3. Мой брат учи́лся и рабо́тал. 4. Когда́ я возвраща́лся, я встре́тил. 5. Когда́ мы встреча́емся, мы расска́зываем. 6. Когда́ мы поднима́лись в го́ры, мы встре́тили.

Exercise 4. 1. Мы поу́жинали и ста́ли смотре́ть. 2. Студе́нтка собрала́ и вышла. 3. Когда́ друг око́нчит институ́т, он бу́дет. 4. Когда́ я верну́сь на ро́дину, я бу́ду рабо́тать. 5. Мы повтори́ли и пошли́ сдава́ть. 6. Студе́нты сда́ли и пое́хали. 7. Мы позвони́ли и узна́ли. 8. Когда́ я вы́шел, я встре́тил. 9. Когда́ Михаи́л пришёл, он уви́дел.

Exercise 5. 1. Посмотре́в фильм, мы пошли́ домо́й. 2. Заплати́в де́ньги, я взял и вы́шел. 3. Око́нчив шко́лу, сестра́ поступи́ла. 4. Попроща́вшись, я пошёл. 5. Прочита́в газе́ту, оте́ц дал. 6. Немно́го отдохну́в, мы сно́ва на́чали. 7. Наде́в пальто́, я вы́шел. 8. Ко́нчив чита́ть, профе́ссор спроси́л.

Exercise 7. 1. Если он успе́шно око́нчит институ́т, он смо́жет занима́ться нау́чной де́ятельностью. 2. Когда́ мы гото́вимся к экза́менам, мы повторя́ем те́ксты и упражне́ния. 3. Он не уча́ствовал в на́шем разгово́ре, потому́ что не понима́л, о чём мы говори́м. 4. Когда́ я написа́л письмо́, я пошёл на по́чту. 5. Я не смог позвони́ть вам, потому́ что потеря́л ваш телефо́н. 6. Хотя́ он про́жил пять лет в Москве́, он пло́хо говори́т по-ру́сски. 7. Когда́ я верну́лся домо́й, я узна́л, что ко мне приходи́л мой това́рищ. 8. Когда́ он подходи́л к университе́ту, он встре́тил свои́х друзе́й. 9. Когда́ ма́льчик вошёл в ко́мнату, он поздоро́вался с на́ми. 10 Если бы я встре́тил Тама́ру на у́лице, я не узна́л бы её.

Exercise 8. 1. Получи́в письмо́, я на́чал... 2. Повтори́в теоре́мы, мы ста́ли. 3. Купи́в биле́ты, мы вошли́. 4. Прие́хав в Москву́, мои́ друзья́ написа́ли. 5. Подня́вшись на́ гору, мы уви́дели. 6. Уви́дев меня́, мой друг подошёл. 7. Сдав экза́мены, студе́нты пое́дут.

Exercise 9. 1. Вы́учив язы́к, вы смо́жете... 2. Не зна́я языка́, он не по́нял. 3. Отдохну́в, вы бу́дете занима́ться. 4. Поня́в теоре́му, вы смо́жете. 5. Пло́хо зна́я ру́сский язы́к, Майкл не по́нял. 6. Заболе́в, я до́лжен был. 7. Интересу́ясь ру́сской литерату́рой, я покупа́ю.

Exercise 10. 1. Поду́мав, студе́нтка начала́... 2. Попроща́вшись с хозя́евами, мы вы́шли. 3. Узна́в, что..., я реши́л. 4. Прожи́в в Москве́ три го́да, моя́ сестра́ вы́учила. 5. Посмотре́в на часы́, я уви́дел. 6. Просмотре́в газе́ты, преподава́тель.

Exercise 12. 1. ... . Вы́йдя из до́ма, я наде́л плащ, так как пошёл дождь. 2. Уви́дев э́того челове́ка, я поду́мал. ... . 3. ... . Прочита́в кни́гу, я реши́л. 4. Око́нчив тре́тий курс, мы пое́дем. ... . 5. Око́нчив университе́т, мой сын бу́дет. ... .

Exercise 13. 1. Купи́в биле́ты, мы пошли́ в кино́. 2. Верну́вшись домо́й, я уви́дел на столе́ письмо́. 3. Уезжа́я в Москву́, я обеща́л друзья́м написа́ть.

Exercise 15. 1. идя́, придя́. 2. уезжа́я, уе́хав. 3. отве́тив, отвеча́я. 4. прочита́в, чита́я. 5. обе́дая, пообе́дав. 6. объясня́я, объясни́в. 7. осмотре́в, осма́тривая. 8. отдыха́я, отдохну́в. 9. верну́вшись, возвраща́ясь.

Exercise 18. Когда́ Джон и его́ друзья́ узна́ли, что..., они́ реши́ли. Они́ пообе́дали и пое́хали... Они́ сиде́ли в авто́бусе и разгова́ривали... Когда́ они́ шли..., они́ слы́шали... Когда́ они́ подошли́ к ка́ссе, они́ не заме́тили... Джон доста́л из карма́на де́ньги и попроси́л... Касси́р посмотре́ла и отве́тила... Джон не по́нял отве́та и повтори́л... Друзья́ посове́товались и реши́ли... Друзья́ заплати́ли де́ньги, взя́ли биле́ты и пое́хали домо́й.

Учебное издание

Хавронина Серафима Алексеевна
Широченская Александра Ивановна

Русский язык в упражнениях
для говорящих на английском языке

Редактор *М.А. Кастрикина*
Корректор *В.К. Ячковская*
Компьютерная верстка *Н.Г. Исаева, Н.М. Чебуняева*

Лицензия ЛР № 070998 от 27.11.98.
Гигиенический сертификат № 77.99.02.953.Д.000603.02.04 от 03.02.2004.

Подписано в печать 03.12.2007 г. Формат 70x90/16
Объем 24 п.л. Тираж 5000 экз. Зак. 2406

Издательство ЗАО «Русский язык». Курсы.
125047, Москва, 1-я Тверская-Ямская ул., д. 18.
Телфакс: (495) 251 0845
e-mail: kursy@online.ru
www.rus-lang.ru/eng/

Отпечатано в ОАО «Щербинская типография»
117623, Москва, ул. Типографская, д. 10
Тел.: 659-23-27